영국 어린이 환상문학

앨리스에서 데이빗까지

이 저서는 2017년 정부(교육부)의 재원으로 한국연구재단의 지원을 받아 수행된 연구임
(NRF-2017S1A6A4A01019079)

영국 어린이 환상문학

— 앨리스에서 데이빗까지 —

양윤정 지음

도서출판 **동인**

| 머리말 |

호기심을 좇아 이상한 나라로 뛰어든 앨리스, 네버랜드와 어린이의 환상세계를 살아있게 하는 피터 팬, 구박데기 고아에서 호그와트 마법학교의 계승자로 성장하는 해리포터, 엄마의 사랑을 찾아 여행하는 데이빗이라는 AI, 이들은 영국 어린이 환상문학에 등장하는 어린이 주인공입니다. 이들은 세계 어린이의 친구이며, 저의 친구이기도 했습니다. 어린이 독자들은 이 주인공들과 함께 환상세계에서 마음껏 뛰놀고 즐기면서 이야기와 문학을 사랑하는 어른으로 성장하게 됩니다.

어린이 환상문학은 어린이에게 책 읽는 즐거움을 주는 것만으로도 의미가 충분합니다. 그런데 이 작품들의 환상세계가 리얼리즘 문학처럼 삶을 반영하거나 풍자한다고 하니, 무슨 의미일까요? 환상적인 것으로 가득한 어린이 환상문학은 낭만주의 소설인 고딕소설에 그 기원이 닿아있습니다. 호레이스 월폴(Horace Walpole)이나 메리 셸리(Mary W. Shelley)와 같은 고딕소설 작가들은 꿈결 같은 분위기나 독자들이 공감하는 괴물을 창조하여 당대의 삶을 풍자하거나 정치적인 논평을 하였습니다. 왜냐하면 고딕 양식은 '사회적 인식에 대한 광범위한 운동'이었으니까요. 어린이 환상문학 작가들은 고딕소설의 바로 이러한 점에 주목하였습니다. 그들은 동화양식과 상상력을 사용하여 환상적인 세계를 만들었으며, 그 안에서 당대의 삶을 풍자하거나 더 나은 대안적 세계를 꿈꾸었습니다. 20세기에 들어서 이 작품들은 어린이 책일 뿐만 아니라 '상상력을 통한 성찰과 모색이 담긴 문학성 있는 작품'이라는 것이 밝혀지면서 연구자들의 주목을 받게 되었습니다.

특히 빅토리아 시대에 쓰인 어린이 환상문학 작품이 높은 평가를 받기 시작하였습니다. 영국 아동문학이 첫 황금시대를 누린 이 시기에 걸출한 작품들이 쓰였습니다. 어린이 환상문학은 그 당시에 '동화'라고 불렸고, 오늘날에는 동화, 판타지 또는 어린이 환상문학이라고 불립니다. 빅토리아 시대의 몇 명 안 되는 어린이 환상문학 작가 가운데 조지 맥도널드(George MacDonald)는 후대 작가들에게 큰 영향을 주었습니다. 『나니아 연대기』의 작가, 클라이브 스테이블즈 루이스(Clive Staples Lewis)가 맥도널드를 자신의 스승이라고 하면서부터 그가 더욱 유명해졌습니다. 맥도널드는 대학 시절에 부유한 저택의 서재에서 지낼 기회가 있었는데, 그때 독일 낭만주의, 고전 영시, 중세 기사 이야기를 탐독하면서 낭만주의 정신이 가득한 청년으로 성장하였습니다. 그는 작품에 어린이 주인공을 등장시켜서 상상력을 통하여 환상세계를 여행하도록 한 후, 평범한 세상에 사는 사람들의 일상을 축복하고 변화를 가져옵니다. 또 하나의 특징은 더 나은 세상을 만들기 위하여 요원한 사회제도의 개혁이나 전복을 바라는 대신에, 어리지만 상상력을 가진 주인공 개개인이 변화하여 이 사회에 한 줄기 빛을 비추기를 희망합니다. 그 당시 영국의 사회적 불평등과 열악한 상황을 고려할 때 사회제도의 개선보다 개인이 성숙할 가능성에 오히려 기대를 걸었던 것은 놀라운 일이 아니며, 그 당시 다른 어린이 환상문학 작가들도 이러한 경향을 띠었습니다.

어린이 환상문학은 나이와 상관없이 '5세이든, 50세이든, 75세이든, 어린이의 마음을 가지고 있는 사람들'을 위한 것입니다. 어린이 환상문학 작품들은 어린이라는 수식어에 갇히지 않으며, 상상력을 사용하여 현재 이전, 현재, 미래의 삶에 대하여 논평하면서, 우리의 삶이 감추고 있는 현실 이면이나 또 다른 현실을 보여주는 은유적 공간이었습니다. 그래서 영국 어린이 환상문학은 재미있고 신비로운 어린이를 위한 세계인 동시에 현재의 우리가 미처 깨닫지 못한 또는 아직 도달하지 못한 세계를 제안하면서, 본류 영문학 작품들처럼 삶에 대하여 논평합니다. 그러므로 영국 어린이 환상문학은 영어가 모국어가 아닌 우리나라 영문학 수업을 포함한 다양한 수업은 물론이고, 문학작품이 문화콘텐츠로 활용되는 시대에 읽고 활용할 가치가 충분합니다.

이 책은 한국연구재단 저술출판지원사업의 후원을 받아 수행한 연구결과입니다. 3년 동안의 연구는 영국 어린이 환상문학이 황금시대를 누렸던 빅토리아 시대 중반부터 에드워드 시대를 중심으로 논의합니다. 동시대 연구 또한 포함하지만, 두 작가의 작품만을 다루어서 아쉬움이 남습니다. 시간과 지면은 부족한 법이고, 비어있는 부분은 후속 연구로 보충하겠다는 계획으로 위안을 삼으려 합니다. 연구를 지원해준 한국연구재단, 조언을 아끼지 않으신 은사님, 선배와 동료 연구자분들께 감사합니다. 연구 결과를 예쁜 책으로 만들어 준 도서출판 동인에도 감사합니다.

2021년 11월

양윤정

| 차 례 |

서론

영국
어린이 환상문학

영국 아동문학은 어린이, 상상력과 동화에 관한 관심과 함께 발전하여 어린이 환상문학의 형태로 꽃을 피웠다. 영국에서 아동문학은 18세기 중반에 새로운 사고방식의 출현과 더불어, 아동기 또는 어린이에 대하여 근대적 견해를 갖게 되면서 발생하였다. 또한 영국 아동문학의 발생은 중산층이 자리를 잡아가면서 출판이 근대적 방향으로 발전하고, 시간과 경제력, 교육과 독서 성향을 지닌 인구가 점점 늘어나서 아동문학 시장을 형성할 수 있었던 사회적 상황과도 관련이 있다. 이후 영국 아동문학은 이성이라는 이름으로 감금되었던 상상력을 해방한 낭만주의 영향으로 인하여 19세기 초부터 발전하여 빅토리아 시대 중반과 에드워드 시대에 아동문학의 황금시대를 누리면서 세계의 아동문학을 선도해왔다. 본 저서는 이러한 특성에 주목하여 19세기부터 동시대까지 영국 아동문학 분야를 주도했던 어린이 환상문학의 특성과 함께 선정된 작품들의 작품성을 논의하여, 이를 우리나라 영문학과와 다양한 수업에 활용하기 위한 기초연구로 활용하고자 한다.

영국 어린이 환상문학에 관한 논의는 우리나라 영문학 전공 학자들이 영문학과 교육과정의 변화를 모색하기 위한 관심과 무관치 않다. 영문학과의 반성과 자기 갱신을 외부로부터 강요받아야만 하는 21세기 현실에서 일부 교수들은 "변화하는 사회적 요구를 반영하는 새로운 교육과정 개발, 영문학교육의 정체성을 확립하기 위한 변화의 필요"를 절감하면서 다양한 방법을 모색해왔다(심경석 164). 우리나라 영문학과의 변화를 절감하는 학자들은 영문학 연구를 전통적인 영미문학 고전작가를 중심으로 하는 정전 연구에 갇히지 않고 다양한 영어권 문학이나 아동문학까지 확장하고자 한다.

변화의 필요성을 인식하는 교수들은 비영어권인 우리나라 영문학교육 현장에서 영미 아동문학 작품을 다루어야 하는 당위성을 영문학교육에 대한 반성적 연구에서 입증한다. 예를 들면 일부 교수들은 "영문학 전공을 하는 학생 다수의 영어독해 능력으로는 소위 정전으로 신봉되고 있는 작품을 제대로 소화하거나 다루기에 벅차다는 점"을 언급한다(유제분 129). 또한 우리나라에서 영문학과에 대한 수요가 줄어들고 있고, 영문학 전공 학생들마저 영문학 원서를 향유하는 방식이 기성세대와 달라진 점을 인식하면서 학자들은 학생들의 관심을 끌만한 아동문학에 관심을 가지기 시작하였다. 이들은 아동문학을 교육과정에 포함하는 것이 영어가 외국어인 우리나라에서 영어와 영문학교육에 적절하다고 제안한다.

영문학 교수들의 반성은 비영어권인 우리나라 영문학과 또는 관련 학과가 영미권의 영문학과 교육과정을 그대로 답습하면서 "문학에 관한 지식"을 가르치는 데 집중해왔으나, 문학 수업의 진정한 목표인 "비판적 사고능력을 배양하고 창조적 상상력"을 키우고 있는가에 대하여 의문을 제기하는 것이다(김태원 33). 이들은 우리나라의 영문학교육 및 수업을 반성하면서 우리의 영문학과가 영어권에서 정한 교육과정을 그대로 답습하기보다 우리 실정에 좀 더 맞는 교육을 하자는 자성의 목소리를 내고 있다.

영문학 수업에 영미 아동문학을 활용하기 위하여 이 분야의 연구와 교육의 역사를 살펴보면, 영미권에서 1970년대, 우리나라에서는 1990년대에 본격적으로 시작되어 비교적 최근에 관심을 받게 된 분야이다. 1990년대에 우리나라에서 영미 아동문학은 연구가 비교적 덜 된 분야였지만 영문학과의 교육과정과 그 외의 수업에 활용되면서 가치를 인정받았다. 영미 아동문학 작품은 대학에서 읽히는 영문학 정전과 비교할 때 상대적으로 읽기에 쉽지만, 문학성을 가지고 있어서 학생들에게 문학에 대한 흥미를 유발할 수 있는 장점이 있다. 이로 인하여 영미 아동문학에 관한 관심이 지속적으로 이어지면서 교육과 연구에 활용되었고, 연구 결과물 또한 많이 축적되었다. 이것은 아동문학 텍스트가 학문적 교육적으로 많이 활용되고 있음을 시사한다. 이러한 시점에서 그동안 축적된 연구 결과물들을 토대로 영국 아동문학을 어린이 환상문학 전통 중심으로 조망하면서 이 분야를 활용하기 위한 논의를 하는 것도 의미 있는 일이라고 여긴다. 본 저서는 영국 아동문학을 선도해온 어린이 환상문학 전통의 시각에서 영국 아동문학의 시대적 특징을 개관하고, 읽고 가르치기에 적절한 주요 작품들을 선정하여 문학성을 살펴보고자 한다.

영국 어린이 환상문학을 빅토리아 시대 중반과 에드워드 시대, 그리고 동시대를 중심으로 논의하기 위하여 우선 이 단어들을 하나씩 짚어본다. '영국(의)'이라는 수식어는 영국에서 출판된 영어로 쓰인 책을 의미하기로 한다. '환상문학'이 또 하나이며 '어린이 환상문학'은 그것의 좁혀진 이름이자 장르로서 판타지(fantasy)와 과학소설(Science Fiction, SF로 표기함)을 포함한다. 환상문학, 판타지, SF라는 용어들은 본서의 정의대로 사용되기도 하지만 그렇지 않은 경우도 있음을 밝혀 둔다.

18세기 중반에 발생한 영국 아동문학은 낭만주의 시대에 어린이 환상문학의 형태로 더욱 발전하였다. 영국 아동문학과 어린이 환상문학 발전의 근간에 어린이 즉 아동기에 대한 견해가 변화하고 있었고 이와 더불어 상상력과 동화에 대한 재평가가 이루어지고 있었다. 18세기 초까지만 해도 어린이는 제멋대로의 경향을 보인다고 여겨졌기 때문에 성인이 되기 위하여 신중하게 교육받아야 할 존재로 인식되었다. 어린이, 즉 아동기는 중요하지 않았으며, 자유로운 상상력은 무책임하거나 심지어 사회적으로 위험한 것이라고 여겨졌다. 그러나 낭만주의 시대에 윌리엄 블레이크(William Blake)의 『무구의 노래』(*Songs of Innocence*, 1789)와 윌리엄 워즈워스(William Wordsworth)의 『영혼 불멸의 송시』(*Ode on the Intimations of Immortality*, 1807)는 각각 아동기의 순수함과 상상력의 무한한 힘을 찬양하면서 어린이와 상상력에 대하여 변화하는 견해를 보여주었다. 이러한 견해로 인하여 '아동기'는 교육받아서 떠나보내야 할 시기가 아니라, 세상에 대하여 너무나 유약하지만 자연의 순수함을 가진 행복한 시기라고 인식되었다. 어린이는 그 자체로서 정당한 존재가 되었으며, 어른들은 어린이 또는 아동기를 동경하게 되었다.

아동기에 대한 인식의 변화로 교훈적인 아동문학이 변화하기 시작하였는데, 그 시점은 1860년대이다(Reynolds 27). 이때부터 어린이에 대한 견해가 캘빈주의에서 루소의 이론으로 대체되었고, 빅토리아인들의 마음속에 '아름다운 어린이'라는 개념이 자리 잡기 시작하였다. 우선, 당시에 널리 퍼져있던 어린이에 대한 캘빈주의 개념, 즉 어린이는 죄로 타락한 피조물이며 잘 가르쳐서 구원해야 한다는 생각은 루소에 의하여 무너졌다. 루소는 어린이를 타락 이전의 세계에 대한 순수하고 완벽한 연결고리로 인식하였다. 아동기는 향수와 숭배의 대상이 되었으며, 사춘기를 기점으로 성인기(adulthood)와 구분되었다. 순수한 아동기라는 새로운 개념이 생겨나자 작가들은 읽는 즐거움을 염두에 둔 작품을 쓰기 시작하였으며, 어린이 환상문학이 발전하였다. 출판업자들도 아동문학 시장에 주목하였다. 빅토리아 시대의 힘차고 모험심이 왕성한 시기에, 근대적인 태도와 방식 그리고 전문성을 지닌 새로운 출판업자가 급속하게 성장하여 훌륭한 작품들을 출판하면서 아동문학은 발전을 구가하였다.

아동문학의 필요성과 아동문학 시장을 형성할 수 있었던 사회적 배경에서 어린이 환상문학이 빅토리아인들을 매료한 또 하나의 이유는 산업혁명이었다(Manlove 14). 산업혁명으로 인하여 영국은 시골에서 산업화된 도시로, 수공업에서 공장에 이르기까지 다른 어떤 나라보다 상당히 일찍 그리고 매우 빠른 속도로 변화하였다. 새로운 방식으로 작동되는 공장의 대량 생산으로 인하여 많은 시골 노동자는 잉여 인력이 되면서 일자리를 찾기 위하여 도시로 모여들었다. 산업화와 도시 슬럼가가 확산되자 시골은 황폐해져서 사람들이 평화롭게 모여 살면서 일하는 장소가 더는 아니었다. 이로 인하여 시골은 잃어버린 좋은 장소라는 개념으로 국민의 정서에 깊이 자리 잡아 18세기 후반에서 19세기 초에 쓰인 만가 형식의 시에 빈번하게 등장하였다. 잃어버린 좋은 장소로서 시골에 대한 국민적 정서는 이내 어린이와 동일시되었다. 어린이는 성인이 되면서 어린 시절의 순수함이 사라지기 때문이다. 이러한 이유로 어린이, 또는 아동기는 산업혁명으로 인하여 향수와 숭배의 대상이 되었고, 어린이 환상문학은 어린이는 물론 어른들의 강한 요구에 부합하여 목가적인 세계를 종종 묘사하였다. 이러한 작품에서 상상력은 자유로워지고 악이 극복될 수 있었다.

어린이 환상문학을 발전하게 한 근간에는 상상력에 대한 인식의 변화와 동화의 유입이 있었다. 상상력에 대한 논의는 문학양식(mode)으로서 판타지에 대한 논의와 더불어 시작된다. 양식으로서 판타지는 19세기 초반부터 한 세대 동안에 그 뜻이 바뀌었다. 이 단어는 중세 영어에서부터 사용되기 시작했는데, 그 어원은 그리스 단어, '판타지아'(phantasia), 즉 '보이게 하는 것'을 의미한다. 판타지는 영어에 처음 사용될 때부터 상상력(imagination)과 공상(fancy)과 관련이 있었으나, 이 단어의 초기 의미는 다소 경멸적, 기만적, 환멸적인 어조를 띠고 있어서 분별력이 있거나 실용적인 사람들에게는 병적으로 들렸다. 이성과 미메시스(mimesis)를 중시하던 서구에서 판타지 양식은 폄하되었으며 이러한 현상은 18세기 후반까지 계속되었다.

그런데 1825년에 판타지와 상상력은 갑자기 새로운 지위를 얻게 되었다. 판타지의 비현실적 특성이 일종의 독립된 삶 또는 자율성을 만들어내었다. 광인과 어린이에 대한 인식이 달라졌으니 이들은 관심의 대상이 되었다. 낭만주의 영향으로 감수성의 변화가 시작되었기 때문이며, 이러한 변화를 주도한 인물들 가운데 사무엘 테일러 코울리지(Samuel Taylor Coleridge)가 있다. 코울리지는 아름다운 동시에 악으로 가득한 꿈의 세계를 창조한 『노수부의 노래』(*The Rhyme of the Ancient Mariner*, 1798), 『쿠블라 칸』(*Kubla Khan*, 1816), 『크리스타벨』(*Christabel*, 1816) 등의 작가로서 "낭만주의 시인"의 전형이다(Prickett 35). 이들 가운데 『노수부의 노래』는 빅토리아 시대의 판타지 양식을 이해하기에 적절한 작품이다. 작가는 장엄하고 이국적인 것을 동경하면서 삶에 대하여 철학적·우주적인 의미를 탐색할 뿐만 아니라 낭만주의 정신을 설명한다. 또한, 이 시는 환상적인 꿈의 세계를 특징으로 하는데 이는 동시대인들이 오해하기도 했던 현실도피라기보다 복잡한 의미를 숨기고 있다. 코울리지는 동화에 가치를 두었으니 이것은 앞으로 전개될 동화의 유행과 어린이 환상문학을 예상할 때 상당히 예언적이었다. 그림 형제(The Grimm Brothers)의 동화 모음집 『독일 민중의 이야기』(*German Popular Stories*, 1823)와 한스 크리스티안 안데르센(Hans Christian Andersen)의 동화 모음집(1846)이 번역·소개되면서 엄청나게 성공하여 영국에서 동화 붐을 일으켰다. 토머스 칼라일(Thomas Carlyle)이 기계적이고 신중한 시대라고 논평했던 빅토리아 시대에 동화는 영적 활력을 줄 수 있는 분야로 부상하였다.

낭만주의가 주요 문예사조가 되었을 때 상상력은 판타지와 공상으로부터 분리되었다. 코울리지가 상상력을 공상으로부터 다시 한번 분리하였는데, 그에게 상상력은 미학적·창의적인 힘을 가진 '살아있는 힘'으로서 문학 소재들을 전혀 새로운 모습으로 탄생시켰다. 상상력은 시인에게 최상의 재능인 '창의력'이 되었다. 한편, 칼라일은 판타지를 상상력과 유사한 지위로 격상시켰다. 그는 『의상철학』(*Sartor Resartus*, 1831)에서 코울리지의 상상력 대신에 판타지라는 단어를 대입한다. 그는 판타지를 "작은 것에 근거하여 보이지 않는 것의 무한한 깊이까지 확장할 수 있다"라고 하여 판타지의 높은 상징성을 언급하였다(210). 판타지는 상상력과 함께 시적 상징을 만들어내는 힘으로 격상되었으며, 판타지 양식은 칼라일의 견해를 바탕으로 발전하기 시작하였다.

낭만주의가 중시하던 상상력의 충동 그리고 판타지 양식의 발전과 더불어 동화의 유행에 주목하고자 한다. 낭만주의 시대 이전, 이성의 시대에 동화는 촌스럽고 비합리적인 것으로 여겨졌다. 그러나 19세기 초에 낭만주의 운동은 오랫동안 이성에 의해 억압받아온 상상력의 재평가, 고전작품을 어느 정도 대신한 독일과 북유럽 고전의 영향, 고전건축에서 고딕건축으로 변화를 가져왔는데, 이러한 변화가 동화에 관한 관심을 더욱 발전시켰다. 독일에서 전래동화(folk fairy tales)와 문학적 동화(literary fairy tales)가 19세기 초 낭만주의 작가들 사이에서 크게 사랑받고 있었으며, 영국에서도 19세기 중반에는 샤를 페로(Charles Perrault), 그림 형제, 안데르센의 동화를 모두 영어로 읽을 수 있게 되었다. 유럽대륙으로부터 동화의 유입은 영국인들에게도 영향을 주었다. 예를 들어 영국의 조지프 제이콥스(Joseph Jacobs)는 1890년에서 1894년 사이에 켈트족과 인디언 동화를 수집하여 영어로 번역하였다. 그는 흩어져있던 영국의 동화들을 모아서 『영국의 전래동화』(*English Fairy Tales*, 1890)를 출판하기도 하였는데, 이것은 영국에서 가장 유명한 동화 모음집이 되었다. 동화의 인기는 19세기 내내 계속되면서 아동문학에 영향을 주기 시작하였다.

빅토리아 시대처럼 도덕이 중시되던 시대의 아동문학에 동화가 받아들여지기 위해서는, 이 이야기들이 어린이에게 도덕적인 가르침을 줄 수 있어야 했다. 찰스 디킨스(Charles Dickens)가 자신의 에세이, 「동화의 거짓」("Frauds on the Fairies")에서 동화가 어린이의 도덕성을 길러준다고 주장하였듯이, 동화는 교훈적이라고 인식되면서 어린이를 교육하기 위한 아동문학으로 활용되기 시작하였다. 교훈적인 이야기 그리고 교훈과 즐거움을 동시에 주는 이야기가 공존하던 빅토리아 시대에 동화는 유용한 어린이 책으로 받아들여졌을 뿐만 아니라 작가들에게 영향을 주어 새로운 이야기, 즉 어린이 환상문학 작품을 쓰도록 하였다. 19세기 중엽에 영국 아동문학은 어린이 환상문학 장르와 함께 비약적으로 발전하였다.

1860년대에 두 편의 위대한 어린이 환상문학 작품이 발표되었으니 찰스 킹슬리(Charles Kingsley)의 『물의 아이들』(*The Water-Babies*, 1862)과 루이스 캐럴(Lewis Carroll)의 『이상한 나라의 앨리스』(*Alice in Wonderland*, 1865) 등 앨

리스 시리즈(the *Alices*)였다. 이 작품들은 영국에 어린이 환상문학의 시대가 도래했다는 것과 판타지 양식의 유행을 알렸다. 판타지 양식은 작가들이 어린이 환상문학 작품을 쓰는 일을 가능하게 했을 뿐만 아니라 다른 세계를 창조하여 삶에 대하여 논평하거나 더 나은 세계를 제안하는 것을 가능하게 하였다. 어린이 환상문학 작가들은 꿈과 동화형식 등 판타지 양식을 즐겨 사용하면서 낭만주의 소설인 고딕소설의 전통을 계승하였다. 대표적인 고딕소설로 호레이스 월폴(Horace Walpole)의 『오틀란토 성』(*The Castle of Otranto*, 1764)과 메리 셸리(Mary Shelley)의 『프랑켄슈타인』(*Frankenstein*, 1817)이 있으며, 이 작품들은 꿈결 같은 분위기와 독자들이 공감하는 괴물을 포함한다. 고딕소설 작가들은 상상력을 사용하여 당대의 삶에 대하여 정치적인 논평을 하였으며, 대표적으로 윌리엄 모리스(William Morris)는 고딕문학을 즐기던 작가로서 사회주의에 관심이 있었다. 그러므로 어린이 환상문학의 발전은 어린이를 위한 아동문학의 역할은 물론 고딕양식의 부활로서 "사회적 인식에 대한 더욱 광범위한 운동의 일환"(Prickett 13)이 되었다.

문학양식으로서 판타지에 대한 논의와 더불어 장르로서 판타지는 19세기 동화의 유행과 함께 발전하였기 때문에 동화와 관련하여 논의하고자 한다. 우선 『옥스퍼드 아동문학 사전』(*The Oxford Companion to Children's Literature*)에 의하면 판타지는 "특정한 (예를 들어 전통적이지 않은) 작가가 쓴 흔히 소설 길이의 허구작품을 설명하기 위하여 사용하는 용어"라고 정의된다(Carpenter and Prichard 181). 마리아 니콜라예바(Maria Nikolajeva)는 판타지, 동화, 문학적 동화를 정의할 때, "판타지와 문학적 동화는 작가가 쓴 작품"이라는 점에서 전래동화와 다르다고 한다(11). 또한, 콜린 맨러브(Colin Manlove)의 지적처럼 "19세기에 판타지라는 용어가 없었기 때문에 작가들은 동화형식으로 쓴 자신의 작품들을 동화"라고 하였다(17). 이러한 논의를 정리하면 전래동화는 구전으로 전해지던 이야기를 문자로 기록한 것이고, 판타지는 작가가 동화적이거나 환상적인 요소를 포함하여 새로 쓰거나 창작한 작품으로서 문학적 동화라고도 불렸다. 그러므로 19세기 영국에서 작가들이 새로 쓴 동화 작품들이 영국 판타지 장르의 시작이라고 할 수 있다.

판타지 작가들이 등장하여 성공을 거두는 가운데, 판타지는 장르와 양식(mode)의 관점에서 다양한 논의를 생산하였다. 우선, 판타지 논의에 물꼬를 튼 프랑스의 츠베탄 토도로브(Tzvetan Todorov)는 『환상문학 입문』(*Introduction à la littérature Fantastique*, 1970)에서 판타지에 대하여 체계적인 논의를 시작하면서 판타지를 장르로 본다. 로즈메리 잭슨(Rosemary Jackson)은 자신의 저서 『판타지: 전복의 문학』(*Fantasy: The Literature of Subversion*, 1981)에서 판타지를 장르가 아닌 양식이라고 주장한다. 그녀는 판타지의 전복성이라는 사회적 맥락에 초점을 맞추어 판타지 작품들을 재평가하고자 하였다.

하지만 캐스린 흄(Kathryn Hume)은 『환상과 미메시스: 서구 문학에서 리얼리티에 대한 반응』(*Fantasy and Mimesis: Responses to reality in Western Literature*, 1984)에서 판타지를 장르나 양식과 동일시하는 것을 반대한다. 그녀는 앞선 논의를 검토하여 모든 요소를 고려하는 포괄적 정의를 시도하면서 다시 판타지의 지평을 확장하였다. 그녀는 문학의 주요 충동을 모방으로 간주하여 판타지를 주변적 현상으로 규정하는 견해들에 반박하면서, 문학을 환상과 미메시스 모두의 산물로 보았다. 즉 판타지를 문학의 보편적 충동으로 설득함으로써, 주변 장르로서 제한된 지위를 가졌던 환상문학의 위상을 재정립하고자 하였다. 그래서 그녀는 어떤 작품을 미메시스 또는 판타지라고 단정 짓는 것은 적절치 못하다고 하였다. 오히려 많은 장르와 양식이 공존하고, 모든 작품에 두 가지 충동이 혼합되어 있다고 하였다.

판타지에 대한 다양한 논의와 더불어, 『판타지 백과사전』(*The Encyclopedia of Fantasy*)의 정의도 주목할 필요가 있다. 저자들은 판타지를 설명하기 위하여 환상성(the fantastic)과 판타지를 다음과 같이 설명한다. 환상성은 넓은 의미로 사용되어 인간이 표현하는 사실적이지 않은 모든 형태의 표현을 일컫는 용어이다. 환상성이 사용된 텍스트가 문학일 경우 환상문학이며, 판타지는 SF와 같이 좁은 의미로 사용된다(Clute and Grant 335-39). 저자들은 환상성, 환상문학을 좀 더 넓은 영역을 지칭하는 의미로, 판타지를 좀 더 특수한 의미로 사용하고 있지만, 판타지에 대하여 양식과 장르의 측면에서 명확히 경계를 정하기 어려운 점을 인정한다. 서구 동시대 학자들의 논의를 종합하여 본서에서는 환상문학을 가장 큰 범주로 정하고 그 안에 어린이 환상문학이 놓이며, 이것은 장르와 양식으로서 판타지 그리고 SF 장르를 포함하는 것으로 볼 것이다.

판타지에 관한 정의와 함께 판타지의 내용에 관해서도 다양한 연구가 이루어졌다. 잭슨과 토도로브는 판타지를 '전복', 존 로널드 로얼 톨킨(John Ronald Reuel Tolkien)은 '전통 가치의 회복'이라고 한다. 맨러브는 『영국 판타지 문학』(*The Fantasy Literature of England*)에서 판타지를 '초자연적이거나 불가능한 것을 포함하는 허구'라고 한다. 또한, 니콜라예바는 『마법 코드: 어린이 판타지 문학에서 마법 양식의 사용』(*The Magical Code: The Use of Magical Patterns in Fantasy for Children*, 1988)에서 맨러브의 정의를 사용한다. 니콜라예바에 의하면 판타지는 작가가 의식적으로 창작한 작품으로 필수요소는 마법(magic)이다(11). 판타지에 대하여 어떠한 정의를 택하더라도 흄이 주장하는 것처럼 판타지는 리얼리즘 문학처럼 리얼리티에서 출발하며 모방과 함께 근본적인 문학 충동이라는 공통점이 있다.

빅토리아 시대 중반에 영국은 판타지 양식과 동화가 유행하는 가운데 윌리엄 새커리(William Thackeray), 에드워드 리어(Edward Lear), 존 러스킨(John Ruskin), 캐럴, 디킨스, 조지 맥도널드(George MacDonald), 오스카 와일드(Oscar Wilde), 러디어드 키플링(Rudyard Kipling)과 그 외의 필력 있는 작가들을 선두로 하여 중요한 어린이 환상문학 작품들을 출판하였다(Carpenter, 16). 이러한 작가들을 시작으로 1850년부터 제1차 세계대전까지 영국 어린이 환상문학은 황금시대를 누렸다.

어린이, 상상력과 동화에 대한 새로운 인식과 함께 발전하기 시작한 영국 아동문학과 어린이 환상문학은 빅토리아 시대와 에드워드 시대에 황금시대를 두 번이나 누렸으며, 오늘날에도 어린이와 어른을 동시에 매료하는 걸출한 작품들을 출판하고 있다. 본 저서는 영국 어린이 환상문학을 시대별로 개관하여 주요 작품들을 논의하고자 한다. 빅토리아 시대에 작가들은 동화 형식과 소재를 사용하여 판타지로 가득한 작품을 쓰기 시작하였다. 초기 어린이 환상문학 분야의 대표적인 작가들로 캐럴, 맥도널드, 와일드를 들 수 있는데 이들의 작품은 영문학의 고전으로 편입되었으며 오늘날에도 널리 읽히고 있다. 이 작가들을 중심으로 19세기 어린이 환상문학을 '초월' 또는 '전복'으로 논의하고자 한다.

에드워드 시대의 작가들은 어린이들을 집 밖으로 내보내는 경향이 있었는데 그들의 작품은 빅토리아 시대보다 훨씬 더 성숙하다는 평가를 받는다. 1900년부터 1920년대까지 주요 작가로 프란시스 호지슨 버넷(Frances Hodgson Burnett), 제임스 매튜 배리(James Matthew Barrie), 에디스 네스빗(Edith Nesbit) 등을 들 수 있다. 이들이 동화와 여성 스토리텔링의 전통 안에서 만들어내는 환상세계는 자신이나 가족, 그리고 독자들을 치유하는 힘으로 작용한다.

동시대 어린이 환상문학은 판타지와 SF 장르로 이어지고 있다. 작가들은 급변하는 동시대의 삶에 대한 논의 또는 엄청난 과학 발달의 시대에 미래에 대한 사유를 상상력을 바탕으로 작품화하고 있다. 대표적인 작가로 조앤 롤링(Joanne Kathleen Rowling)과 브라이언 올디스(Brian Wilson Aldiss) 등을 꼽을 수 있다. 이들의 텍스트는 대중성과 작품성을 확보하면서 영국 어린이 환상문학이 오늘날에도 건재함을 과시한다.

1부

19세기 : 어린이 환상문학의 첫 번째 황금시대

— 동화와 어린이 환상문학

빅토리아 시대 중반에 영국 아동문학은 첫 번째 황금시대를 누린다. 상상력과 창의력의 광범위한 특성을 보이는 아동문학이 강력하게 성장하는 분위기에서, 훌륭한 어린이 환상문학 작품들이 출간되어 영국은 19세기 중반에 그 어떤 나라도 누리지 못한 아동문학의 황금시대를 누리게 되었다. 이러한 원천과 자극은 샤를 페로, 그림 형제, 안데르센 등 유럽대륙의 동화의 영향으로 시작되었다. 유럽 전역에서 인기 있었던 동화 모음집이 19세기 동안 상당히 많이 유입되었고, 이것이 번역되어 유행하면서 영국 어린이 환상문학을 발전시키는 토양이 되었다.

동화의 유행은 그림 형제의 동화가 어린이를 위하여 처음 번역되었을 때 시작되었다. 즉, 에드워드 테일러(Edgar Taylor)가 번역한 두 권으로 된 그림 동화집(1823~1826), 『독일 민중의 이야기』가 출간되었을 때, 이 모음집의 이야기들이 상당한 인기를 얻으면서 영국에서 대륙의 동화를 번역하는 붐을 일으켰다. 안데르센의 작품들 역시 상상력이 풍부한 문학적 동화, 즉 판타지로서 영향력과 인기가 있었다. 앤드류 랭(Andrew Lang)은 북유럽, 페르시아, 프랑스, 일본, 러시아, 고대 그리스, 인도, 핀란드와 다른 나라의 동화를 모아서 12권의 『동화 모음집』(*Fairy Book* Collection, 1889~1913)을 출간하기도 하였다.

한편, 영국의 동화는 개별적으로 인쇄되어 읽히고 있었지만 모음집의 형태로 존재하지는 않았다. 동화의 유행은 자국의 동화 모음집을 출판하도록 동기를 부여하였다. 제이콥스가 『영국의 전래동화』를 출판하였으며, 이 모음집은 영국에서 가장 유명한 동화모음집이 되었다. 동화는 상상력의 원천으로서 19세기 동안 영국 아동문학에 받아들여졌다. 빅토리아인들은 상상력뿐만 아니라 도덕적인 교훈이 포함된 동화를 환영하였다(Wullschläger 101). 마법 규칙이 엄격하고, 권선징악의 분명한 보상이 따르는 동화가 빅토리아 시대인들의 요구에 적절했다고 할 수 있다.

즐거움과 가르침은 항상 존재하던 문학적 충동인데, 낭만주의 시인들이 어린이에게 부여한 새로운 지위가 받아들여지면서 아동문학도 이러한 가치를 추구하게 되었다. 그 이전에 아동문학은 어린이를 교육하려는 목적이 더욱 중요하였다. 이러한 시대적 흐름은 코울리지, 찰스 램(Charles Lamb), 엘리자베스 릭비(Elizabeth Rigby), 디킨스가 교훈주의자들의 득세를 개탄하는 것에서 드러난다. 또한, 테일러는 그림 형제 동화 번역본의 서문에서 다음과 같이 불평하였다.

> 영국의 대중적인 이야기들이 상당히 무시당해왔다. 이 책들은 육아실의 서가에서 거의 사라졌다. 철학이 아이들의 친구가 되어야 한다. 혀 짧은 소리를 내는 화학자와 구속하는 수학자들이 존재한다. 지금은 이성의 시대이지 상상력의 시대가 아니다. 요정의 순진함을 꿈꾸는 아름다운 꿈은 헛되고 경솔하다. (Taylor iv)

유럽대륙으로부터 동화의 유입, 영국인들의 자국동화 수집, 그리고 전래동화와 같은 구전 이야기들을 바탕으로 동화가 다시 쓰이는 상황에서 읽는 즐거움과 가르침을 포함한 어린이 환상문학 작품들이 예견되었고, 이러한 시대에 테일러의 주장은 열매를 잉태하고 있었다.

1860년대 이후 아동문학은 즐거움과 교훈을 포함하거나, 즐거움을 더욱 강조하면서 전래동화를 많이 활용하였다. '아름다운 어린이'에 대한 개념, 아동기 자체를 독립된 상태로 보는 견해가 더욱 널리 받아들여지면서 상상력이 풍부한 이야기가 더욱 중요해졌다. 새커리의 『장미와 반지』(*The Rose and the Ring*, 1854)는 전래동화를 패러디하였고, 존 러스킨(John Ruskin)의 『황금강의 왕』(*The King of the Golden River*, 1851)은 그림 형제뿐만 아니라 독일 낭만주의로부터 영향을 받았다. 러스킨은 유명한 동화를 단순하게 재화(retelling)

한 것이 아니라, 전래동화의 형식을 가진 이야기를 자신만의 독특한 문체로 다시 썼다. 이처럼 전래동화를 활용하는 방법은 영국 아동문학이 발전하는 초기 단계에서 어린이 환상문학의 약진을 보여주면서 캐럴, 맥도널드, 와일드 등을 위한 길을 열어주었다.

아동문학에 상상력이 받아들여지면서 19세기 중반, 즉 1865년경에 발표된 작품들은 텍스트의 길이가 길어졌다. 험프리 카펜터(Humphrey Carpenter)가 언급하듯이 이것은 작가들이 아동문학 집필에 더욱 자신감을 가지게 되었음을 반영한다(11). 어린이 환상문학 작품들은 1830년대에 짧은 서사 형식을 띠다가 1840년대에 조금 더 길어졌고, 1850년대에 『장미와 반지』, 『할머니의 멋진 의자』(*Granny's Wonderful Chair*, 1856) 그리고 1860년대 킹슬리의 『물의 아이들』은 소설 형태를 띠게 되었다. 어린이 환상문학에 대한 확신은 결국 훨씬 포괄적이고 미학적이며 삶에 대하여 많은 것을 포함하는 작품을 쓰도록 하였다.

19세기 중반 이후 캐럴, 맥도널드, 와일드가 새로운 동화양식을 탐색한 것은 어린이 책을 쓰려는 의도와 함께 당대 영국사회의 제도와 관례 등에 대하여 논평하기 위한 것이었다. 캐럴의 『앨리스』 시리즈• 는 어린이의 읽는 즐거움을 인식한 작품들로, 영국 어린이 환상문학의 전환점이라는 중요한 의미를 갖는다. 『앨리스』는 어린이 환상문학의 무한한 가능성을 보여준 아동문학일 뿐만 아니라 당대의 사회규범에 대하여 의문을 제기한 문학작품으로도 탁월하다. 특히, 『이상한 나라의 앨리스』는 '삶이란 무엇인가'에 대한 은유이고, 리얼리티의 재현을 넘어서 사회규범에 대하여 의문을 제기하는

• 캐럴의 『앨리스』 시리즈는 『지하세계의 앨리스』(*Alice's Adventures Under Ground*, 1864), 『이상한 나라의 앨리스』, 『거울나라의 앨리스』(*Through the Looking-Glass and What Alice Found There*, 1871), 『자장가 "앨리스"』(The Nursery "Alice", 1890)를 포함하며, 『앨리스』 시리즈를 언급할 때 간단히 『앨리스』라고 사용한다.

풍자문학임이 밝혀졌다. 이 작품이 독자들에게 신선한 통찰력과 미학적인 보상을 주는 고전이라는 평을 받으면서 캐럴은 셰익스피어와 디킨스의 위대한 전통에 속하는 작가의 반열에 오르게 되었다(Guiliano vii).

맥도널드는 지배관계와 지배담론에 관하여 불만을 품었으며 작품에서 희망을 가지고 세계를 전복하였다(Zipes 109). 그는 「가벼운 공주」("The Light Princess", 1864), 『북풍의 등 뒤에서』(*At the Back of the North Wind*, 1871)와 『공주』 이야기(The *Princess* books, 1872, 1883) 등을 썼다. 그는 「가벼운 공주」에서 전래동화를 현대화하여 동화의 범위를 확장하였고, 『북풍의 등 뒤에서』와 『공주』 이야기에서 꿈은 종교적 에피퍼니(epiphany)와 유사하며, 동화의 상징은 꿈의 상징과 관련된다는 믿음을 작품화하였다. 그는 종교적 신비주의와 인간의 존엄에 대한 신념을 동화의 미학과 형식을 활용한 어린이 환상문학 작품에서 표현하였다. 맥도널드의 작품들은 어른 또는 어린이를 대상으로 하며, 예를 들어 『판타스테스』(*Phantastes*, 1858)나 『릴리스』(*Lilith*, 1895)와 같은 작품에서 독일 낭만주의의 영향을 분명히 보여준다. 이 작품들의 공통된 기법은 플롯과 메시지와 상관없이 1차 세계와 2차 세계가 공존하여 서로 연결되는데, 두 세계를 연결하는 장치는 꿈이다.

와일드는 맥도널드로부터 직접적인 영향을 받는 적은 없었지만, 동화형식을 사용하여 자신의 사회 · 정치 현실에 대한 사유를 발전시켜 나갔으니 두 사람은 동시대 인물로서 시대정신의 영향을 받았다고 할 수 있다. 와일드의 『행복한 왕자와 이야기들』(*The Happy Prince and Other Tales*, 1878), 『석류의 집』(*A House of Pomegranates*, 1891)은 동화형식을 사용한 환상문학 작품으로, 그의 예술철학인 '사회적 미학'(Socio-Aesthetics)을 우아한 문체와 예리한 재치로 표현하였다. 흔히 와일드는 도덕성이나 사회적 관심을 예술과 무관하다고 생각한 순수 유미주의자라고 여겨져 왔지만, 그는 자신의 환상문학 작품에서 예술이 사회를 더 나은 곳으로 변화시킬 수 있다고 믿었다. 그는 성서와 전통적인 아동문학의 문체나 주제를 변형하여 어린이를 위한 동화를 쓰는 동시에 작품의 표면 아래서 사회비평을 하였는데, 이것은 그의 이론 '사회적 미학'이 바탕이 되었다.

19세기에 쓰인 어린이 환상문학 작품들은 어린이의 읽는 즐거움을 더욱 인식하였다. 이와 동시에 당대 리얼리즘 소설이 빅토리아 시대 영국인들 삶의 정신적·물질적 근거에 대하여 비판적인 담론과 이야기를 발전시켰듯이, 이러한 논의를 구성하기 위하여 그들 나름의 미학적 양식과 주제를 발전시켰다. 이들은 페로, 그림 형제, 안데르센의 동화로부터 영향을 받았을 뿐만 아니라 전통적인 동화의 세계와 고전문학의 도식을 뒤집으면서 기존 동화양식과 결별한 작품을 써서 좀 더 실험적인 20세기 어린이 환상문학에 영향을 주었다.

1장

루이스 캐럴

영국 어린이 환상문학의 전환점

『이상한 나라의 앨리스』: 동화형식에 담긴 삶의 비평

1

찰스 루트위지 도지슨(Charles Lutwidge Dodgson) 즉, 우리에게 루이스 캐럴(1832~1898)이라는 필명으로 더욱 유명한 작가의 『이상한 나라의 앨리스』• 는 교훈주의를 탈피하여 어린이의 상상력을 해방시킨 작품으로 아동문학사에 큰 획을 그었을 뿐만 아니라, '삶이란 무엇인가'라는 질문에 답하는 은유적인 문학으로서 영문학사에서도 정전의 위치를 차지한다. 『이상한 나라』는 1865년 7월 4일 맥밀런 출판사에서 처음 출판되어 비평가들의 호평을 받았다. 이 책은 어린이를 위한 완벽한 이야기, 교훈이 없는 이야기 등 즐거움과 교훈의 관점에서 상반된 논의의 대상이었지만 대부분 호평이었다. 이를 증명이나 하듯이 『이상한 나라』는 크리스마스 선물용 책으로 어린이 독자들의 사랑을 받으면서 날개 돋친 듯 팔렸고, 1898년에 캐럴이 생을 마감했을 무렵에는 16만 부가 팔렸다. 캐럴 사후 여섯 달 만에 『폴몰 신문』(*Pall Mall Gazette*)은 아동문학에 대한 영국 독자들의 선호도를 조사한 결과, 『이상한 나라』가 1위를 차지한다고 발표하였다(Collingwood 106-107).

『이상한 나라』는 아동문학으로서 처음부터 성공적이었으며 현재까지도 그러하다. 그렇다면 캐럴의 『이상한 나라』는 아동문학사에만 큰 획을 그은 것일까? 캐럴이 사망했을 때 『더 타임즈』(*The Times*)는 『이상한 나라』가 "30여 년의 세월을 견디어내고 아직도 독창적인 천재성으로 어린이와 성인의

• 『이상한 나라의 앨리스』는 앞으로 『이상한 나라』로, 텍스트의 원문 인용 시 *W*로 표기한다. 또한, 『지하세계의 앨리스』는 『지하세계』로, 텍스트의 원문 인용 시 *U*로 표기한다.

흥미를 동시에 끄는 작품"(Wullschläger 54에서 재인용)이라고 보도하였다. 이러한 평가와 함께 『이상한 나라』는 20세기에 들어 다시 비평가들의 관심을 받으면서 캐럴의 문학사적 위치를 재평가하는 계기를 마련하였다. 현대의 비평가들은 『이상한 나라』가 표면상 즐거운 놀이를 연상케 하여 어린이의 관심을 끄는 동시에, 삶에 대하여 심도 있는 통찰을 보여주는 문학으로써 성인들 또한 매료한다고 재해석하면서 캐럴을 영문학사에서 주요 작가로 재정전화 하였다.

비평가와 학자들이 『이상한 나라』를 주목하기 시작한 것은 1920년대부터였다. 그 후로 캐럴의 생애와 작품에 관한 연구가 꾸준히 이어지고 있으며, 1982년에 캐럴 탄생 150주년을 맞아서 그의 천재성이 특히 주목받았다. 『이상한 나라』가 독자들에게 신선한 통찰력과 미학적인 보상을 주는 고전이라는 평을 받으면서, 캐럴은 셰익스피어와 디킨스의 위대한 전통에 속하는 작가의 반열에 오르게 되었다(Guiliano, *Celebration* vii). 이처럼 『이상한 나라』는 빅토리아 시대의 리얼리즘 소설 못지않게 삶의 비평을 담은 은유이고, 리얼리티의 재현을 넘어선 사회규범에 대하여 의문을 제기하는 풍자문학임을 주장하는 많은 연구가 나오고 있어서 이 작품에 대한 논의가 더욱 복잡하고 풍부해졌다.

가령 『이상한 나라』에 대하여 통찰력 있는 연구를 한 학자들, 윌리엄 엠프슨(William Empson), 해리 에이리스(Harry Morgan Ayres), 마틴 가드너(Martin Gardner), 제임스 킨케이드(James Kincaid), 도널드 래킨(Donald Rackin), 에드워드 길리아노(Edward Guiliano) 등은 이상한 나라의 환상세계를 당대의 사고, 관례, 도덕성 등에 대한 창의적인 재현이며 풍자라고 논의하였다. 그렇지만 캐럴이 『이상한 나라』를 동화라고 했듯이(*Diaries* 185), 이 이야기는 캐럴이 앨리스와 그녀의 자매들에게 실제로 들려준 어린이를 위한 이야기에서 시작되었다. 따라서 『이상한 나라』는 어린이 책인 동시에 성인을 위한 작품이라고 할 수 있다.

『이상한 나라』가 이중의 독자층을 가진 이야기라는 것은 이 작품을 어린이 환상문학으로 논의함으로써 가능하다. 『이상한 나라』는 19세기에 새로 쓰인 어린이 환상문학 작품인데, 이 장르는 표면상 동화의 판타지로 가득하여 어린이를 대상으로 한다. 동시에 작품 이면에 숨겨진 메시지는 어른들을 대상으로 삶에 대한 인식을 포함한다. 19세기 중반에 영국은 산업혁명 등으로 인하여 급변하는 시대를 맞이하였다. 당시 매슈 아널드(Matthew Arnold)와 같이 절망한 지식인들은 그 시대를 구질서가 무너진 혼란스러운 시대로 여겼는데, 캐럴의 당대에 대한 인식도 그러하였다. 이러한 시대에 어린이 환상문학은 어린이의 읽는 즐거움은 물론 삶의 비평을 담는 문학작품의 역할을 하였다.

빅토리아 시대 중반에 어린이 환상문학 작가들은 동화의 판타지 안에 영국의 현실에 대한 인식을 표현하였으니, 대표적인 작가들로 러스킨, 윌리엄 새커리(William Thackeray), 킹슬리, 디킨스, 캐럴, 맥도널드, 와일드 등을 꼽을 수 있다. 그들은 전래동화의 구성이나 모티프 등 전래동화의 문학양식을 사용하여 개인적인 환상과 자아의식을 펼쳤다. 어린이 환상문학에도 작가 개인의 주제와 개성 있는 문체를 담을 수 있다는 인식이 싹트게 되었다. 이렇게 쓰인 작품들은 표면상 판타지로 가득하여 어린이만을 대상으로 하는 이야기인 것 같지만 삶에 대한 담론을 전개한 어른을 위한 문학이기도 하다.

이 장에서는 어린이 환상문학이 아동문학일 뿐만 아니라 문화적 산물이 되었던 시대에 캐럴의 『이상한 나라』가 쓰였다는 점에 주목하여, 이 작품이 어린이 책인 동시에 삶을 재현하고 풍자하여 당대의 거대 담론에 반응했던 문학임을 논의하고자 한다. 이러한 논의는 캐럴뿐만 아니라 빅토리아 시대 중반 어린이 환상문학 작가들이 세상을 읽는 방식을 이해하는 데 도움을 줄 것이다.

2

캐럴은 『이상한 나라』를 아이들에게 실제로 들려주었을 당시에 동화라고 하였다. 『이상한 나라』는 현대에 이르러 판타지 또는 어린이 환상문학으로 분류되지만, 이 이야기를 실제로 아이들에게 들려주거나 출판되었던 당시에 오늘날 문학 용어들이 사용되지 않아서 동화라고 불렸다. 이야기로 먼저 들려주고 이후에 출간된 『이상한 나라』는 호기심에 불타는 일곱 살의 앨리스가 조끼 주머니에서 시계를 꺼내 보는 흰 토끼를 쫓아 토끼 굴속으로 뛰어 들어간 후에 이상한 나라에서 겪는 모험 이야기이다. 꿈 이야기가 대부분인 이 작품은 표면상 플롯이 없는 것 같지만 캐럴은 당대의 어린이 환상문학 작가들처럼 전래동화의 양식 즉 동화의 구조와 모티프를 사용하여 이야기를 발전시켰다. 동화 등 설화 양식과 유사한 구조를 가진 아동문학 작품들은 규범 예술(『용의 아이들』 82)이라고 불린다. 규범적 텍스트의 표면적인 구조분석에는 프로프의 고전적인 연구 '민담 형태론'이 적용될 수 있다.

프로프의 민담형태론이 실려 있는 『민담형태론』은 1928년에 출판된 후 한동안 잊혔다가 민속학에 관한 구조분석 방법론이 활발하게 제기되던 1958년에 영어로 번역되었다. 프로프는 동화를 사건의 순서와 등장인물의 기능에 따라 분석하고, 하나의 이야기에 몇 명의 등장인물이 나오든 방향은 제한되어 있다고 한다. 그는 동화의 구성요소를 등장인물로 간주하여, 그들의 관계와 행위가 동화의 줄거리를 구성하는 기능이라고 이해한다. 즉 동화의 본질적인 구성요소는 등장인물들의 기능이며, 등장인물들의 31가지 기능이 정해진 순서에 따라서 배열된다. 민담형태론은 동화의 구조분석 이론으로 주목받게 되어 커다란 영향을 주었다.

프로프는 31가지 기능들을 각기 하나의 문장, 하나의 정의, 하나의 기호로 표현한다. 언급되는 기능들의 순서는 바로 동화 줄거리의 기본 요소들을 의미하고 그 기본 요소들을 전체로 정돈하는 것이 구조적 문제이다. 프로프의 31개의 기본적인 기능은 다음과 같이 다른 글자로 제시된다. 예비 단계는 그리스 문자로, 주요 순서는 대문자로, 마지막으로 알파벳이 아닌 명칭으로 된 소수의 기능이 있다. 다음은 민담형태론의 기능의 약어 목록을 프로프의 『민담형태론』에 근거하여 간략하게 나열한 것이다.

1. 가족 중 한 사람이 집을 떠나있다. (정의: 부재 기호: β)
2. 주인공에게 금지명령이 내려진다. (정의: 금지 기호: γ)
3. 금지가 위반된다. (정의: 위반 기호: δ)
4. 적대자가 정보를 찾아내려고 한다. (정의: 탐색 기호: ε)
5. 적대자가 희생물에 관한 정보를 얻게 된다. (정의: 정보누설 기호: ζ)
6. 적대자가 희생자, 또는 그가 가진 것을 빼앗기 위하여 희생자를 속이려고 한다. (정의: 모략 기호: η)
7. 희생자는 속고, 본의 아니게 적대자를 돕는다. (정의: 방조 기호: θ)
8. **적대자가 가족 구성원에게 손해와 손실을 끼친다.** (정의: 가해 기호: A)
   8a. **한 명의 가족 구성원에게 무엇인가가 결여되어 있거나, 어떻게든지 어떤 것을 갖길 원한다.** (정의: 결여 기호: a)
9. 불운과 결여가 주인공에게 알려지고, 주인공이 요청이나 명령을 받아 출발을 허락받거나 파견된다. (정의: 중개, 중개적 사건 기호: B)
10. 탐색자형 주인공이 대항 행동을 준비하거나 결심한다. (정의: 대항 개시 기호: C)
11. 주인공이 집을 떠난다. (정의: 떠남 기호: ↑)
12. 주인공이 증여자로부터 시험받기나, 심문받거나, 공격받으며, 이를 통해 주인공은 마법 도구나 조력자를 얻는 발판을 마련한다. (정의: 증여자의 첫 번째 기능 기호: D)

13. 주인공이 장차 증여자가 될 사람의 행동에 반응한다. (정의: 주인공의 반응 기호: E)
14. 주인공이 마법 도구를 손에 넣는다. (정의: 마법 도구의 수령 기호: F)
15. 주인공이 찾는 대상이 있는 곳으로 가게 되거나, 인도되거나, 안내된다. (정의: 두 나라 간의 공간상 이동 기호: G)
16. 주인공과 적대자가 직접 결투한다. (정의: 결투 기호: H)
17. 주인공은 징표를 받는다. (정의: 징표, 표식 기호: J)
18. 적대자가 패배한다. (정의: 승리 기호: I)
19. **처음의 불행이나 결여가 해결된다.** (정의: 해소 기호: K)
20. 주인공이 돌아온다. (정의: 귀환 기호: ↓)
21. 주인공이 추적당한다. (정의: 추적 기호: Pr)
22. 추적자들로부터 주인공이 구조된다. (정의: 구조 기호: Rs)
23. 주인공이 몰래 집이나 다른 나라에 도착한다. (정의: 비밀리의 도착 기호: O)
24. 가짜 주인공이 부당한 요구를 해온다. (정의: 부당한 요구 기호: L)
25. 주인공에게 어려운 과제를 준다. (정의: 난제 기호: M)
26. 어려운 과제가 해결된다. (정의: 해결 기호: N)
27. 주인공이 인지된다. (정의: 인지 기호: Q)
28. 가짜 주인공이나 적대자의 정체가 드러난다. (정의: 정체 노출 기호: Ex)
29. 주인공에게 새 모습이 부여된다. (정의: 변신 기호: T)
30. 적대자가 벌을 받는다. (정의: 처벌 기호: U)
31. **주인공이 결혼하고 즉위한다.** (정의: 결혼 기호: W)

– 그 외의 기호) 연결사: § / 세 번 반복: ∴ (Propp 25-65)

프로프의 기본적인 이론들 가운데 가장 주목할만한 것은 기능의 순서가 항상 동일하다는 가정이다. 이것은 구성에 관한 한 모든 동화가 하나의 유형으로 되어있다는 것이다(Propp 22-23). 프로프가 31개의 기능 중에 생략할 수 있는 최소의 숫자를 제시하진 않았지만, 이 기능 중에서 여덟 번째 "가해"(A) 또는 "결여"(a) 기능이 가장 중요하다. 왜냐하면 동화의 전개는 가해 또는 결여 상황에서 시작하기 때문이다. 동화는 이렇게 시작하여 19번째 기능인 결여 해결・해소(K)를 거쳐, 마침내 31번째 기능 "결혼"(W)으로 끝을 맺는다. 동화에서 31가지 등장인물의 기능 중 위에 언급한 세 가지 기능, 가해 또는 결여, 결여 해결・해소, 결혼이 핵심이며 동화는 필연적으로 이 세 가지 기능을 중심으로 진행되는 것이 일반적이다.

등장인물의 31가지 기능이 전개되기 이전에 "최초의 상황"(α)이 주어진다. 이것은 기능은 아니지만, 동화의 형태론적 구성요소로서 매우 중요하다. 여기서 가족 구성원이 열거되거나 주인공이 소개된다. 그리고 31가지 기능 이외에 보조 요소로서 기능과 기능을 연결해주는 연결사(§)가 있어서 개별적 기능을 연결하고, 기능이 세 번 반복되는 것을 나타내는 세 번 반복(∴)이 있다.

프로프는 또한 등장인물의 한정된 행동 영역이 있다고 한다. 기본적으로 등장인물은 적대자, 증여자, 조력자, 찾았던 인물, 파견자, 주인공, 가짜 주인공이다. 동화에는 일곱 명의 등장인물이 있는데 이들이 이야기의 중요한 구성요소이다. 앞에서 언급한 등장인물의 31가지 기능은 위의 일곱 명의 등장인물에게 분배되어 이들에 의하여 동화의 서사가 전개된다. 이야기의 여러 단계에서 그들이 하나 이상의 행동 영역을 구체화할 수 있다는 사실을 프로프는 또한 강조한다. 즉 한 명의 등장인물이 많은 역할을 떠맡을 수 있으며, 특히 동화의 주인공은 거의 모든 기능과 연관된다.

그렇다면 프로프의 민담형태론, 즉 '동화가 어떻게 구성되는가?' 하는 개념에 따라 『이상한 나라』가 얼마나 일치하는지를 살펴보기로 한다. 『이상한 나라』는 호기심에 불타는 일곱 살의 앨리스가 조끼 주머니에서 시계를 꺼내 보는 흰 토끼를 쫓아 토끼 굴 속으로 뛰어 들어간 후에 지하세계에서 겪는 환상적인 모험 이야기이다. 앨리스는 토끼 굴을 통하여 지하세계, 즉 이상한 나라로 들어가서 애벌레(the Caterpillar), 공작부인(the Duches), 체셔 고양이(the Cheshire Cat), 미친 모자 장수(the Mad Hatter), 삼월 토끼(the March Hare), 그리펀(the Gryphon), 가짜 거북(the Mock Turtle) 등 등장인물들을 만나서 모험을 한다.

이상한 나라에서 앨리스는 처음의 작은 문 사이로 들여다보았던 "가장 아름다운 정원"(*W* 10)에 들어가고 싶은 바람을 다시 갖는다. 앨리스는 먹고 마시는 것의 도움으로 몸의 크기를 조절하여 그 안으로 들어간다. 그곳은 하트의 왕과 여왕의 정원인데 그곳에서 이상한 크로케 경기가 벌어진다. 그 게임에서 채는 살아 있는 홍학이고 공은 고슴도치이다. 게다가 둘씩 짝을 이룬 카드 병정들은 여왕이 보는 앞에서 몸을 구부려 골대 역할을 하고 있고 앨리스는 이 크로케 경기를 잘 해낸다. 그리고 마지막 부분에서 너무나 어이없는 재판이 열린다. 이야기의 모든 등장인물이 모여 있는데 재판은 여왕의 파이를 훔친 하트 잭(the Knave of Hearts)에 관한 것이다. 그러나 이 재판에서 목숨이 위태로워지는 것은 앨리스이다. 가장 위험한 순간에 그녀가 "너희들은 카드 묶음에 불과해!"(*W* 97)라고 외치자 이상한 나라는 사라지고 앨리스는 잠에서 깨어난다. 이상한 나라는 꿈이었고, 꿈에서 깬 앨리스는 언니에게 이상한 나라의 꿈 이야기를 들려준다. 언니는 앨리스가 성인 여성이 되어 아이들에게 둘러싸여서 이야기를 들려주는 모습을 상상한다.

이러한 플롯으로 되어 있는 『이상한 나라』를 프로프의 민담형태론에 따라 다음과 같이 요약할 수 있다.

1. 앨리스는 언덕에서 하는 일도 없이 언니 옆에 앉아있는 것이 지겨워지기 시작했다. (최초의 상황: α, 부재: β)
2. **흰 토끼가 등장한다.** (결여: a)
3. 언니의 허락을 받는다. (중개적 사건: B)
4. 앨리스는 토끼를 쫓아갈 결심을 한다. (대항 개시: C)
5. 앨리스가 토끼 굴로 내려간다. (떠남: ↑)
6. 앨리스는 "**나를 마셔요**"(*W* 10)라는 종이 꼬리표가 붙은 병을 발견한다 (증여자와의 만남: D). 그녀는 이 꼬리표를 보고 (주인공의 반응: E), 마시고 작아져서 (마법 도구의 획득: F), 이동한다 (공간상 이동: G).
7. 앨리스는 "**나를 먹어요**"(*W* 12)라고 건포도로 쓰인 작은 케이크를 발견한다 (D). 그녀는 이것을 보고 (E), 먹고 커져서 (F), 이동한다 (G).
8. 앨리스는 토끼의 부채를 보고 (D), 이것을 주워서 (E), 부채로 땀을 식히고 작아져서 (F), 이동한다 (G).
9. 코커스 경주에서 동물들이 상품을 달라고 요구한다 (D). 앨리스는 상품을 주고 (E), 도도새로부터 골무를 받아서 (F), 이동한다 (G).
10. 토끼가 앨리스를 자신의 집으로 보내고 (D), 그녀는 그의 집으로 간다 (E). 앨리스가 조약돌/케이크를 먹고 몸의 크기를 변화시켜서 (F), 이동한다 (G).
11. 애벌레가 앨리스에게 하는 퉁명스러운 질문에 (D), 그녀는 공손히 대답한다 (E). 앨리스는 버섯을 먹고 몸의 크기를 커지게 하여 (F), 이동한다 (G).
12. 이상한 다과회에서 말싸움이 일어난다. (결투: H)
13. 앨리스가 승리한다. (승리: I)
14. **앨리스는 아름다운 정원에 도착한다.** (해소: K, 귀환: ↓)
15. 앨리스가 아름다운 정원에 도착했을 때 아무도 그녀의 가능성을 알아보지 못한다. (비밀리의 도착: O)

16. **하트의 여왕이 앨리스에게 크로케 경기를 제안한다.** (난제: M)
17. **크로케 경기 후 여왕과 공작부인의 앨리스에 대한 태도가 바뀌고 앨리스는 주인공으로 인지된다.** (인지: Q)
18. 앨리스가 "너희들은 카드 묶음에 불과해"라고 외쳐서 가짜 주인공이 드러난다. 앨리스는 새로운 모습을 갖게 되며, 이상한 나라가 사라진다. (정체 노출: Ex, 변신: T, 처벌: U)
19. **언니의 꿈에서 앨리스는 이야기를 듣는 아이들에게 둘러싸여 있는 성인 여성이다.** (결혼: W)

프로프에 의하면 동화는 대개 최초의 상황으로 시작된다. 가족 구성원이 열거되거나, 또는 주인공의 이름이나 사회적 지위가 드러난다. 최초의 상황은 기능은 아니지만 형태론상 중요한 요소인데, 프로프는 이것에 기호 α를 부여해서 최초의 상황으로 정의한다(26).

『이상한 나라』에서 주인공의 이름이 드러나는 최초의 상황(α)은 다음과 같다.

> 앨리스는 언덕에서 하는 일도 없이 언니 옆에 앉아있는 것이 지겨워지기 시작했다. 언니가 읽고 있는 책을 한두 번 슬쩍 들여다보았는데, 그건 그림도 대화도 전혀 없는 책이었다. "그림도 대화도 없는 책을 뭐하러 보지?" (*W* 7)

여기서 주인공의 이름이 앨리스라고 언급되는데 주인공의 이름이 언급되는 것이 최초의 상황의 특징이다. 최초의 상황은 형태론적 요소이지만 기능은 아니다. 기능은 활동을 의미하고 최초의 상황은 정적이기 때문이다. 앨리스와 그녀의 언니는 집을 떠나서 언덕에 앉아있다. 이것은 가족 중 한 사람이 집을 떠나있는 "부재(absentation)"(β)라는 기능에 해당된다(Propp 26).

앨리스는 지겨워지기 시작했고 호기심이 강하다. 주인공이 이처럼 지루해하는 것은 결여(a)로 발전할 것이고, 따라서 이러한 상태는 주인공을 행동하도록 하여 모험을 유발한다. 『이상한 나라』에서 앨리스의 흥미를 일으키는 것은 흰 토끼이다. 그녀는 일어나서 호기심에 가득하여 들판을 달려간다. 그리고 "나중에 어떻게 빠져나올지는 전혀 생각해보지도 않고"(*W* 8), 토끼를 쫓아 토끼 굴로 내려간다. 토끼 굴은 이후에 나오는 아름다운 정원에 들어가기 위한 "쥐구멍만 한 통로"(*W* 10)와 함께 톨킨이 말하는 2차 세계에 들어가기 위한 '마법 통로'에 해당된다. 이처럼 동화 주인공은 일반적으로 집을 떠날 필요가 있다.

앨리스처럼 행동하는 것은 오로지 두 종류의 등장인물인데 적대자 또는 찾았던 인물이다. 지루해하던 앨리스는 결여를 알게 된다. 결여는 한 명의 가족 구성원에게 무엇인가가 빠져있거나, 어떻게든지 어떤 것을 갖길 원하는 것으로 정의된다(Propp 35). 결여는 친구 또는 동료, 신비한 물건, 돈, 음식물과 같은 일상적인 것이 부족한 것이다(Propp 30-36). 앨리스는 토끼에게 관심이 있고 그를 더 가까이서 살펴보고 싶어 한다. 그렇다면 토끼를 적대자와 찾았던 인물 중 무엇으로 읽어야 하는가?

필자는 토끼를 찾았던 인물로 본다. 토끼의 등장으로 앨리스가 결여를 알게 되기 때문이다. 물론 이런 관점은 앨리스가 모험하는 동안 토끼가 그녀에게 호의적이지만은 않고, 앨리스의 탐색 목적이 토끼는 아니라는 것 때문에 문제가 된다. 그러나 악한이 다른 모습으로 주로 두 번 나타나는 것처럼 찾았던 인물 또는 다른 중요한 등장인물도 그렇다. 『이상한 나라』에서 앨리스는 아름다운 정원을 보았을 때 이곳을 탐색 목적으로 정한다. 아름다운 정원은 이상한 나라의 중심에 위치하여 이상한 나라를 집약해서 잘 보여주고 있다.

앨리스는 토끼를 쫓아가기로 하고 떠나기 전에 언니의 허락을 구하지 않지만, 언니도 앨리스를 막지 않는다. 그러므로 앨리스는 떠나도록 허락을 받은 것이다. 이것은 주인공이 요청이나 명령을 받아 출발을 허락받거나 파견되는 "중개적 사건"(B)이다. 앨리스가 토끼를 쫓아갈 결심을 하는 것은 탐색자형 주인공이 대항 행동을 준비하거나 결심하는 것, 즉 "대항 개시"(C)로 볼 수 있다. 이것은 주인공이 곧 탐색자인 이야기에 나타나고(Propp 38), 앨리스를 탐색자형 주인공으로 보기에 적절하다. 앨리스는 토끼를 따라가겠다고 우연히 정한 사실에 따라 행동한다. 그녀가 토끼를 쫓아 토끼 굴로 내려가는 것은 "떠남"(↑)이다. 이렇게 기능 aBC↑가 이야기의 발단이 되어 앨리스의 탐색이 시작되며 이후의 이야기를 발전시킨다. 이야기는 마법 도구를 획득하는 것과 관련되어 전개된다. 주인공은 마법 도구를 얻으려고 시도하면서 시험에 여러 번 시달린다.

앨리스는 토끼 굴을 통하여 한참 동안 떨어져서 이상한 나라에 도착한다. 이상한 나라에서 앨리스의 탐색과 함께 이야기가 전개되며, 이것은 또한 마법 도구를 획득하는 것과 관련된다. 먼저 그녀는 문이 많이 있는 "길고 낮은 복도"(*W* 9)에 이른다. 그곳에서 그녀는 유리로 된 세 발 탁자 위에 있는 작은 황금열쇠를 본다. 그것은 어느 문에도 맞지 않다. 그러나 앨리스는 그때 낮은 커튼 뒤에서 작은 문을 발견하는데 이 문 너머로 아름다운 정원을 본다.

> 그러나 다시 한 바퀴 돌아보니, 조금 전까지는 보지 못하고 지나쳤던 낮은 커튼 뒤로 높이가 38센티미터쯤 되는 작은 문이 있다. 그 문의 자물쇠에 조그만 황금열쇠를 끼워보니, 대단히 기쁘게도 딱 맞았다!
>
> 앨리스는 문을 열었다. 그 문은 작은 통로로 이어져 있었다. 쥐구멍만 한 통로였다. 이 어두컴컴한 방을 빠져나가 환한 꽃밭과 시원한 분수 사이를 이리저리 거닐 수 있다면 얼마나 좋을까! 그러나 문으로는 머리도 들이밀 수 없었다. (*W* 9-10)

앨리스가 무릎을 꿇고 작은 통로를 들여다보았을 때 아름다운 정원이 보인다. 그녀는 어두운 복도에서 나가서 환한 꽃밭과 시원한 분수 사이를 이리저리 거닐기를 원한다. 이것은 결여가 새로운 방향을 갖는 것으로 앨리스의 탐색이 새로운 목표를 갖게 되는 것이다.

토끼와 작은 문은 앨리스를 꿈나라, 즉 모험의 세계로 이끄는 것들이다. 앨리스가 토끼 굴로 내려가고, 문지방을 넘고 싶어 하는 동기는 호기심과 지루함으로부터 해방되고 싶어 하는 동경이다. 동경은 앨리스를 아름다운 정원에 들어가도록 한다. 동화에서 문이 많이 있는 복도는 금지와 시험의 장소이다. 『이상한 나라』에 금지는 없지만 쥐구멍만 한 통로와 연결된 문은 앨리스가 통과하기에는 너무나 작다. 앨리스는 길고 낮은 복도에서 한참 동안 아름다운 정원에 들어갈 수 없다. 따라서 그녀가 문을 열기 위하여 시도하는 일들 때문에 복잡하고 재미있는 일들이 일어난다.

> 이번에는 작은 병이 하나 놓여 있었고, 병목엔 커다란 글씨로 "**나를 마셔요**" 라고 예쁘게 적힌 종이 꼬리표가 달려 있었다. . . . 앨리스는 금세 병 안에 든 것을 모두 마셔 버렸다. . . . "기분이 아주 이상하다! 내 몸이 망원경처럼 집어넣어지는 것 같아." (*W* 10-11)

우선 앨리스는 "**나를 마셔요**"라는 종이 꼬리표가 붙은 병을 발견하고 이것을 마신다. 그녀는 곧 줄어들지만 너무나 작아져서 탁자 위에 놓인 열쇠를 가질 수 없다. 다음에 앨리스는 "**나를 먹어요**"라고 건포도로 쓰인 케이크를 먹고 커진다. 한편 너무 커진 앨리스는 토끼가 떨어뜨린 부채를 들고 부채질을 하다가 이번에는 너무 작아져서 이전에 자신이 흘린 눈물 웅덩이에 빠진다(*W* 16). 앨리스의 몸 크기가 여러 번에 걸쳐 변화하는 것은 불행히도 그녀에게 아무런 도움이 되지 않는다. 그녀는 너무 작아져서 문을 여는 열쇠를 가질 수 없거나 너무 커져서 문을 통과할 수 없다.

이러한 사건에서 증여자와의 만남(D), 증여자의 요구에 주인공의 반응(E), 마법 도구의 획득(F), 공간상 이동(G)이라는 프로프의 몇 가지 기능이 나타난다. 앨리스는 먹고 마시라는 증여자의 요구를 만나고(D), 이러한 요구에 따라(E), 먹고 마시고(F), 크기를 변화시킨 후에 탐색 대상이 있는 곳으로 이동한다(G). 각각의 사건에서 주인공은 조력자나 마법 도구의 도움으로 새로운 장소로 이동하게 되는데 각 사건은 D§E§F§G로 표기할 수 있다.

주인공은 증여자를 통해 마법 도구나 조력자를 얻는 발판을 마련한다. 증여자는 주인공에게 친절하거나 적의를 가질 수도 있다. 이상한 나라에는 여러 증여자가 등장하는데, 우선 토끼가 증여자의 역할을 한다. 토끼는 여러 가지 기능을 하는 복잡한 인물로 앨리스에게 마법 도구를 주거나 안내를 하여 모험을 계속하도록 한다. 그가 앨리스에게 던진 조약돌은 케이크로 변하여 그녀의 크기를 작아지도록 하는 마법 도구가 된다. 토끼는 앨리스에게 자신의 집으로 가는 길을 알려줄 때 조력자로 행동하기도 한다. 게다가 앨리스는 토끼로 인하여 여행을 시작하였다. 토끼는 처음에 찾았던 인물로 등장해서 적의 있는 증여자와 조력자의 역할을 하고 있다. 앨리스는 또한 토끼의 부채 때문에 아주 작아져서 자신의 눈물에 거의 빠질 뻔하고 마지막 부분의 재판에서 토끼는 앨리스의 증언을 요구하기도 한다. 토끼는 상반되는 태도를 가진 유동적인 인물인데 이처럼 동화의 등장인물들은 명쾌하게 한 가지로 정의할 수 없는 경우가 많다.

마법 도구는 여러 종류의 사물과 동물 모두가 될 수 있는데 주인공이 여행하는 것을 돕는다. 『이상한 나라』에서 부채, 마법의 문, 크기를 변화시키는 음식물, 즉 마실 것, 케이크, 버섯 등은 앨리스가 여행하는 것을 돕는다. 동물들이 마법 도구의 기능을 수행하는 경우 프로프는 이들을 조력자라고 한다. 조력자는 주인공의 공간 이동을 도와주거나, 불운이나 결핍을 없애거나, 추격으로부터 구하거나, 어려운 일을 해결하거나, 주인공의 변신을 돕는다(Propp 79). 『이상한 나라』에서 토끼, 그리펀, 체셔 고양이는 이런 의미에서 모두 조력자이다.

반복은 동화 장르의 특징이다. 여러 가지 기능은 여러 번, 흔히 세 번 반복된다. 동화에서 3이란 숫자는 성 삼위일체를 의미하여 완전한 숫자이며, 민속학적으로도 모든 일을 결정할 때 삼세번 하는 것처럼 관습적인 숫자이다. 반복으로 인하여 결말이 연기됨으로써 불안이 커지거나, 반복을 사용하여 이야기가 전개되면서 등장인물이 발전한다. 『이상한 나라』에서도 이러한 예를 찾을 수 있다. 이상한 나라에서 앨리스가 처음으로 만나는 대상은 동물들 가운데서 가장 멸시당하는 쥐(the Mouse)이다. 앨리스는 쥐를 만난 이후에 공작부인과 요리사(the Cook) 등 다른 등장인물들을 만난다. 그들은 인간은 아니지만 최소한 인간의 이미지로 되어있다. 마지막 부분에서 그녀는 법정의 한가운데서 『이상한 나라』의 지배자, 하트의 왕과 여왕을 대면한다. 즉 이야기에 반복이 사용되어서 결말로 갈수록 앨리스는 점점 더 고등 동물들을 만나는 것이다.

프로프는 연결사를 § 기호로 표시하고, 기능 또는 기능의 순서가 세 번 일어나는 것을 설명하기 위하여 ∴를 사용한다. 그렇다면 D§E§F§G가 세 번 일어나는 것은 D§E§F§G∴로 나타낼 수 있다. 『이상한 나라』에서는 D§E§F§G가 세 번 반복되는 기능이 두 번 나온다. 『이상한 나라』의 이야기 전개는 앨리스의 탐색으로 계속되며 이상한 나라에서 그녀의 탐색은 중단되지 않는다. 어떤 경우에 앨리스는 마법 도구의 도움 없이 앞으로 나아간다. 비둘기(the Pigeon)를 만난 후에 앨리스는 주머니에 마법의 버섯 조각이 조금 남아있는 것을 기억해낸다. 코커스 경주에서 물에 젖은 동료들은 앨리스에게 마법 도구를 주지 않는다. 도도새가 그녀에게 돌려준 멋진 골무는 마법의 효과는 없지만 D§E§F§G 양식이다. 또 하나의 D§E§F§G∴ 양식은 다음과 같다. 동물들이 상품을 달라는 요구를 하고(D), 앨리스는 상품을 준다(E), 앨리스는 도도새로부터 골무를 받고(F), 이동한다(G). 앨리스가 토끼와 애벌레를 만날 때도 이런 양식이 적용된다. 토끼가 앨리스를 자신의 집으로 보내고(D), 그녀는 그의 집으로 간다(E), 앨리스는 조약돌(케이크)을 먹고 몸의 크기를 변화시켜서(F), 이동한다(G). 애벌레의 퉁명스러운 질문에(D), 앨리스는 공손히 대답한다(E), 앨리스는 버섯을 먹어서 몸의 크기를 커지게 하여(F), 이동한다(G).

"결투"(H)는 주인공과 적대자가 직접적으로 결투하는 것이다. 결투에서 승리하면 주인공은 탐색 목적을 얻는다. 앨리스의 탐색 목적은 아름다운 정원에 들어가는 것이다. 동화 관례에서 결투가 주인공을 시험한다. 캐럴의 동화에는 결투가 약화되었지만 결투가 전투와 같을 필요는 없고, 카드 게임이나 일종의 위트 싸움이 이것을 대신하기도 한다. 결국 주인공은 영리하기 때문에 승리한다. 이상한 다과회의 대화에서 등장인물들이 말싸움하는 것을 볼 수 있다. 앨리스는 상대를 제압하지 못하지만 자신의 탐색 목적인 아름다운 정원에 들어간다. 따라서 구조적인 책 읽기는 그녀가 승자임을 보여준다. 이것은 "승리"(I)로서 적대자가 패배하는 것이다. 그 결과 앨리스는 보상받지만 전래동화의 주인공과는 다르다. 전래동화의 주인공이 상당히 영웅적인 것과 다르게 앨리스는 빅토리아 시대의 소녀답게 솔직하고 대담하다.

『이상한 나라』에서 결정적인 순간들 가운데 하나는 앨리스가 아름다운 정원에 도착할 때이다.

> 앨리스는 작은 황금열쇠를 집어, 정원으로 난 문을 열었다. 그리고 (주머니에 넣어둔) 버섯을 먹어서 30센티미터 정도로 키를 줄이고, 작은 통로를 걸어갔다. 그리고 나서 마침내 앨리스는 아름다운 꽃밭과 시원한 분수가 있는 정원으로 들어갔다. (*W* 61)

앨리스가 아름다운 정원으로 들어감으로써 그녀의 결여가 해소되기 때문에 직접적인 탐색은 끝난다. 이것은 "해소"(K)로서 처음의 불행이나 결여가 해소되는 것이다(Propp 53). 즉 가해(A) 또는 결여(a)가 해소(K)와 나란히 한 쌍을 이루어, 가해(A)나 결여(a)가 해소되는 것을 보여준다. 따라서 『이상한 나라』에서는 이야기를 매듭지었다가 푸는 방법으로써 전통적으로 짝을 이루는 기능들이 잘 사용되고 있다.

짝을 이루는 또 하나의 예는 "떠남"(↑)이 있을 때 나타나는 "귀환"(↓)이다. 귀환은 일반적으로 도착으로 나타난다. 귀환은 주인공이 최초의 상황으로 돌아가는 것이 아니라 목적을 이루는 것이고, 집에 돌아오는 것이 아니라 탐색에서 돌아오는 것으로 해석해야 한다. 그러나 주인공이 집에 돌아오는 예도 있다. 따라서 앨리스가 아름다운 정원에 도착하는 것은 귀환으로 읽을 수 있다. 주인공이 탐색에서 돌아오는 것은 반드시 결말 또는 행동이 끝나는 것과 함께 일어날 필요는 없다. 프로프는 귀환 후에 다시 10여 개의 기능을 열거했는데 그들 중 일부는 『이상한 나라』에도 있다.

앨리스가 아름다운 정원에 들어갔을 때 그녀의 도착은 "비밀리의 도착"(O)이다. 그녀는 하얀 장미에 붉은 칠을 하는 세 명의 정원사들을 만나고, 왕의 행렬도 이어지지만 아무도 그녀를 알아보지 못한다.

> 그 뒤로 왕이나 여왕 같은 귀빈들이 따라왔다. 그중에는 흰 토끼도 끼어 있었다. 토끼는 초조하고 조급한 기색으로 조잘거리다가 누가 무슨 말을 할 때마다 웃음을 지었다. 그러나 앨리스를 알아보지는 못하고 그대로 지나쳤다. 그다음에는 하트 잭이 진홍빛 벨벳 쿠션에 왕관을 받쳐 들고 따라왔고, 맨 마지막으로 하트의 왕과 여왕이 나타났다. . . . 앨리스 앞에 당도한 행렬은 그 자리에 멈춰 섰다. 모두 그녀를 바라봤다. 여왕은 엄격한 어조로 물었다. "이건 누구지?" 여왕은 하트 잭에게 물었으나 그는 머리를 조아리며

미소만 지을 뿐 아무 말도 하지 못했다. (*W* 63)

왕과 신하들이 앨리스 옆을 지나갈 때 토끼조차도 그녀를 알아보지 못한다. 마침내 하트의 여왕이 그녀 앞에 멈추어서 그녀가 누구인지를 물었으나 아무도 모른다. 이것은 앨리스와 그녀의 가능성을 모르는 것이다.

동화에서 클라이맥스에 다가가는 방법 가운데 하나는 왕을 도입하는 것이다. 왕은 성숙한 성인을 상징하거나 동화 주인공이 목표로 하는 것이기도 하다. 동화에서 주인공은 이야기의 결말 부분에서 결혼하여 왕위계승자 또는 후계자가 되거나, 비합법적인 왕을 파면시켜서 왕이나 여왕이 되기도 한다. 주인공에 의하여 진정한 왕권이 구현되는 것이다.

하트의 왕과 여왕의 본질은 카드일 뿐이며 앨리스는 이것을 알아차리고, "흥 그래봤자 이것들은 카드에 불과해. 그러니 겁먹을 필요 없어!"라고 중얼거린다(*W* 63). 하트의 여왕은 카드로서, 여왕이어서는 안 되지만 여왕이다. 그러나 앨리스는 여왕은 아니지만 여왕이 될 자격이 있다. 따라서 하트의 여왕은 적대자임이 암시된다. 전래동화에서 악의적인 적대자와 착한 주인공은 흔한 요소인데 주로 마지막 부분에 이르러서야 적대자가 드러나고 착한 주인공이 복을 받는다. 『이상한 나라』에서도 마지막 부분의 재판 장면에 이르러서야 앨리스의 정체를 알 수 있다. 여기에서 하트의 여왕은 변덕스러운 적대자이고, 앨리스가 주인공임이 드러난다.

제8장 「여왕의 크로케 경기장」에서 하트의 여왕은 앨리스에게 "너 크로케 할 줄 아니?"라고 크로케 경기를 제안하자, 그녀는 "예!" 하고 대답한다(*W* 65). 그러나 이것은 정말로 이상한 게임이었다. 크로케 경기는 고슴도치가 볼이 되고, 홍학이 채, 병사들이 골대 역할을 하는 "실로 어려운 게임"(*W* 66) 이었다. 이것은 "난제"(M)로서 주인공에게 어려운 과제가 주어지는 것이며, 동화의 필수적인 요소들 가운데 하나이다(Propp 60). 난제는 왕의 인물 즉 대

부분은 왕이 제안하는데, 진짜 주인공은 그 후로 행복하게 살기 위하여 이런 시련을 극복해야 한다.

앨리스는 주어진 크로케 경기를 잘 해냄으로써 난제를 "해결"(N)한다. 난제(M)는 일반적으로 해결(N)과 짝이 되면 해결된다(Propp 62). 난제를 해결하면 주인공이 "인지"(Q)된다. 앨리스는 난제를 해결하여 주인공으로 인지된다. 앨리스를 대하는 여왕의 태도가 바뀐 것이 이것을 암시한다. 게임이 끝난 후 그녀는 앨리스에게 아주 예의 바르게 가짜 거북을 본 적이 있는지 그리고 그의 이야기를 들어본 적이 있는지를 물어본다. 여왕은 상대의 영웅적인 잠재력을 인식했을 것이라고 여겨지는데 이처럼 여왕의 뒤바뀐 태도를 인지(Q)로 해석할 수 있다.

인지 이후에 가짜 주인공이나 적대자가 드러나는 것은 "정체 노출(exposure)"(Ex)이다. 정체 노출은 적대자가 있어야 가능하며, 이것은 「누가 파이를 훔쳤나?」와 「앨리스의 증언」의 장에서 묘사되는 재판에서 볼 수 있다. 앨리스의 정체 노출 행동은 재판의 시작 장면에서부터 볼 수 있다. 그녀는 배심원들이 메모하고 있는 석판에 대해 "재판이 끝나기도 전에 . . . (석판들) 꼴이 엉망이 되겠군!"(*W* 87)이라고 화가 나서 말한다. 그리고 그녀는 점점 커지기 시작하여 정상적인 키가 된다. 사실상 그녀는 이상한 나라 밖으로 나오고 있다.

잠시 후에 하트의 여왕이 "선고부터 하고 평결은 나중에 내려라"(*W* 96)라고 할 때 정체 노출이 분명하게 시작된다.

> "말도 안 돼! 평결도 내리기 전에 선고부터 하라니!"
>
> 여왕은 얼굴이 벌게져서 말했다. "입 닥쳐!"
>
> "싫어요!" 앨리스가 말했다.
>
> 여왕은 고래고래 소리를 질렀다. "저 아이의 목을 쳐라!"

하지만 아무도 움직이지 않았다.

앨리스가 말했다. "누가 무서워할 줄 알아? 너희들은 카드 묶음에 불과해!" (이제 앨리스는 본래의 키로 돌아와 있었다) (*W* 97)

이 단락에서 앨리스는 여왕의 권위가 모순됨을 증명한다. 이것은 하트의 여왕이 "저 아이의 목을 쳐라"라고 하는 명령이 무력해지자 분명해진다. 아무도 그녀의 명령을 따르지 않기 때문이다. 한편 "너희들은 카드 묶음에 불과해!"라는 앨리스의 외침은 사실임이 입증된다. 여왕과 왕, 신하들은 단지 카드 묶음이라는 것이 드러난다. 이 장면은 두 가지 기능을 한다. 정체 노출(Ex)로 가짜 주인공이 드러나고, "변신"(T)으로 주인공이 새로운 모습을 가지게 되는 것이다. 이때 앨리스는 변화하여 본래의 키로 돌아와 있다. 동화의 다음 기능 "처벌"(U)은 "너희들은 카드 묶음에 불과해!"라는 앨리스의 말에 암시되어 있을 뿐인데 그녀가 이 말을 하는 순간 이상한 나라가 사라지고 앨리스는 마법에서 깨어난다.

동화의 마지막 기능은 결혼으로, 주인공은 결혼해서 즉위한다(Propp 63). 결혼은 주인공이 결혼하거나 왕위에 오르는 것을 가리킨다. 이 두 가지가 동시에 일어나기도 하지만 항상 그렇지는 않다. 앨리스는 『이상한 나라』에서 적대자를 이겼지만 여왕이 되지 못한다. 그러나 여왕 또는 왕이 되는 것은 성인이 되는 것을 상징하기도 한다. 이야기의 마지막 부분, 액자 이야기에서 앨리스의 언니는 앨리스가 "어린 시절과 행복한 여름날을 기억하면서 어떻게 아이들의 순수한 슬픔을 함께 나누고 아이들의 순수한 기쁨 속에서 즐거움을 찾아낼지를 그려보았다"(*W* 99)라고 한다. 앨리스의 새로운 신분은 변신으로 나타나는데, 언니의 꿈에서 앨리스는 이야기를 듣는 어린이들에게 둘러싸여 있는 성인 여성(W)이다. 마지막 부분의 액자 이야기는 결혼 생활과 육아를 연상시키는 표현으로 앨리스를 묘사하고 있다.

요약하면 『이상한 나라』는 다음의 형태론적인 순서를 따른다.

αβaBC ↑ D§E§F§G ∴ D§E§F§G ∴ HIK ↓ OMNQExTUW

따라서 『이상한 나라』는 '그래서 그녀는 그 후로 행복하게 살았습니다'라는 전래동화의 전형적인 구조가 사용된 이야기라고 할 수 있다. 이것은 캐럴과 동시대 작가들이 동화양식을 사용하여 아이들에게 가르침과 읽는 즐거움을 주는 책을 만들고자 하는 의도였다. 동화의 구조분석은 텍스트의 형태를 이해하여 작품의 일차 독자를 예측하는 데 유용할 수 있지만, 작품을 쓴 작가의 역사성과 사회성에 대한 이해를 간과하는 것이다. 따라서 동화의 구조분석은 그 자체가 목적이 될 수는 없고, 다른 비평적 담론에 대한 시각을 열어주기 위한 논의의 시작이 될 수 있다.

3

캐럴이 동화형식을 사용하여 만든 『이상한 나라』의 광기의 세계는 영문학 사상 매우 무질서한 장소 가운데 하나로서 19세기 중반의 문화적 불안을 표현한 것이다. 빅토리아 시대의 영국인들은 산업혁명, 자본주의, 종교에 대한 도전, 미래 상황을 예측할 수 없게 했던 급속도로 발전하는 과학 등으로 구질서가 무너진 엄청난 변화의 시기를 살았다. 이러한 시대에 캐럴은 『이상한 나라』에서 개인의 정체성, 언어의 무의미성 등에 대한 혼란을 환상세계에 재현하여 사회 전체에 존재하는 불확실성과 무질서를 풍자했고 삶과 사회에 대한 성숙한 관심과 당혹감을 보여주었다.

캐럴의 삶에 대한 인식이 『이상한 나라』에 담겨있기 때문에 그가 빅토리아 시대의 세상을 바라보는 방식을 이해할 필요가 있다. 다윈 이래로 살아있는 것이나 삶은 광기이고 도덕적으로도 혼란스러워졌는데 캐럴도 삶을 그렇게 인식한다. 그의 『실비와 브루노 완결판』(*Sylvie and Bruno Concluded*, 1893)에서 브루노는 실비가 배열해놓은 단어 **악**(EVIL)이라는 글자를 보면서 그 단어의 철자를 묻는다. "어, **삶**을 뒤집어놓았네!(Why it's LIVE, backwards!)" (*Works* 529)라고 브루노는 말한다. 내레이터는 작가의 말에 동의하면서 "(실은 나도 그렇게 생각한다)"(*Works* 529)를 삽입한다. 캐럴이 삶을 바라보는 단서가 이 한 마디에 담겨있다고 할 수 있고, 그러므로 『이상한 나라』는 서구의 사고와 중산층의 사회적 관례에 의하여 구성된 세계 이면에 놓여있는 무법의 나라를 여행하는 희극적 여행으로 이해될 수 있다. 이러한 책 읽기가 『이상한 나라』의 문학적 본질과 세대를 뛰어넘는 인기를 설명할 수 있고 이 작품과 빅토리아 시대를 분명하게 연관 지을 수 있다.

『이상한 나라』의 액자 이야기로 사용한 서시에서 캐럴은 자신이 『지하세계의 앨리스』 원작을 앨리스와 그녀의 자매들에게 즉흥적으로 들려준 날을 "황금빛 오후 내내"(*W* 3)라고 노래한다. 그러나 기상청에 따르면 그날 날씨는 "쌀쌀하고 비가 온"(Gardner, Annotated 23) 것으로 기록되어 있다. 그런데도 『이상한 나라』의 기억에 황금빛을 입히는 것은 이야기에 두루 퍼져있는 온화한 희극 정신처럼 풍자 효과를 가져다준다. 앨리스의 이상한 나라 여행, 즉 어두운 지하세계 여행은 호기심 때문에 시작된다. 그녀는 흰 토끼를 쫓아 토끼 굴로 내려가서 지하세계인 이상한 나라에 도착한다. 그녀는 지상의 구세계로부터 많은 것을 가지고 가는데, 가장 중요한 것은 우주의 질서에 대한 믿음을 여전히 가지고 있는 점이다(Rackin 37). 따라서 광기와 무질서가 지배적인 이상한 나라에서 앨리스의 질서 탐색은 실패할 것이고, 결국 그녀는 이상한 나라의 무질서로부터 자신을 보존하기 위하여 평범한 논리와 방식이 있는 지상으로 필사적으로 돌아와야만 할 것이다.

지상의 논리 가운데 예측 가능한 일관된 크기에 관한 개념은 정체성을 보여주는 것으로서 중요하다. 그러나 이상한 나라에서 "가련한 앨리스"(*W* 14)는 자신의 크기가 커졌다 작아졌다 하는 혼란스러운 상황에 놓이게 된다. 이런 가운데서 앨리스는 자신을 이전 존재의 안정성과 연관시키려고 한다. 지상에서 앨리스의 정체성은 수학, 지리 등에 의하여 구성되어 있었다. 그녀는 이상한 나라에서도 이것들을 암송하여 이전의 정체성을 회복하려고 한다. 그러나 그녀가 하는 셈은 수학 전문가들에게나 의미가 있고, "런던은 파리의 수도"(*W* 16) 등등 지리를 혼란스럽고 비논리적으로 외우는 것은 이 이야기가 전개하는 비전을 강화할 뿐이다.

모든 것이 혼란스러워지는 절망적인 상황에서 앨리스는 한곳에 오래도록 머무르기보다 계속하여 여행한다. 그러나 이상한 나라에서 앨리스가 목격하는 것은 세상의 계급제도가 곳곳에서 공격받고 전도되어 계급제도의 이데올로기 토대가 흔들리는 것이다(Rackin 41). 이상한 나라에서 동물들은 더 이상 인간보다 열등한 종이 아니다. 많은 동물이 앨리스에게 명령하는데, 이 경우에 그녀는 그들의 명령에 따라 새로운 역할을 받아들인다. 그렇다면 앨리스가 통제할 수 없는 크기 변화를 겪고, 토끼의 하인으로서 역할을 소심하게 받아들인 후에 고통스럽게 하는 질문, "지금의 나는 누구인 거지?"(*W* 15), "나는 어떻게 될까"(*W* 28)는 방향 감각을 상실한 빅토리아 시대의 혼란에 반응하는 중상류층 소녀의 반응, 또는 그 이상을 보여주는 것이 된다. 구세계 지상의 가정들, 즉 정돈되고 점진적인 성장과 발달이라는 개념, 계층화·계급화된 사회의 다양한 구성원처럼 동물과 인간의 당연한 계층적 관계, 그 결과 온당하고 안정된 인간의 정체성이라는 개념은 진화론으로 인한 종교적 신념의 혼란과 사회구조의 빠른 변화 속에서 혼란스러워지고 있다. 따라서 앨리스가 가졌던 과거의 정체성은 이상한 나라에서 무의미할 뿐만 아니라 영원한 정체성이라는 바로 그 개념은 설득력이 없다.

언어는 항상 믿을만하고 진실하다는 진리도 무너진다. 이상한 나라에서 언어로 의사소통하는 것이 논리적이고 분명하다는 관례는 공격받게 된다. 앨리스와 동물들이 눈물 웅덩이에서 젖어서 나올 때 언어 질서는 해체되어 언어유희가 된다. 도도새가 몸을 말리기 위하여 코커스 경주를 하자고 제안하자 앨리스는 그것이 무엇인지 묻는다. 그는 "그것을 설명하는 가장 좋은 방법은 그것을 직접 행하는 것"(*W* 23)이라고 대답한다. 이것은 언어 자체가 모든 것을 설명하기엔 무기력하다는 것을 암시한다. 따라서 일상 언어는 늘 뜻이 분명하고 독립적이라는 명제는 허물어진다. 쥐가 자신의 이야기는 "길고 슬픈 이야기(tale)"라고 할 때 앨리스는 "그것이 긴 꼬리(tail)인데 . . . 왜 너는 꼬리가 슬프다고 하니?"라고 쥐의 말을 잘못 알아듣고 대답한다. 쥐가 "아니야(not)"라고 하는 대답을 앨리스는 "매듭(knot)"이라고 생각한다(*W* 24-26). 논리적인 의사소통에 대한 가정은 좌절되고, 언어에 대한 지상의 가정은 웃고 있는 체셔 고양이처럼 서서히 해체된다.

캐럴은 이처럼 문학에서 언어를 중요한 주제로 만드는 데 공헌하였다. 그에게 언어는 현존하는 실제를 단순히 반영하는 중립적이고 투명한 매개체이거나, 이상화할 수 있는 것이 아니었다. 언어는 그것을 사용하는 사람과 불가분의 관계이기 때문에 정확한 의사소통 체계가 될 수는 없다. 이 작품의 속편인 『거울나라의 앨리스』(*Through the Looking-Glass and What Alice Found There*, 1871)에서 하얀 왕이 "내가 전혀 쓰려고 하지도 않았던 것이 저절로 써진다"(*L* 115)라고 말하는 장면은 언어가 사용하는 사람의 의지대로 되지 않는 것을 시사한다. 이 장면은 20세기 지성사에서 언어의 역할을 예고한다.

앨리스가 이상한 나라의 지하세계로 깊숙이 들어갈수록 언어 관례를 희극적으로 전복하는 범위와 강도는 점점 강해진다. 『이상한 나라』는 사건들이 그저 재미있게 배열된 플롯이 없는 꿈이 아니라 잘 짜이고 통제된 지적인 꿈이기 때문이다(Ayres 233; Rackin 69). 언어의 혼돈 양상은 제3장의 마지막 페이지에서 정점에 이른다. 쥐의 이야기가 쥐의 긴 꼬리 모양에 상징적으로 인쇄되어 있는데, 이것은 법에 관한 것이다. 쥐의 꼬리/이야기(the Mouse's tail/tale)에서 분노의 여신은 "너[쥐]를 고소하겠다. . . . 내가 바로 배심원이고 판사다. 내가 이 사건을 맡아 너를 사형에 처할 것이다"(*W* 25)라고 한다. 분노의 여신이 쥐를 고소하는 것은 단지 할 일이 없기 때문이며, 그녀는 이 재판의 판결에 영향을 줄 수 있는 힘을 가지고 있다. 일반적으로 법의 개념은 법 제도의 근간에 있는 언어가 분명하다는 가정에 주로 의존한다(Rackin 44). 그러나 『이상한 나라』의 쥐의 꼬리/이야기에 나오는 재판과 마지막 재판은 언어유희로 가득하다. 언어는 분명하다는 가정이 붕괴한 세상에서 재판은 의미가 없다. 『이상한 나라』의 재판은 이처럼 법에 근거하지 않거나, 의미 없는 언어로 구성된 법에 근거하는 왜곡된 재판을 재현한다. 재판은 최종 결정이 될 수도 있지만, 시작되기 전에 판결이 나거나 지연될 수도 있음을 의미한다.

언어의 혼돈 양상에 이어서 캐럴은 당시에 발표된 다윈 이론을 희화화한다. 장이 진행되면서 앨리스는 공작부인을 만난다. 그녀는 아기의 울음소리, 요리사가 던지는 부엌세간 등, 집안의 무질서함과 상관없이 아기와 앨리스를 잔인하게 다룬다. 공작부인은 설교하면서 자신이 부른 자장가처럼 아기를 흔들다가 앨리스에게 던진다. 그녀의 아기는 앨리스의 손에서 갑자기 못생긴 돼지 모습의 아기로 변한다. 이것은 그 당시에 발표된 다윈 이론을 희극적으로 표현한 것이다.

찰스 다윈(Charles Darwin)의 『종의 기원』(*The Origin of Species*, 1859)이 『이상한 나라』가 출판되기 6년 전에 발표되어서 악취를 풍기고 있었다(Empson 345). 캐럴은 그 이전에 근대 지질학과 생물학을 접하면서 새로운 사상에 열려있었다. 따라서 그는 『종의 기원』이 발표되기 훨씬 이전에 인간과 인간의 기원에 관한 성서적 견해는 구식이고 과학적으로 더 이상 유용하지 않다는 이론이 등장할 것을 예견하고 있었다. 1860년에 옥스퍼드에서 열린 대영학술협회(the British Association)에서 진화에 관한 논쟁이 있었다. 옥스퍼드에서의 논쟁에서 토마스 헉슬리(Thomas Huxley)가 윌버포스 주교(Bishop Wilberforce)에게 다윈 이론으로 맞섰을 때 캐럴은 이미 그곳에 거주하고 있었다. 헉슬리는 19세기의 저명한 생물학자이자 진화론의 거성으로 다윈 이론을 대중화시킨 인물이다. 이 논쟁에서 옥스퍼드의 주교였던 윌버포스는 헉슬리의 다윈 이론에 대한 설명에 반박하면서 그에게 부계 또는 모계가 원숭이의 후손인지를 물었다. 헉슬리는 자신이 원숭이의 후손인 것은 부끄럽지 않지만, 위대한 재능을 진리를 분간하지 못하도록 하는 데 사용하는 인간과 결부된 것이 부끄럽다고 대답하였다. 다윈 이론과 같은 생물학 이론의 혁명은 유물론적이고 무신론적인 비전을 낳았다.

진화론에 관한 캐럴의 견해는 아기가 돼지로 변하는 퇴행적인 사건에서 암시된다. 그는 진화론을 희화화했는데 이것은 이미 앞에 나온 코커스 경주의 원인이나 목표가 없는 단순한 움직임, 코커스 경주를 그린 테니얼의 그림(*W* 24)뿐만 아니라 캐럴이 그린 불안한 원숭이 그림(*U* 45)에서도 나타난다. 어리석은 초기 빅토리아인들이 진화론을 진보적인 것으로 수용했지만 캐럴은 널리 신봉되던 그러한 믿음을 단호하지만 희극적으로 공격한다. 빅토리아 중기와 후기의 문학에서 볼 수 있는 것처럼 그는 진보적인 발전을 잔인하게 비웃고 있다.

같은 장에서 앨리스는 체셔 고양이를 만난다. 체셔 고양이는 초연하고 즐거운 관찰자로서, 지적인 초연함의 직접적인 상징이기도 하다(Empson 351). 장이 발전될수록 세상의 온전함과 질서에 대한 토대를 더욱 공격한다는 점에서 고양이와 앨리스의 대화는 중요해진다. 그는 앨리스의 주변에서 일어나는 혼란에 대하여 온당하게 설명해주는 이상한 나라의 유일한 동물이다.

"난 미친 사람들을 만나고 싶지 않아." 앨리스가 말했다.

"하지만 그건 어쩔 수 없어. 여기 있는 우리는 모두 미쳤거든. 나도 미쳤고, 너도 미쳤어." 고양이가 말했다.

"내가 미쳤는지 어떻게 알아?" 앨리스가 물었다.

"넌 틀림없이 미쳤어. 안 미쳤으면 여기에 왔을 리가 없거든." 앨리스는 그 말을 도무지 인정할 수가 없었다. (*W* 51)

앨리스와 체셔 고양이가 주고받는 이 대화에서 앨리스가 찾고 있는 이상한 나라의 의미가 드러난다. 체셔 고양이에 의하면 광기로 가득한 이상한 나라로 앨리스를 뛰어들게 한 호기심 뒤에 있는 동기는 광기이다. 고양이에 따르면 앨리스는 이상한 나라의 동물들만큼이나 미쳤다. 그러나 고양이의 폭로로부터 앨리스가 알게 된 것은 없다. 내레이터에 의하면 "앨리스는 그 말을 도무지 인정할 수가 없었다"(*W* 51)라고 한다. 앨리스는 지상에서 질서를 지키면서 사는 사람들에 대한 이상한 나라의 의미를 인식하지 못한다.

체셔 고양이의 웃음은 광기의 상징으로서 12장의 중심인 제7장 「광기의 다과회」("A Mad Tea Party")의 전주곡이다. 이 장의 제목인 광기의 다과회에서 "광기의"(mad), 즉 "미친"이라는 단어들, 예를 들어 "모자 장수처럼 미친"(mad as Hatter), "삼월 토끼처럼 미친"(mad as March Hare)에서 알 수 있듯이, 이 다과회에서 극도의 광기는 삼월 토끼, 미친 모자 장수, 체셔 고양이에게서 나온다. 이것은 캐럴이 영국의 민담 전통에서 영감을 받은 것으로, 광인이나 기인은 "힘 있고 사나운" 영국의 민담 전통과 연관되어 "반세계"(anti world) 즉, "전도된 세계"를 만들어낸다(Demurova 81). 이러한 전통적인 카니발적 웃음의 흔적을 캐럴의 삶에서도 찾을 수 있다. 세상은 이중적이라는 카니발적 웃음의 관점에서 캐럴은 관례를 지키는 일상의 경건한 측면과 함께 동화의 본질에 열중하거나 연극을 보러 드나드는 등 관례로부터 일탈하던 특성을 보이기도 하였다.

광기의 다과회는 시간에 초점을 맞추고 있다. 시간은 지상의 중요한 질서 체계 중 하나지만 광기의 다과회 시작 부분에서 앨리스는 분명히 초시간적인 상황을 만난다. 삼월 토끼, 미친 모자 장수, 겨울잠쥐가 티 테이블에 둘러앉아 차를 마시면서 뒤죽박죽하게 대화한다. 여기서 모자 장수의 시간에 대한 의인화, "그를[*시간을*] 낭비하다" "시간을 두들기다" "시간을 살해하다"(*W* 56)와 같은 말을 주목할 필요가 있다. 이러한 언어유희는 시간이 무한하고, 규칙적이며, 비인간적이고, 자율적인 본질을 가졌다는 지상의 관례를 익살스럽게 전복시킨다(Rackin 54). 이상한 나라에서 시간은 무례한 어린이처럼 반항하고 일관되게 행동하지 않으려는 위험이 있다. 모자 장수에 의하면 요즘은 항상 여섯 시이고, 시간은 영원히 다과회 시간에 고정되어 있다. 동물들은 티 테이블 주변을 빙빙 돌면서 공간을 바꾸어서 이상한 나라의 초시간성(timelessness)을 보충하려고 한다. 그러나 앨리스가 토끼 굴 아래로 떨어질 때부터 공간 개념이 이미 파괴되었음을 독자는 알고 있다. 『이상한 나라』는 이야기의 가장 중심 부분에서 지상의 질서를 상당히 전복하여 평범한 인간의 경험이 가진 가장 중요한 개념을 비웃고 있다. 래킨은 이 부분에 관하여 이야기의 중간 지점에서 앨리스가 가진 구질서의 기초가 완전히 허물어졌다고 한다(55).

제8장 여왕의 크로케 경기장에서 앨리스는 살아있는 카드 등장인물들을 만난다. 이 카드 등장인물들은 인간의 모습을 하고서 지상의 생물들 즉 고슴도치, 홍학과 같이 살아있는 동물들을 크로케 공과 타구봉 등 무생물처럼 다룬다. 생물과 무생물의 세계가 분명하게 분리되어 있다는 지상의 전제는 다시 희극적으로 전복되지만, 앨리스는 좀처럼 그 개념을 버릴 수 없다. 따라서 그녀는 생물과 무생물에 대한 지상의 개념을 고수하면서 언어를 사용하여 이상한 나라에 반항을 시작한다.

앨리스가 반항하는 데는 여러 이유가 있다. 그녀는 끝도 없이 토끼 굴 아래로 떨어졌고, 그녀가 가졌던 지상의 가치는 완전히 허물어졌다. 그녀가 하는 계산은 틀리고, 학교에서 배운 지리는 의미가 없으며, 동물들이 그녀에게 명령한다. 그리고 무엇보다도 그녀는 속아왔다. 앨리스가 처음부터 영적인 목표로 삼았던 것은 아름다운 정원, 말하자면 에덴동산이었다. 그러나 그곳의 주인은 **하트의 왕과 여왕**(THE KING AND QUEEN OF HEARTS)으로서, 지극히 중요하고 위풍당당하게 이상한 나라의 중심에 대문자로 인쇄되어 있다. 그러나 그들은 임의의 상징인 한 벌의 카드이고, 아름다운 정원의 문장(emblem)인 붉은 장미는 원래 흰색 장미였지만 붉은색 칠을 한 것으로 이상한 나라의 위선을 시사한다. 그곳은 또한 거칠고 위험한 동물들이 규칙이 없는 이상한 경기를 하던 크로케 경기장이다. 이와 함께 그들의 법정은 규칙과 질서의 궁극적인 근원으로 왕국의 비밀을 가지고 있다. 그러므로 재판은 이상한 나라의 의미를 공공연히 드러내는 것으로서, 앨리스의 질서 탐색에 대한 결론이라고 할 수 있다.

재판은 본연의 모습이 드러난다. 재판하는 세상에 질서와 의미가 없으므로 재판 자체는 무의미한 절차이고, 규칙과 승자가 없는 또 하나의 게임일 뿐이다(Rackin 63). 따라서 앨리스는 이상한 나라에 대하여 최후의 단언을 할 수 있는 중요한 증거를 얻고, 자신의 악몽을 마무리 짓는다.

> "이건 아주 중요해." 왕은 배심원들을 돌아보며 말했다. 배심원들이 막 이 말을 석판에 받아 적으려는데 흰 토끼가 끼어들었다. "판사님 말씀은 물론 안 중요하다는 뜻이지." 토끼는 매우 공손한 어조로 말했지만, 말할 때 얼굴을 찡그렸다.
>
> "물론 안 중요하다는 뜻이었지." 왕은 서둘러 말했다. 그리고 어떤 말이 더 낫게 들리는지 확인해보려는 듯이 계속해서 "중요한－안 중요한－안 중

요한―중요한" 하고 작은 소리로 읊조렸다.

어떤 배심원은 "중요하다"라고 쓰고, 어떤 배심원은 "안 중요하다"라고 쓰고 있었다. 앨리스는 석판이 보일 정도로 가까운 거리에 있어서 그걸 볼 수 있었다. "아무려면 어때." 앨리스는 중얼거렸다. (*W* 93)

이 무의미한 재판 장면에서 판사와 배심원들은 한 가지 사안에 대하여 횡설수설하고 있다. 길리아노는 『이상한 나라』의 이 마지막 재판 장면을 "카프카적인 재판"("Laughing" 110)이라고 했는데, 이 재판은 20세기 작가들에게 문학적인 영향을 주었다. 이 장면에서 앨리스는 곧 용감하게 왕에게 대항한다. 왕이 "가장 중요한 증거"라고 하는 것에 앨리스는 "아무 뜻도 없어요"라고 반박하여 왕에게 즉 이상한 나라에 대항한다. 마지막으로 여왕이 "선고부터 하고 평결은 나중에 내려라"라고 할 때 앨리스는 "말도 안 돼"라고 능동적으로 반항한다(*W* 96-97). 또한, 앨리스는 모여 있는 등장인물들에게 "너희들은 카드 묶음에 불과해!"라고 외치는데, 이 말은 하트의 여왕이 하는 명령, "저자의 목을 쳐라"보다 더 파괴적이다(Otten 54에서 재인용). 왜냐하면 앨리스가 이 말을 하자 이상한 나라 전체가 파괴되기 때문이다. 앨리스는 이상한 나라의 법정을 지배하는 하트의 왕과 여왕 그리고 그곳의 등장인물들에게 지배의 중요한 수단이자 파괴적인 무기인 언어를 사용하여 대항한다. 그녀는 모든 이상한 나라를 "카드 묶음"에 불과하다고 외침으로써 자신의 악몽 같은 여행을 끝내는 것이다.

『이상한 나라』에서 앨리스는 빙 돌아 제자리로 온다. 그녀는 광기의 호기심 때문에 이상한 나라를 여행하였다. 결국 이상한 나라는 아름다운 정원, 크로케 경기장, 법정으로 요약되고, 이곳을 지배하는 것은 무질서와 광기이다. 그곳에서 앨리스는 지상의 사람들을 대표하는 사람으로서 그에 걸맞게 행동하지만, 질서 탐색이 실패하자 그런대로 살만한 지상으로 돌아온다. 표면상 『이상한 나라』는 일상적인 경험에 충실하지는 않다. 작가가 이상한 나라의 혼란을 실제의 혼란이라고 하는 것은 너무나 끔찍하고 음울했을 것이다. 그래서 앨리스는 마지막으로 "너무나 아름다운 꿈을 꾸었다"(*W* 98)라고 한다. 그녀가 "아름다운"이라는 단어를 선택하는 것은 풍자이다. 무질서하고, 무섭고, 때로는 우스운 이상한 나라의 등장인물들과 그들의 세계는 결국 카드 게임이 아니다. 말하자면 그들은 리얼리티보다 더욱더 사실적이다.

캐럴이 『이상한 나라』의 서시에서 실제의 쌀쌀하고 비가 온 날을 황금빛 오후로 바꾸어 이야기에 따뜻한 색을 입히듯이, 앨리스가 방금 깬 악몽을 아름다운 꿈이라고 언급하는 것은 이 이야기에 희극적인 풍자 효과를 더한다. 캐럴의 위대한 점은 '끔찍한 혼란'이라고 할 수 있는 깨어있는 세상의 진실한 경험을 판타지로 가득한 어린이 환상문학으로 조심스럽게 바꾼 것이다.

4

캐럴의 『이상한 나라』에 나타난 동화유형과 그 안에 담긴 작가의 삶에 대한 인식을 논의함으로써 이 작품이 영문학의 정전으로 재평가된 작품임을 살펴보았다. 『이상한 나라』는 어린이 환상문학의 무한한 가능성을 보여준 아동문학으로써 탁월했을 뿐만 아니라 빅토리아 시대의 삶을 희극적으로 다룬 어른을 위한 문학으로서도 중요하다. 따라서 재미있으면서도 진지한 이 이야기는 표면상 어린이를 의도하고 있지만, 사회에 대한 성숙한 관심을 또한 반영하기 때문에 성인 독자들도 매료시킨다.

『이상한 나라』를 프로프의 민담형태론에 따라 분석하는 것은 표면상 꿈같은 이야기에 동화양식이 치밀하게 사용되었음을 알 수 있게 해주었다. 이러한 특성은 캐럴의 작품뿐만 아니라 동화의 영향이 컸던 빅토리아 시대의 어린이 환상문학 작품들에서 주로 나타난다. 『이상한 나라』의 구조를 민담형태론에 따라 분석하는 것은 이 작품이 전래동화와 가까운 이야기로써, 일차독자가 어린이임을 알려준다. 빅토리아 시대에 동화는 어린이에게 즐거움과 교훈을 주기 위한 아동문학으로 널리 개작되거나 다시 쓰였기 때문이다. 동시에 이러한 동화들이 동시대의 삶을 논평했다는 것이 밝혀지면서 그 당시 작가들이 어른을 동화의 잠재독자로 상정하였음을 알 수 있다.

캐럴의 『이상한 나라』는 빅토리아 시대의 인간 상황에 관한 탐색이며 섬세하고 희극적인 풍자이다. 그는 당대의 지식인들처럼 혼란스러운 시대에 구질서가 무너졌음을 절감하고 이에 대하여 슬퍼하였다. 이러한 인식은 『이상한 나라』에 언어적 관례, 계급제도, 시간과 공간 등 규칙과 질서에 대한 언급으로 표현되어 있다. 앨리스가 끝도 없이 토끼 굴 아래로 떨어진 이래로 그녀가 가졌던 지상의 가치는 완전히 와해되었다. 앨리스가 알던 수학, 지리 등은 의미가 없고, 그녀는 동물들의 명령을 받았으며, 더욱이 속아왔다. 앨리스가 처음부터 영적인 목표로 삼았던 것은 아름다운 정원, 말하자면 에덴동산이었다. 그곳의 주인은 **하트의 왕과 여왕**(THE KING AND QUEEN OF HEARTS)들로 지극히 중요하고 위풍당당하게 이상한 나라의 중심에 대문자로 인쇄되어 있다. 그러나 그들은 한 벌의 카드이고, 아름다운 정원의 문장은 하얀 장미에 붉은 칠을 한 붉은 장미로서 이상한 나라가 위선임을 암시한다. 아름다운 정원의 주인은 하트의 왕과 여왕이고, 정원의 중심에 있는 무의미한 법정이 이상한 나라를 상징하듯이 이곳을 지배하는 것은 무질서와 광기이다. 따라서 앨리스의 이상한 나라 여행은 성난 여왕이 지배하는 광기의 무질서한 곳으로 가는 것이기 때문에, 질서 탐색은 실패하여 아무것도 얻지 못한다. 앨리스가 주위의 혼란 속에서 자신이 찾던 질서를 발견하지 못하였을 때 그녀는 이상한 나라에 대항하면서 여행을 끝내고 그런대로 살만한 지상으로 돌아온다.

결국 이상한 나라는 아름다운 정원, 크로케 경기장, 법정으로 요약되고, 이곳을 지배하는 것은 무질서와 광기이다. 무질서하고, 무섭고, 때로는 재미있는 이상한 나라의 등장인물들과 이상한 나라는 카드 게임이 아니다. 말하자면 그들은 리얼리티보다 더 사실적이다. 그러나 그녀는 이상한 나라 여행을 마친 후 "너무나 아름다운 꿈을 꾸었다"(*W* 98)라고 하여 이 이야기가 풍자임을 암시한다. 캐럴의 위대한 점은 '끔찍한 혼란'이라고 할 수 있는 깨어있는 세상의 진실한 경험을 어린이 환상문학으로 조심스럽게 바꾼 것이다.

캐럴의 『이상한 나라』를 이렇게 읽을 때 이 작품이 표면적인 즐거움만을 가지고 있는 순진한 동화이거나 무의미한 난센스가 아니라, 동화형식으로 쓰인 당대의 삶을 재현하고 희극적으로 풍자한 진지한 문학작품임을 이해할 수 있게 한다. 캐럴은 전통적인 동화 장르에서 뿌리를 찾아 어린이에게 즐거움을 주는 동시에 삶에 대한 인식을 표현하기 위하여 문학적인 실험을 하였다. 어린이 환상문학은 이처럼 전통적인 것으로써 즐거움과 교훈을 주는 것이기도 하지만, 반면에 진보적인 것이기도 하다. 어린이 환상문학은 보존과 전복의 이중적인 역할을 동시에 한다는 인식에 이르게 되며, 『이상한 나라』에서 얻은 통찰력을 어린이 환상문학 전반에 적용해도 흥미로울 것이다.

『거울나라의 앨리스』: 사랑에 대한 탐색

1

캐럴의 『거울나라의 앨리스』• 는 어린이를 위한 즐거움과 교훈은 물론 '삶이란 무엇인가'라는 질문을 포함하는 작품으로 영문학사에서도 정전으로 분류된다. 『거울나라』는 출판 당시부터 성공적인 아동문학 작품으로 인식되었는데, 이 작품을 포함하는 『앨리스』가 20세기에 들어 비평가들의 관심을 다시 받게 되면서 캐럴의 문학사적 위치를 재평가하는 계기를 마련하였다. 캐럴의 『앨리스』는 앞에서도 언급하였듯이 『지하세계』, 『이상한 나라』, 『거울나라』, 『자장가』를 포함한다. 현대의 비평가들은 『앨리스』의 환상적인 이야기가 어린이의 관심을 끄는 동시에, 삶에 대한 깊이 있는 통찰을 포함하는 문학으로 성인들도 매료한다고 재해석하였다. 이러한 비평으로 인하여 캐럴은 셰익스피어와 디킨스의 위대한 전통에 속하는 작가의 반열에 오르게 되었다(Guiliano vii).

위대한 문학 작품들은 삶의 비평이었듯이 캐럴의 『앨리스』 역시 삶의 비평을 포함한다고 흄이 지적하였다. 그녀는 『환상과 미메시스』의 서문에서, 헤밍웨이는 모방의 언어로 삶이란 무엇인가에 대하여 썼듯이, 캐럴 역시 은유적인 방식으로 그 문제에 반응하였음을 주목하였다. 캐럴의 『앨리스』를 주의 깊게 살펴보면 이 작품들이 삶이란 무엇인가에 대한 중요한 은유이고, 또한 리얼리티의 재현을 넘어선 풍자라는 것을 알 수 있다. 이러한 연구는

• 『거울나라의 앨리스』는 앞으로 『거울나라』로, 텍스트의 원문인용 시 *L*로 표기한다.

1932년에 컬럼비아 대학에서 열린 캐럴 탄생 100주년을 기념하는 축제에서 이 대학 교수 에이리스의 헌정 연설에서 시작되었다. 그의 연설은 이후에 『캐럴의 앨리스』(*Carroll's Alice*, 1936)로 발전하였다.

이러한 방향의 연구는 1930년대와 40년대에 『앨리스』에 대한 정신분석학적 비평으로 이어졌다. 이 가운데 가장 영향력 있는 초기의 연구는 엠프슨의 『몇 편의 전원시』(*Some Versions of the Pastoral*, 1935)에서 「『이상한 나라의 앨리스』, 연인으로서 어린이」("*Alice in Wonderland*: The Child as Swain")와 플로렌스 베커 레넌(Florence Becker Lennon)의 『거울을 통하여 본 빅토리아, 루이스 캐럴의 삶』(*Victoria through the Looking-Glass: The Life of Lewis Carroll*, 1945)이 대표적이다. 엠프슨의 분석은 프로이트적이지만 후세대 비평가들도 충분히 찾아내지 못한 마르크시스트적 연구를 함께 시도한다. 레넌의 연구는 캐럴과 그의 작품에 대하여 빅토리아 시대의 억압이라는 관점에서 쓰인 것이다.

텍스트 연구는 가드너의 베스트셀러 『앨리스 주해서』(*The Annotated Alice*, 1960)와 도널드 그레이(Donald Gray)의 노튼 비평서(*A Norton Critical Edition*, 1971)가 길을 열었다. 그 후로 로버트 필립스(Robert Phillips, 1971), 에드워드 길리아노(Edward Guiliano, 1982), 해럴드 블룸(Harold Bloom, 1987)의 논문 모음집에도 주목할만한 연구들이 있다. 그리고 1932년 이후 캐럴에 대한 학계의 관심은 놀라울 만큼 커졌다. 영국에서 루이스 캐럴 학회가 만들어져서 1969년부터 정기간행물 『재버워키』(*Jabberwocky*)를 발간하였고, 이 간행물은 1998년부터 『캐럴리안』(*The Carrollian*)으로 이름이 바뀌어서 꾸준히 발간되고 있다. 미국의 루이스 캐럴 학회는 스탠 마르크스(Stan Marx)와 함께 1974년에 발족되어 캐럴의 삶과 작품 연구뿐만 아니라 캐럴과 앨리스에 대한 새로운 전기를 출판하였다.

1982년에는 루이스 캐럴 탄생 150주년을 맞아 그의 천재성이 특히 부각되었다. 『앨리스』는 독자들에게 신선한 통찰력과 미학적인 보상을 주는 고전이라는 평가를 받았다. 또한 『앨리스』는 빅토리아 시대의 리얼리즘 소설 못지않게 리얼리티와 사회규범에 대한 의문을 제기하는 풍자문학이라는 연구들이 나오면서 캐럴은 영문학사에 확고하게 자리하게 되었다.

『앨리스』가 일반문학으로 재정전화 된 것은 이 작품이 속한 어린이 환상문학 장르의 특성을 살펴봄으로써 가능하다. 19세기 중반에 영국은 아동문학의 황금시대를 누렸는데, 이 시대 작가들은 전래동화의 양식을 사용하여 작품을 썼다. 작가들이 전래동화를 주목하기 시작한 것은 19세기 초 낭만주의 운동으로 거슬러 올라간다. 영국 아동문학은 아동문학이 필요했던 시대적 상황과 함께 1780년대에 등장하였다(Townsend 28), 그 이후 낭만주의 운동으로 인하여 전래동화에 관한 관심이 부활하였고 이것을 어린이에게 적절하게 개작하면서 영국 아동문학은 발전하기 시작하였다. 전래동화는 민속학자들이 민담이라고 하는 구전으로 전해지던 이야기, 즉 설화에 근거한다. 이러한 이야기들은 주요 문예사조의 주변부에서 구전 또는 챕북의 형태로 존재하여 하층민들이 즐겼을 뿐만 아니라 주요 작가들의 상상력의 원천이 되기도 하였다. 낭만주의 운동은 상상력의 중요성을 역설하면서 전래동화와 같은 민담 장르를 회복하는 데 중요한 역할을 하였다. 즉, 전래동화가 어린이 책으로 적절하게 개작되거나 문학적인 영향을 주는 원천이 되었다. 전래동화를 바탕으로 새로 쓰인 동화는 어린이에게 즐거움과 함께 가르침을 주기에 적절하였기 때문에 아동문학으로 쉽게 받아들여졌다.

전래동화가 아동문학으로 재탄생되던 토양 위에서 영국은 19세기 중반에 그 어떤 나라도 누릴 수 없었던 아동문학의 황금시대를 맞이하였다. 이 시대를 이끈 것은 어린이 환상문학 장르였는데, 작가들은 작품을 쓰기 위하여 전래동화로부터 많은 것을 차용하였다. 그들은 전래동화의 구성과 모티프 등 동화 양식을 사용하여 삶에 대한 비평을 하였다. 대표적인 작가들로 러스킨, 킹슬리, 디킨스 등을 들 수 있으며, 아동문학사가들은 캐럴의 『이상한 나라』를 어린이의 상상력을 해방시킨 첫 번째 어린이 환상문학 작품으로 평가한다(Hunt 45).

어린이 책으로서 독보적이었던 『이상한 나라』와 『거울나라』를 포함하여 『앨리스』는 20세기에 들어서 삶에 대한 진지한 견해가 담겨있는 작품으로 새로이 평가되었다. 캐럴의 어린이 환상문학 작품들이 그 당시 리얼리즘 작가들이 열중했던 '삶의 비평'을 담고 있다는 인식과 함께 『앨리스』는 일반문학으로서도 문학성을 인정받게 된 것이다. 19세기 중반에 영국은 산업혁명 등으로 인하여 급변하는 시대를 맞이하였으며, 당시 아널드와 같이 절망한 지식인들은 그 시대를 구질서가 무너진 혼란한 시대로 여겼다. 아널드는 영국의 시인이자 비평가, 장학사, 옥스퍼드 대학교수를 지낸 빅토리아 시대의 대표적인 인물로서 문학과 삶의 문제를 본격적으로 논의한 지식인이기도 했다. 아널드는 문학작품을 그 자체로 읽는 것이 바로 삶을 논하는 것이라고 보았고, 문학을 '삶의 비평'이라고 하였다. 그의 대표작으로 『호머 번역론』(*On Translating Homar*, 1861), 『켈트문학 연구』(*The Study of Celtic Literature*, 1867), 『비평논집』(*Essays in Criticism*, 1865, 1888), 『교양과 무질서』(*Culture and Anarchy*, 1869) 등이 있다. 캐럴은 아널드가 보인 동시대에 대한 시대적 인식을 공유했으며, 비평가들이 주목한 것은 캐럴의 삶에 대한 견해가 그의 『거울나라』에 표현되었다는 것이다.

본 장은 캐럴의 『거울나라』가 어린이 책일 뿐만 아니라 문화적 산물이 되었던 시대에 쓰였다는 것에 주목한다. 그렇다면 이 작품이 동시대의 삶을 어떻게 재현하고 풍자하여 당대의 거대 담론에 반응한 문학인지를 살펴보자.

2

『거울나라』는 앨리스가 "동화라는 사랑의 선물"(*L* 103)을 반기는 서시로 시작된다. 이 시는 사랑에 대하여 많은 것을 기대하게 하지만, 이야기를 들려주던 여름날은 이미 지나갔고 작품 곳곳에서 "그늘진 한숨"(*L* 103)이 새어 나온다. 후기 낭만주의 세계인 빅토리아 시대의 문학가들처럼 캐럴 역시 낭만주의자였고, 그들에게 사랑에 관한 탐색은 중요한 주제였다. 그 당시에 절망한 지식인들은 불확실성, 증대하는 기계화, 도덕적으로 무질서한 격변의 시대에 개인의 사랑을 안전한 은신처로 다루었다(Rackin 127). 아널드의 「도버 해변」("Dover Beach")은 이러한 주제를 다룬 슬픈 시의 대표적인 예로 1867년에 출판되었으며, 『거울나라』보다 4년 앞선다. 캐럴 또한 『거울나라』에서 이와 같은 주제를 다루었다.

『거울나라』에서 캐럴은 옛 가치의 상실에 대한 모티프를 구체화하기 위하여, 중상류층의 두 세대를 대표하는 백기사와 앨리스를 등장시켜서 사랑에 관한 탐색을 시도한다. 즉 캐럴은 늙고 시대착오적인 백기사와 "기쁨에 넘쳐 . . . 어마어마하게 큰 체스 게임이 벌어지고 있어요, 전 세계적인"(*L* 126)이라고 외치면서 구시대의 가치를 간직하고 있지만 앞으로 나아가고자 하는 어린 앨리스를 대조시킨다. 캐럴은 자신이 변화하는 시대와 어울리지 않는다고 절망적으로 느끼면서, 어린 앨리스를 사랑하지만 그녀가 성장하고 있어서 이별해야 하는 늙고 무력한 백기사로 자신을 구체화한다. 캐럴은 변화하는 세계에서 구세계를 대표하는 자신을 포함한 중상류층 성인의 고통스러운 인식을 사랑의 탐색으로 표현하였다.

캐럴은 사랑의 탐색이라는 주제를 발전시키기 위하여 우선 앨리스의 성장을 구체화한다. 앨리스가 여덟 번째 칸으로 가서 결국은 여왕이 되는 과정을 보여주기 위하여 거울과 체스 게임 규칙이 사용된다. 『거울나라』에서 분명한 거울은 단 한 번 아주 간단하게 모험의 시작 부분에서 표면적으로 보이지만, 거울이라는 생각이 이 꿈을 지배한다. 또한, 캐럴이 1895년 판 서문에 썼듯이 『거울나라』는 체스 게임 규칙에 따라 엄격하게 구성되었다. 『이상한 나라』가 젊은 캐럴이 자신의 마음을 어린이 주인공과 함께 어디인지도 전혀 모르면서 지하세계로 뛰어들도록 한 자유롭고 재미있는 상상력으로 만들어진 작품이라면, 『거울나라』는 작가의 지성과 강한 의지의 산물에 더욱 가깝다. 비평가들은 『거울나라』를 『이상한 나라』의 섬세하고 자발적인 희극 정신을 회복하려는 캐럴의 신중하지만 실패한 시도로 읽는다. 그러나 이러한 실패에 보상이 있었다. 『거울나라』는 "자발적인 넘쳐흐름에서 상실한 것을 체계적으로 정성껏 만들었다"(Levin 189).

『거울나라』는 질서정연하고 명확한 특성이 있다. 실제 체스판의 일직선과 칸, 체스 말의 예상할 수 있는 직선적인 움직임과 앞으로 나아가면서 여왕이 되는 하나의 작은 말(pawn)의 움직임에 근거하여 이야기가 진행된다. 여주인공은 체스게임에서 승리하여 여왕이 되기 위하여 능동적, 논리적, 자발적이면서 신속하게 앞으로 나아간다. 결국 거울과 체스 게임 규칙이 지배하는 거울나라의 체스판에서 앨리스는 가장 강력하고 자유롭고 오만한 말인 여왕의 자유와 힘을 가지게 될 것이다.

앨리스가 여왕이 되는 것은 뒤늦게 등장하는 백기사와의 이별을 의미한다. 꿈의 세계에서 앨리스가 여왕이 되려고 열심히 달려갈 때 그녀를 만들어낸 희미하게 변장한 창조자 캐럴, 백기사는 앨리스를 잃게 될 것이고, 이 때문에 작품 전체에서 그의 그늘진 한숨 소리가 들려온다. 액자 이야기로 사용한 서시에서 캐럴은 슬퍼하고 있고, 그의 가장 깊고 끈끈한 당밀 우물에서 퍼 올린 것 같은 자신의 마음을 보여준다.

그리고, 이야기를 듣다가
그늘진 한숨이 새어 나올지도 모른다.
"행복한 여름날들"이 지나갔으니까.
그리고 여름의 영광이 사라졌으니까.
그 슬픔의 숨결도 빼앗아가지 못한다.
우리 동화의 즐거움을. (*L* 103)

처음에 앨리스의 모험을 즉흥적으로 들려주었던 "행복한 여름날들"은 이미 지나갔고, 이 시는 『거울나라』의 겨울 이미지와 조화를 이루어 노년을 상징한다. 『거울나라』 이야기의 액자 역할을 하는 서두의 이 시와 함께 마지막 부분의 시는 앨리스를 떠나보내야 하는 캐럴의 한숨 소리를 들려준다. 이뿐만 아니라 작품의 곳곳에서 슬프고 애처로운 노인의 그늘진 한숨 소리가 새어 나온다.

『거울나라』는 한겨울 집안에서 시작되는데, 앨리스는 거울을 통하여 2차 세계로 이동한다. 『이상한 나라』가 끝난 곳에서 시작되는 『거울나라』의 시작 부분에서부터 앨리스는 이미 성인의 의무를 가지고 있다. 그녀는 빅토리아 시대 중상류층의 성장하는 여주인공에게 요구되는 훌륭한 태도를 보이면서 교양 있게 행동한다. 앨리스는 이상한 나라의 여행을 경험했기 때문에 다소 성장한 여주인공으로 등장한다. 그녀는 언니의 보살핌을 받기보다는 새끼고양이의 어머니 역할을 흉내 내면서 앞으로 다가올 성인기에 대비하여 자신의 독립적인 자아를 미리 익혀둔다. 거울나라에서 모험하는 동안 앨리스는 무질서함을 보이는 약하고, 무능하고, 어리석고, 천진한 등장인물들을 돌보는 관대한 사람으로 여왕의 지위를 준비하고 있다.

앨리스는 거울나라에서 "어마어마하게 큰 체스 게임"을 하면서 여왕이 되기 위하여 나아가는 동안에 여러 등장인물을 만난다. 앨리스는 꽃들을 만난 후에 "꽃들도 꽤 재미있었지만, 그래도 진짜 여왕과 이야기하는 편이 훨씬 나을 것 같아"(*L* 123)라고 말한 후 붉은 여왕이 있는 쪽으로 간다. 앨리스는 거울 뒤에서 그 세계의 게임의 본질을 깨달은 직후에 체스판을 출발하면서 붉은 여왕에게 다음과 같이 말한다.

> "어마어마하게 큰 체스 게임이 벌어지고 있어요, 전 세계적인. 이곳이 진짜 세계라면 말이에요. 우와, 정말 재미있다! 나도 체스 말이라면 *좋겠다*! 함께 게임을 할 수만 있다면 졸이 되어도 상관없어. 물론 여왕이라면 더할 나위 없이 *좋겠지만*" . . . "그건 쉽게 할 수 있지. . . . 그럼 넌 둘째 칸에서 시작해서 여덟 번째 칸까지 가서 여왕이 되는." 어쨌거나, 그들은 바로 그 순간부터 달리기 시작했다. (*L* 126)

삶 자체를 거대한 체스 게임에 비유하는 예들은 두꺼운 명시 선집이 될 정도로 많다. 여기서 앨리스도 삶을 체스 게임으로 이해하는 것이고, 실제로 그녀는 체스판 위에서 쉽게 나아갈 수 있다. 그녀는 『이상한 나라』에서 일곱 살이었다면, 지금은 일곱 살 반이다. 『거울나라』가 출판될 때 앨리스는 19세였지만, 그녀는 거울나라에서 캐럴의 바람대로 9년에 해당하는 6개월의 성장이 허락되어 "일곱 살 반"(*L* 161)이다. 그녀는 체스와 같은 성인의 게임을 할 수 있을 만큼 성장하였고, 개인적인 목표를 달성할 만큼 단호하지만, 훨씬 덜 파괴적인 태도로 조심스럽게 행동한다. 거울나라에서 앨리스는 나이보다 조숙하게 아동기부터 성인이 될 때까지의 시간을 보낸다. 그녀가 새로이 가지게 된 성인의 신분은 자제력과 힘을 허락한다.

『거울나라』에서 앨리스는 처음부터 힘을 가진 사람이다. 앨리스는 신체의 위협을 받지 않고, 그녀의 몸은 크기가 바뀌지 않는다. 『이상한 나라』에서 앨리스 몸의 크기 변화는 『거울나라』에서 장소의 변화로 대치되어 체스판 위에서 말들의 움직임으로 나타난다. 거울나라에서도 앨리스가 만나는 등장인물들이 그녀를 화나거나 성가시게 하지만, 그녀는 침착하고 조심스럽게 어머니다운 행동을 하면서 감정을 드러내지 않는다.

각 장의 이야기는 앨리스가 여덟 번째 칸으로 가는 단계를 보여준다. 앨리스는 여왕이 되어 승리하려는 분명한 목적을 가지고 여행한다. 예를 들어, 앨리스의 정체성을 위협하는 제3장, 모든 것이 이름을 가지지 않는 숲에서조차 앨리스는 성숙하고 세련된 여주인공의 특성을 가지고 앞으로 나아갈 준비가 되어 있다. 앨리스는 어두운 숲속으로 들어가기에는 겁이 나지만 "들어갈 결심을 한다. 그녀는 '여기서 되돌아갈 순 없지'라고 생각한다"(*L* 135). 왜냐하면 "이것이 여덟 번째 칸으로 가는 유일한 길이기 때문이다"(*L* 135).

벽난로 선반을 넘어 거울을 통하여 들어간 세계에서 앨리스가 처음으로 만나는 등장인물은 재투성이가 된 세 쌍의 체스 말이다. 그들은 붉은 왕과 붉은 여왕, 하얀 왕과 하얀 여왕, 팔짱을 껴서 걷고 있는 성 두 채이다. 이 장면을 그린 테니얼의 삽화는 모든 체스 말들을 쌍쌍으로 그려서 거울에 반영된 형상을 암시한다. 『거울나라』의 체스 모티프에 관하여 가드너는 다음과 같이 설명한다. "행복한 사건으로서 체스는 또한 거울반사 모티프와 잘 연관된다. 성곽, 주교, 기사들이 짝지어 나올 뿐만 아니라, 게임을 시작할 때 한쪽 팀의 졸들을 비대칭으로 배열하는 것은 상대 졸들을 정확하게 거울 반영하는 것이다"(*L* 172).

모험에 두루 퍼져있는 거울 모티프와 함께 앨리스는 게임을 해야만 한다. 체스판 위에서 무능한 등장인물들은 성장하여 침착한 말인 앨리스를 돋보이도록 행동한다. 앨리스가 만나는 거울나라의 등장인물들은 어린아이처럼 행동하고, 앨리스는 항상 그들을 친절한 관심과 보살핌이 필요한 아이처럼 다룬다. 그녀는 우선 체스 말들을 부드럽게 집어 들어서 적당한 장소에 놓아주어 어수선한 장면을 정리한다.

앨리스는 왕을 살짝 들어 올려, 여왕을 끄집어낼 때보다 천천히 끄집어 내었다. 여왕처럼 숨차할지도 모르니까. 그리고 탁자에 올려놓기 전에 왕한테 묻은 재도 털어주었다.

앨리스는 나중에, 보이지 않는 손에 들려 재를 털리면서 왕이 지은 표정은 난생처음 보는 것이었다고 말했다. (*L* 114-15)

거울나라에서 앨리스의 힘은 그녀가 처음으로 움직일 때 간접적으로 드러난다. 앨리스의 커다랗고 힘센 손안에 놀란 하얀 왕을 그린 테니얼의 그림은 내레이터의 묘사, "앨리스는 왕에게 힘이 너무 셌다"(*L* 115)와 어울린다. 제2장 「살아있는 꽃들의 정원」에서 앨리스는 소리 지르는 데이지에게 "조용히 하지 않으면 꺾어버릴 거야!"(*L* 122)라고 해서 그들은 "순식간에 조용해졌다. 그리고 분홍색 데이지꽃 몇 송이는 하얗게 변했다"(*L* 122). 이 사건들은 앨리스가 이미 힘을 가지고 있어서 결국 여왕이 될 것임을 암시한다.

앨리스는 조그만 언덕 꼭대기에서 사방을 둘러본 후 체스판으로 된 거울나라를 졸이 되어 여행한다. 흥분한 동물들로 가득 찬 기차로 상징되는 시간은 앨리스를 성장시킨다.

"얘야, 기다리게 하지 마라! 글쎄, 안내원 아저씨한테는 1분이 천 파운드는 될 만큼 시간이 귀하단다!" . . . "그 땅은 1인치에 천 파운드는 나갈 테니까!" . . .

"연기 한 오라기에 천 파운드는 나가지!" . . .

"아무 말도 하지 않는 게 나아. 한 마디에 천 파운드씩이라니까!"

"오늘 밤에는 천 파운드 꿈을 꾸겠군, 틀림없어!" 앨리스는 생각했다.

(*L* 129-30)

자본주의와 산업주의의 소란이 『거울나라』에서 이 한 칸의 기차 장면에 분명하게 표현되었다. 무정하게 흐르는 시간에 관한 이 단락은 백기사의 슬픔의 원인인데 그는 곧 앨리스와 작별하게 될 것이다. 모기(the Gnat)의 한숨도 캐럴과 앨리스 사이의 간극이 점점 커지는 것을 슬퍼하는 것을 암시한다. 앨리스와 모기와의 만남은 그녀가 성장하였음을 보여주는 또 하나의 예이다. 모기가 그녀에게 좋아하는 곤충들을 묻자 앨리스는 "나는 곤충을 전혀 좋아하지 않아. . . . 왜냐하면 곤충들, 적어도 커다란 곤충들은 무섭거든. 하지만 곤충 이름 몇 개는 알아"(*L* 132)라고 한다. 모기와 앨리스의 대화는 계속된다.

> "그럼, 이름을 부르면 대답하겠네?" 모기는 심드렁하게 말했다.
>
> "그건 모르겠는데."
>
> "불러도 대답하지 않으려면 이름은 있어서 뭐해?" 모기가 말했다.
>
> "*곤충들에게는* 아무 소용없지. 하지만 이름을 부르는 사람들에게는 유용할 거야. 그렇지 않다면 이름이란 게 왜 있겠니?" 앨리스가 말했다. (*L* 132)

이후 험티 덤티 이야기에서 볼 수 있듯이, 이름을 부르는 것은 질서를 부과하는 것이면서 다른 동물들에게 힘을 행사하는 수단이다(Otten 56). 결국 모기는 앨리스에게 이름을 기꺼이 잃을 것인지를 물어본다. 그러나 앨리스는 자아가 분명히 확립되어 있으므로 "물론 싫어"(*L* 134)라고 대답한다. 모기는 앨리스에게 이름이 없다면 가정교사가 공부하라고 부르지 않을 것이라고 하여 언어유희를 보여준다.

> "응, 가정교사가 '아가씨'(Miss)라고만 부른다면 더 말할 필요도 없겠네. 물론 넌 수업을 빼먹으면(miss) 될 테니까. 농담이야. *너도* 농담을 했으면 좋겠는데" 모기는 제 뜻을 말했다.

"넌 왜 *내가* 농담하길 바라니? 좋지도 않은걸." 앨리스가 물었다.

하지만 모기는 뺨 위로 굵은 눈물을 주르르 흘리며 한숨만 내쉴 뿐이었다. (*L* 135)

U. C. 크노플마커(U. C. Knoepflmacher)는 모기가 캐럴의 모습을 어렴풋이 보여준다고 한다(301). 모기가 눈물을 흘리는 것은 앨리스가 성장하고 있기 때문이다. 모기는 나중에 등장하는 백기사와 함께 앨리스에게 친절하게 다가가는 거울나라의 유일한 등장인물로 앨리스에 대한 절망적인 사랑을 슬퍼한다. 모기와 백기사 "모두 도지슨과 형제"이고 이후에 앨리스는 여왕이 되기 위하여 그들을 떠난다(Knoepflmacher 301).

이름 없는 사물들의 숲을 통과하는 앨리스의 짧은 여행은 순수에서 경험으로의 통과의례이다(Otten 57). 숲을 통과한 후 앨리스의 자의식은 극적으로 커진다. "내 이름이 생각났으니 . . . 다시는 잊어버리지 말아야지"(*L* 137)라고 앨리스는 단호히 말한다. 더욱이 아기사슴의 모습이 중요하다. 앨리스가 숲속으로 들어가자 그녀는 아기사슴과 이야기하다가 사랑스럽게 끌어안는다. 그러나 그들이 숲에서 나오자 아기사슴은 "너는 인간의 아이잖아!"(*L* 137)라고 하면서 두려워서 도망친다. 어린이와 유순한 동물의 결합은 흔히 순수함의 상징이다. 숲을 통과한 후 앨리스와 아기사슴의 분리는 앨리스가 새로운 존재가 되었음을 암시한다. 앨리스는 성장하였고, 더욱 성장하기 위하여 나아가고 있으며, 결국 자유롭고 독립적인 여왕이 될 것이다.

이야기가 전개됨에 따라 앨리스는 트위들덤과 트위들디, 험티 덤티, 사자와 유니콘, 백기사와 적기사 같은 등장인물들을 만난다. 먼저 그녀는 생김새가 똑같은 쌍둥이 트위들덤과 트위들디를 만난다. 그러나 앨리스는 이 "커다란 학생 둘"(*L* 139)을 만나기 전부터 그들이 두 사람의 각기 다른 자아가 아니라는 것을 이미 알고 있다. 앨리스는 그 둘을 반영하는 이정표, "**트위들**

덤의 집과 트위들디의 집"(*L* 137)을 보았다. 자아를 사랑하는 어리석은 트위들 형제는 그 둘을 각각 다른 두 사람이라고 생각하지만, 앨리스는 그들이 고대 신화에서 자신을 사랑한 나르시스처럼 속고 있다고 이해한다(Rackin 80). 사실상 트위들 형제는 한 명의 유아기의 다른 어린이들이고, 자신들의 정체성에 대하여 영원히 유아적인 생각을 가진다는 것을 거울 전도로 보여준다. 따라서 앨리스가 이 둘을 하나의 자아라고 인식하는 것은 인간의 정체성에 대하여 성숙한 이해를 하는 것이다.

트위들 형제는 동요 리듬의 텍스트에 갇혀있기 때문에 "멋진 **새 방울**"(*L* 146)을 놓고 예정된 싸움을 한다. 앨리스는 이 나르시시즘을 보여주는 등장인물들을 "이기적인 것들"(*L* 146)이라고 생각하지만, 물론 그러한 말을 입 밖에 내지는 않는다. 앨리스는 달래는 듯한 투로 말한다.

> "헌 방울을 갖고 그렇게 화를 낼 건 없잖아요!"
>
> 트위들덤은 아까보다 더 성이 나서 소리를 질렀다. "헌 방울이 *아니란* 말이야! 바로 어제 산 멋진 **새 방울**이야!" 트위들덤의 목소리는 완전히 비명에 가깝도록 올라갔다. (*L* 146)

거울나라의 등장인물들은 유아로서 사실상 사물과 같고, 이드(id)를 투영하는 것과 같다. 한편 앨리스는 단지 방울 때문에 끝없이 순진하게 싸우는 트위들 형제를 거울에 비친 어리석은 유아로 다룰 수 있는 성숙한 소녀이다. 앨리스는 트위들 형제를 성숙하게 대한다. 그녀는 커다란 두 아이에게 상냥하게 도움을 주면서, 그들의 허약한 자존심을 존중한다. 상냥하고 교양 있는 앨리스는 거울나라의 어린애 같은 등장인물들에게 상처를 주지 않으려고 애쓴다. 예를 들어 트위들 형제의 엉뚱한 말에 앨리스는 큰 소리로 웃다가 그들이 "기분 나빠할까 봐서 기침하는 척한다"(*L* 147). 앨리스는 동요 리듬의 텍스트와 거울 이미지 안에 갇혀있는 유아 상태의 트위들 형제와는 달리 성장하고 있기 때문이다. 트위들 형제 이야기는 이후에 나오는 험티 덤티, 사자와 유니콘 이야기와 마찬가지로 동요에 나오는 친숙한 이야기를 정교하게 다듬은 것이다. 따라서 그들의 운명은 동요 리듬에 의하여 예정되어 있고 지배당하기 때문에 성장하거나 발전할 수 없다. 이들 모두는 성장하는 앨리스와 대조되면서 그녀를 돋보이는 역할을 한다.

12장으로 구성된 거울나라 모험의 중심인 제6장에 험티 덤티가 앉아있다. 험티 덤티는 등장인물들 가운데 가장 오만하고 나르시시즘적이며 둥그렇게 생겨서 무질서함을 대표한다. 그는 어린아이처럼 자신을 '주인'이라고 믿지만 담 위에서 비틀거리다가 떨어져 죽는다. 둥그런 험티 덤티는 자신이 언어를 지배하기 때문에 주인이라고 믿는다. 그러나 그는 거울나라의 다른 어리석은 등장인물들처럼 자신의 정체성이 동요 리듬에 지배당하고 있다는 것을 모른다. 그러나 앨리스는 험티 덤티의 유치한 허세에도 불구하고 그가 떨어져 죽는 것이 불가피하다는 것을 성숙하게 인식한다. 험티 덤티의 존재는 언어 텍스트에 의하여 예정되어 있어서 재구성되거나 발전할 수 없으므로, 그 역시도 앨리스를 돋보이게 하는 등장인물일 뿐이다. 앨리스는 그 자리에서 노래한다.

> 험티 덤티 담 위에 앉아있다가
> 험티 덤티 툭 하고 떨어졌네.
> 왕의 말과 왕의 신하가 모두 나와도
> 험티 덤티를 제자리에 돌려놓지 못하지. (*L* 159)

앨리스가 무심히 "꼭 달걀 같군"(*L* 159)이라고 하면서 대화를 시작할 때, 험티 덤티는 "어떤 사람들은 아이만큼도 지각이 없다니까"(*L* 159)라고 한다. 물론 험티 덤티의 무례한 이 말은 풍자적인 거울 전도로, 아이만큼의 지각도 없는 그 자신을 의미한다. 사실 험티 덤티는 유치한 동요의 인물로 너무나 천진하고, 문자 그대로 달걀이며, 영원한 자아도취로 보이는 태아의 영역에 속해있다. 험티 덤티는 담 위에 불안하게 앉아있지만 끔찍한 결과를 모르는 아이처럼 거의 지각이 없다. 떨어지는 것이 임박했다는 것은 그의 정체성을 파괴하는 것이다. 그는 자신의 불안한 상태와 불가피하게 다가오는 죽음을 모르고, "거만한"(*L* 160)이라는 단어를 자주 사용하는 것에서 알 수 있듯이, 자존심을 과장하다가 치명적으로 떨어져 죽는다. 그는 자신이 '지배'한다고 주장하는 언어와 동요 리듬에 의하여 지배당하는 것이다.

한편, 거울나라의 텍스트에 영원히 묶여있는 등장인물들은 앨리스의 성숙한 의식과 구별된다. 앨리스는 험티 덤티의 터무니없는 모욕에 "아무 말도 하지 않는다"(*L* 162). 내레이터에 의하면 그녀는 "말다툼을 하기 싫어"(*L* 162) 하기 때문이다. 앨리스와 험티 덤티가 "영광"(*L* 163)이라는 단어의 의미에 대하여 대화할 때 그녀의 성숙함이 다시 드러난다. 험티 덤티에게 영광은 "너한테는 납작하게 깨진 말싸움"(*L* 163)을 의미한다. 앨리스가 이에 반박하지만 험티 덤티는 자신이 어떤 단어를 사용할 때 그것은 "내가 선택한 의미만 가지는 거야. 그 이상도 이하도 아니야"(*L* 163)라고 한다. 이 극도의 언어적 나르시시즘 즉, 세계의 기호와 의미를 자신이 지배한다고 하는 어리석고 근거 없는 생각은 앨리스에게 매우 놀라운 일이지만, 그녀는 그 문제를 가지고 다투지 않을 만큼 현명하다. 더 많은 예에서 앨리스는 이상한 나라에서 보여주었던 우월함을 주장하기보다 당혹스럽게 바라볼 뿐이며, 그래서 내레이터는 그녀가 생각이 깊다고 한다(*L* 144).

거울나라의 유아적 등장인물들과 비교할 때, 앨리스는 이미 교양을 갖춘 성인인데 그녀가 예의 바르게 행동하려는 것은 여왕이 되려는 의지만큼이나 강하다. 그녀는 목이 마른 상태에서 원하지 않는 비스킷을 받는다. 또한, 그녀는 하얀 여왕과 붉은 여왕에게 질문하는 것이 무례하므로 질문하지 않는다(*L* 127, 131, 168, 192). 그녀는 오래 머무르는 것이 실례라는 것을 알기 때문에 험티 덤티를 떠난다(*L* 127). 그리고 제7장 「사자와 유니콘」에서 유니콘과 그녀의 예의 바른 대화는 이상한 나라에서 무례한 비둘기와 대화 장면과 비교된다. 『옥스퍼드 동요 사전』(*Oxford Dictionary of Nursery Rhymes*)에 의하면 사자와 유니콘의 싸움은 수천 년을 거슬러 올라간다. 이 동요는 17세기 초에 널리 알려진 것이다. 그 당시, 스코틀랜드와 잉글랜드 연합군의 문장, 즉 스코틀랜드의 유니콘과 잉글랜드의 사자가 그려진 문장이 대영제국의 새로운 문장이 되었다(Gardner 226). 거울나라에서 사자와 유니콘이 왕관을 놓고 싸울 때 실제 왕관의 주인인 가련한 왕을 상당히 위협한다. 유니콘은 "메스껍다는 듯이 앨리스를 바라보았다"(*L* 175). 그리고 그는 앨리스를 계속해서 괴물이라고 불렀다. 앨리스가 그에게 거친 말을 하지 않는 것도 놀랍지만, 오히려 그녀는 그와 같은 마음이 되려고 노력한다. 이러한 앨리스의 행동 변화는 중산층 출신의 그녀가 계층의 규칙 안에서 행동하면서 여왕이 되기 위하여 달려가는 것을 보여준다.

앨리스는 독립적인 여왕이 되어 깨어나기 전, 제8장 「그것은 내가 만든 거야」에서 백기사를 만난다. 캐럴은 이 장에서 늙고 무력한 퍼소나(Persona)인 백기사와 독립한 삶을 원하는 소녀, 앨리스를 등장시켜서 앨리스를 향한 백기사의 사랑을 슬픈 가락으로 생생하게 들려준다. 백기사는 캐럴의 자화상으로 앨리스를 만들어낸 창조자이다. 그는 험티 덤티의 무례한 오만함과 대조적이고 앨리스가 아이로 남아있기를 간절히 바라지만 "저는 누구의 포로도 되고 싶지 않아요. 저는 여왕이 되고 싶어요"(*L* 181)라고 하는 그녀가 성장하는 것을 돕는다. 앨리스가 성인이 되는 것, 즉 여왕이 되는 것은 백기사와의 이별을 의미하는데, 이별의 슬픔은 이 장의 표면에 분명하게 드러난다.

따라서 『거울나라』 도입 부분의 시에서 들리는 캐럴의 한숨 소리는 이 장에서 가장 분명하게 들리며 캐럴의 사랑에 관한 탐색도 결론에 이른다.

제8장에서 캐럴은 소녀를 사랑하는 노인의 무익한 사랑을 달콤씁쓸한 비전으로 보여준다. 앨리스에 대한 백기사의 사랑은 복잡하고 모순적이다. 그것은 가능성 많고, 자유롭고, 유동적이고, 성장하는 소녀를 가련하고, 무력하고, 정지하여 있고, 떨어지는 노년의 남성이 불운하게 사랑하는 것이다(Rackin 139). 백기사(White Knight)라는 이름은 불면의 밤을 의미하는 '하얀 밤'(white night)의 언어유희이고, 그가 휘청거리면서 말에서 자주 떨어지는 것은 무력함을 암시하여 그와 앨리스를 대조하기에 적절하다. 노쇠한 백기사가 계속해서 말에서 떨어질 때, 앨리스는 그에게도 다른 등장인물들에게 보였던 관대한 어머니 역할을 한다. 앨리스는 다음과 같이 말한다.

> "차라리 바퀴가 달린 나무로 된 말이나 타는 게 좋겠어요!"
>
> "그 말은 부드럽게 나가니?" 그러자 기사는 떨어지지 않으려고 말 목을 양팔로 끌어안고 흥미가 있는 듯이 물었다.
>
> "진짜 말보다 훨씬 더 잘 나가요." 앨리스는 애써 참고 있던 웃음을 터뜨리며 대답했다.
>
> "그럼 하나나 둘, 아니, 몇 마리 사야겠구나." 기사는 생각에 잠긴 얼굴로 말했다. (*L* 184)

백기사가 우습지만 가련해 보이는 것은 그의 노쇠함뿐만 아니라 변덕스러운 어린이에게 의존하는 모습 때문이다. 앨리스에게 백기사는 바보 같은 노인처럼 우스워 보이지만 그녀는 이제 곧 여왕이 되리라는 즐거운 생각을 애써 감추면서 그를 매우 공손하게 대한다. 백기사는 떠나는 앨리스에게 절망적으로 집착하지만, 앨리스는 "나이가 들어가는 건 어쩔 수 없어요"(*L* 162)라고 하면서 시간에 저항하는 것이 헛되다는 것을 백기사에게 상기시킨다. 결국, 앨리스는 체스판에서 여덟 번째 칸에 도달하여 여왕이 될 것이며, 중년의 캐럴도 그것을 잘 알고 있다.

한편, 백기사는 앨리스를 숲의 끝까지 안전하게 데려다주어 그녀가 적기사의 포로가 되지 않도록 도와준다. 더욱이 그는 앨리스에게 이별의 선물로 노래를 불러주고 싶어 한다. 그가 부르는 「늙고 늙은 노인」("The Aged Aged Man")의 표면 아래서 조용히 고동치는 슬프고 낙담한 사랑을 성인 독자들뿐만 아니라 앨리스도 들을 수 있다.

> 앨리스는 거울나라에서 본 광경 중에서 이 장면을 가장 또렷이 기억했다. 그리고 아주 오랜 세월이 지난 후에도 이 모든 일을 바로 어제 일처럼 기억할 수 있었다. 기사의 상냥하고 푸른 눈, 부드러운 웃음, 머리카락 사이로 빛나던 석양, 갑옷에 햇빛이 반사되어 눈이 부셨던 것, 말이 고삐를 늘어뜨리고 앨리스의 발치에 난 풀을 뜯으며 조용히 거닐던 모습, 그리고 뒤쪽 숲속의 검은 그늘 같은 것들을 마치 사진처럼 선명하게 기억하고 있었다. 앨리스는 나무에 기댄 채 한 손으로 햇빛을 가리고, 마치 꿈꾸는 듯한 기분으로 이 이상한 말과 기사를 지켜보며 구슬픈 노랫가락에 귀를 기울였다.
>
> (*L* 187)

『거울나라』에 전체적으로 퍼져있는 우울한 톤과 겨울의 정서는 떠나는 아이에게 사랑의 선물로 노래를 불러주고자 하는 노인의 모습에서 두드러지게 나타난다. 정중한 백기사의 "온화하고 바보스러운 얼굴에 옮은 웃음"(*L* 187)이 감돌면서 그가 앨리스에게 이별의 노래를 불러줄 때, 내레이터가 설명하듯이 그녀는 그다지 무심하지 않다. 앨리스는 그 노래를 다소 이해하면서 이 장면을 오래도록 기억한다.

백기사의 억압된 비애감을 마지막으로, 그리고 직접적으로 보여주는 「늙고 늙은 노인」의 가락은 아일랜드의 슬픈 사랑 노래인 토머스 무어(Thomas Moore)의 「내 마음과 류트」("My Heart and Lute")의 가락이다. 캐럴은 이 노래의 늙고 늙은 노인과 자신을 동일시하고 있다(Gardner 246). 캐럴은 58세에 쓴 일기에서 자신을 '늙고 늙은 노인'(the A. A. M)이라고 쓰기도 하였으며, 소녀 친구들에게 보내는 편지에서도 자신을 늙고 늙은 노인이라고 하였다. 캐럴은 무어의 사랑 노래를 앨리스에게 불러주고 싶었으나 그러지 못했을 것이다. 겨울나라에서 백기사의 노래에 앨리스가 감사하는 것은 그녀가 음악을 다소 이해한다는 것과 교양과 기품을 갖춘 모습을 의미한다. 무어의 노래는 다음과 같이 시작된다.

> 나 그대에게 모든 것을 주리라. 나의 모든 것을
> 보잘것없지만
> 그대에게 줄 수 있는 모든 것은
> 내 마음과 류트뿐.
> 부드러운 노래로, 깊은 사랑의
> 영혼을 드러내는 류트와,
> 류트가 노래하지 못할
> 더 깊은 느낌을 담은 내 마음을. (Gardner 247)

무어의 시인은 "사랑의 영혼"과 "류트가 노래하지 못할 더 깊은 느낌을 담은 마음"을 노래한다. 백기사가 부르는 이와 유사한 노래는 앨리스에게 들려주는 마지막 작별 인사이자 사랑의 선물이다. 캐럴이 부르는 노래는 "네게 모든 것을 말해주리라"(*L* 187)로 시작되지만, 그가 느끼는 모든 것을 말할 수는 없다. 앨리스도 인간의 상황에 대한 익살스러운 언어와 음악이 들려주는 혼합물인 슬픈 사랑 노래를 완전히 이해할 수는 없다. "앨리스는 열심히 귀를 기울였으나 눈물은 나오지 않았다"(*L* 187). 기사는 노래가 끝나자 말 머리를 돌리면서 다음과 같이 말한다.

> "언덕을 내려가 작은 시내를 건너 몇 발짝만 가면 너는 여왕이 될 거야. 그러니 먼저 여기서 나를 배웅해주지 않겠니?" 앨리스가 눈을 반짝이면서 그쪽을 바라보자 기사는 말을 덧붙였다. "그렇게 오래 걸리지는 않을 거다. 내가 길모퉁이를 돌 때까지 손수건을 흔들며 기다려다오! 그러면 한결 기운이 날 것 같다." . . .
>
> 기사는 앨리스와 악수를 하고 숲속으로 천천히 떠나갔다. . . . 기사는 네댓 번 정도 떨어진 다음에야 길모퉁이에 이르렀다. 앨리스는 손수건을 흔들면서 기사가 눈앞에서 완전히 사라질 때까지 기다렸다. (*L* 190)

가드너는 이 장면을 영문학에서 매우 슬픈 장면 가운데 하나라고 한다(248). 사랑하는 앨리스와 영원히 함께하고 싶은 캐럴의 불운한 시도는 "여름이 지나도록 꿈을 꾸는 것"(*L* 209)으로 슬프게 끝난다. 앨리스는 손수건을 흔들면서 백기사를 배웅하고, 캐럴이 소녀 친구들을 떠나보냈던 것처럼 백기사도 앨리스를 떠나보낸 후 쓸쓸히 그의 길을 갈 것이다.

한편, 백기사가 앨리스의 눈에서 사라지자 그녀는 여왕이 되고 싶은 생각으로 가득해서 즉시 뛰어간다. "이제 저 시내만 건너면 여왕이 되는구나! 정말 신난다!"(*L* 190). 시내를 뛰어넘자 앨리스의 머리에는 묵직한 황금빛 왕관이 얹혀있다. 한편 내레이터는 여왕이 된 앨리스가 가장 잘 기억하는 것은 백기사라고 하여 상실을 완화하고자 한다(*L* 187). 앨리스의 두 번의 꿈속 모험에서 만난 인물들 가운데 백기사는 진심으로 그녀를 좋아하여 각별한 도움을 주었고, 존경과 예의를 갖추어서 그녀를 대하는 등장인물이었기 때문이다. 따라서 앨리스는 거울나라에서 만났던 누구보다 그를 좋은 사람으로 기억할 것이다.

『거울나라』 곳곳에 스며있는 슬픔의 근원은 앨리스가 여왕이 되고자 하는 충동에서 온다(Gardner 248). 캐럴은 그 자신을 백기사라는 인물에 투영하여 여주인공을 움직이도록 하는 결정적인 힘에 매우 조심성 있게 저항하고 있지만, 앨리스는 백기사와 그가 대표하는 불확실하고 조용한 구세계를 떠난다. 캐럴은 여왕이 되려고 달려가는 앨리스에게 씁쓸히 작별 인사를 하는 백기사의 모습에서 사랑에 관한 탐색을 마무리하면서 옛 가치의 상실에 대한 모티프를 구체화하고 있다.

새로운 빅토리아 세계에서 근대의 발명은 인간의 삶을 급속도로 기계화하였다. 예를 들어, 거울나라의 철도 장면은 1860년대와 1870년대의 영국을 보여준다. 캐럴이 『지하세계』를 실제 앨리스와 자매들에게 이야기로 들려주었을 당시에 증기 철도가 영국의 8,000마일을 뒤덮었고, 『거울나라』가 출판되기 전에 전신 케이블은 런던, 뉴욕, 뭄바이를 동시에 연결하였다. 신기술과 새로운 부가 그들의 삶에 가져온 물질적인 변화는 사회계급과 인간관계는 물론, 역사에서 게임의 규칙을 변화시켰다. 일반적으로 백기사의 기사도는 구세계의 가치로서 수 세기 동안 약한 여성의 보호자인 기사를 의미한다. 그러나 이 어조는 시대착오적인 기사도로서, 산업화・자본주의의 도래와 함께 희극적인 의미가 되어 무익하고 심지어 어리석은 것이 된다. 백기사의 기사도는 "1분에 천 파운드"(*L* 129) 가치가 있는 철도, 전신의 세계에서 대수롭지 않은 것이 되었다. 늘 현대화하는 유물론자에게 이상적인 가치는 기사도의 숭고한 규칙보다 1830년대에 칼라일이 '현금거래 관계'라고 경멸했던 것들이다.

백기사와 앨리스는 빅토리아 시대 중상류층의 가치를 공유하는 두 세대이다. 캐럴은 백기사를 도입하여 근대 자유방임의 자본주의와 무정한 제국주의의 요구와 변덕 때문에, 자신이 속한 계층에서 더 이상 품위 있는 행동을 할 수 없는 "절멸 위기에 처한" 종들 가운데서 마지막 사람으로 자신을 풍자한다(Rackin 148). 거울나라에서 구식의 백기사가 구세계를 대표하는 것처럼 『이상한 나라』의 도도새 또한 그렇다. 도도새는 말을 잘 타지 못하는 백기사보다 훨씬 더 구식이다. 도도새는 인도양의 모리셔스 섬에 살고 있었으나 17세기 후반 유럽의 상업적인 이해관계로 빚어진 환경변화에 적응하지 못해서 멸종되었다. 도도새는 캐럴의 『이상한 나라』에서 유일하게 살아있다. 한편, 성장하는 소녀 앨리스는 자신이 속한 계층의 오래된 부르주아의 규칙과 관례가 위태로운 것을 알지 못한 채, 여왕이 되고 싶어서 그것들을 가지고 조용한 구세계를 떠나 새로운 세계의 무질서 속으로 달려가고 있다. 앨리스가 결국 여덟 번째 칸에 도달하였을 때, 그녀는 마지막으로 풍자적인 시험을 통과한 후에 성인의 힘을 가진 여왕이 되어 의지를 행할 수 있게 된다.

앨리스는 성인 여왕으로서 거울나라의 광기의 세계에서 관례적인 힘과 위엄을 갖는다. 그러나 여왕에 대한 그녀의 기대는 마지막 만찬 장면에서 희화화된다. 모든 것이 엉망이 되는 이 장면에서 앨리스는 끔찍한 혼란을 해결하기보다는 "더 이상 참을 수 없어!"(*L* 204)라고 소리 지를 뿐이다. 그녀는 그들의 광기를 인정하고 성인 여왕이기를 거부하면서 식탁보를 잡아당겨 꿈꾸기를 거부하고 빅토리아 시대의 현실세계로 돌아온다. 사실 그녀가 논리적으로 전진하여 의도하던 결과에 이르렀지만 승리하는 것으로 묘사되지는 않는다. 무의미한 코커스 경주에서처럼 모두 승리할 뿐이다. 거울나라의 만찬 장면은 이상한 나라에서처럼 캐럴의 희극적인 비전을 보여주어 진보적인 발전을 아주 잔인하게 비웃고 있다.

마지막으로 『거울나라』에는 '누가 앨리스의 꿈을 꾸었는가' 하는 극단적으로 단순화한 의문이 남는다. 앨리스는 고양이에게 "꿈을 꾼 게 누군지 생각해보자"라고 한다(*L* 208). 앨리스는 제8장 「그것은 내가 만든 거야」에서 백기사·캐럴을 만나는데 그가 꿈속의 인물들을 지배해왔다고 할 수 있다. 꿈꾸는 자가 되는 것은 꿈속의 인물들을 지배하는 것으로, 여러 가지 점에서 『거울나라』는 앨리스의 꿈이라기보다는 캐럴의 꿈이다. 단지 내레이터와 그의 애정이 담긴 목소리가 리얼리티와 허구, 앨리스의 모험과 그것을 이야기하는 것 간에 경계를 넘는 목소리로 들려서(Kelly 99), 누구의 꿈인지를 분간하기 어렵게 만들 뿐이다. 일부 정신분석학자들 또한 실제로 꿈을 꾸는 사람은 캐럴의 대역인 앨리스라고 하는데, 이 또한 꿈꾸는 자는 캐럴이라는 것이다. 루이스 캐럴이라는 도지슨의 필명은 그의 본명 찰스 루트위지 도지슨(Charles Lutwidge Dodgson)의 순서를 바꾸어서 라틴어로 쓴 것이다(*Diaries* 77). 또한, 이 언어유희의 근저에 앨리스의 별명인 레이시(Lacie, L. C.)가 숨겨져 있다는 더욱 복잡한 견해도 있다. 앨리스는 모험의 마지막 부분에서 혼란에 처했을 때, 자신이 찾던 것, 즉 독립한 여왕과 질서의 힘을 발견하지 못하자 영웅적으로 행동할 줄 안다. 앨리스의 영웅적인 행동은 그녀를 캐럴의 대역인 것처럼 보이도록 하면서 거울나라를 캐럴의 꿈으로 해석하는 것을 가능하게 한다.

『거울나라』는 꿈 이야기이고, 이후의 작품인 『실비와 브루노』에서도 내레이터는 현실과 꿈 사이를 왔다 갔다 한다. 『실비와 브루노』에서 내레이터는 다음과 같이 중얼거린다. "그렇다면 내가 실비에 대한 꿈을 꾸는 중인데 . . . 이것이 현실일까, 아니면 내가 실비와 함께 있었는데 이것이 꿈일까! 삶은 한갓 꿈이 아닐까?"(*Works* 296). 캐럴은 이 문제를 『거울나라』의 액자 이야기인 마지막 시에서도 노래한다.

이상한 나라에 누워
날이 저물도록 꿈을 꾸고,
여름이 지나도록 꿈을 꾸지.

둥실둥실 물길을 떠다니며
황금빛 찬란하게 떠돌며,
삶은 한갓 꿈이 아닐까? (*L* 209)

캐럴은 세 명의 리델 자매에게 앨리스의 모험을 처음으로 들려주었던 뱃놀이를 회상하고 있다. 이 시는 삼행시 형식으로 되어있으며 각 행의 첫 글자를 모아 합치면 앨리스 플레장스 리델(Alice Pleasance Liddell)이 된다. 또한 이 시는 『거울나라』의 서시와 함께 쓸쓸한 겨울 이미지를 보여준다. 사랑하는 앨리스와 영원히 함께하고 싶은 캐럴의 불운한 시도는 "여름이 지나도록 꿈꾸는 것", 너를 사로잡는 "마법의 이야기"로 발전시키는 것, 덧없는 젊음을 영원히 정지시키려는 것이다. 『거울나라』에서 앨리스는 깨어있는 현실세계로 돌아오기 때문에 백기사를 떠난다. 그러나 백기사처럼 캐럴은 꿈의 세계에 남는 것을 선택할 것이다.

캐럴이 머무르기로 선택한 완벽한 시간, 꿈의 세계는 그에게 삶이자 문학이었는데, 위대한 작가들에게 삶은 곧 문학이었다. 백기사가 채 사라지기도 전에 눈물도 글썽이지 않고 언덕을 내려가 마지막 시내를 뛰어넘어 성인 여왕이 되려고 하는 앨리스를 기억하면서 그는 노래한다. "하늘 아래서 움직이던/ 앨리스의 모습은 보이지 않지만/ 여전히 환영처럼 꿈속에 나타나네"(*L* 209). 캐럴은 꿈꿀 수 있는 문학을 통해 앨리스에 대한 그의 사랑을 여왕이 되려는 앨리스와 그녀를 사랑하는 노년의 백기사의 슬픈 사랑으로 구체화하여서 동시대의 삶을 조심스럽게 풍자하고 있다.

3

『거울나라』에 삶에 대한 진지한 비평이 담겨있다는 것이 밝혀지면서, 이 작품은 영문학의 정전으로 재평가되기 시작하여 성인 독자와 연구자들에게도 관심을 받아왔다. 표면상 즐거운 동화양식으로 쓰인 『거울나라』는 읽기에 즐거운 어린이 책, 난센스 정도로 오랫동안 폄하되었다. 하지만 19세기 어린이 환상문학 작가들에 대한 재평가와 함께 『거울나라』를 포함하는 캐럴의 작품들은 성공한 어린이 책으로서의 의미를 넘어 당대 리얼리즘 작가들의 작품 못지않게 동시대의 삶을 재현한 통찰력 있는 시대 풍자이고, 논리적인 구성안에 삶의 의미를 담고 있는 문학성을 갖춘 정전으로 인식되었다.

앨리스가 여행한 거울나라는 그녀가 떠나온 빅토리아 시대를 비추는 거울 그 이상이고, 이 작품의 주된 내용인 노년의 백기사가 성장하는 앨리스를 사랑하는 것은 변화하는 시대에 문화적 · 도덕적 상실에 관한 고통스러운 인식의 표현이다. 구식의 백기사는 구세계를 대표하며 새로이 도래한 세계에서 더 이상 품위 있게 행동할 수 없는 중상류층의 가치를 간직한 캐럴 자신을 재현한다. 한편, 성장하는 앨리스도 백기사와 같은 계층에 속하지만, 그들의 가치인 오래된 부르주아 규칙과 관례가 위태로운 것을 깨닫지 못한 채 새로이 도래하는 세계의 무질서 속으로 달려가 의지를 행사할 수 있는 여왕이 된다. 그러나 마지막 만찬 장면에서 앨리스의 여왕에 대한 가치는 백기사의 기사도처럼 풍자의 대상이 된다. 앨리스 여왕은 만찬 장면의 끔찍한 혼란을 해결하지 못하고, 단지 이것을 거부하면서 참을 수 없다고 소리 지를 뿐이다. 『거울나라』의 이 장면은 진보적인 발전을 희화화하는 캐럴의 메시지를 분명히 보여준다. 즉, 빅토리아 세계의 '무질서' 속에서 '교양'이 아무런 가치가 없어진 것처럼, 인간의 문화적 · 도덕적 · 사회적 관례가 허약해진 문명의 정점에서 온전한 선택은 없음을 시사한다.

앨리스는 빅토리아 시대의 현실로 돌아오는 한편, 이야기를 마무리 짓는 마지막 시에서 캐럴의 퍼소나인 백기사는 꿈속에 남는 것을 선택한다. 캐럴은 백기사의 노래를 통해 위대한 작가들에게 삶이 곧 문학이었듯이 그에게도 꿈을 꿀 수 있는 삶은 문학이었음을 노래한다. 『거울나라』를 캐럴의 꿈으로 읽을 때, 이 작품이 표면적인 즐거움만을 가지고 있는 이야기라기보다 빅토리아 시대의 삶을 재현하고 풍자한 문학임을 이해할 수 있다. 따라서 어린이 환상문학은 현실을 도피하거나 미혹하는 장르가 아니며, 어린이뿐만 아니라 궁극적으로는 성인에게 문학적 메시지가 있다는 것이 입증된다.

2장

조지 맥도널드

'어린이의 마음을 가진 사람들'을 위하여

「가벼운 공주」: 어린이 환상문학의 가능성

1

조지 맥도널드(1824~1905)의 「가벼운 공주」는 동화형식을 사용하여 주제를 발전시킨 그의 첫 번째 어린이 환상문학 작품이다. 작가로서 맥도널드는 시작(詩作)으로 작품 활동을 시작하여, 이후에 어른들을 위한 소설을 썼으며, 어린이를 위한 이야기를 쓴 것은 훨씬 나중의 일이다. 그는 50편이 넘은 작품을 썼는데, 그 가운데서 어린이 책이 "출판된 그의 모든 작품 가운데에서 가장 지속적인 인기를 누렸다"(Robb 111). 그는 빅토리아 시대의 몇 명 안 되는 어린이 환상문학 작가들 가운데 한 사람으로 기억된다.

맥도널드는 1867년에 「가벼운 공주」, 「거인의 마음」("The Giant's Heart"), 「그림자」("The Shadows"), 「엇갈린 목적」("Cross Purposes"), 「황금열쇠」("The Golden Key") 등을 실은 『요정과의 거래』(*Dealing with the Fairies*)를 출판하였다. 이에 대하여 H. A. 페이지(H. A. Page)는 『동시대 서평』(*Contemporary Review*)에서 맥도널드가 "우리나라의 어느 누구보다 아동문학을 고급예술로 승격시켰다"라고 하였다(23). 19세기 영국의 주요 아동문학 작가들을 고려할 때 이것은 과장이고 격찬이지만, 맥도널드의 어린이 책은 영적인 통찰력과 상징적인 울림 등 높은 문학성을 가지고 있어서 고급예술로 평가받는다. 비평가들은 맥도널드의 어린이 책에서 종교성뿐만 아니라 플라톤주의, 신학, 신화, 자아에 대한 정신분석, 사회적 관심, 문학과 언어에 관한 생각, 그의

- 「가벼운 공주」를 인용할 때 "LP"로 표기한다.

영향력, 스코틀랜드적인 것, 보편성 등을 연구한다. 이러한 연구들은 맥도널드가 세련되고 파악하기 어려운 작가이며, 문학성이 풍부한 작가라는 것을 입증한다. 이러한 그의 작품들은 교훈적이면서 상징적이고, 명료하면서 당혹스럽고, 사실적이면서 환상적이고, 내성적이면서 외향적이며, 개인적이면서 리얼리티를 반영한다. 특히 그는 변증법을 사용하여 이질적인 양상을 능숙하게 결합하는데, 이러한 특성을 「가벼운 공주」에서도 읽을 수 있다.

「가벼운 공주」에서 그는 동화의 이야기 양식을 사용하였는데, 전래동화의 양식 가운데 전통적인 모티프와 구성을 혼합하고 변형시켜서 활력을 주었다. 그리하여 이 작품은 상징적 담론의 수단이 되고, 그 안에서 작가의 독특한 비전을 확장한다. 작가는 「가벼운 공주」에서 자기중심주의에 빠진 서로 다른 모습의 왕과 왕비, 왕의 더욱 불쾌한 모습인 왕의 누이, 매컴노이트(Makemnoit) 마녀를 등장시킨다. 왕국을 대표하는 그들 모두가 자기중심적이기 때문에 왕국에 사랑이 존재할 수 없다. 맥도널드는 이것을 치유해줄 수 있는 인물로 어린이 주인공, 왕자와 공주를 등장시켜서 그들의 공동체에 변화를 가져오기 시작한다.

본 장에서는 「가벼운 공주」에 나타나는 동화양식과 등장인물의 발전을 중심으로 이 작품에 나타나는 어린이 환상문학의 특성을 논의하고자 한다. 이를 위하여 우선 맥도널드의 생애를 요약하고, 「가벼운 공주」의 주요 등장인물을 중심으로 작가가 전래동화를 현대화하는 방식을 살펴볼 것이다. 이러한 논의는 맥도널드의 「가벼운 공주」에 한정되겠지만, 이 작품이 이후 그의 어린이 환상문학 작품들의 특성들을 잉태하고 있어서 그 특징을 예상하도록 할 것이다.

2

맥도널드는 소설가이자 아동문학 작가로서 살아생전에 최고의 인기를 누리면서 존경받았다. 작가가 되기 전에 그는 회중교회 목사였으나, 이단적인 종교 이념 때문에 교단을 떠나야 했다. 이후에 그는 대학교수, 어린이 잡지 편집장 등을 지내다가 글쓰기에 전념하여 작가로 성공하였으며 50여 권의 저서를 남겼다. 이 가운데 30권은 소설인데 몇 권의 베스트셀러를 포함하며 이외에 시, 희곡, 문학비평, 에세이, 번역작품 등도 있다. 맥도널드가 작가로서 정상의 인기를 누리고 있을 때 캐럴, 러스킨, 알프레드 테니슨(Alfred Tennyson), 킹슬리, 헨리 워즈워스 롱펠로우(Henry Wordsworth Longfellow), 해리엇 비처 스토우(Harriet Beecher Stowe), 마크 트웨인(Mark Twain)으로부터 존경과 찬사를 받았고, 그는 이 작가들만큼이나 당대에 명성을 얻었다.

맥도널드는 어린 시절에 많은 역경을 겪었다. 그는 80세까지 살았으나 오랫동안 결핵을 앓았다. 이 병으로 인하여 맥도널드의 형제 두 명이 죽었으며, 그의 열한 명의 자녀 가운데 네 명이 죽었다. 스코틀랜드의 에버딘셔(Aberdeenshire)에서 회중교회 신도이면서 농부의 아들로 태어난 맥도널드는 드넓은 농장에서 자랐다. 그가 여덟 살이 되었을 때 어머니는 결핵으로 세상을 떠났고, 그 빈자리를 아버지와 새어머니가 대신하였다. 그는 고향에서 어린 시절을 보내다가, 애버딘 대학교(University of Aberdeen)의 킹스 칼리지(King's College)에 장학금을 받고 진학하면서 집을 떠났다. 그러나 처음으로 겪는 도시 생활이 그를 황폐하게 하였다. 그는 공부보다 술과 여자에 빠지게 되자 1842년에 대학을 당분간 떠나야만 하였다. 그러나 이것이 그의 인생에서 하나의 전환점이 되었다. 그는 수개월 동안 어느 귀족의 저택 서재에서 지내면서 독일 낭만주의, 고전 영시, 중세 기사 이야기를 읽었다. 그는 대학으로 돌아갔을 때 문학, 특히 독일 낭만주의를 열렬히 사랑하는 청년이 되어 있었다.

그는 화학과 물리학으로 학위를 받으면서 대학을 졸업한 후, 런던에 있는 회중교회 신도의 가정에서 3년 동안 가정교사로 지냈다. 1848년에 그는 이 일을 그만두고, 하이버리(Highbury)의 회중교회 대학에 입학하여 성직자가 되기 위한 공부를 시작하였다. 1851년 그는 자신보다 두 살 위의 루이자 포웰(Louisa Powell)과 결혼하여 오랫동안 행복한 결혼 생활을 하였다. 포웰은 맥도널드의 아내이자 동료로 남편의 문학작품에서 여주인공의 훌륭한 모델이 되기도 하였다. 1850년 맥도널드는 회중교회 대학을 졸업한 후, 써섹스(Sussex)에서 첫 목사직을 맡을 준비를 하고 있을 때 결핵에 걸렸다. 이후 그는 습진과 같은 다른 병으로도 평생 고생하였다. 육체적인 병마와 싸우는 것은 그의 영적인 믿음과 정신을 더욱 강건하게 하였다. 그러나 1851년, 그는 목사로서 구원에 대한 이단적인 견해를 표출하기 시작하였다. 예정된 사람만이 구원받는 것이 아니라, 신의 사랑은 무한하여서 이교도들도 구원받을 수 있다는 것이 설교의 관점이었다. 회중들이 그의 이런 솔직함과 강렬함을 받아들일 수 없게 되자, 1853년 그는 목사직을 사직하여 작가의 삶을 시작하였다.

맥도널드는 시와 소설을 쓰다가 비교적 늦게 아동문학에 관심을 가졌다. 이는 그의 아이들로 인한 것이기도 했다. 수년에 걸쳐 맥도널드 부부에게는 열한 명의 자녀가 태어났다. 1860년대 초 그는 자신에게 동화를 들려주는 재능이 있음을 알게 되었다. 아들이자 그의 전기를 쓴 그레빌 맥도널드(Greville MacDonald)는 열한 명의 아이들이 아버지의 무릎과 팔로 뛰어들고 어머니의 무릎과 발밑에 둘러앉아서 이야기를 들었다고 회상하기도 한다. 「가벼운 공주」도 이러한 이야기들 가운데 하나이다.

당시 유명한 동화작가이자 맥도널드의 친구였던 러스킨이나 캐럴도 맥도널드의 아이들에게 자신들의 이야기를 들려주는 것을 좋아하였다. 캐럴은

"지하세계의 앨리스" 원고를 필사한 뒤, 이것을 출판해도 될지 타진하고자 맥도널드의 아이들에게 읽혔다. 아이들의 반응은 열광적이었다. 캐럴은 이 책을 『이상한 나라의 앨리스』로 출판해서 영국은 물론 전 세계 어린이들의 사랑을 받아왔다. 맥도널드가 어린이 책 작가로서 이력을 시작한 것도 『이상한 나라』의 성공과 관련이 있다. 사실 캐럴이 『이상한 나라』를 성공시켜서 거대한 어린이 책 시장이 형성될 때까지, 맥도널드는 어린이를 위하여 '로맨스를 쓰는 작가'(romancer)에 불과하였다(Knoepflmacher 125). 맥도널드의 가족이 캐럴의 원고를 출판하도록 격려하는 중요한 역할을 했고, 또한 『이상한 나라』의 인기가 맥도널드의 새로운 이력을 시작하도록 도왔다는 논의는 적절하다.

1867년 맥도널드는 『아델라 캐스카트』(*Adela Cathcart*)에서 「가벼운 공주」, 「거인의 마음」, 「그림자」를 선택하고, 두 편의 다른 이야기 「엇갈린 목적」, 「황금열쇠」 등과 함께 휴즈의 섬세한 목판화 그림을 실어서 어린이를 위한 첫 번째 이야기책 『요정과의 거래』를 출판하였다. 간략한 서문에서 그는 "너희 아빠가"라고 써서 자신의 아이들에게 이 책을 바쳤다. 이 책의 서문에는 다음과 같이 쓰여 있다.

> 너희도 알다시피 나는 다른 아빠들처럼 이야기를 들려주지 못하는구나. 그래서 너희들에게 이야기책 한 권을 바친다. 마지막 이야기를 제외하고 모든 이야기를 이미 읽었을 것이야. 하지만 휴즈 선생님의 그림은 보지 못했을 것이다. 많은 아이들이 이 책을 좋아한다면, 곧 다음 이야기책을 준비하도록 할 것이다. (MacDonald, *Dealing* iii)

『요정과의 거래』는 성공적이었고, 이 서문의 언급처럼 이후에 그는 단행본 분량의 어린이 환상문학 작품 몇 권을 출판하였다. 『북풍의 등 뒤에서』, 『공주와 고블린』(*The Princess and the Goblin*, 1872), 『애매한 이야기』(*A Double Story*, 1874~1875), 『잃어버린 공주』(*The Lost Princess*, 1875), 『공주와 커디』(*The Princess and Curdie*, 1883) 등이 그의 대표적인 작품들이며, 『잃어버린 공주』로 인하여 맥도널드는 아동문학 작가로서 자신의 위치를 공고히 하였다.

맥도널드가 「가벼운 공주」를 쓰기 이전에 일곱 명의 아이들이 태어났고 이 가운데 다섯 명은 딸이었다. 그가 가장 좋아한 자녀는 릴리아라고 불리던 릴리 스콧 맥도널드(Lilia or Lily Scott MacDonald, 1852~1891)였다. 맥도널드 자신과 릴리아의 동생들에게 이 '작은 어머니' 릴리아는 되찾은 여성성, 그가 어린 시절에 잃어버린 어머니에 대한 보상으로 여겨졌다. 맥도널드는 장녀 릴리아를 '화이트 릴리'(White Lily)라고도 불렀으며 그의 작품에서도 이 이름이 사용되곤 하였다. 릴리아는 맥도널드 가족의 연극공연에서 배우로도 재능을 보였는데, 그녀는 살아있는 동안 아버지를 기쁘게 해준 딸이었다. 그러나 릴리아는 맥도널드의 아내보다 11년, 맥도널드보다 14년 앞서서 사망하였다. 사랑하는 가족의 죽음이 맥도널드에게 준 상실감과 슬픔은 그를 산산조각이 나도록 하였다. 맥도널드는 마지막 작품 『릴리스』(*Lilith*)를 완성하여 1895년에 출판하였으며, 이후에는 거의 글을 쓰지 않았다. 그는 말문을 닫은 채 침묵 속에서 살다가 1905년에 세상을 떠났다.

맥도널드의 문학성을 찬양하는 사람들 가운데 클라이브 스테이플스 루이스(Clive Staples Lewis)는 그의 문학적 영향력을 공공연히 밝힌다. 미국 복음주의자들 사이에서 루이스의 작품이 인기를 얻자, 맥도널드에 대한 인기가 부활하기 시작하였다. 그는 맥도널드의 작품에서 볼 수 있는 상상력이 풍부한 에너지를 찬양하면서, 그 중심에 어린이가 있음을 강조한다. 맥도널드는 어린이를 도시화, 산업화된 문명보다 앞선 옛날, 전원, 순수한 창조물에 대한 은유로서 받아들인다. 또한, 맥도널드는 나이와 상관없이 "5세이든, 50세이든, 75세이든, 어린이의 마음을 가지고 있는 사람들"에게 그의 책을 바친다(MacDonald, *Orts* 317). 이것은 빅토리아 시대뿐만 아니라 이후 어린이 환상문학 작품을 쓰는 작가들의 의도이기도 하다. 그들은 어린이를 일차 독자로 여기지만, 어린이를 위하여 책을 구매하면서 읽고 평가하는 어른들을 잠재독자로 상정하여 작품을 썼다. 맥도널드의 「가벼운 공주」도 이러한 특성을 보인다.

3

「가벼운 공주」는 페로의 「잠자는 숲 속의 미녀」, E. T. A. 호프만(E. T. A. Hoffmann)의 「브람빌라 공주」("Princess Brambilla", 1821)의 동화양식에 근거하는 이야기이다. 「가벼운 공주」는 전통적인 동화 모티프를 사용하지만 등장인물을 전통적이지 않게 발전시키고 이야기의 내용과 분량을 비교적 길게 하여 어린이 환상문학의 범위를 확장한다. 이러한 방식, 즉 전통적인 동화양식이나 모티프를 개인이나 사회의 이데올로기를 표현하는 도구로 선택하는 것은 17, 18세기 프랑스에서 시작되었으며, 독일의 쿤스트메르헨(Kunstmarchen)과 앵글로색슨계 작가들의 문학적 동화(literary fairy tales), 즉 어린이 환상문학에서 지속된다. 19세기 중반 영국 작가들은 동화양식으로 쓴 자신의 작품을 동화, 또는 문학적 동화라고 했으며 오늘날에는 이러한 작품들을 어린이 환상문학 또는 판타지라고도 한다.

17세기 프랑스 궁정에서 동화가 새로운 목적을 위하여 등장하였다. 즉 구전되던 이야기는 중상류층의 도덕, 풍습, 가치에 대한 문학적인 담론으로 바뀌어서 작가의 이데올로기를 발전시키기 위한 도구가 되었다. 그 과정에서 민중들의 이야기, 민담은 중상류층 어린이를 사회화시키고, 궁정과 살롱에서 읽히기 위하여 이야기의 '관점'(perspective)이 바뀌었다. 잭 자이프스(Jack Zipes)에 의하면, 이것은 작가가 구전된 이야기로부터 "의도적인 전유"

(purposeful appropriation)를 한 것이다(3). 노드롭 프라이(Northrop Frye)는 이처럼 전통적인 문학적 표현방식을 새로운 목적에 전용하는 것을 동화 장르의 "유괴"(kidnapping)라고 한다(McGillis 45). 「가벼운 공주」도 전래동화를 작가가 의도적으로 전유한 이야기로, 기존 동화양식 안에 새로운 주제를 담고 있다. 그렇다면 「가벼운 공주」에서 기존의 동화가 어떻게 바뀌었으며 주제는 무엇인지를 논의하고자 한다.

맥도널드는 「가벼운 공주」에서 자기중심주의에 빠져있는 왕국에 사랑을 회복할 방법을 모색한다. 소설의 전반부에서 왕과 왕비, 매컴노이트, 공주가 등장하고 언어유희, 가벼운 유머와 함께 플롯이 전개된다. 오랫동안 후사가 없던 왕과 왕비는 드디어 공주를 얻게 된다. 왕과 왕비의 기질은 다소 다르지만 둘 다 가볍거나 악하며 자기중심주의에 빠져있다. 왕에게 잊힌 누이이자 마녀인 매컴노이트는 자기중심주의가 극단적으로 악화된 모습을 보인다. 세례식에 초대받지 못한 마녀는 모욕당했다고 여기면서 조카인 공주가 가벼워지도록 저주한다. 공주는 가벼워져서 가벼운 공주라는 이름을 얻게 되면서 궁전을 떠다닌다. 공주가 가벼워지는 것은 아동기의 시간을 오래 끌도록 저주받은 것으로, 그녀는 정서적·신체적으로 성장이 지체된다.

후반부에서 공주와 함께 왕자가 등장하며 이야기는 전반부와 달리 심각하고 비애감 있게 전개된다. 공주는 17세가 되자 물과 왕자를 만난다. 이것은 공주가 새로운 생명의 근원을 만나서 운명적인 사랑을 나눌 수 있도록 하는 장치이다. 공주는 호수에서 헤엄치는 동안 서서히 무게를 회복하면서 변화하기 시작한다. 그러나 마녀는 가벼운 공주로부터 생명과 여성성을 상징하는 물을 빼앗으려고 한다. 호수의 물이 빠져나가는 것은 공주에게 무게, 즉 사랑을 회복할 가능성이 줄어드는 것이다. 그러나 왕자는 그리스도 인물로서 목숨을 건 헌신적인 사랑을 보임으로써 호수에서 물이 빠지는 것을 막는다. 그러나 호수에 물이 가득 넘칠 때 그는 공주를 위하여 죽어가고 있었다. 이번에는 공주가 왕자를 구한 후 열정의 눈물을 터뜨려서 마법에서 풀려나고 무게와 사랑을 회복한다. 공주가 무게와 사랑을 갖게되는 것은 사회적 책임감과 연민을 회복하는 것이다. 이것은 부과되거나 관념적으로 배우는 것이 아니라 열정과 경험으로부터 얻어지는 것이다. 이것은 넘쳐흐르는 호수, 가뭄으로 뒤덮인 나라에 비가 오는 것, 공주가 흘리는 눈물로 상징된다. 호수에 물이 차오르자 마녀는 자신의 집에서 익사한다. 한편, 왕자는 공주의 극진한 간호로 인하여 다시 살아나서 공주와 결혼한다. 두 어린이 주인공, 공주와 왕자가 온 왕국에 무게와 사랑을 회복하는 것이다.

「잠자는 숲속의 미녀」와 유사하게 「가벼운 공주」는 후사가 없는 왕과 왕비에게 오랜 기다림 끝에 공주가 태어나는 것으로 시작된다. 그러나 공주는 마녀의 저주를 받게 되어 오랫동안 마법에 걸려서 지내는데, 그녀의 성장이 언어유희를 사용하여 전개된다. 공주는 마법에 걸렸기 때문에 몸의 무게는 물론 진지한 마음의 무게도 없다. 공주의 부모인 왕과 왕비는 다른 기질을 보이지만 결국 둘 다 자기중심주의에 빠진 성격적 특성을 보인다. 더욱 악의에 찬 마녀는 왕의 누이이며, 왕 자신의 변형물이다. 그녀의 사악한 성격은 왕의 성마른 자기중심주의가 더욱 악화된 형태이다. 그리고 세례식에서 마녀가 저주를 하는 것은 전래동화에서 흔히 볼 수 있는 도입 장치이다. 공주가 부모의 모습을 결합하는 것은 희극적이다. 공주는 왕과 왕비의 성격인 자기 몰두와 경박함을 가지고 있었는데, 마녀의 저주로 인하여 그들의 성격의 극단적인 모습을 보인다. 왕은 마녀의 저주에 반응하여 공주가 "우리 아이일 리가 없어요!"라고 외치지만("LP" 18), 공주는 왕과 왕비를 매우 닮은 그들의 자녀이다.

「가벼운 공주」의 독자는 하나의 문제에 직면하게 된다. 이것은 발을 땅에 딛지 못한 채 왕국을 계속해서 황폐하게 만드는 공주에게 어떻게 무게를 회복하는가 하는 문제이다. 그러나 무게, 즉 중력은 사회적 책임감과 연민으로서 추상적으로 강요하거나 가르친다고 배울 수 있는 것이 아니다. 무게는 감정과 경험을 통해서 체득하는 것이며 해방적인 것이기도 하다. 일단 공주가 물과 접촉하자 그녀는 물을 매우 좋아하게 된다. 공주가 물을 만나는 시점에서 또 한 명의 주인공, 왕자가 등장한다. 그녀는 물속에서 자신의 움직임을 통제할 수 있고, 그러한 즐거움을 왕자와 나눌 수 있다.

맥도널드의 이후 작품에서도 남・여 어린이가 주인공으로 등장하는 경우가 많다. 그들은 각자의 필요와 재능을 존중하고 서로의 비전을 공유하면서 함께 문제를 해결해 나간다. 그들은 행복을 빼앗으려는 악의 힘을 함께 극복하여 이상적인 세계를 만든다. 「가벼운 공주」에서 왕자가 마녀의 저주로부터 호수를 지켜낼 때 그는 공주를 위하여 죽어가고 있었다. 이때, 공주는 자신의 즐거움이 사랑하는 사람의 목숨을 앗아갈 만큼의 가치는 없다는 것을 깨닫자 자기중심주의를 극복한다. 자신을 희생하는 동화의 전통적인 여성상을 가진 왕자로 인하여 공주는 사회적인 감정이입(empathy)을 알게 되어 마법이 풀리고, 왕국에 사랑의 회복에 대한 비전을 제시한다. 「가벼운 공주」에서 공주가 무게를 회복하는 것은 사랑을 회복하는 것이며, 이것은 어찌 보면 왕에게도 없는 사랑이 이 왕국에서 자랄 수 있는가 하는 의문이 들게 한다. 그러나 이 모든 것은 어린이 주인공 공주가 무게를 되찾음으로써 가능한 일이 된다.

왕은 "이 커다란 옥좌에 몸집이 작은 왕"이라고 묘사된다("LP" 18). 이것은 왕이 자신의 직책에 비하여 분별없는 제왕이고, 공주가 겪는 곤경의 원인과 관련이 있음을 암시한다. 왕은 강한 누이가 있다는 것을 잊어버렸기 때문에, 새로 태어난 공주는 정서적으로 지체되고 육체를 상실한다. 마녀의 마법은 다음과 같이 공주를 저주한다.

마법을 걸지니, 영혼아 가벼워져라.
몸 구석구석 가벼워져라.
그 어떤 팔도 네 무게로 힘들지 않으리니
오로지 네 부모의 가슴만 찢어지리라! ("LP" 17)

바로 이 순간, 공주는 울지도 못하고 공기보다 더 가벼워진다. 공주는 느끼지 못하고, 자기중심적이며, 점점 경박한 아이가 되어간다. 그녀의 날카롭고 신경에 거슬리는 웃음소리가 오래도록 계속된다.

공주의 몸과 마음이 가벼운 것은 왕과 왕비의 기질을 닮은 것이다. 왕은 "밝은 색깔의 모발"(light-haired)을 가졌다("LP" 21). 한편, 왕비는 "어두운 색의" (dark-haired)의 모발을 가졌고 "왕보다 더 영리한" 사람("LP" 18)이라고 묘사된다. 왕이 회계실에서 돈을 세는 동안 왕비는 꿀을 즐겨 먹는다는 것은 그들 모두 매우 가벼운 기질을 가졌다는 것이다. 그리고 왕비가 "가벼운"(light)이라는 단어를 사용하여 다양한 언어유희(pun)를 만들어내는 것은, 그녀가 가벼움을 능가하는 악함(darkness)을 가지고 있음을 암시한다. 매컴노이트의 저주가 없었다 하더라도 부모의 가벼운 기질을 물려받은 공주 역시 가벼웠을 것이라고 예상할 수 있다.

왕과 왕비와 더불어 왕이 무시하는 누이, 매컴노이트는 가벼움이 불쾌하게 변형된 모습을 상징한다. 매컴노이트는 "그 어떤 요정과도 비교할 수 없을 만큼 심술쟁이였고, 그 어떤 영리한 요정들과도 비교할 수 없을 만큼 영리했다"("LP" 16). 그녀는 쫓겨난 국외자, 즉 아버지에게 추방당하고 어리석은 오빠에게 완전히 잊힌 인물이다(Knoepflmacher 134). 그녀는 조카의 세례식에 초대받지 못하지만, 몸소 찾아가서 마법을 건다. 그녀는 모든 식구가 자기처럼 고통받기를 간절히 바라면서 공주를 가벼워지도록 저주하는 것이다.

공주는 가벼워져서 아동기 시간이 연장되도록 저주받는다. 잠자는 미녀가 오랫동안 잠을 자는 것처럼, 가벼운 공주는 오랫동안 아동기의 시간을 보내는 것이다. 왕의 군대가 몰살당했다는 소식에 가벼운 공주는 웃는다. 왕이 호통칠 때 그녀는 기뻐서 손뼉을 친다. 궁정에 있는 중국의 형이상학자 가운데 한 사람이 "공주님은 이곳의 무엇에도 관심이 없습니다. 공주님과 이 세상은 전혀 관련이 없습니다"("LP" 16)라고 하는데, 이 견해는 적절하다. 맥도널드는 여기서 캐럴의 방식과 비슷하게 언어유희를 사용한다. 공주에게 무게가 없다는 것은 글자 그대로 공주를 이 세상으로부터 들어 올릴 수 있기 때문이다. 또한, 공주는 주변의 어떤 사람과도 단절되어 있다.

이러한 상황에서 공주는 어떻게 자기중심주의를 극복하여 무게를 되찾고 자신과 왕국에 사랑을 회복할 수 있을까? 전래동화의 공주들, 예를 들어 잠자는 미녀의 역할은 성안에 누워서 왕자가 오기를 기다리는 것이다. 그러나 가벼운 공주의 연장된 아동기는 잠자는 미녀와 같은 전래동화가 보여주는 수동적인 "사춘기의 우화"와 다르다(Reis 77). 가벼운 공주는 스스로 자신의 열정과 경험으로, 그리고 왕자의 성스러운 도움으로 마법을 깨고 무게를 되찾기 때문이다. 그 과정에서 공주가 무엇에 빠질 수 있을까? 동화의 관례상 공주가 왕자와의 운명적인 사랑에 빠지는 것을 예상할 수 있지만, 그것은 "어려운, 매우 어려운" 일이다("LP" 28).

이 시점에서 맥도널드는 자신의 이야기를 전래동화와 다르게 전개하기 위하여 풍부한 상상력을 동원한다. 루이스는 이러한 점을 맥도널드의 가장 중요한 문학적 특성이라고 하였다(Lewis 9). 공주는 우연히 물속으로 떨어지자 무게에 대하여 어렴풋이 깨닫고 변화하기 시작한다.

그러면서도 공주는 여느 때보다 훨씬 더 침착해 보였다. 아마도 커다란 즐거움이 깔깔대는 버릇을 사라지게 한 것 같았다. 어쨌든 이 일이 있고 난 뒤, 공주는 물속으로 빠지고(get into the water) 싶어 했고, 그녀는 더 반듯하고 고상하게 행동했다. ("LP" 28)

가벼운 공주는 물속에 들어갈 때 영적인 힘을 발견한다. 문학에서 물은 무덤인 동시에 태모(Urmutter), 탄생, 여성성, 우주의 자궁, 풍요와 재생, 생명과도 관련된다(쿠퍼 394-98). 특히 낭만주의 작가들은 물을 여성성의 상징으로 사용한다. 물은 정화하고 새로운 생명을 불어넣기 때문에 종교의식에서는 세례의 수단이기도 하다. 낡은 생명은 물로 씻겨져서 새 생명이 탄생한다. 가벼운 공주도 물을 접하면서 이전의 가벼움에서 벗어나 서서히 무게를 되찾아갈 것이다.

「가벼운 공주」에서도 물은 양육하고 성장하게 하는 여성성의 상징이다. 가벼운 공주에게 물은 성장과 사랑을 경험하는 장치가 된다. 그러므로 공주가 물속에 빠지는 것은 영적일 뿐만 아니라 관능적이다. 전래동화에서처럼 이 이야기에도 왕자가 등장한다. 그리고 그들은 물속에 빠져서 어둠 속에서 오래도록 헤엄친다.

"당신은 빠지는 게 싫은가요?" 왕자가 물었다.

"여태 해본 것 중에서 제일 즐거웠어요." 공주가 대답했다. "여태껏 한 번도 빠진 적이 없으니까요. 빠져보고 싶었어요. 아바마마의 왕국에서 빠지지 못하는 하나뿐인 사람이 바로 나인걸요!" 그 순간 가벼운 공주는 거의 슬퍼 보였다.

"당신만 좋다면 언제든 당신과 기꺼이 빠질 준비가 되어 있습니다." 왕자가 공손하게 말했다.

"고마워요. 그래도 될지 모르겠어요. 어쩌면 그래선 안 될 것 같아요. 하지만 괜찮아요. 하여튼 함께 빠졌으니 같이 헤엄쳐요."

"기꺼이 그러지요." 왕자가 대답했다.

두 사람은 어디론가 헤엄쳐갔다. 잠수도 했다가, 물에 둥둥 떠 있기도 했다. 갑자기 호숫가에서 누군가가 소리치는 게 들려왔다. 여기저기서 불빛이 번쩍거렸다. 달도 없는 아주 깊은 밤이었다. ("LP" 34-35)

이 장면에서 "빠지는"(fall) 경험에 대한 공주와 왕자의 언어유희는 재미있고, 그들이 물속으로 다시 들어가서 헤엄치는 모습은 관능적이다. 그러나 왕자가 공주에게 사랑에 대하여 말하기 시작할 때, 그녀는 항상 머리를 돌려서 웃는다. 이것은 공주가 여전히 자기중심적이라는 것을 암시한다.

맥도널드는 1863년에 러스킨에게 「가벼운 공주」의 필사본 원고를 읽어 달라고 부탁하였다. 러스킨은 이 이야기에서 "다양한 사람들의 특성을 보여주는" 작품성을 인정했지만, 위의 장면과 같은 관능성을 곤혹스러워 하였다 (Knoepflmacher 138). 러스킨은 어린이 텍스트에서 열정을 배제해야 한다는 확고한 신념을 가지고 있었기 때문이다. 그러나 맥도널드는 러스킨을 곤혹스럽게 한 「가벼운 공주」의 관능적인 장면을 수정하지 않았다. 두 사람은 서로 우정과 존경은 깊었으나 삶의 이력이 여실히 달랐듯이 관념적인 문제에 대하여 의견이 달랐다.

가벼운 공주가 왕자와 헤엄치면서 발견하게 된 즐거움을 작가가 강조하고 있음에도 어린 공주는 여전히 유치하고 자기중심적이다. 그러나 공주가 새로이 알게 된 즐거움으로 인하여 결국 성장할 것임을 독자들은 예상할 수 있다. 한편, 매컴노이트는 공주의 성장을 저지하기 위하여 물을 파괴하기 시작한다. 양육하고 성장시키는 물의 특성에 적의를 가지는 그녀는 거짓된 양육과 남성적 공격성을 혼합한 모습을 보인다. 그녀는 왕보다 훨씬 더 남성적인 마녀로서 악한 등장인물이다.

마녀 등장인물은 긍정적인 해석의 가능성도 있지만 「가벼운 공주」의 마녀는 부정적으로 읽힌다. 매컴노이트는 이 이야기에서 이름을 가진 유일한 등장인물로, 그녀의 공격성은 이야기를 전개하는 데 추진력이 된다. 그녀의 이름, 매컴노이트(Makemnoit)는 "제작자, 조물주, 신"(maker)을 의미하며, 남성 창조자처럼 계획을 세울 수 있다. 한편, 이름을 가지지 않는 왕과 왕비가 공주에게 어떤 세례명을 주었는지 독자들은 알지 못한다. 매컴노이트가 공주에게 '가벼운 몸'과 '가벼운 영혼'을 가지도록 주문을 걸었기 때문에, 공주는 '가벼운 공주'라는 이름을 부여받은 셈이다. 그러나 매컴노이트는 악한 마녀이기 때문에 조화와 평화를 회복하는 힘이 없다. 그녀는 공주의 부모처럼 사라지거나 또는 추방당해서는 안 되고, 너무나 사악하기 때문에 결국 죽는다. 그녀는 '나쁜' 어머니의 한 유형이다.

매컴노이트는 생명의 상징인 호수의 물을 빼기 시작한다. 그녀는 동굴 속 "호수 밑바닥 아래에 있는 방"으로 내려간다("LP" 11). 그곳은 그녀의 조카인 가벼운 공주가 느끼기 시작하는 여성성에 대한 피난처가 된다. 매컴노이트는 그곳에서 "어둠의 흰 뱀"을 깨운다("LP" 40). 그녀는 뱀을 달래어 그 미물의 입으로 동굴의 천장을 공격하도록 한다. 그러자 뱀은 "큰 거머리처럼 돌에 달라붙어서 빨아댔다"("LP" 40). 그때 매컴노이트는 신비한 마법을 중얼거리기 시작한다. 라고벨 호수(Lake Lagobel)의 뚫린 구멍으로 뱀은 7일 밤낮 동안 물을 빨아댄 후 천장에서 갑자기 떨어지더니, 쭈글쭈글하게 변해서 말린 해초처럼 오그라든다.

드디어 호수의 물이 빠지기 시작하고 머지않아 호수는 바싹 마를 것이다. 매컴노이트는 이것에 만족하지 못하고 조수의 관리자인 달과 그 나라에 있는 모든 샘 역시 마르도록 저주한다.

> 해가 뜨기 전까지 마녀는 호수를 한 바퀴 빙 돌며 쉬지 않고 섬뜩한 말을 중얼거렸다. 그리고 병에 담긴 물을 호수에 뿌렸다. 한 바퀴를 다 돌고 나서

> 다시 중얼거린 후 달을 향해 물을 뿌렸다. 곧바로 그 나라의 모든 샘이, 퐁퐁 솟아나기를 멈추고 죽어가는 사람의 맥박처럼 마르기 시작했다. 이튿날부터 호수 둘레에서는 물 흐르는 소리가 들리지 않았다. 물길이 메마른 것이었다. 산에서 흘러내리던 은빛 물줄기가 눈에 띄지 않게 모두 사라졌다. 어머니 대지의 샘만 마르기 시작한 것이 아니었다. 그 나라의 모든 아기가 무섭게 울어댔지만 눈물 한 방울 흐르지 않았다. ("LP" 42)

물의 수원이 마를 때 생명의 본질은 고갈되는 것이다. 그렇다면 모든 물의 수원을 마르도록 한 매컴노이트의 강력한 저주를 풀 수 있는 장치는 무엇인가? 물이 생명의 근원을 상징한다고 할 때, 예수와 같은 희생만이 이것을 구할 수 있다. 아이들이 호수에서 건져낸 금판의 글귀가 이것을 암시한다.

> 죽음만이 죽음을 구할 수 있다.
> 사랑은 죽음이니, 용감하도다.
> 사랑은 가장 깊은 무덤을 가득 채우고
> 사랑은 물에서 계속되리라. ("LP" 43)

물이 새는 것을 막지 못한다면 왕국은 멸망하고 공주도 무게를 되찾을 수 없을 것이다. 앞에서 등장한 왕자는 살아있는 남자의 몸만이 물이 새는 것을 막을 수 있다고 듣자 자신의 몸을 바치려고 한다. 왕자는 자신의 영혼을 찾으려는 절망한 소녀를 구하고 싶어 한다. 왕자는 그녀를 위하여 자신을 희생할 것이다.

「가벼운 공주」의 전개 방식이 가벼운 유머에서 심각한 비애감으로 갑작스럽게 바뀐 것은 서투르다는 평을 받는다. 이것은 분명히 "특성의 진기한 혼합"이다(Knoepflmacher 143). 소설 전반부의 언어유희는 후반으로 갈수록 줄어들고, 금판에 새겨진 글귀가 후반부 이야기의 액자 이야기가 되어서 이야기의 분위기를 전환한다. 죽기를 결심한 왕자는 마법에 걸린 호수에서 물이 새어 나가는 구멍으로 자신의 몸을 밀어 넣는다. 그는 매우 불편한 곳으로 들어가면서 기나긴 사랑 노래를 부른다. 그러나 지루해진 공주는 왕자가 부르는 노래에도, 그가 그녀의 손가락 끝에 겨우 입을 맞추려는 고통스러운 노력에도 무신경하다. 공주는 비스킷 몇 조각과 포도주 몇 모금을 왕자에게 먹이는 것조차 마지못해서 한다. 물이 왕자의 목까지 차올랐을 때 그는 공주에게 입을 맞춰 달라고 청한다. 그녀는 왕자의 요구를 들어주지만 매우 냉담하다. 왕자가 느끼는 불안은 이내 독자들의 것이 된다.

「가벼운 공주」의 감상적인 결말은 호프만과 러스킨의 문학 전통을 따른다. 물이 차오르는 것은 감정의 넘쳐흐름에 근거한 사랑의 회복을 상징적으로 보여주는 것이고, 그 효과는 공주에게 즉시 나타난다. 마침내 감정을 보여줄 수 있게 된 공주는 점점 물속으로 잠기는 왕자를 끌어당긴다. 공주는 왕자를 자기 방으로 데려가서 자신의 침대에 눕히도록 하지만, 그는 숨을 쉬지 않는다. 작가는 이 장면에서 왕과 왕비를 잠들게 하여 배제하였으며, 늙은 유모를 등장시켜서 공주와 함께 왕자를 돌보도록 한다. 그러나 왕자가 생명을 회복하는 것은 전적으로 공주에 의해서이다. 그녀는 왕자를 살리기 위하여 온갖 처치를 쉬지 않고 되풀이한다. 마침내 왕자가 눈을 떴을 때 공주의 눈에는 오래도록 참았던 눈물이 흐른다. "사랑과 물이 공주의 힘을 찾아주었다"("LP" 50).

> 공주가 뜨거운 눈물을 터뜨리면서 바닥에 쓰러졌다. 그렇게 한 시간 동안 바닥에 쓰러져 눈물을 그치지 않았다. 평생 억눌려왔던 울음이 그제야 터져 나온 것이다. 그리고 그 나라에서 한 번도 본 적 없는 비가 내렸다. 해가 비추고 있는데도 굵은 빗방울들이 뚝뚝 땅에 떨어져 반짝였다. 왕궁은

무지개의 한가운데 있었다. 루비, 사파이어, 에메랄드, 옥 빛깔의 비가 내렸다. 금빛 물줄기가 산에서 흘러내렸다. 땅속으로 스며들 곳이 없었다면 호수가 흘러넘쳐 나라를 휩쓸었을 것이다. 호수는 완전히 차올랐다.

하지만 공주는 이제 호수 따위에는 관심이 없었다. 공주는 바닥에 누워서 울었다. 방안에서 내리는 이 비가 바깥에 내리는 비보다 훨씬 놀라운 것이었다. ("LP" 51)

하늘은 정화의 호우로 응답하고, 호수에 물이 다시 차오른다. 마녀는 자신의 집에서 익사한다. 왕자는 살아나고 공주는 무게를 되찾아서 그녀 자신과 왕국의 사랑을 회복한다. 그러나 공주가 무게를 되찾는 이야기는 다소 가볍게 다루어진다. 공주가 무게를 갖게 되어 넘어지는 소리가 들리자 유모는 기뻐서 소리를 지른다. "사랑스러운 공주마마! 무게를 되찾으셨군요!" "어머나, 이게 무게로군요! . . . 몹시 불편해요. 몸이 조각날 것처럼"("LP" 52). 이제 공주는 무게를 갖게 되었으니 걷는 법을 배워야 한다.

공주 나이에 걷는 법을 배우기란 쉽지 않았다. 공주는 아기처럼 걸었기 때문에 늘 넘어지고 다쳤다.

"이게 사람들이 그토록 소중히 여기는 무게란 건가요?"

어느 날 공주가 넘어져 왕자가 일으켜주자 공주가 왕자에게 말했다.

"나한텐 무게가 없을 때가 훨씬 좋았어요." ("LP" 52)

공주가 무게를 회복한 것은 기쁨인 동시에 걷는 법을 배워야 하는 고통스러운 일이다. 이것은 공주가 회복한 사랑이 "꿀과 침이 함께 들어있는 벌집"("LP" 28)이라는 것을 암시한다. 사랑을 회복한 왕국에 즐거운 축제가 열렸으며, 왕자와 공주는 결혼해서 행복하게 살게 된다.

4

맥도널드의 「가벼운 공주」는 전래동화의 등장인물과 주제를 현대화한 어린이 환상문학 작품임을 논의하였다. 독일 낭만주의에 심취했던 작가는 독일의 쿤스트메르헨과 그들의 철학 그리고 동시대 시대정신과 영국 작가들의 영향으로 자신의 작품을 발전시킬 수 있었다. 맥도널드는 「가벼운 공주」에서 전래동화의 모티프와 양식 등을 근간으로 예술적 수완을 주입하여 새로운 이야기를 만들어냄으로써 영국 어린이 환상문학을 더욱 풍요롭게 한 19세기 중반의 주요 작가가 되었다.

맥도널드는 「잠자는 숲 속의 미녀」의 동화형식과 독일 낭만주의 작가들의 글쓰기 방식 등을 채택하여 「가벼운 공주」의 주제를 발전시켰다. 작가는 자기중심주의에 빠져있는 왕국에 사랑을 회복하는 방법을 모색한다. 소설의 전반부에서는 왕과 왕비, 매컴노이트, 공주가 등장하고 언어유희와 가벼운 유머를 곁들여서 플롯이 전개된다. 오랫동안 후사가 없던 왕과 왕비는 모두 가볍거나 악하며 자기중심적이다. 왕에게 잊힌 누이, 매컴노이트 마녀 역시 자기중심주의가 극단적으로 악화된 모습을 보인다. 왕과 왕비는 드디어 공주를 얻게 된다. 공주는 세례식에서 초대받지 못한 왕의 누이인 마녀의 저주로 인하여 가벼워져서 가벼운 공주라는 이름을 얻게 되어 궁전을 떠다닌다.

소설의 도입 부분에서 공주에게 저주가 내려진 뒤에 이야기는 한 가지 문제, '공주가 어떻게 무게를 회복할 것인가?'에 직면한다. 무게는 사회적 책임감과 연민으로써 부과되거나 관념적으로 배우는 것이 아니라 열정과 경험으로부터 얻어지는 것이다. 공주는 내내 발을 땅에 붙이지 못하며, 이로 인하여 왕국에 재난이 끊임없이 일어난다. 그러나 공주가 물에 손을 대는 순간 물을 정말로 좋아하게 된다. 물에서 그녀는 자신의 움직임을 통제할 수 있고 왕자와 즐거움을 나눌 수 있기 때문이다. 또한, 공주는 사랑하는 사람의 목숨을 대가로 즐거움을 얻는 것은 아니라는 것을 깨닫게 됨으로써 자신을 위해 죽어가던 왕자를 구하여 자기중심주의를 극복한다. 공주는 전통적인 동화의 여성상에 따라 만들어진 희생적이고 상냥한 인물인 왕자와의 관계를 통하여 공감 능력을 가지게 된 것이다. 공주의 저주가 풀린 뒤 그녀가 고통스러워하면서 걷는 법을 배우는 장면은 사회적 책임을 받아들이기 위하여 어려움을 무릅쓰는 과정이라고 할 수 있다.

「가벼운 공주」의 결말에서 공주는 왕자의 도움으로 무게를 획득한다. 문제가 해결되는 결말에서 사회의 계층구조가 그대로 남아있다거나 공주가 무게를 얻기 위하여 남자 주인공에게 의존하는 점은 있다. 맥도널드는 사회 변화가 개인적 성실성의 계발에서 시작될 수 있는 것이지, 반드시 정치적 재편과 제도의 개혁에서 비롯되는 것은 아니라고 믿었다. 「가벼운 공주」에서도 두 명의 남녀 어린이 주인공의 신비하고 관능적인 경험이 그들을 성장시키는 토대를 마련하고 왕국의 통합을 기대하게 하는 것이다. 이처럼 이 이야기는 개인의 변화에 의한 사회 변화와 남녀 어린이의 상호존중과 상호의존을 통하여 사회통합을 제안한다.

맥도널드는 그의 첫 어린이 책인 「가벼운 공주」에서 동화양식을 채택하여 등장인물과 주제를 전통적이지 않은 방식으로 발전시키면서 비교적 긴 이야기를 썼다. 그는 동화 장르의 기본적인 요소들을 사용하지만 동화의 규칙을 고수하기보다 그것의 일탈로부터 현대적인 이야기를 만들어서 어린이 환상문학의 발전에 중요한 역할을 하였다. 따라서 「가벼운 공주」는 맥도널드처럼 문학적 영감을 가진 스토리텔러가 동화 장르의 관례를 통합하고 변형하여 생명력으로 풍성한 어린이 환상문학 장르로 발전시킬 수 있다는 가능성을 제시해준다.

『북풍의 등 뒤에서』, 『공주 이야기』
: 리얼리티의 진실을 발견하기 위한 상상력

1

맥도널드는 『북풍의 등 뒤에서』 그리고 두 권으로 구성된 『공주』 이야기, 『공주와 고블린』(*The Princess and the Goblin*, 1872)과 『공주와 커디』(*The Princess and Curdie*, 1883)에서 어린이와 어린이의 마음을 가진 어른들이 원하는 방식으로 상상력을 사용하기 시작하였다. 맥도널드는 '5세이든, 50세이든, 75세이든 어린이의 마음을 가지고 있는 사람들'에게 그의 책을 바친다고 언급한 바 있다. 어린이 환상문학에 대한 맥도널드의 이러한 생각과 작품은 영향력이 있었다. 그의 작품의 내용, 구성, 문체 등은 당대의 작가들에게 커다란 관심사가 되었고, 인정받았을 뿐만 아니라 현대 작가들에게도 많은 영향을 주었다.

영국이 19세기 중반에 어린이 환상문학의 황금시대를 누리던 시대에, 대표 작가로 맥도널드를 포함하여 토마스 후드(Thomas Hood), 디킨스, 에드워드 리어(Edward Lear), 캐럴, 킹슬리, 루디야드 키플링(Rudyard Kipling) 등을 꼽을 수 있다. 이들 가운데 디킨스, 킹슬리, 키플링 등은 어린이 환상문학 작가이기 이전에 당대 리얼리즘의 거장들이다. 이 작가들은 리얼리티를 재현하거나 현실의 모순과 부조리를 고발하는 리얼리즘 작품들을 썼으며, 이러한 주제를 어린이 환상문학 작품에서도 발전시켰다.

스티븐 프리켓(Stephen Prickett)에 의하면 이 작가들은 다양한 비사실적 기법을 사용하여 실제의 삶을 재현하거나 그것에 대한 자신의 진보적인 생각을 발전시켰다(*Fantasy* 3). 자이프스 역시 자신의 저서 『동화와 전복의 예술』(*Fairy Tales and the Art of Subversion*)을 비롯한 어린이 환상문학 연구서에서 주저하지 않고 이들을 어린이 환상문학 작가로 언급한다. 이러한 작가와 작품으로 디킨스의 『크리스마스 이야기책』(*Christmas Books*, 1843~1848), 『휴가의 로맨스』(*Holiday Romance*, 1868)에 실린 「마법의 생선뼈」("The Magic Fish-Bone"), 키플링의 『정글북』(*The Jungle Book*, 1894), 킹슬리의 『물의 아이들』 등이 있다. 그들은 비사실적인 기법, 즉 난센스 · 꿈 · 비전 등을 사용하여 현실과 다른 대안적인 세계를 창조하였다.

특히 맥도널드의 작품에 나타나는 꿈의 세계는 현실세계와 공존하여 현실의 삶에 대한 또 하나의 비전을 보여주면서 "리얼리티의 진실을 발견하기 위한 상상력"(McGillis, *MacDonald* xxiii)으로 작용한다. 맥도널드의 작품 내용, 구성, 문체 등은 현대 어린이 환상문학 작가들에게 커다란 관심사가 되어왔으며, 맥도널드를 자신의 스승이라고 서슴없이 인정하는 사람들도 있다. 에디스 네스빗(Edith Nesbit)과 C. S. 루이스 등이 그의 영향을 받은 대표적인 작가들이다. 특히 『나니아 연대기』(*The Chronicles of Narnia*, 1950~1956)의 작가 루이스는 맥도널드의 『판타스테스』(*Phantastes*, 1858)로 인하여 어린이 환상문학 작가로서의 삶을 시작했으며, 이 작품으로부터 상상력의 세례를 받았다고 하였다(Carpenter 79).

어린이 환상문학의 근간인 문학양식으로서 판타지는 19세기 동안에 그 뜻이 바뀌었음을 살펴보았다. 이 단어는 중세부터 영어에 사용되어 '보이게 하는 것'을 의미하지만, 그 어조는 다소 경멸적인 의미를 내포하고 있어서 광인이나 어린이에게서 찾을 수 있는 일종의 병적인 상상력을 언급하였다. 그러나 낭만주의는 이러한 인식을 바꾸었으니, 코울리지가 감수성 변화의 중심에 있는 작가이다. 코울리지에게 시인의 최상의 재능, 즉 예술가의 창의력은 상상력이기 때문에 불온한 악몽 또는 광기와 유사한 것으로 치부되던 판타지 역시 새로운 요소로 재인식되기 시작하였다. 그의 『노수부의 노래』, 『쿠블라 칸』, 『크리스타벨』 등은 아름다운 동시에 사악한 꿈의 세계를 그리면서 꿈에 대한 새로운 인식을 보여준다. 그는 또한 꽤 일찍이 동화의 가치에도 관심을 가졌으니, 이것은 예언적이었다. 왜냐하면 1823년에 그림 형제의 동화 모음집 『독일 민중의 이야기』, 1846년에 안데르센의 이야기가 영국에서 번역 · 출판되어 대단한 성공을 거뒀기 때문이다. 마침내 상상력은 해방되었고, 칼라일이 기계적이고 신중한 시대라고 공격했던 빅토리아 시대에 판타지는 영적인 활력을 주는 문학양식으로 재인식되었다.

판타지에 대한 새로운 인식과 함께 영국 어린이 환상문학은 1860년대를 기점으로 경이롭게 성장한다. 이 시대의 작가들은 환상적인 세계를 창조하기 위하여 흔히 꿈 이야기를 사용하였으며, 그들이 만들어놓은 꿈의 세계는 더욱 복잡하고 억압적인 세계의 상황에 대처하기 위한 대안적인 세계가 되었다. 그러나 작가들이 선호한 꿈 양식을 비롯한 비사실적인 기법 때문에 어린이 환상문학은 오랫동안 진지하지 못한 문학으로 폄하되었다. 최근의 연구에서 밝혀지는 것은 어린이 환상문학 역시 당대의 리얼리즘 문학처럼 인간의 삶을 구성하는 명백히 혼란스러운 사건의 리얼리티에서 출발하며, 리얼리즘 전통에 반하는 것이 아니라 그것을 확장하기 위하여 다른 문학적 기법을 선택하는 시도라는 것이다.

대표적으로 맥도널드의 작품은 꿈과 리얼리티의 세계가 공존하는 것이 특징이다. 주인공들은 해결해야 할 현실의 문제를 가지고 상상력을 통하여 꿈의 세계를 방문한 후 문제에 관한 통찰력이나 해답을 얻은 후 실제 삶에서 문제를 해결해 나간다. 그러므로 등장인물들이 꿈의 세계를 방문하는 것은 현실도피가 아니라 현실과 밀접하게 관련된 세계를 다녀오는 것이다.

맥도널드의 기법인 현실과 꿈을 병치시키는 장치는 하나의 세계에 대한 이중의 비전을 보여주는 것이며, 이러한 특징은 작가의 실존적인 인식과도 관련된다. 삶의 진실이 두 세계에 공존한다는 맥도널드의 인식은 그 자신의 외적인 실존적 사실에 뿌리를 둔다(Prickett, "Worlds" 21). 그리고 이것은 환상세계와 실제세계가 공존하여 서로에게 영향을 주는 방식으로 그의 작품에 재현된다. 맥도널드의 어린이 환상문학 작품은 동시대의 작가인 캐럴의 작품과 비교할만하다. 캐럴은 『앨리스』에서 삼단논법에 근거하는 논리적인 구성을 사용하여 시간과 공간을 스스럼없이 이동한다. 맥도널드의 기법은 그러한 경계를 허물고 실제세계와 환상세계를 융합하여 다른 공간을 만들거나 실제 삶에 환상적 공간을 존재하도록 한다. 이것은 환상세계를 도입하는 영리한 장치라고 평가받는다.

맥도널드는 1824년에 스코틀랜드의 헌틀리(Huntly)에서 태어나서 그곳에서 성장하고 교육을 받았으나 생의 많은 시간을 잉글랜드의 런던에서 보냈다. 헌틀리와 런던은 단지 500마일 정도 떨어진 곳이지만 당시 두 지역은 두 개의 국가, 두 개의 문화, 두 개의 종교를 대표하였다. 맥도널드가 어린 시절에 들었던 스코틀랜드 시골의 민담과 부모님에게 받은 칼빈주의 교육으로 인해 그는 요정과 성서의 영향을 동시에 받으면서 자랐다. 또한, 그가 애버딘 대학교에 다니다가 잠시 학교를 떠나 스코틀랜드 북부에 있는 저택의 방치된 서가에서 영국과 독일의 낭만주의 작품을 읽으면서 시작한 형이상학적 사색은 작품에 줄곧 영향을 주었다. 이후에 그는 스코틀랜드인으로서 런던에서 생활하면서 당대의 주요 문인들과 영향을 주고받았다. 맥도널드가 스코틀랜드 시골에서 민담과 칼빈주의 영향을 받으면서 성장한 배경, 대학교육과 낭만주의 작품 탐독, 스코틀랜드인으로서 잉글랜드에서의 삶은 그의 이중성의 근간을 형성하면서 작품창작에 미학적·철학적으로 영향을 주었다.

맥도널드는 시를 쓰면서 작가로서 이력을 시작하였으나 그의 재능은 환상문학을 쓰면서 더욱 분명하게 드러났다. 그는 어린이 환상문학이 더 많은 사람에게 받아들여지던 시대에 동화의 도덕적 비전을 포함하는 작품을 썼다. 이러한 그의 작품들은 모든 세대 독자들의 사랑을 받으면서 결코 절판되는 일 없이 소중한 문학 유산으로 남아있다. 그는 1860년대에 『젊은이를 위한 금언』(*Good Words for the Young*, 1868~1872)이라는 잡지를 편집하면서 환상문학 작품들을 발표하기 시작했으며, 본 장에서 살펴보고자 하는 『북풍의 등 뒤에서』, 『공주와 고블린』, 『공주와 커디』 역시 이 잡지에 발표하였다.

맥도널드의 작품들, 『북풍의 등 뒤에서』 그리고 『공주와 고블린』과 『공주와 커디』에서 깨어있는 상상력을 가진 어린이 주인공들은 환상세계를 여행한 후 빅토리아 시대의 런던에서 환상세계와 리얼리티를 통합하여 문제를 해결해 나가면서 이상적인 삶을 추구한다. 이 작품들에서 맥도널드는 북풍과 교감할 수 있는 다이아몬드(Diamond), 할머니를 볼 수 있는 아이린(Irene) 공주와 광부 소년 커디(Curdie)가 리얼리티를 고양하듯이, 상상력을 가진 독자들 개개인이 현실의 삶에 변화를 가져올 수 있음을 시사한다. 그렇다면 이 작품들에서 상반된 것들의 화해를 통하여 이상세계를 지향하도록 하는 '리얼리티의 진실을 발견하기 위한 상상력'이라는 주제가 어떻게 재현되는지를 논의해보자.

2

작품을 살펴보기 전에 맥도널드가 환상문학 작가가 된 배경과 판타지에 대한 그의 견해를 간략하게 요약한다. 우선, 맥도널드는 대학 시절에 스코틀랜드 북부의 저택, 서소 성(Thurso Castle)에서 잠시 지냈다. 이 성의 주인은 독일과 영국 낭만주의 작품들로 가득한 서재를 가지고 있었다. 에른스트 테오도어 빌헬름 호프만(Ernst Theodor Amadeus Hoffmann)의 아름다운 환상문학 작품, 프리드리히 푸케(Friedrich De La Motte Fouqué)의 물의 요정 이야기, 시인 노발리스(Novalis (Friedrich von Hardenberg))의 비극적인 낭만시들, 그 외에도 에마누엘 스베덴보리(Emanuel Swedenborg)의 형이상학적 · 과학적 사유를 포함하는 작품들, 16세기 후반 독일의 신비주의자 야코프 뵈메(Jacob Boehme)의 작품들을 맥도널드가 탐독했으며, 이러한 독서가 그의 작품에 영향을 주었다. 노발리스와 뵈메를 포함하는 독일 작가들의 발견과 함께 영국 시인들, 예를 들면 에드먼드 스펜서(Edmund Spenser)와 블레이크도 그에게 깊은 영향을 주었다. 맥도널드는 낭만주의에 대한 열정을 간직한 청년으로 성장하여 대학으로 돌아왔으며, 이것은 그가 이후에 위대한 환상문학 작가로 성장하는 데 초석이 되었다.

맥도널드의 환상문학에 대한 견해는 그의 논문 「환상적 상상력」("The Fantastic Imagination", 1893)에 드러난다. 이 연구는 1893년 미국판 『가벼운 공주와 동화들』(*The Light Princess and Other Fairy Tales*)에 처음으로 실렸다. 이 논문은 톨킨의 「요정 이야기에 대하여」("On Fairy-Stories", 1939)와 매우 유사하다. 이 논문에서 그는 낭만주의 이론의 이해에 집중하면서 동화에 대한 자신의 견해를 피력한다. 동화 또는 문학적 동화는 오늘날에 판타지 또는 어린이 환상문학이라고 불리는 장르인데, 맥도널드도 「환상적 상상력」에서 이러한 작품들을 동화라고 하였다. 어린이 환상문학 작품들이 그 당시에 동화라고 불린 이유는 그 시대 작가들이 동화양식을 채택하여 그것을 따르거나 변형하면서 작품을 썼기 때문이다. 오늘날 아동문학 연구의 대표적인 학자 자이프스는 이러한 작품들을 여전히 동화라고 한다. 한편, 이 분야의 다른 학자들, 예를 들어 콜린 맨러브(Colin Manlove), 프리켓, 니콜라예바 등은 이러한 작품들을 판타지, 또는 어린이 환상문학이라고 하였고, 이것은 본서가 사용하는 용어이기도 하다.

맥도널드가 동화를 정의하면서 일차적으로 설명하고자 한 것은 '엄격한 알레고리'의 기계적인 완고함과 '동화'를 구분하는 것이다. 그가 동화라고 하는 작품들, 즉 어린이 환상문학으로 분류되는 장르는 상징적인 내레이션의 양식들 가운데 하나로 알레고리를 사용한다. 맥도널드에 의하면 동화와 알레고리는 다음과 같이 근본적으로 다르다.

> 동화는 알레고리가 아니다. 동화에 알레고리를 사용할 수 있지만, 동화가 알레고리는 아니다. 어떠한 문학 양식에서든 정신을 피로하게 하지 않는 엄격한 알레고리를 쓸 수 있는 사람이 예술가임이 틀림없다. (MacDonald, *Orts* 317)

동화는 작가가 의도한 특정한 것만을 의미하지 않기 때문에 알레고리가 아니다. 한편, 알레고리는 전적으로 작가의 통제를 받는 매체이다. 그는 자신이 쓴 동화가 하나의 의미만을 갖는 것이 아니라고 한다. 맥도널드에 의하면 "참된 예술작품은 많은 것을 의미해야 한다. 작품이 훌륭할수록 그것은 더 많은 것을 의미한다"(*Orts* 317). 맥도널드가 언급하듯이 "언어는 살아있는 것"(318)이기 때문에 독자 개개인은 하나의 작품을 읽으면서 다양한 해석에 개입할 수 있다. 그의 작품들도 다양한 의미의 층을 가지고 있어서 다양한 해석이 가능하므로 알레고리가 아니라 동화, 즉 어린이 환상문학 작품이다.

맥도널드의 어린이 환상문학 작품의 특징은 비전이 담긴 서사에 사회비평을 결합하는 것이다. 이것은 19세기 영국 어린이 환상문학의 일반적인 특징이기도 하다. 이러한 주장을 하는 학자들 가운데, 자이프스는 "영국의 상황에 관한 담론이 동화를 통해서 이루어졌다"(xi)라고 한다. 빅토리아 시대의 어린이 환상문학 작가들은 "다른 사회적 계층에 존재하는 불평등과 산업혁명으로 인하여 억압받는 사람들이 직면하는 문제에 대하여 사회적 인식을 제기하기 위하여"(xix) 작품을 썼다. 이러한 작품들은 중산층 어린이를 일차 독자로 상정하지만, 궁극적으로 어린이를 위하여 책을 사거나 그들에게 책을 읽어줄 중산층 어른을 대상으로 하는 것으로서(Hastings 76), 당대의 리얼리즘 문학의 주제 또는 더욱 확장된 주제를 다룬다. 그는 비전의 영역과 사회정치적 영역을 서로 적의 있는 것으로 여기지 않았기 때문에 환상세계와 리얼리티를 공존하도록 하여 삶의 진실을 발견하기 위한 장치로 상상력을 사용하였다. 그는 환상적 영역을 도입하기 위하여 신에 관하여 이야기한다. 기독교 신비주의자였던 맥도널드는 인간의 완성을 믿었으며, 우리 개개인은 이 세상에서 최선의 상태에 이를 수 있다고 주장하였다. 그에게 완성은 신과의 합일이지만 완성으로 가는 길이 정해져 있는 것은 아니라고 하여 그는 '신성한 개인주의'(divine individualism)를 설교하였다. 맥도널드를 이해하는 핵심은 신 또는 신성한 것이 우리의 마음속에 있어서 이것이 상상력을 통하여 발견되며 현실의 문제에 대한 해결책을 제시할 수 있다는 것이다.

맥도널드의 환상세계는 꿈 형식으로 종종 재현된다. 그는 '신'의 초월적인 자리를 상상력을 가진 아이의 마음속으로 옮겨옴으로써 꿈을 통한 리얼리티를 제시한다. 예를 들어 『북풍의 등 뒤에서』에서 어린이 주인공 다이아몬드는 북풍이 찾아오는 시간을 예측할 수 없어서 북풍과 자신과의 관계가 꿈은 아닌지를 두려워한다. 그는 북풍의 정체에 대하여 분명한 답을 얻지 못하지만 북풍은 그의 실제 삶에 힘과 비전을 준다. 『공주』 이야기에서 아이린 공주는 자신이 할머니를 방문한 것과 할머니가 다친 커디를 방문하는 것이 단지 아름다운 꿈은 아닌지를 끊임없이 궁금해한다. 그러나 아이린의 손가락과 커디의 다리가 치유된 것은 이러한 경험들이 꿈일 뿐만 아니라 현실이기도 하다는 것을 암시한다. 이와 관련하여 맥도널드는 "우리의 삶은 꿈이 아니다. 그러나 우리의 삶은 꿈이 되어야 하고 아마도 그렇게 될 것이다"(MacDonald, *MacDonald* xxii 재인용)라는 노발리스의 경구를 즐겨 인용한다. 맥도널드에게 꿈은 삶에 대한 비전이 담긴 서사이며 사회비평이기 때문에 꿈은 삶이요, 삶은 곧 꿈이다.

3

맥도널드에게 환상세계는 우리가 살아가는 견고한 현실이 종종 환상적으로 보이는 것으로서 사실적이고 평범한 것이다. 그의 이러한 생각은 『북풍의 등 뒤에서』와 『공주』 이야기에 재현된다.• 우선 『북풍의 등 뒤에서』는 리얼리티에 근거하는 어린이 환상문학 작품으로, 북풍과의 사건이 없다면 이 소설은 디킨스를 비롯한 리얼리즘 작가들이 몰두하였던 빈곤과 사회적 불의로 가득한 빅토리아 시대의 런던에 대한 사실적인 이야기이다. 소설에서 빅토리아 시대의 런던과 북풍의 등 뒤에 있는 환상세계가 공존하여 서로 침투해있고, 북풍이라는 부인은 실제세계를 방문하면서 영향을 준다. 소설의 구성은 북풍과 다이아몬드의 신뢰 관계가 형성된 후에, 리얼리스트의 서술 즉 19세기 노동자 계층이 겪는 삶의 가혹함과 불평등이 도입된다. 그 이후의 서사에서 북풍의 등 뒤의 환상적인 나라를 여행한 다이아몬드가 삶의 다양한 문제를 해결한다. 다이아몬드는 일하는 마부의 영역에서뿐만 아니라 북풍의 등 뒤의 나라에서 점점 더 강렬하게 존재하기 때문에, 그의 고양된 경험이 사회공동체에 더욱 선한 영향을 주게 된다.

주인공 다이아몬드는 런던 마부의 아들이다. 그는 정신이 박약하고 천진난만하게 추론하는 등 외견상 다른 사람들보다 열등하게 묘사되기 때문에, 프라이에 의하면 "반어적(ironic) 인물"(Nikolajeva 89 재인용)이다. 다이아몬드는 지극히 선하고 친절하고 지혜로우며, 완벽에 가깝게 도덕적인 주인공으로, 북풍이라는 신비한 부인의 등 뒤에 다녀오는 특권을 갖는다. 이와 관련하여 그는 또한 "신의 아이"(*NW* 173)라고 여러 번 언급되기도 한다. 주인공

• 『북풍의 등 뒤에서』와 『공주』이야기 즉, 『공주와 고블린』, 『공주와 커디』의 텍스트를 인용할 때 각각 *NW*, *PG*, *PC*로 표기한다.

의 이름 '다이아몬드'라는 단어에서 독자들이 연상하는 것은 주로 보석이다. 그러나 주인공 다이아몬드는 "위대하고 훌륭한 말"(*NW* 17)과 자신의 이름을 연관시킨다. 이것은 맥도널드가 물질적인 관련 그 이상을 의미하는 어린이 주인공, 다이아몬드를 만들어냈음을 암시한다. 사실, 주인공 다이아몬드의 성격은 물질주의와 자본주의를 거부하면서 빅토리아 시대의 인간 경험을 비웃는다(Webb 19).

북풍은 다이아몬드를 여러 모험에 데려간다. 북풍이 다이아몬드와 함께하는 여행은 다른 세계를 방문하는 것인데, 그곳은 북풍의 등 뒤에 있는 천국의 가장자리, 곧 환상세계로 가는 것이다. 독자들은 북풍의 등 뒤의 세계에서 일어나는 일을 볼 수 없으므로 그곳은 독자들의 상상력 속에 있을 뿐이며, 다이아몬드 자신이 알게 된 시와 노래를 통해서만 기억되는 곳이다(Webb 17). 북풍이 다이아몬드를 방문하는 것은 일정치 않다. 어느 날 북풍이 다이아몬드를 처음 방문하여 함께 여행한 후, 다이아몬드는 안뜰에서 발견되어 따뜻한 응접실로 옮겨진다. 다음에 그녀는 다이아몬드를 런던 너머로 데려간다. 북풍은 폭풍우 치는 밤에 다이아몬드를 데리고 여행하다가 그를 성당에 내려놓고 자신은 배를 난파시키러 간 적도 있다. 북풍은 다이아몬드와 함께 북극을 여행하기도 하며, 그곳에서 그는 북풍의 등 뒤에 있는 나라를 방문한다. 그 후 북풍은 소설의 마지막 부분에 이르러서야 다이아몬드에게 돌아온다. 이처럼 다이아몬드는 북풍의 방문을 예측할 수 없으므로 북풍과 자신의 관계가 단지 꿈은 아닌지를 두려워한다. 그러나 북풍의 방문이 예측 불가능한 것은 아니며, 그녀는 다이아몬드가 아플 때 찾아온다(McGillis, "Language" 150). 다이아몬드는 열에 들뜬 꿈속에서 북풍을 만나는 것이다.

다이아몬드는 북풍의 등 뒤의 나라를 여행함으로써 또 다른 질서를 가진 사람, 즉 성자가 된다. 다이아몬드는 북풍으로부터 영적인 영향을 받은 후 현실로 돌아와서 빅토리아 시대 런던의 평범한 세상에 사는 사람들의 일상생활을 축복하고 변화를 가져온다. 폭풍우 치는 밤에 북풍은 다이아몬드를 런던 너머의 여행에 데려간다. 이 여행에서 북풍은 다이아몬드를 위하여 자신의 머리카락으로 따뜻한 둥지를 만든다. "그것[그 둥지]은 마치 집시 여자아이들을 데리고 다닐 때 사용하는 주머니나 숄 같았다"(*NW* 41). 다이아몬드는 북풍의 등에 업힌 요람 속의 아기처럼 그녀와 날아다니기 때문에 북풍이 만들어내는 자연의 격정으로부터 안전하다. 이 여행 도중에 다이아몬드는 북풍이 불어대는 바람에 맞서서 빗자루를 끌고 있는 어린 청소부 소녀 내니(Nanny)를 보게 되는데, 그 후 그녀는 사실적인 서사에서 중요하게 등장한다. 다이아몬드는 북풍에게 그 소녀를 도와줄 수 있는지를 묻는다. 이 질문에 북풍은 내니를 위하여 "사악한 냄새를 쓸어버리고 있단다"(*NW* 44)라고 대답한다. 북풍이 커다란 빗자루를 사용하여 도시의 냄새를 청소하듯이, 다이아몬드는 이 여행에서 돌아와 샐(Sal) 할머니와 함께 사는 내니의 찌든 삶을 청소해준다. 환상세계를 여행한 다이아몬드가 현실에 영향을 주는 서사의 배열순서는 사건의 인과응보인 동시에 꿈과 현실세계를 관련시키는 맥도널드의 방식이다.

소설의 1/3은 북풍과 그녀가 함께하는 밤의 세계를 표현하며, 이때 다이아몬드는 열에 들떠 심하게 앓으면서 꿈속에서 북풍과 만난다. 다이아몬드의 병은 당대 어린이의 병약함과 그에 따른 높은 유아 사망률이라는 영국의 현실을 반영하며, 중병을 앓는 것과 이로 인하여 죽음의 문턱에 이르는 경험은 우리가 이해할 수 없는 것들을 탐색하게 한다. 다이아몬드는 몹시 앓다가 어느 날 한밤중에 깨어난다. 그는 "북풍의 머리카락 구름 속에 있는 자신을 발견했다"(*NW* 96). 이것은 다이아몬드가 북풍과 함께 북풍의 등 뒤에 있는 나라를 여행하고 있는 것을 묘사한다. 그 후 다이아몬드의 병이 악화되자 그의 어머니는 그를 샌드위치(Sandwich) 바닷가로 데려간다. 그곳에서 다이아몬드는 다시 북풍을 만나서 시를 통해 의사소통한다. 이곳에서 발견되는 시편들은 다이아몬드를 시의 세계로 안내하여 그의 시적 재능을 불러일으킨다. 이것은 굳어진 것을 변화시키면서 풍경과 언어, 그리고 리얼리티와 상상력을 융합한다(Webb 28). 소설의 이 지점에서 다이아몬드는 신의 아이 즉, 예수 인물이 되어 빅토리아 시대 런던의 일상에서 자신의 행동과 언어를 사용하여 사랑의 메시지를 전하면서 계층의 장벽을 넘어서고, 가난, 무지, 삶의 악행을 근절시키려고 한다.

맥도널드는 다이아몬드의 이름으로 환상세계, 즉 초자연적인 것이 리얼리티에 작용하는 것을 보여주기 위하여 19세기 노동자 계층의 삶을 도입한다. 다이아몬드가 내니와 샐 할머니의 집이 있는 슬럼가를 방문하는 것, 그리고 다이아몬드가 병든 아버지를 대신해 마부의 일을 맡아서 가족의 생계를 떠맡는 것 등은 가혹하고 불평등하며 추한 리얼리티이다. 그러나 고요하고 아름답고 사랑스러운 북풍의 등 뒤의 세계를 방문한 다이아몬드로 인하여 그들의 삶은 보다 긍정적으로 변화한다.

다이아몬드가 가져온 가장 큰 변화를 「술주정뱅이 마부」 장에서 볼 수 있다. 이 장은 소설 구성상 중심에 위치하여 이야기의 주제를 드러내기에 적절하다. 장의 첫 부분에서 다이아몬드는 밤중에 술에 취한 마부의 목소리에 잠이 깨어서 밖으로 나간다. 다이아몬드는 마당을 가로질러 마부의 방에 갈 때 "불타는 칼을 들고 악마와 싸우러 나가는 천사와 같은, 바로 신의 사자 가운데 하나였다"(*NW* 166). 그는 처음에 아기의 관심을 램프에서 나오는 "음침하고 노란빛"(167)으로 돌린다. 램프의 유리가 더러웠고 가스가 충분하지 않았기 때문에 불빛은 침침했지만, 어떠한 형태이건 빛은 태양이고 희망이다. 다이아몬드의 노래가 들리자 누추한 방에 평화가 내려앉고 노래는 마부를 조용히 잠들게 한다. 잠시 후 마부는 깨어나서 다이아몬드가 아이에게 목마른 악마의 이야기를 들려주는 것을 듣는다. 마부는 "다이아몬드의 창백한 얼굴과 커다란 눈에서 눈을 떼지 못했다"(170). 맥도널드는 다이아몬드와 마부를 등장시켜서 초자연적인 것을 자연스럽게 드러내고자 했으며, 마부의 삶은 다이아몬드로 인해 변화하기 시작한다.

「술주정뱅이 마부」 장에서 다이아몬드와 그가 부르는 노래는 판타지와 리얼리티를 융합한다. 이 소설에서 묘사하는 판타지와 리얼리티의 두 영역은 상상력이 작용하는 안과 밖이다. 다이아몬드는 상상력의 영역 안에서 북풍과 여행하고, 상상력의 영역 밖에서 자신의 여행 경험을 시험한다(McGillis, "Language" 154). 따라서 두 세계, 즉 꿈과 리얼리티, 초자연과 자연, 불확실성과 확실성은 다이아몬드 안에서 화해하고, 다이아몬드는 자신이 만나는 사람들에게 이러한 화해의 메시지를 전한다. 맥도널드는 다이아몬드를 통하여 상반된 두 세계의 영역을 허물고 두 세계를 나누는 우리의 생각이 잘못되었음을 주장하는 것이다.

맥도널드의 믿음 즉, 리얼리티와 판타지, 자연적인 것과 초자연적인 것이 다르지 않다는 생각은 북풍의 등 뒤의 나라를 여행한 다이아몬드가 보여주는 행위로 암시된다. 다이아몬드가 신의 아이처럼 행동하고 반응하는 것은 초자연적이어서 현실에 존재하는 아이로 보이지 않지만, 그의 성격은 사실적이다. 다이아몬드는 담백하고 믿을만하고 고상하다. 다이아몬드가 런던 마부들이 사용하는 저속한 언어의 영향을 받지 않는 것은 맥도널드가 그의 성격을 자연스럽게 만들지 않았음을 입증하지만, 다이아몬드는 우리 주변에서 볼 수 있는 어린이이다. 다이아몬드는 북풍의 등 뒤에 다녀왔으나 북풍이 꿈일까 봐서 여전히 두려워하는 평범한 아이이다. 그는 내니와 짐(Jim)과 함께 시간을 보내는 것을 좋아할 뿐만 아니라 찬바람의 한기와 열병으로 인해 고통받는다. 맥도널드는 다이아몬드를 통해 두 세계, 즉 북풍 뒤와 런던을 함께 보여주고자 하였다. 결과적으로 다이아몬드는 초자연적으로 선한 동시에 현실의 아이이다. 그는 너무 착해서 죽었다고 볼 수 있으나, 약하고 병에 걸리기 쉬워서 죽었다.

그러면 다이아몬드에게 영향을 주어서 빅토리아인들과 독자들을 궁극적으로 변화시키고자 하는 '북풍'과 '북풍의 등 뒤에서'가 의미하는 것은 무엇인가? 우선 북풍의 여러 가지 모습과 그 의미를 보면, 북풍은 제6장에서 다이아몬드를 폭풍우 속으로 데려간다. 그들은 북풍의 이중성을 이야기한다. 북풍이 한 손으로 다이아몬드를 보호하면서 다른 한 손으로 배를 가라앉힐 때 그녀는 다이아몬드가 자신을 "세상에서 가장 친절하며 인자하고 선하다"(*NW* 70)라고 확신하도록 한다. 한편, 북풍은 술 취한 못된 유모를 놀라게 한 잔인한 늑대인 동시에 선한 일을 하는 아름다운 숙녀이기도 하다. 이어지는 긴 여정에서 북풍은 자신이 불행, 즉 파멸일 수 있음을 부인하지 않는다(*NW* 333-34). 이처럼 북풍에게 상반된 것들이 공존하여 서로를 포함하면서 보완하는데, 이것이 곧 화해이다. 다이아몬드는 북풍과 상호작용을 하면서 이러한 상반된 것들의 융합을 이해하였다.

내레이터의 언급처럼 북풍 뒤의 초자연적인 나라는 "[다이아몬드가] 기억하고 있는 것마저도 말로 옮기기 어려운"(*NW* 107) 세계로서 만족스럽게 설명되지 않지만, 여러 가지 가능성 가운데 시의 근원이다. 즉, 북풍은 "방문하는 뮤즈(the visiting Muse)"(McGillis, "Language" 154)로서 다이아몬드의 뮤즈이다. 또한, 북풍은 다이아몬드의 시적 천재성을 일깨운다. 이러한 관점에서 다이아몬드는 다소 평범한 어른인 미스터 레이먼드(Mr Raymond)와 짝이 된다. 레이먼드는 북풍의 등 뒤에 가본 적이 없지만 시인이다. 독자들은 다이아몬드가 레이먼드의 시, 「고양이와 바이올린의 진실한 역사("The True History of the Cat and the Fiddle")」(*NW* 212-13)와 동화를 읽으면서 글자를 배우는 것을 본다. 상상적 경험에 대한 씨앗은 문학과 연관되고, 다이아몬드가 부르는 노래들은 그가 북풍의 등 뒤에 다녀왔으며 다시 그곳에 갈 결심을 하는 것을 보여준다.

맥도널드가 비전의 가능성을 제시하는 것은 텍스트의 결말 부분이다.

동화는 일반적으로 행복하게 끝나고, 변화를 가져오던 어리고 순진한 주인공은 승리하여 커다란 보상을 받게 된다. 그러나 이 소설에서 권선징악의 결말을 기대하는 독자들의 예상과 달리 실제세계를 더 나은 곳으로 바꾸기 위한 마법은 일어나지 않으며, 병약한 다이아몬드는 건강을 회복하지 못한다. "그들은 그[다이아몬드]가 죽었다고 생각했다. 그러나 나는 그가 북풍의 등 뒤로 갔다는 것을 알고 있다"(*NW* 346)라고 내레이터는 언급한다. 그는 다이아몬드의 죽음을 그가 북풍 뒤, 즉 환상세계로 간 것이라고 한다. 맥도널드에게 죽음은 끝이 아닌 순수하게 부활하는 과정을 암시한다면, 다이아몬드의 죽음은 북풍의 등 뒤에 있는 신비한 나라로 가기 위한 서막이며 낯선 곳에서 영원한 집으로 돌아가는 것 이상이다(Prickett, *Fantasy* 169).

'죽음'은 맥도널드에게 영감을 주는 주제로서, 그의 작품에서 죽음은 일반적으로 부활로 해석된다. 이러한 견해는 현실의 문제를 해결하기 위한 희망을 준다. 예를 들어, 도덕성과 인간애를 가진 다이아몬드와 같은 주인공이 죽음으로써 그의 정신이 다른 등장인물이나 독자들에게서 부활하여 삶의 다양한 문제를 해결할 수 있기 때문이다. 다른 한편, 다이아몬드로 상징되는 순수함은 현실에 존재하기 어렵고, 인간의 완전함은 신의 세계에서나 가능하다는 또 다른 견해를 가진 사람들에게 다이아몬드의 죽음은 그 시대 어린이의 높은 유아 사망률을 반영할 뿐이다. 죽음이 부활을 상징하든 아니면 19세기 영국의 리얼리티를 반영하든, 맥도널드의 죽음에 대한 이해를 대변하는 어른 내레이터와 독자가 공유하는 것이 있다. 이것은 변화를 가져오던 어린이 주인공 다이아몬드는 죽었으나 그의 경험이 실제세계에서 상상력이 풍부한 방식으로 개인을 변화시킬 것을 예상하게 한다. 이런 일이 일어난다면 변화한 한 개인이 공동체의 삶을 바꿀 것이고, 다이아몬드가 사는 런던 거리와 독자들이 사는 곳이 환상적인 세계로 변화할 것이다.

『공주』 이야기책인 『공주와 고블린』과 『공주와 커디』는 두 편의 소설이 하나의 작품을 구성하며, 주제는 상상력을 통하여 현실의 문제를 해결하고 이상적인 공동체를 건설하는 것이다. 소설에서 할머니의 세계인 환상세계는 현실세계와 공존하여 우리가 리얼리티에 대한 진실을 발견하고 이상적인 세계로 나가도록 영향을 준다. 할머니의 세계를 방문하는 어린이 주인공, 아이린과 커디는 환상세계의 진실에 대한 증거를 가지고 현실세계에서 판타지와 리얼리티의 통합을 가져온다.

맥도널드에게 꿈은 현실을 발견하기 위한 상상력으로써, 『공주』 이야기에서 아이린과 커디가 꿈을 통해 할머니를 방문하는 것은 그들의 실제 삶에 영향을 준다. 이처럼 꿈과 리얼리티가 공존하여 영향을 주는 것은 맥도널드의 소설이 주는 신비함이고 강력한 힘이며 상반된 것들을 화해시킨다(McGillis, *MacDonald* xxiii). 즉, 그의 소설에서 꿈과 현실을 비롯하여 남성과 여성, 노인과 젊은이, 일과 휴식, 낮과 밤, 자연과 초자연, 선과 악, 불과 물, 높이와 깊이, 안과 밖은 서로 화해한다. 할머니의 세계는 상반된 것들의 화해인 이러한 이상을 구현하며, 이상세계를 방문하고 돌아온 아이린과 커디는 꿈의 세계에 대한 진실을 믿으면서 현실세계에서 이상적인 삶을 지향한다.

『공주와 고블린』은 『북풍의 등 뒤에서』의 여성 판(a feminine version)으로서 맥도널드의 가장 성공한 어린이 환상문학 작품으로 알려져 있다. G. K. 체스터턴(G. K. Chesterton)은 이 소설이 명작이며, 그의 다른 모든 어린이 환상문학 작품은 "이 작품의 삽화이고 심지어는 변장"(MacDonald, *MacDonald* 11 재인용)이라고 하였다. 『공주와 고블린』에서 성(castle)과 정원은 상반된 것들을 조화시킨다(MacGillis, "Seriousness" 151). 소설의 첫 단락에서 아이린이 사는 산 중턱의 성은 세 부분으로 이루어져 있다. 성의 지하실은 땅속으로 연결되어 있어서 고블린의 공격을 받기 쉽다. 본 건물에는 사람들이 살고 있고, 이곳의 세 개의 계단은 하늘에 이르는 탑과 연결되어 있다. 본 건물은 상반된 것들이 만나는 장소로서 그곳에서 모두 화해한다. 맥도널드는 왕의 정원을 '아름다운 곳'으로 묘사한다. 정원에는 바위, 히스, 산악식물과 함께 장미, 백합 등의 정원용 꽃과 같이 상반된 것으로 가득하지만 이들은 서로 어우러져 조화를 이룬다. 이 소설이 의미하는 것도 성과 정원의 모습처럼 서로 다른 것들이 다른 실체를 형성하기 위하여 융합하는 것이다.

상반된 것들의 조화를 마음속에 그릴 수 있도록 하는 상상력은 이상적인 사회를 인식하게 할 뿐만 아니라 그것을 지향하도록 한다. 새로운 세계로 나가는 과정에서 상상력이 풍부한 사람은 자신의 현실을 변화시키는데 아이린이 바로 그런 주인공이다. 그리스 신화의 아이린은 평화의 여신이듯이, 이 소설의 아이린 역시 '평화'를 암시하면서 꽃과 언덕과 이야기하는 물활론적 성격을 가진다. 아이린은 이처럼 숭고한 의식과 상상력을 가지고 있어서 할머니를 만날 것을 예상할 수 있다. 상반된 것들의 조정자인 할머니를 방문하는 아이린의 환상적 경험은 그녀의 삶에 영향을 준다. 다이아몬드의 환상적 경험이 그 자신의 삶에 영향을 주듯이 아이린의 환상적 경험도 그녀의 삶을 변화시킨다.

여덟 살의 아이린은 자신이 가지고 놀던 장난감이 지겨워졌다. 그녀는 혼잣말을 하면서 비참해하다가 문이 많이 있는 기다란 복도에 홀로 서서 울음을 터뜨린다. 그리고 그녀를 탑으로 이끌어줄 계단을 찾는 시점에서 이야기가 다시 시작된다. 계단으로 연결된 탑에서 아이린은 낮고 기분 좋게 울려 퍼지는 소리를 내면서 물레를 돌리는 할머니를 만난다. 할머니는 탑의 세계를 대표하는데 맥도널드는 할머니에게 늙음과 젊음, 가난과 부를 화해시키면서 노인에 대한 새로운 개념인 "힘과 아름다움, 기쁨과 용기, 밝은 눈과 강한 팔다리"(McGillis, "Seriousness" 151)를 가진 환희의 날, 즉 삶 자체라는 개념을 제시한다. 할머니 자신이 상반된 것들을 풍부하고 복잡하게 조화시키면서 삶을 상징하는 것이다.

할머니의 세계에서 상반된 것들이 화해하는 방식은 세 개의 방으로 재현된다. 세 개의 방 가운데 작업실과 침실은 상반되며, 가운데 방이 이 둘을 조정한다. 금욕적인 작업실에는 어떠한 가구도 없다. "[작업실의] 바닥에는 양탄자도 깔려있지 않고 탁자도 없다"(*PG* 13). 그러나 맞은편 침실은 "아이린이 이제껏 보지 못한 아름다운 방"(*PG* 89)이다. 그곳에는 공처럼 둥근 램프, 장밋빛의 침대보가 덮인 타원형 침대가 놓여있고, 하늘색 벨벳 커튼이 아름답게 드리워져 있다. 작업실과 침실은 상반되지만, 두 개의 방을 조정하는 것은 가운데 방이다. 할머니가 이 방문을 열자, 아이린의 눈에 들어온 것은 "푸른 하늘이었고 다음에는 지붕 위에 있는 사랑스러운 비둘기 떼이다. 이들 대부분이 하얀색이었지만 온갖 색깔의 비둘기들"(*PG* 16)이 있는 이 방은 영적이면서 세속적이다. 새들은 성령의 상징인 동시에 알을 낳아서 할머니에게 먹을 것을 제공하기 때문이다.

할머니의 방과 물건들 가운데서 가장 강력하게 통합을 가져오는 것은 우주적인 욕조라고 할 수 있는 "커다란 은빛 욕조"(*PG* 179)이다. 아이린이 고블린 광산에서 커디를 구한 후 할머니는 그녀를 욕조에 들어가도록 한다. 이 상징적인 목욕 장면에서 아이린은 할머니가 부르는 낯설고 부드러운 노랫소리를 두려워하지 않는다. 아이린이 욕조에서 목욕하는 경험은 죽음의 경험이기도 한데, 루이스는 맥도널드의 죽음을 "선한 죽음(good Death)"(McGillis, "Seriousness" 152 재인용)이라고 한다. 선한 죽음은 부활의 암시이며, 아이린은 욕조에서 나올 때 "자신이 새로 만들어진 것 같은 느낌이 들었다"라고 한다(*PG* 180). 욕조 경험이 그녀를 회복시키고 그녀의 상상력을 부활시킨 것이다.

아이린은 할머니를 볼 수 있는 깨어있는 상상력을 가지고 있지만, 그럼에도 그녀는 할머니를 꿈속에서만 볼 수 있는 것이 아닌지를 여러 번 의심한다. 그리고 맥도널드는 아이린의 이러한 걱정이 타당하다고 암시한다. 아이린이 할머니를 드물게 방문하는 것과 오래된 브로치에 손을 다쳤을 때 할머니의 꿈을 꾸는 것 등은 그녀에게 할머니는 꿈속 인물일 뿐이라고 생각하도록 한다. 유모 루티(Lootie)조차도 아이린이 할머니를 만났다고 하자, "무슨 엉뚱한 소리예요, 공주님!"(*PG* 19)이라고 하면서 그것을 꿈이라고 단정한다. 루티의 언급처럼 할머니는 아이린의 과도한 상상력이 만들어낸 허구일 가능성이 있다. 그러나 아이린의 치유된 상처, 그녀의 머리 위에 앉은 비둘기, 아이린을 커디에게로 인도하여 그를 구한 실, 커디 역시 할머니의 환상을 본 후 상처에서 회복되는 것은 할머니가 현실의 존재이기도 하다는 것을 암시한다. 이처럼 아이린은 영적으로 깨어있어서 할머니를 볼 수 있으며, 영적으로 "각성한 상태는 정화된 인식상태"(McGillis, "Seriousness" 153)이다.

한편, 커디는 깨어나는 중이지만 『공주와 고블린』의 결말에 이를 때까지도 그의 "눈에는 할머니가 보이지 않는다"(*PG* 174). 커디는 속편인 『공주와 커디』의 전반부에서 할머니를 만난 후에조차도 그 자신에게 생긴 일들과 할머니의 탑에 갔던 일이 꿈인 것 같다고 어머니에게 말한다. 이에 커디의 어머니는 "깨어있을 때보다 꿈을 꿀 때 더 많은 진실이 있는 것 같으니까"(*PG* 37) 종종 꿈을 꾸도록 하라고 말한다. 맥도널드는 『부스러기 한접시―상상력과 셰익스피어에 대한 논의』(*A Dish of Orts: Chiefly Papers on the Imagination, and on Shakespeare,* 1893)에서 꿈에 대하여 "당신의 아들딸들이 진정한 환상을 보고 진정한 꿈을 꾸도록 하세요"(320)라고 썼다. 그에게 꿈은 삶의 진실을 보여주는 것이기 때문에 삶이고, 꿈과 삶은 다르지 않다. 아이린과 커디가 꿈에서 할머니를 만나는 것은 그들에게 실제 삶에 대하여 많은 진실을 알려준다. 할머니는 꿈인 동시에 현실이고 초자연인 동시에 자연이기 때문이다.

아이린 공주가 사는 성의 탑에 할머니가 존재하는 한편, 성의 지하와 가까운 곳에 고블린들이 살고 있다. 고블린은 흉측하게 생겼고 낮의 빛을 피하지만 "다른 인간들과 유사했던 시절"(*PG* 2)이 있다. 고블린의 조상들은 지상에 살다가 지하로 들어가는 것을 선택했는데, 그 이유는 왕이 그들에게 과도한 세금과 "받아들일 수 없는 복종을 요구"(*PG* 3)했기 때문이다. 그들은 억압당했고 퇴화했으며 불결할 뿐만 아니라, 평소에는 보이지 않기 때문에 더욱 위험하다. 그들은 "외모가 흉측해감에 따라 지혜와 명석함이 더해갔다"(*PG* 4). 그들은 딱딱한 머리와 부드러운 발을 가지고 있으며 시를 싫어하고 비웃음당하는 것을 참을 수 없어 한다. 또한, 그들은 자신의 욕망을 채우기 위하여 어떤 희생이라도 치르며 사악하다. 그들은 퇴화한 자연의 잔존물인데 여전히 퇴화하고 있다.

퇴화한 인간 집단인 고블린 사회는 붕괴해가는 빅토리아 사회를 암시한다. 그들의 기괴한 모습은 정신의 더욱 깊은 리얼리티로부터 등을 돌린 빅토리아 사회의 내적인 기형, 즉 물질주의, 잔혹함, 무신론 등을 구체화한다(Sigman 188). 그들은 아이린이 사는 성의 지하를 향하여 굴을 파고 있다. 그 목적은 아이린 공주를 납치하여 고블린 왕자 할렐립(Harelip)의 아내로 삼고, 성에 홍수를 일으켜서 사람들을 익사시키려고 하는 것이다. 기형적인 빅토리아 사회의 상징인 고블린들이 조화로운 성과 정원을 공격하려는 음모는 빅토리아 사회가 붕괴될 위기에 처했음을 암시하기에 충분하다.

빅토리아 사회를 위기로부터 구하는 것은 바로 어린 공주, 아이린이다. 그녀가 할머니를 만나는 환상적 경험은 이상적인 사회를 인식하게 할 뿐만 아니라 그곳을 지향하게 한다. 아이린은 상반된 것들을 화해시키는 할머니를 만난 후 그녀가 제시하는 해결책들을 신뢰하고 따르면서 현실의 문제를 해결해 나간다. 아이린이 고블린들의 공격으로부터 성과 정원을 지키는 것은 위험에 처한 커디를 구하면서 시작된다. 아이린 공주가 평범한 광부 소년 커디를 구하러 땅속으로 들어가는 것은 민담의 여성상, 즉 남성을 구하고 가르칠 수 있는 강하고 독립적인 여성상을 반영한다. 아이린의 성격 외에도 이 소설이 전래동화에 의식적으로 의존하는 사례들이 있다. 즉, '옛날 옛날에 . . .'로 시작하여 공주, 성, 탑에서 물레질하는 할머니가 등장하는 것, 고블린, 삽입된 시, 자연에 대한 물활론적 묘사 등은 전래동화의 요소들이다. 맥도널드는 민담이나 전래동화의 요소들을 사용하거나 때로는 전복시키면서 어린이 환상문학 작품을 썼다.

어느 날 커디는 고블린들의 음모를 파헤치기 위하여 고블린 동굴로 내려갔다가 위험에 처한다. 그때 잠에서 깬 아이린은 할머니가 이끄는 실을 따라 깊은 산 속 동굴로 간다. 아이린은 실이 이끄는 대로 동굴로 들어가서 돌무더기를 파헤치면서 앞으로 나아간다. 마침내 아이린이 커디를 발견하자 "할머니가 나에게 실을 보냈고 난 그 실을 따라온 거야"(*PG* 159)라고 하면서 그의 목숨을 구한다. 이후 커디는 고블린들의 다양한 음모를 파헤친 후, 모욕적인 시를 사용하여 그들의 사악한 계획을 좌절시킨다. 결국 고블린들이 강의 범람으로 익사하자 인간과 고블린의 갈등은 끝이 난다. 아이린과 커디의 상상력은 그들에게 할머니와 그녀의 세계를 경험하고 그 세계를 신뢰하도록 하였으며 성과 정원을 붕괴의 위험으로부터 지키도록 하였다.

『공주와 고블린』은 속편에 대한 약속으로 끝이 난다. 『공주와 고블린』이 출판된 지 5년 만에 『재미있는 이야기－소년 소녀들을 위한 그림 잡지』(*Good Things: A Picturesque Magazine for Boys and Girls*)에 1877년 1~6월까지 "공주와 커디" 이야기가 연재되었으며, 이 연재물은 11년 후에 『공주와 커디』로 출판되었다. 『공주와 커디』에서 맥도널드의 어조는 의도적으로 블레이크적이고 예언적이며, 풍자적으로 바뀐다(McGillis, "Seriousness" 160). 이 소설에 전편의 순진하고 목가적인 세상은 없다. 도시를 배경으로 진행되는 이야기에서 인간성은 이기심과 탐욕으로 망가진다. 무엇보다도 마지막 전투는 『공주와 고블린』과 뚜렷이 대조된다. 제33장의 격렬한 전투는 사람들의 두개골을 두 동강 내고 목을 찌른다. 악한들이 왕의 군대에 쫓겨 달아날 때, 그들은 "자기편의 죽은 자들과 사상자들"(*PC* 248)을 짓밟는다. 쾌활하고 힘있는 시들, 그리고 동화의 흔적과 아름다운 시골 풍경을 대신하는 것은 모험과 음모이다. 이 소설의 구성에 동화 대신에 탐색 로망스가 사용된다. 권티스톰(Gwyntystorm)으로 가는 커디의 여행과 그가 왕의 적들을 영리하고 용감하게 처치하는 것은 흥미진진하다. 이 이야기의 매력적인 특징은 등장인물들의 흉측한 기이함인데, 이에 대하여 내레이터는 "49마리가 그녀[리나]의 뒤를 따랐으며 모두 기괴할 정도로 흉측했고 상상하기 어려울 만큼 이상하게 생긴 짐승들이었다"(*PC* 98)라고 묘사한다. 그러나 이들보다 더욱 중요한 것은 할머니이며, 두 권의 연작소설에서 할머니의 존재는 맥도널드 비전의 핵심이다.

『공주와 커디』의 도입 부분에서 『공주와 고블린』 이후 약 1년의 세월이 흘렀다는 것이 암시된다. 커디는 이제 약 14살이며 성인의 가치를 받아들이기 시작한다. 즉, 커디는 "점점 어리석어"(*PC* 12)지고 있다. "그[커디]는 더욱 전형적인 광부가 되어갔고, 바람이 부는 저 위의 세상으로부터 점점 멀어지고 있었다"(*PC* 12). 커디의 부모도 아들에게서 이상한 점을 감지하기 시작하였으며 다음과 같은 묘사가 이어진다. "어린 아들이 치마폭에 싸여있던 시절을 생각하면서 어머니가 한숨짓고, 아들을 어깨에 태우고 다니던 시절을 생각하면서 아버지가 슬픈 표정을 짓는다면 무엇인가 잘못되어가고 있다는 증거임이 틀림없다"(*PC* 12-13). 맥도널드는 영적인 세계와 멀어져가는 커디를 포함한 동시대인과 독자를 이처럼 묘사하고 있다.

커디의 상상력은 『공주와 고블린』에서 깨어나기 시작하여 『공주와 커디』에서 여전히 깨어나는 중이지만 정신이 위기에 처할 무렵에, 결국 그는 할머니에게 소환된다. 그는 경이로운 인물인 할머니의 존재에 대하여 전적으로 불신하지만, 할머니의 비둘기를 쏜 후에 그녀의 방으로 간다. 커디는 할머니를 만나는 순간부터 "점진적인 부활"(*PC* 12)에 해당하는 성장을 한다. 커디가 탑의 위층에 다다르자 시간은 정지되고, 그는 오늘이나 내일과 무관한 무 시간의 현재에 존재한다. 그는 할머니의 방에 들어가서 할머니와 이야기를 나눈 후, 그녀를 비웃거나 조롱하지 않겠다고 약속한다. 할머니는 웃으면서 "그래, 너는 나를 보았지"(29)라고 대답한다.

커디가 할머니를 보는 것은 상상력을 통하여 그녀를 만나는 것이다. 이것은 맥도널드의 교육에 대한 지속적인 관심, 즉 우리가 환상을 통하여 배우는 것과 관련된다. 우리가 사실을 받아들이기보다 환상을 봄으로써 배울 때 환상은 관례적인 사회, 예를 들어 학교 제도, 사회의 공리적인 규칙 등에 의문을 제기하고 도전하도록 한다(McGillis, "Seriousness" 157). 맥도널드가 환상을 통하여 배우는 것을 제시할 때 창의적인 잠재력을 허용하지 않는 교육제도와 종교를 암시적으로 풍자하는 것이기도 하다. 왕이 커디에게 말하기를 "사악한 선생들이 . . . 학교로 몰래 들어가게 되어"(*PC* 178) 배금주의, 사리사욕, 독선 등이 만연하게 되었고 진리와 올바른 원칙이 무너져서 귄티스톰 시는 부패하기 시작하였다. 맥도널드가 귄티스톰의 세속적이고 성스러운 제도들에 초점을 맞출 때 풍자는 더욱 분명해진다. 가장 강력하고 익살스러운 풍자의 순간은 귄티스톰의 신앙 일을 묘사할 때이다. 제1사제는 "정직이 최상의 방책"(*PC* 217)이라고 설교한다. 맥도널드는 성직자의 수사학을 풍자하고, 성직자는 신자들에게 이기심의 덕목을 찬양하면서 그들의 일이 잘 풀릴 것이라고 하여 신자들이 누리게 될 행복과 부를 주장한다. 귄티스톰의 가장 성스러운 신앙 일에 제1사제의 설교는 그 당시 빅토리아 사회에 만연한 공리주의와 사회적 낙관주의를 풍자하는 것이다.

『공주와 커디』의 마지막 부분은 명백하게 환상적이면서 계시적이다. 커디는 마치 예수처럼 악에 둘러싸인 궁전에 질서를 회복하기 위하여 온다. 신의 대행자로서 커디는 사악한 자들에게 빠르고 단호하게 정의를 행한다. "그들은 하나도 남김없이 궁전에서 쫓겨나 어떤 사람은 선 채로, 어떤 사람은 누워서, 그리고 어떤 사람은 기면서 도시의 거리거리를 휩쓰는 억수 같은 비와 회오리바람을 맞아야 했다. 그들 뒤로 문이 세차게 닫혔다"(*PC* 207). 커디는 권티스톰의 무질서를 바로잡은 후 아이린과 결혼하여 왕과 왕비가 되지만 후사 없이 죽게 되자 왕국은 다시 사악한 자의 손에 넘어간다. 결국, 권티스톰 사람들의 탐욕과 사악함이 도시의 근간을 약화시켜서 도시는 파멸한다.

맥도널드는 사악한 사람들에게 도시의 파멸이라는 동종요법을 사용하여 경고한다. 동종요법은 맥도널드가 관심을 가지던 치료법으로, 인체의 질병 증상과 유사한 증상을 유발해서 치료하는 방법이다. R. B. 샤버만(R. B. Shaberman)은 그의 논문 「루이스 캐럴과 조지 맥도널드」("Lewis Carroll and George MacDonald")에서 캐럴과 맥도널드는 친구였으며 동종요법과 그 외의 것들을 공유하여 서로에게 영향을 주었음을 언급하였다. 샤버만에 의하면, "두 작가는 극장에 관한 관심, 러스킨 등으로부터 받은 문학적 영향력, 판타지와 꿈에 대한 견해를 공유했을 뿐만 아니라"(71) "동종요법을 믿었다"(69). 『공주와 커디』에서, 어느 날 "생명이 가장 충만한 시간인 정오에 도시 전체가 떠들썩한 굉음과 함께 무너져 내렸다"(256). 그리고 궁전이 있던 거대한 바위는 "자갈이 되어 요란하게 굴러떨어져서 강물을 가로막았다"(256). 그리고 사방에 "수많은 야생 사슴"(256)이 들끓게 되었다. 권티스톰 시민들과 정부의 부패로 인한 그 도시의 결말에 대한 암시는 이처럼 분명하며 경고 이상이다.

『공주와 커디』의 마지막 장 제목 「종말」(*PC* 253)은 무익한 악의 결말이자 경고인 동시에 새로운 시작의 가능성, 즉 환상적 통합을 암시한다. 우리가 맥도널드의 '종말'의 아이러니를 이해하는 것은 '종말'은 '죽음'처럼 새로운 시작의 가능성을 의미하기 때문이다. 이것은 블레이크, 셸리 등 영국 낭만주의 작가와 노발리스와 같은 독일 낭만주의 작가들이 표현한 순환하는 역사의 흐름이다. 노발리스는 『기독교 왕국, 유럽』에서 "인간의 모든 능력과 힘의 완전한 붕괴"(McGillis, "Seriousness" 160 재인용)가 새로운 시작을 가져온다는 긍정적인 결론을 언급한다. 이 소설이 제1장, 지구를 살아 존속하게 하는 "거대한 심장 덩어리"이면서 "땅에 묻힌 엄청난 힘을 가진 햇빛"인 "산"(*PC* 1)으로 시작하듯이, 소설의 마지막 단락에서 보이는 수많은 야생 사슴이 존재하는 황무지와 포효하는 강물은 새로운 시작의 징후이다. 소설의 결말은 빙 돌아 제자리로 돌아가는 순환구조가 사용되어 또 다른 시작을 내포한다.

4

맥도널드의 『북풍의 등 뒤에서』와 『공주』 이야기의 공통점은 하나의 리얼리티에 대한 이중의 이야기이다. 이 작품들에서 어린이 주인공들은 상상력을 사용하여 환상세계를 여행한 후 실제 삶에 존재하는 문제들을 해결하면서 이상세계를 추구한다. 맥도널드가 독일과 영국의 낭만주의 작가들과 당대의 영국 어린이 환상문학으로부터 영향을 받은 것은 비전이 담긴 서사와 사회비평을 혼합한 것이다. 그는 비전의 영역인 환상세계와 삶의 영역을 분리하거나 서로 적의 있는 것으로 생각하지 않았기 때문에 환상세계와 리얼리티가 공존하여 서로에게 침투하도록 하였다. 이것을 가능하게 한 방식은 초월적인 신의 자리를 빅토리아 시대의 런던에 살고 있는 아이의 마음속으로 옮겨와서 두 세계가 서로 영향을 주도록 하였다. 그러므로 맥도널드에게 환상세계는 우리가 살아가는 견고한 현실이 종종 환상적으로 보이는 것으로서 사실적이고 평범한 것이다.

맥도널드의 어린이 환상문학에 대한 생각은 『북풍의 등 뒤에서』와 『공주』 이야기에 드러나는데, 이 작품들에서 어린이 주인공들은 상상력, 즉 꿈을 통하여 환상세계를 여행한다. 『북풍의 등 뒤에서』에서 북풍이라는 신비한 부인은 다이아몬드가 잠들었을 때 그를 방문한다. 『공주』 이야기에서 아이린 공주의 비밀 계단은 할머니가 있는 탑의 세계로 그녀를 인도하고, 커디 또한 할머니를 만난 후 상상력이 깨어난다. 어린이 주인공들이 환상세계를 여행하는 것은 그들이 화해의 구현인 북풍과 할머니를 만나서 경험하고 신뢰하게 된 후, 그러한 환상적 경험을 실제 삶에 융합하여 환상세계와 리얼리티를 통합하도록 한다.

맥도널드의 강한 믿음은 상상력을 통하여 우리가 리얼리티의 진실을 볼 수 있고, 여기에 내재한 문제를 해결하여 이상적인 공동체를 건설할 수 있다는 것이다. 이를 위하여 그는 사회와 정부의 구조를 급진적으로 개혁하자고 외치지 않았다. 그의 정치관은 인간의 타고난 권리와 개인의 자율성을 보호하는 형태를 띠는 것이었기 때문에 북풍과 교감할 수 있는 다이아몬드 그리고 할머니를 볼 수 있는 아이린 공주와 광부 소년 커디가 리얼리티를 고양하듯이, 독자들 개개인이 변화할 필요성을 강조한다. 또한, 그는 이러한 문제를 해결하기 위하여 작품에 권선징악의 결말을 사용하지도 않는다. 『북풍의 등 뒤에서』의 결말에서 어린이 주인공 다이아몬드는 죽고 『공주와 커디』에서 새로운 도시 귄티스톰은 탐욕으로 인하여 무너지듯이, 오히려 변화를 가져오던 어린이 주인공은 죽거나 새로운 세계는 파멸한다. 다이아몬드는 죽고 귄티스톰은 파멸했지만 북풍과 교감할 수 있는 그의 경험이 리얼리티를 더욱 고양시켰고, 할머니를 볼 수 있는 아이린 공주와 커디의 상상력이 현실의 문제를 더 잘 해결하도록 하여 새로운 세계를 지향하였듯이 죽음과 종말을 포함하는 결말은 새로운 시작의 가능성을 시사한다. 이것은 상상력을 가진 어린이 주인공들이 변화하듯이 독자들 개개인이 변화한다면 우리가 살아가는 현실세계를 이상적인 공동체로 변화시킬 수 있다고 역설적으로 주장하는 것이다.

3장

오스카 와일드

사회적 미학—예술에 나타난 미학적 · 사회적 관심

『행복한 왕자와 이야기들』에 나타난 삶의 비평

1

오스카 와일드(1854~1900)는 유미주의 작가로 알려져 있으나 그가 작가로서 비범한 재능을 인정받은 것은 동화, 즉 어린이 환상문학 작품을 쓰기 시작한 직후이다. 『행복한 왕자와 이야기들』•은 와일드의 첫 번째 동화집이며 그에게 처음으로 문학적 명성을 가져다주었다. 이 동화집의 작품들에 와일드의 사회적 미학이 드러나는데, 어린이를 위한 이야기들에 당대 영국의 비극적인 삶의 문제, 즉 영국의 산업화 과정에서 나타난 부작용에 관한 논평 또한 담겨있다.

19세기 영국 작가들은 자신들이 쓰는 어린이 환상문학 작품을 동화라고 하였고, 와일드의 작품 중 동화가 많은 비중을 차지하지만 서구에서도 이에 관한 연구는 많지 않다. 와일드는 도덕성을 예술과 무관하게 여긴 순수 유미주의자라고 여겨졌으며, 이것이 최근까지 와일드 연구의 주된 방향이었다. 비평가들은 와일드가 속한 데카당스(Decadence) 문학을 병적인 감수성, 탐미적 경향, 전통의 부정 및 비도덕성을 특징으로 한다고 일반적으로 묘사하였다. 그러나 본 장은 와일드 역시 예술의 미학적 성격은 물론 도덕적 성격을 물려받았으며, 이것이 그의 동화작품에 반영되었음을 논의할 것이다. 와일드의 동화는 예술에 대한 사회적 관심과 아름다움의 본질을 포착하는 미적 관심을 기조로 하면서 예술이 사회를 더 나은 곳으로 변화시킬 수 있

• 이 작품집으로부터 인용은 『행복한 왕자』로 표기한다.

다는 믿음을 반영한다. 와일드의 이러한 예술철학을 자이프스는 자신의 저서 『동화의 정체』에서 '사회적 미학'이라고 하였으며, 이 용어는 비평가들에게 받아들여졌다.

와일드의 첫 동화집 『행복한 왕자』가 1888년에 출판되자 『유니버설 리뷰』(*Universal Review*)는 이 작품이야말로 "오스카 와일드 선생의 천재성을 유감없이 보여준다"라고 논평했고, 『애서니엄』(*Athenaeum*)은 "오스카 와일드 선생이 보기 드문 그런 [동화를 쓰는] 재능을 지녔다"라고 칭찬하는가 하면 그를 안데르센과 비교하기도 하였다(최애리 231 재인용). 그러나 와일드는 안데르센으로부터 재치 있고 담백한 필치를 배웠으나 감상의 나락으로 떨어지지 않으며, 대체로 그를 능가한다. 이 동화집에 대한 스승 월터 페이터(Walter Pater)의 극찬 역시 그를 기쁘게 하였다. 와일드는 그해 연말에 『레이디스 팩토리얼』(*Ladies' Factorial*)의 성탄 특집호에 「어린 왕」("The Young King")을 발표하였으며, 3년 후에 이 동화를 포함한 두 번째 동화집 『석류의 집』을 출판하였다.

'동화'는 영어 'fairy tale'을 우리말로 옮긴 것인데, 이 장르의 기원과 무관하게 17세기 프랑스 궁정에서 유행하였다. 이후 동화는 어린이를 위하여 개작된 이래로 어린이 독자를 대상으로 하는 장르라고 여겨졌다. 실제로 와일드가 어린 아들들에게 동화를 읽어주는 자상한 아버지였다는 것은 널리 알려진 사실이다. 하지만 그의 작품들을 세세히 읽어보면 아이보다 어른을 위하여 쓴 대목이 많다. 그래서 그의 동화는 어린이와 어른을 독자로 상정한다고 할 수 있다. 와일드의 동화 독자가 어린이만이 아니라는 사실은 동화모음집, 『석류의 집』에서 더욱 분명해진다. 『석류의 집』은 탐미적인 문체, 동성애 성향, 죄와 타락을 다룬 내용 등 어린이가 이해하기에 다소 무리가 있는 작품들을 포함한다. 이 동화집에 수록된 네 편의 이야기는 각각 당대 최고의 여성 명사들에게 헌정되었으며, 동화집 전체는 그의 아내 콘스탄스 와일드(Constance Mary Lloyd Wilde)에게 헌정되었다.

와일드는 「행복한 왕자」("The Happy Prince")를 "현대 예술의 순전히 모방적인 성격"에 대한 반작용이라고 하였다(Kileen 22 재인용). 현대 예술의 모방적인 성격이라는 것은 리얼리즘을 가리키며, 와일드가 이에 대한 반작용으로 택한 것은 "섬세함과 상상력의 풍부함을 지향하는 문학 유형"(Kileen 22 재인용), 즉 환상적 요소를 가진 동화이다. 동화의 뿌리는 전설과 민담 전통에 있으니, 그의 아버지 윌리엄 와일드(William Wilde)는 민담 수집가로 유명하였고, 어머니 제인 와일드(Jane Franchesca Elgee Wilde) 역시 남편이 수집한 민담들을 엮어서 『아일랜드의 고대 전설, 신비한 주문 및 미신』(*Ancient Legends, Mystic Charms, and Superstitions of Ireland*, 1887)으로 펴낸 바 있다. 이러한 부모의 영향과 그들로부터 들은 전설과 민담이 와일드가 동화를 쓰도록 한 영감의 원천이 되었다.

와일드는 동화양식을 빌려 "현대의 비극적인 문제"(Kileen 22 재인용)를 다루고자 하였다. 그는 삶에 나타나는 선과 악, 사랑과 이기심, 탐욕과 허영, 세상의 고통과 비참함, 죄와 구원 등 삶의 근본적인 문제에 접근하였다. 물론 「행복한 왕자」나 「이기적인 거인」("The Selfish Giant")은 삶에 대한 논의를 아이들도 충분히 이해할 수 있는 언어로 풀어내고 있지만, 이 이야기들의 궁극적인 독자는 어른들이다. 와일드의 동화가 삶의 문제를 다룬다는 것은 작품의 환상적인 표면 아래에 또 다른 차원의 의미가 있다는 것이다. 그의 동화는 가난과 비참, 물질만능주의, 계량주의, 자기중심주의 등을 동화다운 필치로 다루고 있는데, 이것은 그가 살았던 빅토리아 시대 후기 곧 자본주의가 팽배해지면서 각종 폐단이 드러나던 시대의 사회상을 반영한다. 특히 그는 아일랜드인으로서, 대기근 이후 영국으로 건너온 아일랜드 이민자들의 척박한 삶이나 영국이 식민지 아일랜드를 수탈해온 방식에 무관심할 수 없었으니, 이 모든 것이 그가 언급하는 현대의 비극적인 문제이다.

와일드의 동화는 사실적으로 다루기에 무거운 주제들에 접근하는 또 다른 방식이 되었다. 그는 유미주의자로서 '예술은 그 자체만을 목적으로 한다'고 주장하기도 하였다. 그러나 그는 '예술이 인생을 모방하는 것이 아니라 인생이 예술을 모방한다'는 리얼리즘에 상반된 미학을 가지고 있었다. 그는 이러한 미학을 바탕으로 자신의 동화에서 어두운 현실을 밝혀줄 비전을 보임으로써 영국 사회가 나아갈 길을 제시한다. 예를 들어, 그의 작품에 그리스도적 인물이 등장하여 비극적인 현재의 삶을 변화시키는 역할을 한다. 그는 일찍이 러스킨을 따르면서 사회주의에 공감했고, 자신의 「사회주의적 인간영혼」("The Soul of Man Under Socialism", 1891)에서 사유재산제를 폐지하는 사회주의 또는 무정부주의를 이상으로 내세우기도 하였다. 하지만 그가 주창한 사회주의는 미학을 위한 것이지 정치·경제 제도의 변혁을 위한 투쟁과는 거리가 멀다. 와일드의 동화집은 그가 「사회주의적 인간영혼」에서 주장한 사회적 미학을 바탕으로 동시대 자본주의의 폐해를 재현하고 저항하면서 대안적 유토피아를 제시한다.

그렇다면 와일드의 『행복한 왕자』에 실린 작품들을 살펴봄으로써 사회적 미학이 어떻게 재현되었는지를 논의해보자.

2

와일드는 민담에 몰두하던 부모와 함께 생활하면서 동화에 대한 예술 수업을 어린 시절에 이미 한 셈이고, 옥스퍼드 대학, 모들린 칼리지(Magdalen College at Oxford)에 재학하는 동안 러스킨과 페이터를 스승으로 만나면서 예술적·문학적으로 커다란 영향을 받았다. 와일드는 스승들의 가르침을 받으면서 그들을 종합하거나 심지어 뛰어넘어 자신만의 사회적 미학을 형성한다. 「사회주의적 인간영혼」은 사회적 미학이론에 관한 에세이로, 그의 두 권의 동화집에 적용된다. 이러한 논의를 와일드의 성장배경에서 나타나는 동화에 대한 관심, 미학이론의 형성, 시대적 상황의 영향을 중심으로 살펴보고자 한다.

1854년 10월 16일에 더블린에서 태어난 와일드는 아일랜드의 민담에 친숙한 부모 밑에서 성장하였다. 또한, 19세기 중반 이후 영국에서는 유럽대륙으로부터 동화가 유입·번역되어 유행하는 가운데, 자국의 민담을 수집하여 출판하면서 동화의 르네상스를 누렸다. 이러한 시기에 와일드는 아일랜드의 민속학에 탐닉하였고, 그림 형제와 안데르센의 동화에 친숙하였다.

와일드는 더블린의 트리니티 칼리지(Trinity College)에 재학한 청년 시절에 이야기꾼이자 시인으로서 자신의 재능을 계발하는 데 관심이 있었다. 1874년 옥스퍼드에 진학하였을 때 그는 이미 부모에 상당하는 이야기꾼의 재능을 가지고 있었고, 『더블린 대학 매거진』(*Dublin University Magazine*)과 『먼스 앤 가톨릭 리뷰』(*Month and Catholic Review*)에 시를 발표하기 시작하였다(Zipes, *Illumination* 135). 그는 1874년부터 1879년 사이 옥스퍼드 대학에 재학하는 동안 그리스와 로마의 고전문학 연구와 시작(詩作)을 계속하였다. 그는 또한 러스킨과 페이터의 영향을 받으면서 예술과 문학에 관한 에세이를 쓰기 시작하였다. 옥스퍼드를 졸업한 후에 그는 미국과 영국 전역을 여행하면서 새로운 유미주의(aestheticism)에 대한 입담 좋은 강연으로 대단한 인기를 끌었으며, 이후에는 희곡을 썼다.

그는 1888년에 첫 번째 동화집 『행복한 왕자』를 출간하였다. 이후 그는 본격적으로 예술 및 인생에 관한 에세이를 썼고, 소설 『도리언 그레이의 초상』(*The Portrait of Dorian Gray*, 1892)을 잡지에 발표하여 화제를 불러일으켰다. 1891년에 『도리언 그레이의 초상』의 확장판, 평론집 『의향』(*Intentions*), 동화집 『석류의 집』을 출간하였다. 이후에 그는 풍속 희극 『윈더미어 부인의 부채』(*Lady Windermere's Fan*, 1892)를 써서 극작가로 성공하였을 뿐만 아니라 상업적으로도 큰 수익을 올렸다. 그는 희곡 『살로메』(*Salome*, 1894)를 완성하였고, 『진지함의 중요성』(*The Importance of Being Earnest*, 1895) 등을 무대에 올리면서 극작가로서 명성을 확고히 하였다. 또한, 그는 1904년에 대표적인 에세이 「사회주의적 인간영혼」을 발표하기도 하였다.

와일드는 이처럼 문학가로서 승승장구하고 있었지만, 그 이면에 그를 파멸에 이르게 한 동성애 문제가 있다. 그는 대학 시절 헬레니즘에 심취하여 고대 그리스의 소년애에 공감하였으며, 이것이 동성애로 발전하였다. 그를 파국으로 몰아넣은 것은 1862년 당시 옥스퍼드 대학생이던 퀸즈베리(Queensberry) 후작의 막내아들 알프레드 더글러스(Lord Alfred Douglas)와의 관계로 인하여 풍기문란죄로 고소를 당한 사건이다. 당시 사회지도층 인사들과 가난한 소년들 간의 성매매는 은밀한 관행으로 묵과되던 터였지만 와일드는 더글러스와의 사건으로 인하여 2년간의 징역과 중노동형 판결을 받고 감당하기 어려운 시련을 겪었다. 와일드는 출옥 후 파리의 누추한 호텔을 전전하다가 3년 후, 1900년 11월 30일 종부성사를 받은 뒤 숨을 거두었다.

와일드 사후 그의 이름은 세기말 유미주의자와 동성애자라는 오명으로 치부되기도 하였다. 20세기 초기의 인식은 1890년대를 무모한 과도기로 보는 시각이 지배적이어서 와일드 역시 한때의 추문으로 여겨졌다. 그러나 세월이 흘러서 1905년에 와일드의 옥중기, 『심연으로부터』(*De Profundis*)가 불완전한 판본으로 출판되면서 그는 다시 인기를 얻기 시작했고, 1960년대에 완전한 판본의 『심연으로부터』가 출간되자 그에 대한 재평가가 시작되었다. 1998년에 런던 트라팔가 광장 근처에 설치된 〈오스카 와일드와의 대화〉(*A Conversation With Oscar Wilde*, 1854~1900)라는 조각상은 그가 영국 사회에 다시 받아들여진 것을 의미하는 기념물이라고 할 수 있다.

와일드는 한창 활동할 시기에 철퇴를 맞은 격이라서 명성에 비해 작품의 숫자는 많지 않지만, 동화집 『행복한 왕자』로 인하여 첫 문명을 얻었다.

1880년대 중반에 와일드가 왕성하게 활동하기 시작했을 때 동화를 쓴 것은 자연스러운 일이었다. 1884년에 그는 결혼하였고, 두 아들 시릴 와일드(Cyril Wilde)와 비비안 와일드(Vyvyan Wilde)가 1885년과 1886년에 태어났다. 그가 아들들에게 이야기를 들려주는 것을 즐겼다는 것은 널리 알려진 사실이다. 그러나 와일드가 자신의 동화 독자를 어린이만으로 한정 짓지 않은 것은 분명하다. 그가 1885년 11월 케임브리지 대학의 학생 연극공연에 초대받아 갔을 때, 자신을 따르는 학생들에게 들려준 이야기가 "행복한 왕자"였고, 이 이야기가 「행복한 왕자」로 출간되었다. 이후 1888년에 그는 조지 허버트 커슬리(George Herbert Kersley)에게 보내는 편지에서 자신의 동화에 관하여 다음과 같이 언급한다.

> 저의 이야기를 좋아해 주시니 매우 기쁩니다. 이 작품들은 산문 연습이고, 로만스를 위하여 상상력이 풍부한 형식으로 쓴 것입니다. 그리고 어린이를 위한 부분도 있고 경이와 기쁨과 같은 어린이의 특성을 가진 사람들 그리고 미묘한 낯섦 속에서 단순함을 발견하는 사람들을 위한 부분도 있습니다. (Ellmann 11)

와일드는 자신의 동화가 "상상력이 풍부한 형식"으로 쓰였고 "어린이의 특성을 가진 사람들"을 위한 부분이 있다고 하여 어린이와 어른을 동시에 독자로 상정하는 점을 분명히 하였다.

영국 빅토리아 시대 중반에 르네상스를 맞은 동화, 즉 어린이 환상문학은 어린이와 어른이라는 이중의 독자들을 향하여 동시대의 문명화에 대하여 논평하였다. 영국에서는 1865년에서 1900년대의 작가들, 예를 들면 러스킨, 윌리엄 새커리(William Makepeace Thackeray), 캐럴, 맥도널드, 앤드류 랭(Andrew Lang) 그리고 동화 장르가 발전하도록 공헌한 다른 작가들로 인하여 동화는 상당한 인기를 얻었다. 와일드의 부인도 어린이 환상문학에 관심이 있어서 1889년과 1892년에 어린이를 위한 이야기 두 권을 출판하였다. 한편 와일드의 어머니는 아일랜드 민속 『고대 요법, 신비한 마법, 미신』(*Ancient Cures, Mystic Charms, and Superstitions*, 1888)과 『아일랜드의 고대 요법, 마법, 용법—아일랜드의 구전설화』(*Ancient Cures, Charms, and Usages of Ireland: Contributions to Irish Lore*, 1890)라는 두 권의 중요한 설화 모음집을 편집·출간하였다. 더욱이 와일드는 1889년에 윌리엄 B. 예이츠(William B. Yeats)의 『아일랜드 농부들의 요정담과 민담』(*Fairy and Folk Tales of the Irish Peasantry*)을 논평하면서 동화 전통에 관한 깊이 있는 지식과 인식을 보여주었다. 와일드는 민담에 관심이 많은 부모 밑에서 성장하였고, 동화가 부활하여 유행한 시대적 분위기에서 동화를 썼다. 그는 전통적인 민담은 물론 당대에 유행한 동화에 친숙하였다. 그의 이야기들은 전통과 동시대 동화의 영향을 종합하여 사회문제와 예술가의 역할에 대하여 사유하도록 하면서 동화의 관례적인 해피엔딩을 전복한다.

와일드의 사회적 미학을 이해하기 위하여 그의 에세이 「사회주의적 인간영혼」을 살펴볼 필요가 있다. 이 에세이는 와일드의 예술비평으로, 예술이 삶을 바꾼다는 그의 미학을 이해하는 데 중요하다. 와일드의 동화는 그가 「사회주의적 인간영혼」에서 설명한 페이비언 사회주의(Fabian socialism)에 관한 생각을 발전시켰다. 프로이트처럼 와일드는 "문명과 문명의 불평등"에 관심이 있었고, 그의 동화는 문명화 과정에서 야기된 불행의 원인에 대한 프로이트의 정신분석학적 진단을 재현한 예술적 자매편이라고 할 수 있다(Zipes, "Illumination" 137).

와일드는 「사회주의적 인간영혼」에서 개인주의의 중요성, 사유재산 철폐, 권위의 폐해에 대하여 진술한다(Jones 135). 즉, 예술은 사회적 기능을 얻게 된다. 와일드의 이러한 생각은 러스킨의 영향을 보여주지만 그를 뛰어넘으며, 심지어는 상반된 면도 있다. 이 에세이에서 와일드는 완벽한 예술을 생산하는 사회를 만들기 위한 유일한 방법으로 자신이 살고 있는 자본주의 사회와 상반되는 사회주의를 제시한다. 그가 주장하는 사회주의 사회는 온전히 미학을 위한 것인데, 사유재산이 없는 사회에서 개인은 누구나 먹을 수 있고, 노동의 압력을 받지 않을 것이며, 자신의 잠재력을 최대한 발현하는 지점까지 성장할 수 있다. 와일드에게 이것은 예술에 대한 잠재력이며, 예술은 모든 삶을 향상시킨다. 그리고 예술은 개인의 상상력의 표현이므로 개인주의가 된다. 그것은 차례로 "단조로움, 관습의 노예, 습관의 횡포, 사람을 기계의 수준으로 축소하는 것을 지양한다"(1053). 와일드는 그리스도를 개인주의자로서 분명하게 옹호한다. 그리스도가 자신이 속한 사회에서 벗어나기 위하여 사회적 관습을 깨뜨렸을 때, 자신의 상황을 개선할 뿐만 아니라 "새로운 개인주의는 새로운 헬레니즘"이 된다고 하면서 와일드는 열정적인 에세이를 끝낸다(1066).

와일드에 의하면 사회주의는 예술의 완성을 가져온다. 와일드는 러스킨으로부터 예술의 사회적 양상들에 대하여 영향을 받았지만, 그가 미학적으로 사회주의를 선택한 것은 러스킨과 대조된다. 예술이 사회주의를 낳는다는 것이 러스킨의 견해이지만 와일드는 그와 상반된 순서를 생각한다. 사회주의 사회는 사유재산이 없으므로 사람들을 일로부터 해방시켜서 예술을 추구하도록 한다는 것이 와일드의 주장이다. 이는 사람들이 노동으로부터 자유로워져야만 완벽한 예술을 생산할 수 있다는 것이다. 와일드에게 삶의 목표는 예술이다. 그는 러스킨의 영향으로 예술의 사회적 기능을 인정하지만, 삶을 반영하는 예술이라는 리얼리즘적 견해에 반하여 삶이 예술을 모방한다고 주장한다. 즉, 예술은 사회에 영감을 주고 사회를 이끌어가는 역할을 하므로 궁극적인 삶의 목표가 되는 것이다.

와일드의 동화는 사회적 미학을 반영하지만 그의 주인공들이 그리스도를 닮았다는 사실이 기독교 구원관을 설파하려는 것은 아니다. 등장인물들의 희생적인 행동은 칭찬받을 만하고 그리스도적이지만 급진적이지 않다. 사실상 와일드가 그리스도의 형상을 사용한 것은 전통적인 기독교 메시지를 전복하기 위함이다(Zipes, *Subversion* 123). 이야기에서 그리스도적 인물이 등장하는 맥락은 고전 동화 담론을 변형하고 독자를 자극하여 사회 변혁을 제안하기 위한 것이다. 『행복한 왕자』에도 그리스도 인물들이 등장하여 어두운 현실의 삶을 바꾸려고 하지만 그들은 세상에서 비극적인 결말을 맞이한다. 주인공들의 해피엔딩이 소원한 이유는 아직 사회의 가치와 관습, 제도가 바뀌지 않았기 때문이다. 비극적인 상황에서 주인공들이 이타적인 사랑을 보이다가 죽어가는 이유에서 작가의 메시지가 암시된다.

3

동화집 『행복한 왕자』는 수록된 이야기들 가운데 한 편의 제목 '행복한 왕자'를 동화집의 제목으로 삼고 있다. 이 동화집의 다섯 편의 이야기, 즉 「행복한 왕자」, 「나이팅게일과 장미」("The Nightingale and the Rose"), 「이기적인 거인」, 「헌신적인 친구」("The Devoted Friend"), 「특출한 로켓 불꽃」("The Remarkable Rocket")의 주제는 삶의 비극적인 문제를 포함하는 부르주아 사회의 가치에 대하여 비평한다는 점에서 일맥상통한다. 와일드는 이 동화집에서 자신이 처한 동시대의 삶을 직접적으로 반영하고 논평하기를 원했다. 그가 한 친구에게 보내는 편지에서 자신의 이야기는 "동시대의 문제를 모방하는 것이 아닌 이상적으로 다루기 위하여－리얼리티와 거리가 먼 유형으로 삶을 반영하려는 시도"라고 언급하였다(Wood 75). 그는 환상적인 동화 장르를 사용하여 영국의 산업화 과정에서 나타나는 삶의 문제점들에 대하여 자신의 인식과 비전을 발전시켰다.

『행복한 왕자』 동화집의 이야기들 가운데 「행복한 왕자」가 가장 유명한데, 왕자 조각상의 희생적인 사랑 이야기이다. 온 도시가 내려다보이는 높은 곳에 서 있는 왕자 조각상과 어느 날 밤 그의 발치에서 쉬어가려던 제비가 말문을 트면서 이야기는 시작된다. 왕자는 그 도시의 "온갖 추악함과 비참함"(12)을 내려다보면서 아무것도 할 수 없음에 눈물 흘리고, 왕자의 간절한 청을 못 이긴 제비는 조각상의 두 눈과 칼집의 보석, 온몸을 덮은 금박을 떼어내어 가난한 사람들에게 나눠준다. 제비는 처음에 마지못해서 왕자의 심부름을 하였다. 그러나 그는 "그 무엇보다도 놀라운 것은 사람들이 겪는 고통"이며 "비참함만큼 큰 신비는 없거든"(19)이라고 하는 왕자의 언급으로 인하여 비로소 세상의 비참함에 관심을 가지게 되고 왕자의 희생적인 사랑에 공감한다. 왕자는 자선을 계속하면서 눈이 멀고 누추한 잿빛으로 변해버리는 한편, 제비는 꿈꾸던 남쪽 나라로 가는 대신 몰아닥친 강추위에 얼어 죽고 만다. 그러나 왕자 조각상에서 떼어낸 황금 조각을 받은 아이들이 "우리도 이제 빵이 있어!"(20)라고 외치는 대목에서 왕자 조각상은 그리스도 인물임이 암시된다. 성서의 복음서에 의하면 "나는 하늘에서 내려온 살아있는 빵이다. 이 빵을 먹는 사람은 누구든지 영원히 살 것이다. 내가 줄 빵은 곧 나의 살이다. 세상은 그것으로 생명을 얻게 될 것이다"라고 하였듯이(「요한복음서」 6:51), 왕자의 행위는 그리스도적 희생을 암시한다.

왕자 조각상과 제비가 대화를 나누면서 선행을 베푸는 이 환상적인 이야기는 그 시대 하층민의 삶으로 눈을 돌릴 때 작가의 의도를 드러낸다. "여왕님의 시녀 중 가장 어여쁜 아가씨가 다음 궁정 무도회 때 입을 옷"에 수를 놓고 있는 재봉사 여자(14), "갈색 고수머리에, 입술은 석류알처럼 붉고, 커다란 두 눈은 꿈꾸는 듯한" 극작가 지망생(17), 어린 성냥팔이 소녀(18) 등은 모두 이 동화의 등장인물인데, 좀 더 깊숙이 들어가 보면 동화는 참혹한 현실로 살아난다.

19세기에 삯바느질은 저임금의 노동으로 빈민층 여성들이 주로 하던 장시간을 요구하는 일이었다. 런던에서 삯바느질 종사자는 아일랜드 출신 여성들이 가장 많았는데, 아일랜드 이민자 여성 17%가 이 일에 종사하였다(최애리 241). 성냥팔이도 어린이 노동의 전형적인 예로, 빈민들이 살아가기 위하여 선택해야만 했던 일이다. 이와 함께 성냥 제조 역시 기피하는 업종 가운데 하나였지만 이 역시 가난한 여성들과 어린이의 몫으로 무서운 직업병을 수반하였다. 이뿐만 아니라 삯바느질하는 어머니가 아픈 아이에게 강에서 떠온 물밖에 줄 수 없으며, 맨발의 성냥팔이 소녀가 성냥을 빠뜨린다는 '도랑'은 당시 런던 빈민가의 열악한 급배수 환경을 떠올린다. 이 모든 것에 비할 때 다락방의 춥고 배고픈 극작가 지망생은 다소 형편이 나아 보이지만, 어쩌면 와일드는 당시 자신의 처지와도 무관하지 않았던 이 인물을 등장시켜 약자들의 편에서 이야기를 써나갔던 것으로 보인다.

그러나 하층민들만 현실적인 것은 아니다. 시의원은 예술적 감각을 가졌다는 평판을 듣기 위하여 왕자 조각상을 칭찬하는 한편, 실속 없는 사람으로 비칠까 봐서 조각상의 쓸모없음을 지적한다. 지각 있는 어머니는 달을 따달라는 아들에게 행복한 왕자님은 불가능한 것을 조르며 울지 않는다고 달래고, 수학 선생님은 꿈속에서 천사를 보았다는 아이들이 꿈꾸는 것을 달가워하지 않는다. 이러한 사건들은 상상력이 무용한 것이라는 그 시대의 실용적인 사고를 반영한다. 또한, 무도회를 기다리는 아가씨는 재봉사의 게으름을 비난한다. 겨울에 제비를 본 조류학 교수는 긴 편지를 써서 신문에 발표하는데 사람들은 이해할 수 없는 그 글을, 바로 그 난해함 때문에 인용한다. 심지어 왕자의 보석을 받은 극작가 지망생조차도 자신의 숭배자가 보냈을 것이라고 자만한다. 이처럼 이 이야기 속 각계각층의 인물들 각자는 나름대로 속물주의, 번영주의, 합리주의, 이기심과 허영심의 화신들이다. 누추해진 조각상 앞에서 이들은 또 한 차례 촌극을 벌인다. 무슨 일이든 자기 명령이면 통하리라고 으스대는 시장, 시장이 무슨 말을 하든 아부하는 자들, 아름답지 않으면 쓸모도 없다는 미술 교수 등 이들은 모두 급기야 조각상을 녹인 쇠를 가지고 누구의 조각상을 만드는가를 놓고 다툰다. 이들은 저마다 저 잘난 척할 뿐만 아니라 다른 사람의 고통에 무관심하며, 실속과 합리성을 따진다.

행복한 왕자는 이처럼 그 시대의 허위의식에 붙들린 사람들이 추구하는 행복과 번영의 상징으로서 그들 스스로 만들어 세운 조각상이다. 바로 그 상징적 존재가 온 도시의 비참함을 내려다보면서 자신을 희생한다는 역설에 이야기의 핵심이 있다. 그럼에도 왕자 조각상은 그리스도 인물로서 인정이나 보답을 바라지 않고 다른 사람의 삶을 풍요롭게 하는 임무를 띤 예술가를 암시한다. 왕자가 자신을 더 많이 희생할수록, 그만큼 그는 행복해지고 성취감을 느낀다는 것이 반어적이다. 그러나 왕자의 희생은 현실에 별다른 파장을 일으키지 못하고 자신의 모든 것을 내어주는 희생을 한 후 용광로에 녹여질 뿐이다. 이것은 개개인의 그리스도적 행동이 사회적 빈곤과 불의, 착취를 끝내기에 충분치 않다는 것을 의미한다(Zipes, *Subversion* 228). 왕자 조각상이 녹여지고 제비가 죽은 후에 신이 천사들에게 이 도시에서 가장 가치 있는 것을 가져오라고 했을 때 천사들은 행복한 왕자의 납으로 된 심장과 죽은 제비를 즉시 선택한다.

> "제대로 골랐구나." 신께서 말씀하셨다. "이 작은 새는 나의 낙원에서 영원히 노래하게 하고, 행복한 왕자는 내 황금 도시에서 나를 찬미하도록 하겠다." (22)

신의 천사가 용광로에서도 녹지 않은 왕자의 심장과 죽은 제비를 가져다 바침으로써 그들은 천국으로 보상받는다. 그러나 왕자와 제비가 신의 축복을 받을지언정 도시의 현실에서는 용광로에 녹여질 뿐이며 그 도시는 여전히 그들을 녹였던 시장과 마을 의원들의 통제하에 있다. 왕자의 박애적인 행동은 잊힐 것이고, 현재의 사회제도와 분위기에서 우쭐대는 이 광대들은 도시를 다스리면서 변함없이 사리사욕을 채울 것이다. 그럼에도 작가는 왕자 조각상이라는 예술품을 가지고 현실적인 변혁의 가능성 유무를 넘어서 비전을 제시한다.

「행복한 왕자」의 주제는 「나이팅게일과 장미」에서 계속된다. 이 작품은 안데르센의 동화 「나이팅게일」("The Nightingale")에 대한 비평이며 서구의 다양한 '나이팅게일' 이야기에 근거한다. 안데르센의 나이팅게일은 예술가인데 그가 부르는 노래는 왕의 병을 고친다. 와일드는 학생과 그의 연인의 얄팍한 가치, 그들을 변화시키고자 하는 예술가로서 나이팅게일의 헛된 노력을 드러내고자 한다(Zipes, "Illumination" 138). 안데르센의 이야기 외에도 서구에서 나이팅게일은 중세 연애 시에서 새벽이 올 때까지 연인들과 함께하는 새이다. 이 새는 새벽이 다가올수록 열정적으로 노래하다가 죽음을 맞이하기도 하고, 다른 나이팅게일과 노래를 겨루다가 기진하여 죽기도 하는데, 어느 경우에나 노래하다가 절정에서 죽는 것으로 알려져 있다. 또한, 페르시아 전설에서 나이팅게일은 흰 장미의 가시에 가슴을 찔러 그 피로 장미를 붉게 물들인다.

와일드는 다양한 나이팅게일 이야기를 바탕으로 새로운 사랑의 전설을 만들어낸다. 사랑하는 아가씨와 무도회에서 춤추는 데 필요한 붉은 장미 한 송이를 구하지 못해 비탄에 빠진 젊은 학생을 본 나이팅게일은 그의 열정적인 사랑에 감동하여, 황폐해진 장미나무의 가시에 제 가슴을 찔러 박으며 밤새도록 노래한 끝에 그 피로 붉은 장미를 피워낸다. 이야기의 결말에서 학생은 그 장미를 들고 아가씨를 찾아가지만, 아가씨는 이미 보석을 가져온 시종관의 조카와 춤추기로 약속했다고 한다. 결국 학생은 "사랑이란 어리석은 것"이요 "실속 없는 것"인데, "이 시대에는 실속이 전부"라면서 사랑을 포기하고 책으로 돌아간다(31).

이 이야기에서 모진 겨울에 황폐해진 장미나무에 자기 목숨을 바쳐 붉은 장미를 피워낸 나이팅게일의 노래는 십자가에 수난을 당한 그리스도의 사랑을 암시한다. 「행복한 왕자」에서 행복한 왕자와 제비가 하느님의 인정을 받는 것과 달리, 두 가지 상반된 사랑, 즉 젊은 학생과 아가씨의 사랑 그리고 나이팅게일의 사랑이 선명한 대조를 이루면서 더욱 위대한 사랑을 부각시킨다. 그러나 와일드의 모든 이야기가 그리스도 인물의 보람 없는 희생으로 끝나지는 않는다. 예를 들어 「이기적인 거인」은 자본주의적 재산 관계를 사회주의 노선에 따라 재구성할 필요성이 있다는 원숙한 진술이다(Zipes, *Subversion* 126). 이 작품에서 정원의 주인인 거인은 자신의 토지를 어린이들과 공유함으로써 행복해지고 영적으로 성장하며, 심경의 변화를 경험할 때 기쁨과 구원을 얻는다. 이 이야기는 아이들도 이해하기 쉽게 쓰였으나 궁극적인 독자는 아이의 마음을 가진 어른들이라고 할 수 있다.

「이기적인 거인」은 와일드의 가장 널리 알려진 동화이자 그 자신이 매우 좋아했던 이야기이기도 하다. 와일드는 이 이야기를 아들 비비언에게 읽어줄 때 눈물짓곤 했다고 한다. 「이기적인 거인」에서 거인은 자신의 정원에 "무단침입 엄금"(34)이라고 쓴 표지를 붙인다. 이것은 그의 닫힌 마음을 상징하며, 그가 아이들을 내쫓고 높은 담장을 둘러친 정원에는 봄이 오지 않는다. 그러나 그의 내면에 일어난 변화는 가장 작은 어린아이에게 베푸는 친절로 나타난다.

> 그를 본 아이들은 겁에 질려 달아나버렸고, 그러자 정원은 다시 겨울이 되었다. 단지 구석에 있던 어린아이만이 달아나지 않고 있었다. 눈에 눈물이 가득 고인 나머지 거인이 다가오는 것도 보지 못했던 것이다. 거인은 몰래 아이의 등 뒤로 다가가서 부드럽게 아이를 안아 나무에 올려주었다. 그 순간 나무는 꽃망울을 터뜨렸고, 새들이 지저귀며 날아들었다. (37)

거인의 친절이 가장 작은 아이에게 받아들여질 때, 담장이 허물어지고 아이들이 돌아오는 화해의 기적이 일어난다. 세상에서 '거인'인 그가 가장 작은 아이에게 친절을 베풀지만, 하늘나라의 기준으로는 가장 작은 자의 선행이 천국의 주인인 그리스도에게 바쳐진 것이다. 그리하여 마침내 거인이 이 세상을 떠나는 날, 그가 내내 그리던 그 어린아이, 예수 그리스도가 자신의 정원, 천국으로 그를 인도한다.

「이기적인 거인」은 개인적 차원의 회심과 구원의 이야기로 읽히지만, 그 이면에 당시의 사회·경제적 상황이 반영되어 있으니, 이것은 19세기 중엽 입법 개정으로 한층 강화된 인클로저(enclosure) 운동을 시사한다. 인클로저란 미개간지나 공유지처럼 공동으로 이용하던 토지에 울타리를 둘러쳐서 이를 사유화하는 것으로, 15~16세기에 제1차 인클로저가 있었다. 이어 18~19세기의 제2차 인클로저는 목축업의 자본주의화를 위한 경작지 몰수로, 영국에서 판매용 곡물 또는 양을 키우기 위하여 농지에 울타리를 세웠다(wikipedia). 그 결과 19세기 중엽에 영국 전 국토의 21퍼센트가 사유화되었고, 소농들은 지주에게 고용된 농업 노동자 또는 농촌을 떠나 도시의 하층 노동자로 전락하게 되었다. 더구나 인클로저로 인한 지주와 소작인 간의 갈등은 아일랜드에서 한층 더 심각하였다. 많은 지주가 영국에 살면서 아일랜드로부터 이윤만 가져가는 이른바 부재하는 지주였기 때문이다. 이 이야기에서 거인이 "콘월에 사는 친구 식인귀"(33)를 방문하느라 7년이나 자기 땅을 비웠다는 것은, 그가 떠나있었기 때문에 자신의 정원에서 노는 아이들과 인간적인 관계를 맺을 수 없었음을 시사한다. 그 자신도 부재지주였던 와일드는 누구보다도 그런 문제를 잘 알고 있었을 것이다. 이 이야기는 192센티미터의 거인이었던 와일드가 눈물을 흘릴 만큼 공감했던 이야기이다.

「헌신적인 친구」와 「특출한 로켓」에는 그리스도 인물인 왕자나 거인과 상반되는 인물이 등장한다. 안데르센의 이야기 「리틀 클로스와 빅 클로스」

(“Little Claus and big Claus”)에 근거하는 「헌신적인 친구」는 가난한 농부 한스(Hans)를 죽게 하는 무자비한 방앗간 주인 밀러(Miller)에 관한 냉소적인 이야기이다. 주인공 한스는 민담에 등장하는 전형적인 ‘바보’를 생각나게 하는 인물로, 러시아 민담의 바보 이반, 독일 민담이나 안데르센 동화의 바보 한스 등과 유사하게 어리숙한 나머지 늘 남에게 이용당한다. 「헌신적인 친구」의 한스가 번번이 당하면서도 속 좋게 받아들이고 마는 부당한 거래는 민담의 반복 구조를 사용하여 점점 도를 더해간다. 민담의 주인공들은 결국 뜻밖의 영리함과 행운의 소유자임이 드러나기도 하지만, 「헌신적인 친구」의 한스는 반전 없이 그대로 죽고 만다.

「헌신적인 친구」가 민담의 바보 이야기와 근본적으로 다른 점은, 비극의 원인이 한스의 바보스러움보다 그를 이용한 자, 밀러의 사악함에 있다는 사실이다. 「헌신적인 친구」에서 한스의 어리숙함 못지않게 밀러의 탐욕과 이기심이 부각된다. 그들의 우정의 문제점은 우정에 관한 한 그 책임이 오로지 한스의 몫이라는 점이다. 그러니까 이 이야기는 이기심을 박애주의와 관대함이라고 포장하는 위선적인 지배계층을 비판하면서, 그들이 어떻게 윤리적 담론을 장악하고 그것을 착취의 수단으로 악용하는지를 보여준다.

「헌신적인 친구」는 아일랜드 대기근 당시 영국과 아일랜드의 관계를 비추어 볼 때 현실적인 풍자로 변화한다. 밀러는 “진정한 친구들은 무엇이나 나눠 갖는 법”(42)이라고 하면서 한스의 정원에서 자란 꽃과 과일나무의 열매를 예사로 가져가면서도 무엇 하나 답례로 주는 법이 없다. 그는 행여 한스가 부러움의 유혹에 빠질 것을 우려한 나머지 굶주리면서 겨울을 겪는 그를 멀리하며, 낡은 손수레를 주겠다는 빌미로 그가 가진 온갖 것을 빼앗아간다. 그뿐만 아니라 밀러는 한스가 꽃밭을 돌볼 수 없을 만큼 부리면서 온갖 훈계를 늘어놓는다. 기근을 겪는 아일랜드에 대한 영국의 정책이 이와 유사하였다. 아일랜드가 기근을 겪은 원인도 영국으로 수출할 작물 위주로 아일랜드 농지를 이용하고, 소작농들에게는 밭두둑에 심을 감자나 남겨두었던 영국 지주들의 처사 때문이다. 그 감자가 썩어버려 농민들이 굶어 죽어가는 동안에도, 영국으로의 농작물 수출은 계속되었다. 그런데도 영국은 아일랜드인의 의존성과 게으름을 조장한다는 이유로 식량을 원조하지 않았고, 모처럼 공공사업을 일으켜 임금을 주겠다고 하면서도 실제로는 비현실적인 저임금과 지급 연체로 아일랜드인을 좌절시켰다.

「헌신적인 친구」의 뚜렷한 의도는 이야기의 서두에 드러나 있다. 녹색 방울새는 물쥐에게 헌신적인 우정에 관한 이야기를 들려주겠다고 한다.

> "그것에 관한 이야기를 하나 해드릴까요?" 방울새(the Linet)가 말했다.
>
> "나에 관한 이야기인가?" 물쥐가 물었다. . . .
>
> "당신에게도 해당되는 이야기예요." 방울새가 대답했다. (41)

방울새가 "~에 관한" 이야기는 아니지만, "~에게도 해당되는" 이야기를 들려주겠다고 하는 것은 이 이야기의 풍자적 성격을 나타낸다. 아울러, '녹색 방울새'(Green Linnet)는 아일랜드 민족 투사의 별명이었으니(Kileen 81), 아일랜드인으로서 영국에 대한 풍자적인 이야기를 들려주겠다는 와일드의 의중은 분명해진다.

「헌신적인 친구」의 놀라운 점은 방앗간 주인 밀러가 한스의 죽음으로 인하여 영향을 받거나 심지어 자신이 얼마나 파괴적인지를 인식하지 못하는 것이다. 이러한 무지 또는 무관심이라는 주제가 조금 변형된 것이 「특출한 로켓 불꽃」이다. 「특출한 로켓 불꽃」은 와일드와 재치의 쌍벽을 이루던 유미주의 화가 제임스 휘슬러(James Whistler)를 겨냥한 것이거나 와일드 자신을 웃음거리로 만드는 익살스러운 이야기이다. 두 사람 중 누구를 겨냥한 것이든, 이 이야기의 로켓 불꽃은 자기도취에 빠진 유미주의 예술가를 암시한다.

이 예술가는 특출한 부모에게서 태어난 특출한 로켓 불꽃으로서 세상을 놀라게 할 자신의 운명을 믿어 의심치 않는다. 그는 누구보다도 예민하고 상상력이 풍부하다고 자부하면서, 세상의 상식이라느니 쓸모라느니 하는 무례하고 무식한 중산층의 몫은 경멸해도 좋다고 믿는다. 그의 자기 본위는 남들도 모두 자기만 바라보고 생각해주기를 바라는 것은 물론이고, "자신이 얼마나 중요한 존재인가를 생각하면 감동해서 눈물이 날 것 같다"는 감정 과잉을 거쳐, "날 기리기 위해 왕자님과 공주님이 결혼식을 올렸다"라고 하는 데서 극에 달한다(69). "다른 모든 사람이 나보다 훨씬 못났다는 생각으로 평생 자신을 지탱"하는 이 천재 예술가는 결코 자신의 실수나 실패를 인정하지 않으면서 도랑의 진창에 처박혀서도 휴양지에 와 있는 것이라고, 예술가는 원래 고독한 법이라고 자기 최면을 건다(64).

하지만 작은 딱불이 말하듯이, 불꽃은 왕자와 공주의 결혼식을 기념하여 쏘아 올려지는 것이지 그 반대가 아니다. 예술가는 대중의 이목을 끌고 박수갈채를 받기도 하고, 고고한 척 주위를 무시하며 오직 자신과 독백을 한다고 하지만 "하도 어려운 얘기를 해서 자기도 못 알아들으며"(69), 그가 마침내 대낮에 "성공했어!"를 외치면서 폭발한들 이것을 본 사람도 들은 사람도 없다(73). 이것은 예술가의 과대망상이요 자기기만이다. 그렇다고 관중이 더 나을 것도 없다는 것 역시 분명하다. 별것도 아닌 재치에 환호하는 무리나, 무급인 시종의 급료를 두 배, 네 배로 인상해주면서 선심을 쓰는 왕이나, 씁쓸하기는 마찬가지이다. 아무도 풍자를 피할 수 없는 이 이야기에서, 와일드는 자신을 포함한 당시 예술가들의 허세와 대중의 속물주의를 웃음거리로 만들고 있다. 하지만 둘도 없이 특출한 로켓 불꽃의 허식이 폭발하는 것은 화려한 등장으로 인해 받은 기대를 온전히 발휘하지 못한 채 불발탄처럼 끝나버린 와일드 자신의 삶과 비슷하여 씁쓸하다.

『행복한 왕자』에서 와일드는 영국의 가치와 관습, 영국의 상류층과 부르주아 사회의 위선을 풍자하고 있다. 그는 한편에 그리스도 인물형을, 다른 한편에 산업화 과정에 의해 강화되는 규범들을 병치시킴으로써 삶의 비극적인 문제를 야기하는 영국 상류층의 방종함과 잔인함을 폭로하는 예술적 시도를 한다. 여기서 지적할 점은 그리스도 인물형 역시 약점을 가지고 있으며, 이러한 주인공들인 왕자, 나이팅게일, 거인, 한스 등은 인류를 위한 사랑 또는 예술에 대한 사랑에서 나온 희생을 보여주면서 죽는다. 그리스도 인물들이 고통받는 것으로 끝나는 동화는 개인적인 희생과 사랑의 행위가 사악한 영국의 관습과 가치, 제도를 바꾸기에는 역부족임을 암시하면서 『행복한 왕자』의 이야기들에 파멸이 임박했다는 인식이 담겨있다.

4

와일드의 동화는 당대의 비극적인 문제들, 즉 영국 상류층의 가치에 대하여 비판하거나 한바탕 웃을 수 있도록 하였다. 와일드는 고전 동화와 빅토리아 시대의 유치한 동화에서 전개하는 기성사회 옹호론과 결별하고, 동화를 통해 빅토리아 시대의 산업화 과정에서 나타나는 비극적인 삶의 문제를 반영하였다. 그는 부모로부터 민담에 대한 관심과 스토리텔링 기술을 배웠고, 러스킨과 페이터 등 스승들의 영향을 종합하고 뛰어넘으면서 자신만의 사회적 미학을 형성하였다. 또한, 그는 빅토리아 시대 중기에 유럽대륙에서 유입된 페로, 그림, 안데르센의 동화는 물론 영국에서 동화의 르네상스를 이끈 작가들로부터 문학적인 영향을 받을 수 있었다.

『행복한 왕자』의 작품들은 살펴본 바와 같이 영국 상류층과 부르주아 사회의 가치를 비판하고 산업화 과정에서 파생된 삶의 문제점들을 폭로한다. 이야기들은 위선적인 사회관습과 제도가 부당한 지배체제를 유지하는 방식을 또한 재현한다. 그러므로 이야기들은 빅토리아 시대 피지배계층의 아픔과 고통의 기록이며, 각각의 플롯은 행복한 결말을 거부한다. 근대 자본주의의 열악한 제반 조건을 들추어내면서 이타적으로 행동하던 주인공들은 결국 비극적 상황에 직면하게 된다. 이런 상황에서 개인이 도달할 수 있는 최선의 상태는 그리스도처럼 희생당하는 것이다. 그러나 그리스도적 주인공의 희생은 빈곤과 불의, 그리고 착취를 끝내기에 충분치 않고 사회의 규범이나 제도를 바꾸기에 더더욱 역부족이다. 19세기 말 영국의 사회적 불평등과 열악한 상황을 고려할 때, 와일드는 그리스도 인물을 주인공으로 등장시킴으로써 사회가 변화할 가능성보다 인간이 성숙할 수 있는 가능성에 기대를 걸었다고 할 수 있다. 그는 자신의 동화에서 그 시대에 법과 질서를 지지하던 상류층이 억압받는 사람들에게 무감각하다는 도덕적 퇴폐를 매우 감동적으로 드러냈던 것이다.

와일드의 『행복한 왕자』는 자신이 살았던 시대의 비극적인 문제들에 대한 인식의 표현이고, 그리스도적 주인공을 통해 희망을 찾는 것이다. 그리스도 인물이 고통받는 것으로 끝나는 동화는 개인적인 희생과 사랑의 행위가 자본주의 사회의 사악한 규범이나 제도를 바꿀 수 없음을 암시한다. 그러므로 와일드의 동화는 그의 사회적 미학에 따라 동시대의 삶에 대한 인식과 비평을 환상적으로 재현하면서 어두운 현실에서 미약하나마 비전을 제시한다.

「행복한 왕자」와 「어부와 그의 영혼」에 나타난 사회적 미학

1

와일드는 두 편의 동화집 『행복한 왕자』과 『석류의 집』에서 자신의 예술철학인 '사회적 미학'을 우아한 문체와 예리한 재치로 표현하였다. 그는 어린 시절에 민담수집과 스토리텔링에 관심이 많았던 부모의 영향으로 아일랜드 민담에 친숙하였다. 그는 성인이 되어 당대 영국의 주요 작가들과 교류하면서 동화를 포함한 어린이 환상문학에 관심을 가졌고, 그들의 관심사 가운데 하나인 사회개혁 운동의 영향을 받았다. 그는 러스킨과 윌리엄 모리스(William Morris) 등 정치적 양심을 가진 예술 분야의 개혁가들에게 직접적인 영향을 받았으니, 이들은 격식에 치우친 영국 상류층의 관습을 혐오하였다. 와일드는 사회개혁 운동의 영향과 함께 영국 국교에 대한 비판적인 종교적 견해를 밝히기도 했으며, 이러한 시각이 그의 두 편의 동화집에 나타난다.•

1854년에 더블린에서 태어난 와일드는 아일랜드 민속학에 정통하였고, 그림 형제와 안데르센의 이야기에 친숙하였다. 그의 어머니는 열정적인 민족주의자이자 시인이었고, 아버지는 유명한 의사(an ear and eye physician)로서 두 사람 모두 잘 알려진 재담가였다. 소년 와일드는 부모가 들려주는 이야기를 단지 들음으로써 서사 문체의 많은 것을 배웠다. 와일드는 1874년부터

• 와일드의 동화집은 자이프스가 편집하여 서문을 쓴 『오스카 와일드의 동화집』(*Complete Fairy Tales of Oscar Wilde*. New York: Signet Classic, 1990)을 사용하며, 이 동화집으로부터의 인용은 괄호 안에 쪽수만 기입한다.

1879년 사이 옥스퍼드 대학에 재학하는 동안 그리스와 로마의 고전문학을 연구하고 시를 쓰는 일을 계속하였다. 그는 또한 러스킨과 페이터의 영향을 받으면서 예술과 문학에 대한 자신의 철학을 정립하였으며, 이에 대한 에세이를 쓰기도 하였다. 이 스승들은 와일드에게 서로 다른 방향으로 영향을 주었다. 러스킨은 와일드가 사회문제는 물론 예술과 구체적인 실생활 간의 관계에 관심을 가지도록 영향을 주었고, 페이터는 사적인 경험이 외적 세계의 아름답고 심오한 본질을 포착하는 데 얼마나 핵심적인가를 알려주었다. 결국 와일드는 두 스승의 관점을 종합하고 뛰어넘으면서 미학의 사회적 개념, 즉 사회적 미학을 형성하였다.

와일드의 동화는 사회적 미학의 상징적 표현으로, 예술에 대한 사회적 관심과 아름다움의 본질을 포착하는 미적 관심을 포함한다(Zipes, *Fairy Tales* 221). 흔히 와일드는 도덕성이나 사회적 관심을 예술과 무관하다고 생각한 순수 유미주의자라고 여겨져 왔다. 비평가들은 와일드가 속한 데카당스(decadence) 문학을 "병적이고, 변태적이며 추악한 것에 예술적 관심을 가지기 때문에 진실, 결혼과 같은 사회적 관습을 멸시하는 것이 특징이다"라고 한다(Goldfarb 370). 그러나 와일드는 자신의 동화에서 예술이 사회를 더 나은 곳으로 변화시킬 수 있다고 믿었다. 즉, 그의 동화는 사회적 관심과 심미적 아름다움을 동시에 드러내는 방법을 기록하였다.

와일드는 전래동화와 문학적 동화에 친숙하였다. 동화는 민담에 근거하는 전래동화든, 작가들이 새로 쓴 문학적 동화든 모두 전통적·진보적인 성격을 동시에 갖는다. 그러나 빅토리아 시대에 쓰인 문학적 동화는 사회비평 또는 풍자 등에 더욱 몰두하는 진보적인 특성을 보인다. 와일드의 문학적 동화 역시 이러한 특성이 있다. 와일드의 두 권의 동화집, 『행복한 왕자』와 『석류의 집』은 예술과 사회에 대한 그의 혁신적인 견해를 펼칠 수 있도록 예비하였다. 와일드의 첫 번째 동화집 『행복한 왕자』는 그의 위대한 창작기의 서막을 알린 작품이다. 그는 문학적 전성기에 시, 소설, 희곡은 물론 예술에 관한 에세이를 출판하였다. 특히 그의 동화는 기독교 사회주의가 표방하는 인본주의를 포함하면서 영국의 산업화 과정에 나타나는 부작용에 반론을 제기한다. 와일드는 고전 동화와 빅토리아 시대의 유치한 동화에 나타나는 기성사회 옹호론과 결별하여 빅토리아 시대의 사회문제를 작품에 반영한다 (Zipes, "Wilde's Tale" 137). 안데르센 동화에서 반복되는 주제들이 와일드의 작품에도 나타나지만, 그는 안데르센의 메시지를 전복하면서 사회 발전에 대하여 진보적인 견해를 보인다. 또한, 와일드의 문체는 성서의 리듬과 어법을 연상시킨다. 그가 성서의 요소들을 차용하는 이유는 기존 기독교 교리에 반기를 들기 위함이다. 와일드의 기독교 해석은 교회의 부정을 드러내고, 교회 지도자가 기독교를 사용하는 방식에 의문을 제기한다.

『행복한 왕자』와 『석류의 집』의 이야기들은 사회문제와 이에 대한 예술가의 혁신적인 역할을 숙고하면서 관례적인 해피엔딩을 전복한다. 『행복한 왕자』의 이야기들, 대표적으로 「행복한 왕자」는 와일드의 에세이 「사회주의적 인간영혼」에서 설명한 페이비언 사회주의에 관한 견해를 작품화하고 확장한다. 『석류의 집』에 수록된 「어부와 그의 영혼」("The Fisherman and His Soul")에서 그는 종교적 관심과 자신의 동성애 문제를 비인격화하여 쓰면서 사회적 미학을 발전시킨다. 동화의 상징적 본질은 와일드가 사회적 관심과 문제를 자신의 예술철학과 연관시킬 수 있도록 하였다.

본 장에서는 그의 동화집 『행복한 왕자』와 『석류의 집』 각각의 대표적인 이야기 「행복한 왕자」와 「어부와 그의 영혼」을 선택하여 그의 사회적 관심과 개인의 삶이 재현되는 방식을 사회적 미학과 함께 살펴보고자 한다.

2

『행복한 왕자』는 영국이 문명화하는 과정에서 나타나는 부작용에 대한 와일드의 불만을 포함한다. 이 작품집에는 「행복한 왕자」, 「나이팅게일과 장미」, 「이기적인 거인」, 「헌신적인 친구」, 「특출한 로켓 불꽃」이 실려 있다. 이 가운데 「행복한 왕자」가 가장 유명한데, 이 제목은 동화작가로서 와일드의 문체의 특징인 아이러니를 포함한다.

「행복한 왕자」의 왕자는 전혀 행복하지 않다. 왕자는 죽어서 도시 위의 높은 곳에 세워진 직후에 살아생전에 자신이 얼마나 무책임했는가를 깨닫고 과거의 근심 걱정이 없던 삶에 대하여 보상하는 것을 선택한다. 왕자 조각상이 자신을 더 많이 희생할수록 행복해지고 성취감을 느낀다는 것은 반어적이다. 그는 인정이나 보답을 바라지 않고 다른 사람의 삶을 풍요롭게 하는 임무를 띤 예술품인 동시에 그리스도 인물로서 존재한다. 다른 수준에서 왕자와 제비는 분명히 동성의 연인들이고, 그들의 정신적 결속은 물질주의와 그 도시의 시의원들이 보이는 옹졸한 가치를 초월한다. 작가는 사회체제의 변화를 바랄 수 없는 현실적 상황에서 행복한 왕자 조각상이라는 예술품 또는 그리스도 인물인 개인을 내세워서 변혁을 시도하고자 한다. 그러나 결국 조각상이 용광로에 녹여지는 것은 조각상이라는 예술품이 그 사회에 팽배한 무신경한 삶의 조건을 변화시키고 사람들의 영혼을 아름답게 고양시키는 역할을 할 시기가 아직 도래하지 않았음을 시사한다.

『행복한 왕자』 동화집은 수록 작품 중 한 편의 제목을 동화집 전체의 제목으로 삼고 있다. 주제 역시 다섯 편의 이야기 모두 '행복한 왕자'의 동상이 세워진 도시처럼, 영국 상류층의 가치에 대한 비판이라는 점에서 일맥상통한다. 『행복한 왕자』의 이야기들이 「행복한 왕자」의 주제를 따른다는 점에서 이 작품을 면밀히 살펴볼 필요가 있다. 「행복한 왕자」에서 와일드는 빈곤으로 고통받는 도시를 행복한 곳으로 바꾸기 위하여 왕자 조각상을 만든다. 이를 통하여 그는 조악한 빅토리아 사회와 새로운 물질주의와 그 시대 산업화에 대한 강박관념뿐만 아니라 미학 이론에 대한 그들의 적의를 비평한다. 그는 왕자 조각상을 등장시켜서 불평등, 가난한 삶과 비참함을 고발할 뿐만 아니라 사회적 상황을 변화시키기 위한 비전을 제시한다.

「행복한 왕자」는 호화로운 궁전에서 살았으나 자신이 살았던 도시 사람들의 고통을 느끼지 못했던 왕자의 이야기이다. 그는 살아생전에 너무나 행복해서 행복한 왕자라고 불렸다. 왕자가 죽은 후에 그 도시의 시의원들은 왕자 조각상을 만들어서 황금과 보석으로 뒤덮었다. 조각상은 도시에 높이 세워졌기 때문에 그는 살아서 보지 못했던 그곳의 불행을 볼 수 있다. 이 지점에서 조각상은 생명력을 갖고 제비와 친구가 된다. 그는 제비에게 자신의 보석과 황금을 도시의 가난한 사람들에게 가져다줄 것을 간청한다.

와일드는 일반적으로 유미주의자로 알려졌지만, 「행복한 왕자」에서 유미주의적 특성은 미미하게 드러난다. 러스킨과 페이터의 제자였던 와일드는 왕자 조각상이 세워진 도시의 사람들에게 행복한 비전을 불러일으키는 데 페이터적 선정주의에 의존하여 시작하여, 러스킨과 페이터로부터 배운 예술 철학을 성공적으로 결합한다. 즉, 와일드는 동화의 환상성을 미학적으로 창조하기 위하여 유미주의자로서 분위기나 정서를 만들어내지만, 여기에 자신을 가두지 않는다. 프랑스와 영국의 유미주의자들은 "예술이 교육적이어서는 안 되고, 예술의 목적은 분위기나 선정성을 창조하는 것이지, 도덕적인 명제를 옹호하는 것이 아니다. 예술은 어떤 형태로든 내재하고 있는 미적 가능성을 완성하는 것이 필요하다"라고 주장한다(Quintus 561). 와일드는 『행복한 왕자』에서 이러한 미학적 선정성을 도덕성과 통합한다.

「행복한 왕자」에는 말하는 동물들, 해피엔딩, 환상적 사건들, 선악의 힘, 과거를 배경으로 하는 동화의 전형적인 특성들이 사용된다. 와일드가 이처럼 환상적인 특성을 가진 동화장르를 선택한 것은 페이터로부터 배운 예술적 특성을 이상적으로 반영할 수 있는 시간과 공간을 제공한다. 페이터의 『르네상스 역사에 관한 연구』(*Studies in the History of the Renaissance*, 1873)의 예술철학이 와일드의 미학에 영향을 준 것이다. 페이터는 예술이 최종산물이 아니며, 창조를 향한 길을 수반한다고 한다. 그러므로 예술은 황홀한 순간을 소개하고, 이로 인하여 사람을 예술에 대한 숭배로 채우도록 하여 풍요로운 삶을 영위하도록 한다(Holland 12). 이것은 예술지상주의에 가까운 유미주의적 관념이다. 와일드는 페이터의 영향을 받았으나 그의 언어를 단순하게 반복하지는 않는다. 그는 페이터의 삶에 대한 함축적 의미를 확장하고, 그러한 정신의 즐거움과 위험을 입증하면서 자신의 이론을 형성한다.

와일드는 「행복한 왕자」에서 페이터의 미학적 영향과 함께 러스킨이 주장하는 예술의 사회적 역할에 대한 영향을 보여준다. 그는 동화의 환상적 문학양식을 사용하여 선정적인 분위기를 만들어내면서, 복지 사회주의 사회를 재건설하기 위하여 다음과 같은 제안을 한다. 첫째, 노동자 계급의 상황을 개선한다. 둘째, 창작하는 사람들을 지원하고 창의성을 향상케 한다. 셋째, 빅토리아 시대의 어린이 노동을 심각한 문제라고 여긴다. 이것은 디킨스의 어린이의 삶의 조건 그리고 블레이크의 「굴뚝 청소부」("The Chimney Sweeper")의 사회비평을 반영한다. 그들의 신념은 어린이는 어떤 사회에서든 그 사회의 미래이고, 어린이의 상황이 철저하게 개선되지 않는다면 어떠한 이론도 성공할 수 없다는 것이다. 마지막으로 그는 빈곤한 사람들이 품위를 떨어뜨리지 않고 삶을 재건할 수 있도록 사회적 원조 제도를 제안한다.

와일드는 자신의 이야기를 관례적이지 않은 스토리텔링으로 시작한다. 그는 "옛날옛날에 . . ."라는 상투적인 어구 대신에, 이야기의 주인공인 행복한 왕자 조각상으로 독자들의 관심을 향하게 한다. 왕자 조각상은 아름답고 값비싼 사파이어, 황금, 루비와 같은 보석으로 덮여있다. 마을 사람들이 행복해 보이지 않는다는 사실에도 불구하고 왕자 조각상은 사람들의 존경을 받으면서 예술적 완벽함의 상징으로 세워져 있다. 실의에 빠진 남자는 너무나 불행해서 조각상에 어떠한 존경도 표하기 어려운 처지지만 "이 세상에 누군가 행복한 이가 있다는 것도 기쁜 일이지"라고 중얼거린다(9-10). 나중에 위선자임이 드러나는 시의원들이 지배하는 비참한 마을과 행복한 왕자가 대비되는 것은 역설적이다. 이야기에서 '행복'이라는 단어가 실제 의미와 상반되게 쓰이는 것 또한 반어적이다. 이것은 상당히 많은 모순을 가지고 있는 사회를 폭로하고 예시한다.

행복한 왕자 조각상은 매우 존경받았다. 예술적인 취향을 가졌다는 평판을 듣고 싶은 시의원은 그가 바람개비 수탉만큼 아름답다고 했다. 그는 자신이 실속 없다고 여겨지는 것을 두려워하면서 "물론 그만한 쓸모는 없지만 말이야"라고 덧붙였다(9). 그 마을의 비극은 시의원들의 이기심, 탐욕, 위선에서 비롯되는 것이 분명하다. 시의원들의 첫 언급은 예술에 대한 관심을 보여주는데, 예술은 유용한 것이고 그렇지 않다면 쓸모없다고 한다. 이것은 빅토리아 시대 사람들에게 교훈적인 메시지가 없는 아름다움은 무용하다는 의식이 주입되어 있었던 것을 암시한다.

왕자 조각상을 바람개비 수탉과 비교하는 시의원의 언급은 웃음을 자아낸다. 바람개비가 왼쪽에서 오른쪽으로 돌면서 바람의 방향을 보여준다는 것은 동상의 유용성에 대한 가치를 약화시키는 기능을 한다. 시의원 자신이 바람개비처럼 바뀌기 쉽다는 것 또한 역설적이다. 권위적인 의원은 예술품에서 바람개비보다 더 큰 가치를 보지 못하지만, 와일드는 이 조각상으로 아름다움과 소중한 가치를 표현한다. 조각상이 가장 값진 보석으로 장식된 것에 놀랄 필요는 없다. 와일드에게 왕자 조각상은 예술품으로써 이것을 덮고 있는 보석보다 더욱 값진데, 예술품이 왕자의 도시를 행복하게 변화시키려고 시도하기 때문이다.

독자들은 이야기의 두 번째 등장인물, 낭만적인 제비를 만나게 된다. 제비가 그 도시로 날아갈 때 그곳이 자신을 위하여 어떠한 준비를 해놓았는지를 궁금해한다. 그는 도시가 자신을 환영하기를 기대하면서 오만하고, 허영심 강하고, 속물적인 모습을 보인다. 제비가 행복한 왕자 조각상의 발 사이에서 머무를 결심을 하였을 때, 그에게서 눈물이 떨어지는 것을 본다. 그는 "비도 가려주지 못하는 조각상이 무슨 소용이람!"이라고 하면서, "어디 쓸 만한 굴뚝 구멍이라도 찾아봐야겠어"라고 한다(12). 굴뚝의 더러운 통풍관은 보석으로 뒤덮인 조각상보다 그에게 더 좋은 은신처가 될 수 있다. 제비는 오만함, 리얼리즘, 이상주의적 성격을 전형적으로 보여주면서, 쓸모없는 황금 동상보다 유용한 굴뚝을 선호하여 예술품에 대한 이해가 부족한 전형적인 빅토리아인을 상징한다.

왕자 조각상은 자신의 이야기를 제비에게 들려주기 시작한다. 왕자는 궁전에서 관능적인 즐거움이 행복이라고 할 수 있다면, 모든 종류의 행복을 누렸다고 그에게 말한다. 왕자는 살아있는 인간이었을 때 너무나 육욕에 사로잡혀 있었기 때문에 그 도시 사람들의 비참함과 고통을 느낄 수 없었다. 그는 예술적 형상이 되었을 때 비로소 일종의 자기부정이나 눈물을 알게 되었다. 이처럼 조각상이라는 예술품은 왕자의 영혼을 더욱 이타적인 다른 것으로 변화시키는 힘을 가졌다.

왕자 조각상은 또한 전형적인 빅토리아인을 상징하는 제비를 지각 있고 배려하는 등장인물로 변화시킨다. 조각상은 제비에게 자신의 칼자루에서 루비를 빼서 여왕의 들러리들을 위한 정열의 꽃(passion-flowers)을 수놓고 있는 불쌍한 재봉사에게 가져다주라고 한다. 그녀의 손은 붉고, 얼굴은 지치고 여위었다. 사실 정열이라는 단어는 그리스도의 정열, 즉 십자가 위에 못 박힌 그리스도의 고통을 상징한다. 그러나 이 이야기에서 정열은 부유한 여왕을 위하여 공단 드레스에 수놓아질 뿐이라는 것이 역설적이다. 이것은 종교가 인류의 행복이 아닌 겉치레에만 사용된다는 것을 암시하면서 빅토리아 시대의 종교적 위선을 풍자한다. 부자들은 가난한 사람들에게 음식을 주거나 자신의 외모를 아름답게 장식하기 위한 부품으로써 종교를 사용할 뿐이다.

허영심 있는 제비는 많은 욕망 때문에 처음에는 왕자의 요청을 완수하지 못한다. 제비는 따뜻한 이집트에서 친구들이 자신을 기다리고 있다고 말한다. 그의 친구들은 연꽃과 대화하면서 나일강을 오르락내리락 날고 있다. 그는 왕자의 요청을 수락한다면 포기해야 하는 모든 즐거움을 열거하면서 자신을 정당화한다. 또한, 제비는 자신이 좋은 집안 태생임을 다음과 같이 강조한다. "물방앗간 아이들인 개구쟁이 녀석 둘이 내게 노상 돌을 던지곤 했어요. 물론 한 번도 맞히지는 못했지만요. 우리 제비들은 워낙 날쌔니까 그 정도에 맞지는 않거든요. 게다가 저는 날쌔기로 유명한 집안에서 태어났고요"(13-14). 제비의 언어에 자부심, 자만심, 이기심, 품격과 고귀한 혈통을 중시하는 성격이 반영되면서 빅토리아인들의 조악한 도덕성 또한 암시된다. 이 모든 것은 예술과 아름다움을 있는 그대로 받아들이지 못하는 빅토리아 시대 중상류층에 내재한 특성이다.

제비에게 부족한 것은 궁핍한 사람들의 고통을 인식하여 이타적인 생명체가 되도록 하기 위한 감수성인데, 이를 위하여 예술이 그의 마음속으로 들어가서 그를 변화시킬 필요가 있다. 처음에 제비는 왕자가 슬퍼하자 마지못해서 그의 요청을 받아들인다. 제비는 루비를 물고 도시 위를 날아서 가난한 재봉사에게 그것을 가져다준다. 제비는 재봉사의 고단함을 이해하면서 다른 곳이 아닌 골무 옆에 루비를 가져다 두었고, 열병에 걸린 남자아이 주위를 맴돌면서 그가 낫도록 날개로 부채질을 해준다. 제비가 경험한 첫 번째 변화는 추운 날씨에도 불구하고 따뜻함을 느낀 것이었다. 이에 대하여 왕자는 "그건 네가 착한 일을 했기 때문이야"(15)라고 한다. 왕자 조각상이라는 예술품이 자만심 강한 제비를 변화시키기 시작한 것이다.

제비는 사회의 관습을 맹목적으로 따르는 순응주의자가 더 이상 아니다. 그는 변화하기 시작하였고 결국, 개인적 변화의 화신이 될 것이다. 그는 더욱 분별력이 있고, 왕자의 요청을 더욱 기꺼이 받아들이려고 한다. 왕자는 다시 한번 제비에게 도와달라고 한다. "제비야, 제비야, 작은 제비야"(16)라고 왕자는 섬세하고 시적으로 그를 부르면서 극작가를 도와달라고 간청한다. 이번에 왕자는 자신의 눈에 박혀 있던 사파이어를 그에게 줄 수 있다. 왕자는 극작가와 같이 창작하는 사람들에게 자신의 눈을 기꺼이 준다. 열심히 일하는 사람들, 즉 노동자 계층을 돕고 그들의 개인주의를 옹호하고 그들을 가난으로부터 지키기 위하여 힘든 노동을 보상하고자 한 와일드는 창작하는 사람들의 상상력을 보상할 때라고 여긴 것이다. 극작가, 소설가 등 작가는 사회의 지식인이면서 예술가를 대표하는데, 사회개혁은 그들이 함께 할 때 가능하다. 왕자는 자신의 눈을 극작가에게 주어서 그가 쓰던 희곡을 완성할 수 있도록 한다. 극작가는 "드디어 인정받기 시작했어. . . . 이건 누군가 내 숭배자가 보낸 거야. 이제는 작품을 완성할 수 있겠구나"(17)라고 하면서 매우 행복해한다.

제비는 행복한 왕자에게 동정심을 느끼면서 이집트에 가면 왕자가 사람들에게 나누어준 것들보다 더욱 아름답고 빛나는 보석들을 가져다주겠다고 약속한다. 이집트를 선택한 것은 상징적인 의미가 있다. 와일드는 그리스와 이집트 문명에 매료되었고, 이들을 아름다움의 상징, 즉 이국적이고 미적인 대상물의 보고라고 여겼다. 그러나 왕자는 제비에게 자신의 명령을 따를 것을 간청하고 부탁한다. '명령'이라는 단어는 성서의 계명에 대한 의도적인 언어유희로서 여기서 이 단어의 종교적 함축을 피할 수 없다.

행복한 왕자가 제비에게 비참한 상황에 부닥친 사회를 개혁하는 것을 돕기 위하여 하룻밤을 더 머무를 것을 종교의 이름으로 요청하는 것은 예술이 곧 종교적 역할을 할 수 있다는 와일드의 메시지이다. 왕자는 다른 눈을 뽑아서 성냥 파는 소녀에게 가져다주라고 부탁한다. 그녀는 성냥 통을 도랑에 빠뜨려서 찾을 수 없고, 심지어 번 돈도 없이 그대로 집에 돌아간다면 아버지에게 매를 맞을 것이다. 그러나 소녀는 제비의 도움을 받고 행복하게 집으로 간다. 와일드는 어린이가 건강한 사회의 근간이고, 그 도시의 진정한 변화의 기초는 어린이들을 행복하게 살도록 하는 것이라고 여겼다.

제비는 자신을 기다리는 이집트의 모든 관능적인 쾌락을 뒤로하고 왕자와 함께 머물기로 한다. 그는 숭고한 목적을 위하여 욕망을 참을 수 있고, 육체적 쾌락보다 영적인 행복을 위하여 진정한 변화를 경험한다. 왕자는 제비에게 "비참함만큼 큰 신비는 없거든. 작은 제비야, 내 도시 위를 날아다니며 네가 본 것을 내게 말해다오"라고 하면서 사람들이 겪는 고통이 경이롭다고 한다(19). 와일드가 사람들의 고통에 주목하는 이유는, 어떤 사람들은 가난하고 비참하게 살아야 하는 한편, 다른 사람들은 부를 축적하고 공동체의 악몽이라고 여겨지는 사유재산을 축적하면서 살아가고 있기 때문이다. 이것은 우리가 이기심 때문에 재산을 이웃과 공유하지 못하는 이유를 다른 방식으로 묻는 것이다(Humanish 10). 왕자는 인간이었을 때 다른 사람들의 고통을 느낄 수 없었지만, 조각상이라는 예술품이 되었을 때 비로소 그들과 공감한다. 제비는 그 도시에서 본 것들, 가난한 사람들, 거리의 거지에 대하여 왕자에게 들려준다.

행복한 왕자는 가난으로 고통받는 도시의 빈곤한 사람들에게 자신의 몸을 덮고 있는 황금을 가져다주라는 마지막 부탁을 한다. 황금은 사파이어나 루비만큼 귀하지 않지만, 그 사회의 가난한 사람들에게 돌아간다. "한 조각 한 조각 떼어낸 금을 제비는 가난한 사람들에게 가져다주었다. 그러자 아이들은 뺨이 장밋빛이 되었고, 거리에서 웃으면서 뛰어다녔다"(20). 와일드는 궁핍한 사람들을 돕는 사회적 지원이 그들의 삶을 행복하게 만드는 주춧돌이라 믿었을 것이다. 왕자 조각상이 모든 명령을 완수하자 사람들은 행복해진다.

길거리는 처마 끝에 매달린 은빛, 수정 같은 단검으로 만들어진 것처럼 보였고, 사람들은 모두 털옷을 입고 돌아다녔다. 사내아이들은 새빨간 모자를 쓰고 얼음을 지쳤다. (20)

왕자와 제비는 사람들이 행복해질 때까지 그들에게 이타적인 사랑을 보인다. 이와 더불어 왕자와 제비의 관계가 발전하고, 왕자는 그를 사랑한다고 한다. 제비는 더 나이가 들고 추워졌으나 왕자를 떠나지 않는다. 오만하고 거만한 제비는 왕자 조각상이라는 예술품에 의하여 완전히 변신한 것이다. 제비의 관심은 사랑, 따뜻함, 이집트, 휴식, 또는 즐거움 등의 선정주의였으나, 이제 그는 왕자를 떠나지 않겠다고 결심한다. 그는 이집트에 가는 대신에 죽음의 집에 가겠다고 말한다. 제비가 "잠의 형제"(20)라고 하는 죽음에서 휴식을 찾는 것은 영적이다.

행복한 왕자 조각상은 다른 계층의 사람들을 위하여 자신의 값진 보석을 모두 사용한다. 왕자 조각상의 보석들이 제거되어 초라하고 추해지자 시장은 조각상을 철거할 것을 결정한다. 빅토리아인들의 사고방식에 따르면 왕자 조각상은 더 이상 아름답지 않기 때문에 유용하지 않다. 와일드는 자신의 제안에 대한 빅토리아인들의 무감각함은 물론 왕자 조각상을 용광로에 녹이는 반응을 예상한다. 시의원과 일반 사람들은 "행복한 왕자가 변신하였다는 중요성을 전혀 인식하지 못한다. 인간들의 딱딱한 불감증 또는 적어도 그들 중 힘이 있거나 학식이 있는 사람들은 행복한 왕자에게 회의적인 어조로 말한다"(Raby 560). 이러한 견해는 예술을 유용함이라는 기준으로 판단하는 빅토리아 시대인들의 공리주의적 견해에 대한 비평이다. 그들은 공리적 수단으로서 아름다움을 즐길 뿐 그 이상은 없다고 믿는다. 그러나 와일드는 예술과 아름다움이 사람들의 비전을 바꾸어서 그들이 새로운 견해로 세상을 볼 수 있도록 분위기와 선정성을 만든다고 믿는다. 와일드는 도덕성에 대한 예술의 우위와 예술이 삶을 바꿀 수 있다는 견해를 믿었다. 즉, 그는 삶이 예술을 모방하고 추구하는 것이지, 예술이 삶을 모방하는 것은 아님을 주장하는 것이다.

「행복한 왕자」에서 와일드는 자신을 행복한 왕자 조각상이라는 예술품과 동일시하며, 제비는 예술품에 의한 변화의 상징으로 존재한다. 행복한 왕자는 다른 이들의 보상을 바라지 않고 모든 것을 희생하였다. 왕자 조각상은 그리스도처럼 희생하였고 이야기의 결말까지 익명으로 남아있으며, 그의 영혼은 완벽한 아름다움을 획득한다. 신이 천사들에게 가장 값진 것을 가져오라고 했을 때 천사들은 왕자의 납으로 된 심장과 죽은 제비를 즉시 선택한다. 행복한 왕자 조각상과 제비는 천국으로 보상받은 것이다.

와일드는 왕자 조각상이 보여준 이타적인 사랑이 그 도시 사람들을 행복하게 만들었다는 동화를 써서 예술이 사회를 변화시킬 수 있다는 믿음을 재현하였다. 왕자 조각상은 인정이나 보답을 바라지 않고 다른 사람의 삶을 풍요롭게 하는 임무를 띤 예술가인 동시에 그리스도 인물이다. 다른 수준에서 왕자와 제비는 분명히 동성의 연인들이고, 그들의 정신적 결속은 그 도시의 물질주의와 시의원들의 옹졸한 가치를 초월한다. 그렇지만 왕자와 제비가 존재하는 세계는 예술의 진가를 온전히 이해하지 못하는 공리적인 세계이다. 그들은 신에게 천국으로 보상받을지언정 현실에서 용광로에 녹여지는 희생을 당할 뿐이다. 「행복한 왕자」가 암시하는 것은 예술가의 재능이 무신경한 삶의 조건을 변화시키고 사람들의 영혼을 아름답게 변화시키고자 하는 고상한 역할을 인정할 시기가 이 사회에 아직 도래하지 않았음을 시사한다.

3

『석류의 집』은 1891년에 출간된 동화집으로 『행복한 왕자』만큼 관심을 받지 못하였다. 이 동화집은 「어린 왕」, 「공주님의 생일」("The Birthday of the Infanta"), 「어부와 그의 영혼」, 「별 아이」("The Star-Child") 등 네 편의 이야기를 싣고 있는데, 이 작품들 모두 어린이를 위한 동화는 아니다(Wood, "Creating" 169). 이 이야기들 역시 『행복한 왕자』의 이야기들처럼 사랑, 예술, 희생에 대하여 탐색한다. 와일드는 영국 사교계에서 만나게 되는 일탈한 예술가가 겪는 고통을 더욱 인식하게 되었고, 그의 이야기는 더욱 심각하고 복잡해져서 이전 이야기들이 보여주었던 순수한 특성을 상실한다. 특히 「어부와 그의 영혼」에서 그는 종교적 관심과 자신의 동성애 문제를 비인격화하여 쓰면서 사회적 미학을 발전시킨다.

『석류의 집』의 이야기에서 드러나는 사랑은 '석류'의 의미와 연관된다. 첫 번째 이야기 「어린 왕」을 제외한 세 편의 이야기에서 석류가 언급되지만 플롯 전개에 별다른 영향을 주지 않는다. 그럼에도 '석류의 집'이라는 동화집의 제목에 작가의 의중이 담겨있다고 할 수 있으며, 석류가 갖는 전통적인 함의에서 이해의 단서를 찾을 수 있다. 그리스 신화에서 석류는 하데스의 과일이며, 하데스에게 납치된 페르세포네는 무심코 석류를 먹은 탓에 지상으로 돌아오지 못한다. 이러한 견지에서 석류의 집이라는 제목은 석류라는 유혹의 과일로 인간을 시험하는 하계 곧 이 세상을 뜻한다고 볼 수 있다. 석류의 의미가 전개되는 것을 보면, 「공주님의 생일」에서 석류는 화려한 정원의 초목 가운데 하나로 언급되는 데 그친다. 「어부와 그의 영혼」에서는 영혼이 쾌락에 탐닉할 때 석류즙이나 석류의 거리 등이 언급되는데, 어부가 살인을 저지르는 곳이 석류정원이 있는 집이다. 「별 아이」에서는 별 아이를 노예로 삼은 마술사가 사는 집의 벽이 석류나무로 뒤덮여 있다. 『석류의 집』에서 석류의 집이라고 불릴만한 이 두 집은 모두 타락한 영혼이 도달하는 가장 낮은 지점에 해당된다. 그러므로 석류는 세상의 유혹과 환락, 특히 탐미적인 향락을 암시하면서, 네 편의 이야기는 각각 다른 방식으로 인생이 석류의 집을 지나가는 여정을 그리고 있다(최애리 254).

『석류의 집』의 첫 번째 이야기 「어린 왕」에서 와일드는 사회의 작동방식을 묘사함으로써 『행복한 왕자』의 주제를 발전시킨다. 염소 치는 소년은 어느 날 자신이 죽어가는 왕족 할아버지의 유일한 상속자라는 소식을 듣고, 자연에서 도시로 끌려와 대관식 준비를 한다. 소년, 즉 어린 왕은 종교적 환상을 봄으로써 사교계의 아름다움이 노동자를 잔인하게 착취하는 것에 토대를 두고 있다는 사실에 눈을 뜨게 된다. 그는 염소 칠 때 입었던 옷을 입고 찔레나무로 만든 관을 쓰고 대관식에 갈 결심을 한다. 어린 왕이 그리스도를 닮은 거지의 모습으로 대관식에 나가는 것은 사회적 관습과 교회, 귀족계급에 반하는 행위이다. 사제가 그를 말리려 하자, 그는 "기쁨이 어찌 슬픔이 만든 옷을 입겠습니까?"라고 반문한다(95). 어린 왕의 이러한 질문은 사회가 변화해야 한다는 사실을 일깨우는 것이다. 행복한 왕자는 자신의 것을 모두 내어주는 이타적인 사랑에도 불구하고 또는 그러한 행위로 인하여 희생당했지만, 어린 왕은 모든 사람이 알아보고 그대로 따르기를 소망하는 행동의 본보기를 마련함으로써 유토피아로 가는 길을 보여준다(Zipes, *Fairy Tales* 230).

「어린 왕」은 예복을 입지 않으려는 것, 즉 사회적 모순을 거부하려는 개인의 행위에 초점을 맞춘다. 반면에, 「공주님의 생일」은 어린 왕과 상반되게 버릇없고 무감각한 공주가 난쟁이를 죽게 하는 이야기이다. 와일드는 상류층 사람들의 무관심이나 명령이 사회적 지위가 낮은 사람들의 고통을 초래하는 것과 상류층 사람들의 구원 가능성 또한 이야기한다. 예를 들어, 「별아이」에서 왕자는 자신을 희생하여 다른 사람을 도움으로써, 이전에 그가 보였던 자존심, 잔인함, 이기심의 값을 치른다. 그러나 이 이야기의 결말에서조차 친절한 별 아이의 통치 기간은 짧았고, 악한 통치자가 그의 뒤를 잇는다고 불길하게 언급한다. 이것은 사회가 편협하고 물질적이고 위선적인 한, 사랑이 발전하는 것은 불가능하다는 작가의 확신이다.

와일드의 사랑에 대한 확신은 「어부와 그의 영혼」에서 계속된다. 이 작품은 안데르센의 「인어공주」("The Little Mermaid"), 샤미소(Adelbert von Chamisso)의 「피터 슐미 힐」("Peter Schlemihl")의 주제와 상반된다. 「어부와 그의 영혼」은 특히 「인어공주」의 다른 판이라고 언급될 정도로 두 작품은 많이 비교된다. 「인어공주」에서는 인어가 인간 왕자를 사랑하기 때문에 영혼을 얻어서 인간이 되지만, 「어부와 그의 영혼」에서 젊은 어부는 인어 아가씨의 사랑을 얻기 위하여 자신의 영혼, 즉 그림자를 떠나보낸다. 또한, 「어부와 그의 영혼」은 구성과 언어적 측면에서 기독교적 함의를 가진다. 그러나 이 작품은 기독교 교리를 전파하기보다 진실성(sincerity)을 가진 사랑에 가치를 두는 이야기로서, 기존의 종교나 사회제도에 반하는 반도덕적 가치를 포함하여 와일드의 사회적 미학을 발전시킨다.

「어부와 그의 영혼」은 젊은 어부와 인어 아가씨의 사랑 이야기를 전개한다. 어느 날 어부는 자신의 그물에 걸린 인어를 발견하자 그녀에게 매혹된다. 어부는 인어와 결혼하기를 바라지만 그가 가진 영혼 때문에 불가능하다. 이야기가 전개될 때 어부와 등장인물들은 성서적 구성 또는 언어를 사용하여 말한다. 예를 들어 어부가 인어를 잡았을 때, "한 가지 약속을 해주기 전에는 놓아주지 않겠소. 그 약속이란 내가 당신을 부를 때마다 내게 와서 노래해달라는 것이오. 왜냐하면 물고기들은 인어의 노래를 듣기 좋아하니까, 그러면 내 그물이 가득 찰 거요"(130-31). 여기서 '물고기', '그물'이라는 단어처럼, 이야기 전개에 기독교적인 모티프들을 사용하여 종교적 측면을 강조한다.

기독교 문학작품에서 마녀들은 딜레마를 일으키는 데 결정적이다. 「어부와 그의 영혼」의 마녀들은 크리스토퍼 말로(Christopher Marlowe)의 『닥터 파우스터스』(*Doctor Faustus*)에 나오는 메피스토필리스(Mephistophilis)와 유사한 역할을 한다. 마녀들은 메피스토필리스처럼 어두운 힘을 가진 사악한 존재로 등장하여 주인공이 파멸할 때까지 중대한 역할을 한다. 『닥터 파우스터스』에서 주인공을 위한 탈출구는 없다. 파우스터스는 악마에게 기꺼이 영혼을 팔지만 뉘우치지 않는다. 이것은 그의 자유의지를 보여주는 것으로 행위의 결과 역시 그의 몫이 된다. 「어부와 그의 영혼」의 마녀 역시 마찬가지이다. 어부는 도움을 받기 위해 마녀에게 접근하여 자신의 영혼을 팔지만 이에 대하여 회개할 기회도 없이 결과를 감수해야 한다.

어부가 인어 아가씨에 대한 사랑을 설명할 때 그의 공동체는 어부를 꾸짖으면서 그에게 자신의 영혼을 자르지 말라고 강력히 경고한다. 사제는 그를 집에서 내쫓고, 상인들은 비웃는다. 어부는 마침내 절박해져서 마녀에게 눈을 돌린다. 사제의 경고로 인하여 어부는 자신의 영혼을 잘라내는 것이 신의 뜻에 반한다는 것을 이미 알고 있다. 마녀의 경고, 즉 이것은 "끔찍한 일"(138)이라는 언급에서도 그의 행위의 반 도덕성이 암시된다. 마녀가 부정직하다는 것은 그녀가 어부와 모든 것을 거래하고자 하는 사실에서 드러난다. 또한 마녀가 영혼을 단 한 번만 잘라낼 수 있다는 사실을 어부에게 말하지 않은 것은 비밀스럽고 부정직한 성격을 암시한다. 어부의 영혼 역시 어부가 자신에 대하여 무지하다는 것을 이용하여 그를 바다 밖으로 유인하여 몰락시킨다.

마녀의 극악무도한 성격은 사랑의 결말을 예상케 한다. 그녀의 악한 성격은 악마에 대한 직접적인 언급과 함께 여러 번 강조된다. 첫째, 마녀는 전통적으로 악마와 연관된 동물인 "염소의 발굽을 걸고" 어부를 도울 것이라고 맹세한다(140). 둘째, 마녀가 어부에게 영혼을 자르도록 주는 칼의 손잡이가 뱀의 가죽으로 만들어졌다는 것은 이브가 에덴동산에서 사과를 따도록 유혹

할 때의 악마를 암시한다. 또한, 뱀의 가죽으로 된 칼의 손잡이는 어부가 하고자 하는 일이 용서받을 수 없는 죄라는 것도 상징한다. 영혼은 어부에게 "사람은 일생에 단 한 번만 영혼을 떠나보낼 수 있어"라고 자신을 다시는 잘라낼 수 없다고 하면서 "그녀가 섬기는 자" 즉, 마녀를 언급한다(169-70). 어부는 사랑을 얻는 데 필요한 모든 것을 기꺼이 희생한다. 이 지점에서부터 「어부와 그의 영혼」은 기독교 교리를 넘어서 오히려 진실한 사랑을 고취하는 이야기로 전개된다.

마녀와 영혼은 어부에게 진실하지 않았고, 어부는 개인의 사랑을 위하여 영혼을 버렸기 때문에 이들 모두는 기독교적 가치에 반하는 도덕성을 보여주었다. 이 이야기에서 교회가 금지하는 사랑, 즉 영혼을 버려야만 얻을 수 있는 사랑이란 흔히 와일드의 생애에 비추어 동성애를 가리키는 것으로 해석되었다(와일드 263). 그것을 얻기 위해 '천국도 포기하겠다'는 것은 영혼에 내려지는 정죄를 감수하겠다는 것이고, 어부가 영혼의 유혹을 물리치는 힘은 사랑에 기인한다. 그러나 영혼이 바닷가에 세 번이나 찾아와서 어부를 바다 밖으로 유인하여 따라나서게 했을 때, 어부는 인어에게 진실하지 않다.

그러나 어부는 자신의 행동을 곧 뉘우친다. 어부는 바다 밑에 있는 사랑하는 인어에게 돌아가기를 갈망하기 때문에 다시 자신의 영혼을 잘라내려고 애쓴다. 그러나 어부는 다시 영혼을 얻었고 영혼을 두 번 잘라낼 수 없으므로 더 이상 인어와 살 수 없다. 하지만 어부는 2년 동안 해변에 앉아서 인어를 기다리고 있다. 그동안, 어부의 영혼은 그를 유혹하여 마음속으로 들어가고자 기회를 노린다. 결국 영혼은 자신의 계략을 포기하고, 어부에게 노골적으로 마음속에 다시 들어가게 해달라고 부탁한다. 어부는 영혼이 마침내 자신에게 정직하다고 생각하여 이에 동의한다. 그러나 어부의 마음이 인어에 대한 사랑으로 가득해서 영혼이 들어갈 자리가 없다. 결국 인어가 해변에서 죽은 채 떠내려갈 때, 어부는 그녀에게 달려가 자신의 악행에 대하여 속

죄한다. 어부는 죄를 고백한 후 "심장이 터져버려서"(his heart did break) 인어의 사체 옆에서 익사하고, 영혼은 다시 그의 마음속으로 들어갈 수 있다(176). 결국, 영혼은 마음과 재회하고 어부는 정직한 사람으로 죽게 된다.

「어부와 그의 영혼」은 기독교의 교리를 넘어 진실한 사랑을 이야기한다. 우선, 어부는 인어에게 말도 없이 영혼을 따라나설 때 진실하지 않다. 그가 인어에게 자신의 행위에 대하여 다시 한번 진실하게 고백하였을 때 그는 구원을 받는다. 그러므로 「어부와 그의 영혼」은 기독교적 신의 규범을 맹목적으로 수용하는 것보다 오히려 기독교적 가치에 반하더라도 진실한 사랑을 하는 것이 신의 구원에 이르는 길임을 시사한다.

「어부와 그의 영혼」은 사랑과 관능, 미적 경험의 가치를 추구하지만, 이 작품 역시 와일드의 사회적 미학을 재현한다. 경험이나 관능과 같은 미적 가치는 반도덕적인 것으로 여겨질 수 있다. 어부는 자신의 공동체가 금지하는 인어와 결혼하기 위한 조건을 따르고, 그녀와 함께 기꺼이 바닷속에서 지낸다. 어부가 속한 사회의 가치는 자신의 영혼을 잘라내는 것을 금지하지만, 어부는 자신의 사랑을 위하여 사회적 가치를 어기면서 인어와 결혼한다. 어부의 이러한 행위의 결과가 슬픔이 아닌 행복이라는 사실은 페이터적 미적 관념이다. 나오미 우드(Naomi Wood)에 의하면 "페이터는 도덕성이 아닌 감각적 경험이 삶이 목표가 되어야 한다고 주장한다"("Creating" 163). 또한, 어부와 인어의 관계는 이상적인 아름다움과 관능적인 황홀함이 뒤섞여있다. 이야기 전반의 많은 요소는 아름다움을 주장한다. 우선 인어는 매우 심미적인 등장인물이다. 그녀는 물고기와 인간을 결합한 부자연스럽게 복합적인 존재이다. 또한, 그녀는 자연의 가능성을 왜곡하기 때문에 괴물로 여겨질 수 있다. 그러나 그녀의 외모는 누구보다 아름답고 목소리는 마법처럼 사랑스러워서 신화적인 매력을 보인다. 처음에 어부는 인어의 외모에 매료되지만 그녀는 노래를 불러서 어부를 유혹한다. 어부가 그녀와 함께 기쁨과 행복을 누리는 것은 아름다운 선택이자 경험이다. 인간의 욕망을 따르는 성실한 사랑이 처벌받지 않는 어부의 이야기는 일차적으로 유미주의적 미적 관념을 보여준다.

어부는 관능적인 사랑으로 인하여 그 자신이 살았던 기독교 세계에서 멸시를 받았으나 신에게는 받아들여진다. 사제는 어부와 인어의 사체를 "죽어서도 저주받아 마땅하다"라고 하면서 성문 밖 밭 구석에 묻는다(177). 그러나 그곳에 피어난 더없이 아름다운 꽃은 제단을 장식하여 그 꽃들과 접촉하는 사람들에게 긍정적인 영향을 준다. 어부가 구원을 받았다는 것은 사제가 그 꽃들을 보자마자 신의 진노 대신에 신의 사랑을 논하고 싶어 하는 사실에서 분명하게 입증된다. 이는 어부의 진실한 사랑이 그를 구원하여 신의 은총을 받았음을 암시한다.

와일드는 「어부와 그의 영혼」에서 비록 금지된 사랑이라 하더라도 진실한 사랑이라면 제도화된 교회의 교의를 넘어 신에게 이르는 길임을 주장하고 있다.

4

와일드의 두 편의 동화, 「행복한 왕자」와 「어부와 그의 영혼」은 사회적 미학을 바탕으로 전통적인 동화들을 변형하여 사용하면서 성서적 요소들을 포함한다. 그는 영국 빅토리아 시대의 산업화와 문명화가 가져온 열악한 현실에서 사회적 유토피아를 어렴풋이나마 볼 수 있기까지 힘든 투쟁이 필요하리라는 것을 잘 알고 있었다. 그의 동화에서 대체로 어리고 무지하고 순진한 주인공들은 꿈이나 환상을 통하여 깨달음을 얻는다. 깨달음의 시점에서 주인공은 사회제도의 문제점을 알게 되고, 현재 상태와 상반되는 행동 경향을 보인다. 기존의 사회제도에 반하여 플롯을 발전시키는 주인공의 행위는 영국의 문명화 과정 전반에 대한 비판을 함축한다. 19세기 말 영국의 사회적 불평등과 열악한 상황을 고려할 때, 와일드가 사회제도의 개선보다 개인이 성숙할 가능성에 기대를 걸었던 것은 놀라운 일이 아니다.

「행복한 왕자」에서 와일드는 살아서 행복했던 왕자 동상을 아주 높이 세움으로써 영국 사회에 존재하는 엄청난 불평등을 아이러니한 방식으로 지적한다. 왕자는 높은 곳에 서 있기 때문에 평범한 사람들이 얼마나 비참하게 사는지 그리고 지배계급을 대표하는 자신이 이들의 불행에 얼마나 큰 책임이 있는지를 깨닫는다. 행복한 왕자 조각상은 그리스도 인물로 암시되면서 그 시대의 빈곤과 불의, 착취를 인식하지만, 그의 박애적인 행동이 당대의 사회제도를 바꾸기에는 역부족임을 인식하게 한다. 왕자와 제비는 이타적인 행동으로 인하여 마지막에 신의 축복을 받을지언정, 현실에서 그들의 선행을 인식하는 사람은 없고 용광로에 녹여질 뿐이며, 도시는 여전히 기존의 지배계층인 시장과 시 의원들의 통제를 받고 있다.

「어부와 그의 영혼」에서 어부는 교회와 사회에 등을 돌리고 인어에 대한 진실한 사랑을 선택하여 죽는 순간 인어와 하나가 된다. 어부가 기독교에 불복종하는 것은 성직자와 장사꾼의 이익을 따르지 않겠다는 기존의 사회제도에 대한 거부이다. 유미주의자인 와일드에게 사랑은 해방적 경험이며, 작품에서 어부는 사랑으로 인하여 영혼의 간섭 없이 자기 자신과 하나가 된다. 와일드는 이야기의 배경인 경건한 어조와 종교적 이미지를 사용하여 기독교의 위선을 고발하고 어부의 진실한 사랑을 찬양하면서 사회적 미학을 발전시킨 것이다.

『석류의 집』의 이야기들은 「행복한 왕자」와 「어부와 그의 영혼」처럼 주로 미해결 또는 비극으로 끝난다. 별 아이, 난쟁이, 어부는 자신들의 사랑과 희생이 사회제도와 관례에 반하기 때문에 모두 죽는다. 어린 왕만이 살아남지만, 그의 재위 동안 겸허함과 물질적 평등에 근거한 통치는 커다란 장애물을 만날 것이 분명하다. 와일드는 자신을 이야기의 비극적인 주인공들, 즉 쫓겨난 예술가, 연인, 인습타파 주의자, 결백한 희생양 등과 동일시하지만 자기 연민에 빠지지 않는다. 오히려 주인공들은 자신의 문제를 극복하여 와일드 자신과 동시대 영국 사회에 존재하는 모순, 즉 위선적인 사회관습과 이중적 척도가 부당한 지배체제를 유지하는 방식을 고발한다. 또한, 그들은 독자에게 왜 사회가 더 나은 세상을 만들지 못하는가를 자문하게 한다.

와일드의 동화는 기존의 사회제도에서 주인공들이 죽음을 맞이하는 충격적인 결말을 보여주었다. 19세기 영국 상류층의 규격화된 사회제도 하에서 이에 반하는 주인공들은 자신의 꿈을 이룰 수 없고 희생당할 수밖에 없지만, 그럼에도 그들은 아름다움을 추구하면서 변화를 시도하였다. 와일드의 동화에 등장하는 주인공들은 예술품 또는 예술가로서 그들의 이타적인 행위는 슬픈 상황에 변화를 가져오기 위한 한줄기 희망의 빛을 비춘다.

2부

20세기 : 어린이 환상문학의 두 번째 황금시대

— 동화와 스토리텔링

영국 아동문학은 에드워드 시대, 즉 1901년부터 제1차 세계대전 발발 직전 1914년까지 더욱 성숙한 어린이 환상문학으로 두 번째 황금시대를 맞이한다. 이 시대 작가들은 소녀들만큼 소년들에 주목하였고, 아이들을 육아실에서 거대한 바깥세상으로 내보내는 작품을 썼다. 1900년대에서 1920년대에 많은 작품이 쓰여서 정전에 포함되었는데, 대표적인 작가로 러디어드 키플링(Rudyard Kipling), 프란시스 호지슨 버넷(Frances Hodgson Burnett), 제임스 배리(James Matthew Barrie), 케네스 그레이엄(Kenneth Grahame), 베아트릭스 포터(Beatrix Potter), 네스빗 등이 있다. 이 작가들 가운데 버넷, 네스빗, 배리는 동화에 대한 관심과 함께 스토리텔링 전통을 작품에 반영하였다. 동화와 스토리텔링은 여성만의 배타적인 영역은 아니지만 여성들의 구전 전통에서 성장한 것이고 그들은 스토리텔링 양식 안에서 자신들이 직면한 딜레마를 탐색하고 해결책을 실험할 수 있었다(Foster and Simons 176).

20세기가 되자 영국 아동문학은 빅토리아 시대의 교훈주의에서 벗어나면서 현대적인 아동문학 전통을 시작하였으니 그 중심에 어린이 환상문학 작품들이 있다. 대표적인 작가 버넷은 동화와 여성 스토리텔링 전통 안에서 작품을 썼다. 버넷은 『소공녀』(*A Little Princess*, 1905)에서 세라(Sera)가 다락방에 처하게 된 고통스러운 현실을 상상력과 스토리텔링을 바탕으로 어떻게 변화시키는지, 『비밀의 정원』(*The Secret Garden*, 1911)에서 메리(Mary)가 정원을 중심으로 어떻게 생명력을 회복하는지를 이야기한다. 두 작품 모두 여성 내레이터가 동화형식으로 들려주는 스토리텔링인데, "민담과 동화의 역사에서 스토리텔러로서 여성은 하나의 수준에서 전체 문화를 이야기하면서 그들의 긴 이야기를 짜나간다. 그러나 다른 수준에서 여성 독자들을 향하여 숨은 언어, 즉 은밀한 폭로를 들려준다"(Rowe 301). 메리와 세라의 탐색은 자신의 현실을 능동적으로 극복하도록 하는 힘이 되면서 등장인물은 물론 독자들이 직면한 문제에 대한 해답의 실마리를 제공한다.

네스빗은 "첫 번째 현대적인 아동문학 작가"이자 문학사에서 주요 작가라는 평을 받기도 한다(Briggs xi). 네스빗이 아동문학에 끼친 공헌은 리얼리즘 아동문학에서 시작하여 어린이 환상문학 장르까지 광범위하다. 네스빗의 어린이 환상문학 작품들을 요약한다면 우선, 그녀는 빅토리아 시대의 교훈주의, 즉 어린이를 억압하는 태도를 가진 문학을 단호히 거부한다. 둘째, 그녀는 자신의 리얼리즘과 판타지 작품 모두에서 구어체를 사용하기 시작하였으며 이러한 특성 덕분에 그녀의 작품들은 수월하게 읽힌다. 셋째, 초기 아동문학에 등장하던 절대적 덕성을 가진 천사 같은 어린이 대신에 살과 피가 흐르는 현실적인 인물을 등장시켜서 그들을 런던 거리와 시골로 나오도록 하였다(Crouch 15). 네스빗은 기존의 위대한 작가들로부터 판타지 양식을 배웠을 뿐만 아니라, 이것을 자신만의 방식으로 변형시키거나 유머를 결합하면서 새로운 유형의 어린이 환상문학 작품을 썼다. 그녀는 맥도널드의 작품으로부터 분위기와 문체의 영향을 받아서 상상적인 글쓰기에 접근하였고, 그레이엄의 패러디 이야기 『망상의 드래곤, 꿈꾸는 나날들』(*The Reluctant Dragon, Dream Days*, 1898)에서 모티프를 사용하는 방법을 배웠다. 그녀는 또한 몰즈워스 부인(Mrs Molesworth)의 『뻐꾸기시계』(*The Cuckoo Clock*, 1877)로부터 리얼리티와 환상세계를 연결하는 방법을 차용하기도 하였다. 네스빗의 어린이 환상문학 작품들은 어린이의 일상에 마법을 도입하면서 일어나는 예상 밖의 사건들에 관한 이야기이다. 이러한 특성들로 인하여 그녀는 영국 최초의 현대적인 아동문학 작가라는 평을 받는다.

네스빗의 어린이 환상문학은 사미어드 삼부작(Psammead Trilogy), 즉 『다섯 아이들과 그것』(*Five Children and It*, 1902), 『불사조와 양탄자』(*The Phoenix and The Carpet*, 1904), 『부적 이야기』(*The Story of the Amulet*, 1906)에서 시작된다. 그녀는 이 삼부작에서 어린이 주인공들이 사미어드, 불사조와 양탄자, 부적이라는 마법적 존재와 더불어 사회・경제적 경계와 역사・문화를 횡단하는 여행을 하도록 한다. 이러한 여행은 어린이들에게 즐거움과 가르침을 줄 뿐만 아니라, 당대 사회에 대하여 논평하면서 높은 아름다움의 기준 위로 올라선 사회를 제안한다. 그녀는 전래동화의 요소를 차용하기도 하지만, 어린이가 현실에서 마법 대상과 만나거나 어린이가 직접 환상세계를 여행하도록 하는 현실과 판타지를 분리하는 작법으로 후대 작가들에게 영향을 주었다.

배리 역시 네스빗과 동시대인으로서 20세기 어린이 환상문학의 주요 인물이다. 그의 작품은 네스빗의 현실적이고 유머러스한 이야기와 비교할 때 전통적인 낭만주의 작품들과 특성이 닮아있다. 그의 대표작 『피터와 웬디』(*Peter and Wendy*, 1911)는 여성 스토리텔링의 전통에서 쓰였다. 이 소설에서 성인 여성 화자가 웬디에게 피터 팬과 네버랜드 이야기를 들려준다. 현실에 존재하는 아이, 웬디는 어머니의 이야기 속 인물인 피터 팬과 함께 네버랜드를 여행하면서 어른이자 어머니로 성장한다. 어른이 된 웬디와 그녀의 피터 팬 이야기는 그녀의 딸, 다시 딸의 스토리텔링으로 이어지면서 아이들을 성장시키는 도구가 된다. 배리는 여성 스토리텔러로 위장하여 피터 팬과 네버랜드라는 영문학 사상 중요한 판타지 인물과 세계를 창조하였다. 배리의 피터 팬 이야기는 오늘날까지 다양한 매체로 끊임없이 스토리텔링 되고 있는데 본서에서는 스티븐 스필버그(Steven Spielberg)의 영화 〈후크〉(*Hook*, 1991)가 피터 팬 이야기를 재화하는 방법을 살펴본다.

약진하던 영국 어린이 환상문학은 피터 팬 이야기 이후 20세기 초에 잠시 침체기를 보냈다. 그러나 1930년대에 톨킨의 『호빗』(*The Hobbit*, 1937), 앨리슨 어틀리(Alison Uttley)의 『시간 여행자, 비밀의 문을 열다』(*A Traveller in Time*, 1939) 등이 출간되어 이 분야에 다시 서광을 비추기 시작하였다. 1950년대와 60년대가 되면서 영국 어린이 환상문학은 다시 르네상스를 맞이하게 되는데, 대표적인 작가들 C. S. 루이스, 필리파 피어스(Philippa Pearce), 루시

M. 보스턴(Lucy M. Boston), 메리 노턴(Mary Norton), 앨런 가너(Alan Garner) 등이 출현하여 영국 아동문학을 상당히 세련된 수준까지 올려놓았다.

에드워드 시대 작가들이 만들어놓은 작품 속 환상세계, 즉 버넷의 다락방과 장미정원의 이야기들, 네스빗의 사미어드 세계, 배리의 피터 팬과 네버랜드 등은 동화유형을 사용하여 만든 환상적인 세계로서 주인공 자신이나 가족, 그리고 독자들을 치유하는 힘이 된다. 이 작품들은 현대에도 다양하게 스토리텔링 되는 주요 원천이 되면서 또 다른 환상세계에 대한 영감을 주고 있다.

4장

프란시스 호지슨 버넷

삶을 치유하는 상상력

『소공녀』에 나타난 세라의 성장

1

프란시스 호지슨 버넷(1849~1924)의 『소공녀』• 는 「신데렐라」("Cinderella") 유형으로 쓰인 자전적 소설이다. 이 작품은 부유한 주인공 세라가 가난해져서 학대를 견디다가 그 상황을 탈출하게 되는 시련 극복의 이야기로서 「신데렐라」의 요소들을 가지고 있다. 그러나 주인공 세라 크루(Sara Crewe)는 「신데렐라」 또는 20세기 초에 쓰인 어린이 책의 주인공들과 달리 1차원적이지 않다. 세라의 신분 회복은 수동적인 기다림이나 왕자와의 결혼에 의한 것이 아니라 인내와 타고난 고결함 그리고 무엇보다 상상력에 기인한다. 그녀는 상상력을 바탕으로 스토리텔러가 되고 어머니 역할을 하면서 다락방에서의 역경을 이겨내어 자신의 신분과 재산을 되찾는다.

상상력은 작가 버넷과 그녀를 닮은 주인공 세라를 구하는 힘이 되었다. 부유한 아버지가 사망한 후에 버넷이 겪은 고통스러운 기억은 소설에서 아버지와 사회적 신분을 한꺼번에 잃은 주인공 어린이의 고난을 설득력 있게 그려낼 수 있는 통찰력의 바탕이 되었다(Knoepflmacher xii). 상상력으로 인하여 버넷은 두 번 살아났다. 우선 버넷이 영국에서 살 때, 아버지의 죽음으로 가문이 몰락하자 자신이 속한 사회에서 고립감을 느낄 때, 이것을 벗어날 수 있도록 해주었던 것은 그녀가 문학작품을 읽고 이야기를 만들면서부터이다. 이후 버넷은 10대에 가족과 함께 미국으로 이주하였다. 그곳에서 어머니와

• 이 작품의 인용은 괄호 안에 쪽수만 기입한다.

삼촌들, 오빠들은 모두 실패하였으나 그녀만이 성공하여 몰락한 가문을 점차 일으킬 수 있었다. 다양한 형식으로 발표한 작품들이 잇달아 성공하자 그녀는 정신적·재정적 고통이라는 두 가지 어려움에서 벗어날 수 있었으며 창작이 자신을 구원해준 힘이라는 것을 깨닫는다. 『소공녀』의 세라가 어린 버넷의 "허구의 자매"(Bixler, *Burnet* 89)라고 여겨지듯이, 세라의 책 읽기에 대한 열정과 이야기를 들려주는 능력은 버넷의 성격적 측면들을 반영한다. 버넷이 재정적으로 헐벗고 불안했던 시절에 쓴 소녀 주인공의 판타지는 그녀 자신에게 소중했으며 이것이 『소공녀』라는 소설로 탄생하게 되었다.

빅토리아 시대 후기에 버넷은 「신데렐라」 이야기가 유용하다는 것을 발견하여 그것을 오래도록 스토리텔링에 사용하였다. 당시의 작가들은 동화의 권선징악적 주제를 사용하여 어린이를 가르치기 위한 작품을 쓰거나, 그 밖의 동화의 유형을 사용하여 사회적 관심을 표명하기도 했는데 버넷도 이러한 시대적 영향을 받았다. 그녀는 40여 편 이상의 작품을 남겼으며 세 편의 작품들, 『소공자』(*Little Lord Fauntleroy*, 1886), 『소공녀』, 『비밀의 정원』(*The Secret Garden*, 1911)은 그녀의 대표적인 어린이 환상문학 작품들이다. 이 작품들에서 각각의 주인공, 세드릭(Cedric Errol), 세라, 메리(Mary Lennox)는 재산을 빼앗긴 상속자들로서 인내와 고결함을 바탕으로 역경을 이겨내어 보상받는 신데렐라의 특성을 갖는다. 『소공녀』는 1888년에 출판한 중편소설 「세라 크루, 민친 교장의 학교에서 일어난 일」("Sara Crewe, or What Happened at Miss Minchin's", 이하 「세라 크루」)을 발전시켰다. 버넷의 세라 크루 이야기는 1887년 2월까지 석 달 동안 세 번에 걸쳐 『세인트 니콜라스 잡지』(*St. Nicholas Magazine*)에 연재되었다. 그 이전 1886년에 버넷은 같은 잡지에 장편소설 『소공자』를 성공적으로 연재하였다. 『소공자』가 영국과 미국에서 모두 베스트셀러가 되자, 미국으로 이주해 온 영국 여성 버넷은 두 나라의 독자들을 확보할 수 있었다. 버넷은 이 성공으로 거머쥔 기회를 놓치지 않았다. 버넷은

『소공자』의 기본 구조를 다시 사용하여 빅토리아 시대의 런던을 배경으로 주류에서 밀려난 아웃사이더를 주인공으로 한 「세라 크루」를 탄생시킨다(Knoepflmacher vii). 『소공자』의 사랑스러운 주인공, 미국인 남자아이가 어쩔 수 없이 영국으로 건너가서 숱한 시련을 꿋꿋이 이겨낸다는 줄거리는 「세라 크루」의 주인공 세라가 자신이 나고 자란 인도에서 영국으로 옮긴 후 온갖 고난을 헤쳐 가는 이야기 또한 잉태하고 있었다.

「세라 크루」 이야기는 세라가 가지고 있던 재산, 즉 인도의 다이아몬드 광산을 상실하는 것과 함께 시작되어서 그것을 되찾는 것으로 끝난다. 세라는 이후 18년 동안 버넷의 상상력 속에 살아 있었다. 버넷은 「세라 크루」를 바탕으로 1902년에 연극 〈소공녀〉를 공연하여 뉴욕에서 대단한 성공을 거두었다. 버넷은 출판인의 제안으로 이 연극 대본을 장편소설로 개작하였다. 그녀는 우선 세라의 학교생활 내용을 보충하였으며 연극에서 살리지 못한 사건들을 덧붙였다. 이야기는 세라와 학교의 막내 로티(Lottie), 하녀 베키(Becky)와의 관계뿐만 아니라 민친(Minchin) 교장과 라비니아(Lavinia)의 질투심, 그 외의 질투하는 친구들, 멜기세덱(Melchisedec) 등이 첨가되어 발전한다. 새로운 소설 『소공녀』는 세라의 학교생활과 더불어 그녀와 인도와의 관계를 발전시켜서 출간되었다. 이 소설은 18년이라는 오랜 잉태 기간을 거치면서 내용이 다채롭고 짜임새 또한 탄탄하여 끊임없이 내면을 들여다보게 하는 작품으로써, 현대인에게 큰 사랑을 받는 『비밀의 정원』보다 작품의 완성도가 높다고 평가된다.

『소공녀』에서 주인공 세라의 중심적 위치는 이야기 내내 흔들리지 않는다. 소설은 일곱 살의 세라가 민친 교장의 학교에 도착하여 아버지와 이별하는 것으로 시작된다. 성품과 외양 모두 공주처럼 고귀한 세라는 상상력이 풍부한 아이이다. 이후에 세라는 아버지의 사망으로 무일푼이 되자 헐벗고 굶주리면서 다락방에서 지내게 된다. 어려운 상황에 부닥쳤을 때 세라의 상상력은 큰 힘을 발휘하여 자신의 비참하고 차가운 다락방을 마법의 장소로 바꾸고 심지어 친구들을 만들도록 한다. 구혼과 결혼이라는 신데렐라의 중심 무대는 생략되었지만 세라는 온갖 역경을 이겨내어서 결국 위안과 안전을 보장해주는 대부, 미스터 캐리스퍼드(Mr. Carrisford)의 가정이 주는 따뜻함과 아버지가 남긴 엄청난 부를 상속함으로써 보상받는다. 이에 머무르지 않고 그녀는 카마이클 가(The Carmichaels)의 아이들에게 이야기를 들려주고, 거리의 굶주린 소녀에게 자선을 베풀면서 가정과 계층을 넘어 어머니 역할을 할 것이라는 비전을 갖게 한다. 본 장에서는 『소공녀』를 살펴보기 위하여 이 작품에 영향을 준 후기 빅토리아 시대 동화의 유행과 세라의 상상력이 어떻게 그녀를 능동적으로 성장시키고 보상받도록 하는지를 논의할 것이다.

2

『소공녀』에 신데렐라라는 단어가 직접적으로 나오는 것은 아니지만 신데렐라는 세라의 주요 모델이다. 「신데렐라」동화의 기원은 모호하지만 이 이야기는 거의 모든 시대의 민담 전통에서 다양하게 재화되었으며 수많은 판본으로 존재한다. 이러한 신데렐라 유형을 가진 이야기들은 아르네와 톰슨(Aarne and Thompson)의 『민담의 유형』(*The Types of Folktales*)에서 '신데렐라, AT 510'으로 분류되어 다음과 같은 유형을 갖는다.

학대받는 여주인공: 여주인공이 계모와 이복 자매들에게 학대받고 난롯가 또는 잿더미에서 누더기를 걸쳐서 생활한다.
마법의 도움: 그녀가 집에서 하녀처럼 생활하는 동안 죽은 엄마나 엄마의 묘지에 있는 나무에게 조언을 받고 음식과 다른 것들을 공급받는다.

왕자와의 만남: 그녀가 아름다운 드레스를 입고 왕자와 몇 번 춤을 추는데 왕자는 그녀를 붙잡으려고 하지만 헛수고이다. 또는 교회에서 그녀가 왕자의 눈에 띈다.

정체 확인: 신발 시험을 통해서 그녀의 정체가 드러난다.

왕자와 결혼: 그녀는 왕자와 결혼한다. (Aarne and Thompson 175)

신데렐라 유형의 이야기 연구는 「신데렐라」의 다양한 판본에 대한 기본적인 정보를 주지만 고통스러운 상황에서 여주인공이 어떻게 반응하여 인정받게 되는지에 대하여 알려주는 바가 거의 없다. 오랜 세월 동안 신데렐라의 다양한 판본들에서 신데렐라들은 적극적으로 또는 소극적으로 학대를 이겨낸다. 우리에게 가장 친숙한 신데렐라 이야기는 페로의 「신데렐라」와 이 판본에 근거하는 디즈니의 〈신데렐라〉(*Cinderella*, 1950)이다. 페로의 「신데렐라」는 디즈니의 〈신데렐라〉에 비하여 적극적인 여주인공이 등장하는데, 빅토리아 시대 영국에서 앤드류 랭의 번역본(1888)으로 유포되어 대중들의 사랑을 받았다.•

19세기 중반 영국에서 「신데렐라」는 고급예술에서부터 하층민들의 예술, 어린이와 어른의 소설에 이르기까지 널리 사용되었다. 그 당시 동화의 유행에 대하여 로데릭 맥길리스(Roderick McGillis)와 자이프스의 연구를 살펴보면, 동화는 작가의 사회적인 관심을 표명하기 위한 도구로 사용되거나 교훈적인 이야기에 재미를 더하기 위한 아동문학으로 사용되었다. 맥길리스에 의하면 빅토리아 시대 후반에 동화는 결코 양도할 수 없는 아동문학의 중요한 위치를 확보하였고 로렌스 하우스만(Laurence Housman), 와일드, 메리 드 모르간(Mary DeMorgan), 몰워스, 에블린 샤프(Evelyn Sharp), 네스빗, 랭과 같

• 본서에서 신데렐라 이야기를 언급할 때 페로의 「신데렐라」 판본에 근거한다.

은 작가들이 어린이를 위하여 동화를 출판했는데 버넷도 이러한 영향을 받았다(14). 이 작가들의 공통점은 동화와 사실적인 이야기를 혼합한 것이다. 이처럼 동화에 근거한 이야기를 창작하는 현상은 일찍이 디킨스의 『리틀 도리트』(*Little Dorrit*, 1857~1858), 맥도널드의 『북풍의 등 뒤에서』, 네스빗의 『다섯 아이들과 그것』, 허버트 조지 웰스(Herert George Wells)의 『바닷가의 숙녀』(*The Sea Lady*, 1902)와 같은 작품들에서 보인다. 이러한 작품에서 동화의 판타지는 일상의 리얼리티를 변화시키는 마법이 된다. 『소공녀』도 이러한 경향을 보이는데, 세라의 상상력은 그녀가 처한 사실적인 배경과 행동을 바꾸는 힘이 된다.

이와 더불어 빅토리아 시대 후반에 쓰인 동화들은 사회적이고 유토피아적인 주제, 예를 들면 자선으로 가득하다. 『소공녀』 역시 자선에 관한 논의와 함께 여성의 역할을 사회로 확장하는 것에 대한 관심을 동화형식에 담았다(McGillis 16). 빅토리아 시대에 오래도록 이상적인 여성은 가정의 '천사'였다. 그들은 잠자는 미녀, 백설 공주, 신데렐라처럼 수동적이거나 창백하고 심지어 병약하지만 가정적이다. 『소공녀』의 주인공 세라 역시 신데렐라 인물이지만 그녀는 19세기 이상인 가정의 천사를 넘어서서 유순하거나 순종적이지 않다. 세라의 돌보는 역할은 소설 내내 자기 자신과 가정은 물론 학교와 사회로 확대되어 길거리의 굶주린 아이들을 위한 자선 행위까지 이어진다.

영국에서 동화가 유행한 것은 유럽대륙보다 상대적으로 늦었으며, 교훈적인 아동문학이 이미 확립된 19세기 중반에 시작되었다(Zipes xiii). 영국인들은 「신데렐라」를 각색하여 교훈적인 이야기에 재미를 더하였음이 분명하다. 이 시대에 출판된 다양한 신데렐라 이야기에서 여주인공은 헌신, 충실한 복종, 조용한 아름다움이라는 빅토리아 시대 여성의 미덕을 가졌기 때문에 보상받는다.

유럽대륙에서 유입된 신데렐라 변이형들이 후기 빅토리아 시대에 유행하였는데, 이러한 이야기에는 강인하거나 수동적인 여주인공들이 나온다. 강인한 여주인공이 나오는 판본에서 신데렐라들은 자신의 권리와 잃어버린 재산을 회복하기 위하여 싸우거나 적어도 능동적으로 행동한다. 그러나 이 시대에 나온 새로운 판본들에서 무력한 신데렐라 역시 존재한다. 예를 들어 어린이 잡지 『세인트 니콜라스 잡지』에 나오는 「신데렐라」에서 "슬픔에 잠겨 엎드려있는 금발의 소녀가 . . . 눈을 아래로 내리뜨고 팔을 늘어뜨린" (Yolen 299) 신데렐라 인물이 등장한다. 이러한 수동적인 여주인공은 디즈니 애니메이션의 주인공, 신데렐라의 전조가 되었다. 오늘날 우리에게 친숙한 신데렐라의 수동성은 주로 디즈니 판본에 기인한다. 카렌 로우(Karen Rowe)는 「페미니즘과 동화」("Feminism and Fairy Tales")에서 수동적인 여주인공은 "자신의 노력으로 신분과 재산을 얻는 것이 아니라 남성의 영역에 수동적으로 동화"(246)되어서 이러한 것들을 얻는다고 한다. 빅토리아 시대의 작가들은 수동적인 여성성을 강조하기 위하여 수동적인 신데렐라 모델을 선호하기도 했다.

빅토리아 시대 후기에 동화는 여성의 미덕을 가르치거나 작가의 사회적인 관심을 표명하기 위하여 사용되었다. 버넷은 신데렐라 이야기에 줄곧 관심을 가졌으며, 이러한 관심이 『소공녀』의 플롯에 영향을 주었다. 『소공녀』는 주인공 세라, 학대하는 계모 인물인 민친 교장, 왕자 역할의 미스터 캐리스퍼드가 나오는 신데렐라 유형의 이야기이다. 이와 동시에 『소공녀』는 세라가 자신의 상상력을 바탕으로 현실을 변화시키는, 즉 다락방의 혹독한 현실에서 자신의 쇠약해지는 육체와 정신을 굳게 지켜나가서 쾌활한 아이로 성장하고 심지어 보상받는 작가 자신의 소원성취 이야기를 포함한다.

3

『소공녀』에서 세라는 수동적인 신데렐라들과 달리 성장하는 여주인공의 역할을 한다. 그녀는 다락방에서 지내는 고통스러운 시간에도 자신을 공주라고 생각하는 상상력의 힘으로 인하여 역경을 이겨낸다. 결국 세라는 왕자와 결혼하지 않고도 자신의 운명을 구하고 아버지 소유의 다이아몬드 광산의 풍부함과 대부, 미스터 캐리스퍼드의 가정이 주는 따뜻함으로 보상받는다. 그렇다면 세라의 상상력이 어떻게 그녀 자신을 양육하여 보상받게 하는지를 살펴보기로 한다.

세라가 아버지와 재산을 잃고 곤궁에 처하는 것은 신데렐라와 닮았으나 곤궁에 대한 그녀의 반응은 수동적인 신데렐라와 매우 다르다. 이야기 전체에서 정지해 있는 신데렐라와 달리 세라는 상상력에 바탕을 둔 스토리텔링을 통해 성장한다. 『소공녀』의 첫 장에서 버넷은 세라의 상상력이 가져다준 혜택을 강조한다. 일곱 살의 세라는 처음에 "독특하고 사려 깊은 큰 눈"을 가진 "특이하게 생긴 여자아이"(5)로 묘사된다. 이 이상야릇한 아이에게는 버넷의 작품에 나오는 주인공들과 다른 상상력, 즉 스토리텔링 능력이 있다(Knoepflmacher xiii). 이외에도 버넷의 작품에는 어린이 주인공들, 예컨대 폰틀로이 공자로 더 유명한 영국계 미국인 소년 세드릭이나 인도에서 태어난 영국 소녀 메리처럼 상처 입은 다른 이들의 마음을 치유하는 아이들이 있다. 세드릭은 성격이 괴팍하고 성마른 할아버지를 치유하는 반면, '심술궂은' 메리는 자기 자신은 물론 병약한 콜린 크레이븐(Colin Craven)과 자기 연민에 빠진 그의 아버지, 아치볼드 크레이븐(Archilbald Craven)의 치유를 돕는다. 또한, 세라는 캐리스포드가 신경쇠약을 이겨내어 바람직한 아버지 인물로 거듭나는 것을 돕는다.

세라는 책을 좋아해서 조숙하다. 세라의 아버지 크루 대위는 민친 교장

(Miss Minchin)에게 "그녀[메리]는 항상 새로운 책을 먹어 치우고 싶어 하고, 어른용 책을 읽고 싶어서 안달합니다"(9)라고 한다. 세라는 이야기를 읽는 데 만족하지 않고, 늘 아름다운 이야기를 지어내어 아버지에게 들려주곤 했다. 또한, 세라의 가장 큰 힘은 바로 이야기를 지어내는 능력과 어떤 이야기든지 재미있게 들려주는 능력이다. 그러므로 세라의 아버지가 그녀를 기숙학교에 맡겨두고 인도로 돌아갔을 때 민친 교장의 동생 아멜리아 선생(Miss Amelia)은 "그녀[세라]가 문을 잠그고 소란도 안 피우고 혼자 조용히 있어"(13)라고 하면서 그녀의 아이답지 않은 행동에 놀란다. 세라는 자신의 침착함의 비결이 상상력, 즉 상상하고 그것을 다른 이들과 공유하는 능력이라고 한다. 세라는 자신이 이야기를 끊임없이 지어내고 상상하는 것에 대해 "너한테 이야기하다 보면 견디기가 더 쉬울 거야"(26)라고 자신의 인형 에밀리(Emily)에게 말한다.

세라가 가진 스토리텔링 능력은 그녀 자신과 고아 학생들을 양육하는 역할, 즉 그들에게 부재하는 어머니 역할을 한다. 우선, 세라는 로티의 어머니가 되어준다. 로티는 네 살배기 고아인데, "로티의 젊은 아버지는 어린 로티를 어떻게 해야 할지 몰라서 무책임하게도 학교에 그냥 보내버렸다"(30). 세라는 물질적인 안락함을 잃기 이전에 고학년인 라비니아가 로티를 괴롭힐 때 로티의 편이 되어준다. 어느 날 프랑스 혁명에 관한 책을 읽던 세라는 라비니아가 로티에게 "버릇없고 못된 것, 저런 애는 맞아야 해!"(47)라고 말하는 것을 듣는다. 세라는 의자에서 일어나서 "나는 당신을 때려주고 싶어요. 하지만 그러진 않을 거예요, 그래야 마땅하지만"(47)이라고 말한다. 내레이터는 세라가 "천사가 아니었다"(47)라고 하듯이, 그녀는 빅토리아 시대의 일반적인 가정의 천사가 아니다. 세라는 엄마가 없다고 통곡하는 로티에게 모든 것을 이해한다는 눈빛을 하고 "나도 없어"(32)라고 하여 다른 아이의 불행을 자신과 동일시한다. 세라는 로티에게 이야기를 들려주고 그녀를 돌보아주겠다고 약속한다. 이처럼 세라가 이야기를 들려주면서 돌보는 것은 어머니 인물이 되는 것인데 로티 역시 그녀를 '세라 엄마'라고 부른다.

소설의 첫 부분에서 세라의 상상력은 남들이 볼 수 없는 것을 인식하게 한다. 민친 교장은 처음으로 세라와 그녀의 아버지를 만날 때 세라를 칭찬한다. 이에 대하여 세라는 "왜 나더러 예쁘다고 하는 걸까? . . . 난 전혀 예쁘지 않은데 . . . 이 선생님은 처음부터 거짓말을 하는구나"(8, 9)라고 생각한다. 민친 교장에게 베키는 부엌방 하녀였는데, 그녀에게 부엌방 하녀는 "석탄 통을 나르고 불을 피우는 기계였다"(54). 그러나 세라는 베키를 "잠자는 공주"(39)라고 한다. 제5장에서 세라는 자기 방에 들어와서 장밋빛 무용복을 입고 칠흑같이 까만 머리에 장미 꽃봉오리로 엮은 화관을 쓴 화려한 차림새로 지쳐 잠들어 버린 부엌데기 아이, 베키를 발견한다. 이 엄마 없는 여자아이는 지금까지 민친 기숙학교에서 무시당하는 어린 학생들을 따뜻이 품어온 만큼, 하층민 출신의 고아 한 명쯤은 얼마든지 더 거둘 수 있다. 세라는 베키에게 "우린 똑같으니까. 내가 너 같은 처지가 아니고, 네가 나 같은 처지가 아닌 건 그저 우연한 사건일 뿐이야"(41)라고 한다. 세라가 베키에게 하는 말은 모든 소녀는 여주인공이 될 수 있다는 믿음의 표현이며, 이러한 그녀의 상상력은 민친 교장이 인식할 수 없는 것들을 알게 해준다(Keyser 234). 그러나 세라는 머지않아 화려한 장밋빛 드레스를 벗어야만 하는 비참한 처지로 전락하게 된다. 모질게 학대받는 처지가 될 세라는, 베키보다 훨씬 더 위태로워진 자신의 정체성을 지키기 위하여 저항의 상상력을 동원할 수밖에 없다(Knoepflmacher xi). 세라는 다른 사람을 위해 사용했던 상상력을 앞으로 겪게 될 궁핍과 시련에서 자신을 지키는 방어 수단으로 사용하게 된다.

버넷이 상상력과 스토리텔링에 대하여 강한 논의를 펴는 것은 세라가 민친 기숙학교에 처음 도착하였을 때와 그녀가 다락방으로 추방당하였을 때이다. 세라는 민친 기숙학교에 도착하자 자제심을 잃지 않기 위하여 자신의 상상력에 의존한다. 세라는 아버지에게 민친 기숙학교의 외양이 싫다고 하면서 자신을 병사라고 상상한다. "아무리 용감한 병사라도 전쟁에 나가기 싫겠죠"(8)라고 그녀는 말한다. 이러한 언급이 의미하는 것은 세라는 병사이고, 그녀가 민친 기숙학교에서 보내게 될 시간은 사실상 지혜와 의지의 싸움이듯이 전쟁이 될 것을 암시한다(McGillis 40).

민친 교장은 세라의 아버지가 아무런 재산을 남기지 않고 사망했다는 소식을 들었을 때 그녀를 다락방으로 추방한다. 세라는 차가운 다락방에서 미친 소녀가 되지 않기 위하여 하녀로 전락한 자신의 처지를 꿋꿋이 이겨나간다. 그녀는 마음이 몹시 울적하던 어느 날 "나는 곧 죽을 거야"(96)라고 한탄하다가도 이내 정신을 차리고 그런 음울한 기분을 떨쳐버린다. 놀랍도록 조숙한 세라는 아버지 랄프 크루(Ralph Crewe)도, 아버지와 크리켓을 함께 했던 이튼 학교의 동창 톰 캐리스퍼드(Tom Carrisford)도 가지지 못한 정신력을 가지고 있다. 세라는 자신의 높다란 둥지에 앉아 그런 척 믿는 상상력을 가지고 저속하고 타락한 현실을 바꾸어 나간다. 그러므로 세라의 다락방은 저 아래 추악한 세상에서 벗어난 피난처가 된다. 한마디로 세라는 상상력 덕분에 생존하여 보상받게 될 것이다.

다락방을 방문한 로티는 처음에 "다락방이 휑뎅그렁하고 초라한데다 세상에서 멀리 떨어진 곳과 같아서 덜컥 겁이 났다"(81). 그러나 세라는 "굴뚝들 사이에 있는 다락방 창문에서 내다보면 저 아래 세상에서 일어나는 일이 현실이 아닌 것처럼 느껴진다"(82)라고 하면서 로티와 자신을 위로한다. 세라가 로티에게 경치를 볼 수 있도록 안아주자 로티는 넋을 잃고 바라본다. 로티는 흥분해서 "이 다락방이 맘에 들어요. 정말 좋아요! 아래층보다 훨씬 좋아요!"(82)라고 외친다. 어먼가드 역시 다락방에 매료된다. 특히 세라가 자신을 바스티유 감옥의 죄수이고 베키를 "옆방에 갇힌 죄수"(79)라고 상상한다고 하자 어먼가드는 다락방을 마음에 들어 한다. 이 시점에서 어먼가드가 기뻐서 "아, 세라! 꼭 한 편의 이야기 같아!"라고 외치자, 세라는 "이야기야. 모두 이야기야. 너도 이야기고, 나도 이야기고. 민친 교장도 이야기고"(89)라고 한다. 세라가 다시 앉아서 이야기를 들려주자 어먼가드는 "자기가 도망쳐 나온 죄수나 다름없다는 사실도 잊어버리고 이야기에 빠져들었다"(89)라고 묘사되듯이, '이야기'라는 단어가 소설 전체에서 공명한다.

신데렐라는 왕자와 결혼을 해야만 공주가 될 수 있으나 세라는 소설 내내 공주이다. 이야기가 전개되면서 그녀의 본성이 고귀하다는 것을 암시하는 대목들이 나올 뿐만 아니라, 소설의 시작 부분에서 그녀의 외양은 공주로 묘사된다. 상점의 점원들은 "진지해 보이는 커다란 눈을 가진 이 이상한 아이[세라]가 틀림없이 어느 나라의 공주일 것이라고 소곤거렸다"(10). 그러나 민친 교장은 돈에 사로잡혀 있는 "사업가"(61)이기 때문에 세라의 귀한 본성을 인식하지 못한다(Bixler, "Gardens" 216). 세라가 아버지의 죽음과 사업 실패로 인하여 하루아침에 다락방 하녀로 전락하고 말았을 때, 즉 모든 것을 잃고 신분의 강등을 겪으면서 헐벗고 배고픈 시간을 보내야 할 때도 그녀가 당당하게 행동할 수 있었던 비결은 자신을 공주라고 상상하기 때문이다. 민친 교장의 온갖 구박, 버겁고 고된 일들, 한 번도 겪어보지 못한 배고픔과 추위를 겪으면서 지내야 할 때도 세라는 비록 누더기를 걸치고 있고 백성 한 명 없는 다락방 나라의 공주이지만 언제나 당당하게 이러한 상황에 맞서서 역경을 이겨 나간다.

세라는 민친 기숙학교의 특별 기숙생이었을 때부터 공주 이야기를 좋아하였다. 그녀는 특히 자신이 공주가 되는 이야기를 좋아하여, "난 가끔 내가 공주라고 생각하고 행동해요. 공주라고 생각하니까, 공주처럼 행동하려고 애써요"(48)라고 말하듯이, 다락방의 하녀가 된 지금도 자신을 공주라고 상상한다. 세라는 자신이 기거하는 다락방을 바스티유 감옥이라고 상상하면서 프랑스 혁명 이야기와 더불어 마리 앙투아네트(Marie Antoinette)를 떠올린다. 그녀는 마리 앙투아네트를 자신의 역할모델로 선택하여 그녀처럼 행동하려고 한다. 다락방의 세라에게 마리 앙투아네트는 고결하고 단호한 여성이면서 불굴의 용기를 주는 모델이다. 물론 세라의 역할모델인 앙투아네트가 19세기 역사와 그녀의 전기에 나오는 모습은 아니지만 세라는 "마리 앙투아네트가 왕비 자리를 빼앗기고 감옥에 갇혀 있었을 때 머리는 하얗게 센 채 검은 옷만 입었고 . . . 호화로운 궁전에서 화려하게 살 때보다 감옥에 있을 때가 더 왕비다웠어"(106)라고 설명한다. 이 부분에서 세라는 자신의 추방당한 상태와 여왕의 상태에서 유사점을 끌어내어 고귀하게 행동하려는 의지를 보인다.

세라는 민친 교장을 만날 때 자신을 추방당한 공주로 형상화한다. "당신은 내가 공주인 줄도 모르고 그런 말을 하는 거예요. . . . 난 공주이고, 당신은 어리석고 무자비하고 천박하고 한심한 늙은이인데다 사리 분별을 못하는 사람이니까 용서해주는 것뿐이에요"(106). 세라는 "공주라면 반드시 예의 바르게 행동해야 해"(106)라고 생각하면서 그처럼 행동할 뿐만 아니라 자기 생각을 당당히 말하기도 한다. 그녀는 민친 교장이 "친절하지" 않으며 그녀의 학교는 "집이 아니다"(68)라고 한다. 세라는 민친 교장에게 뺨을 맞았을 때도 자기 생각을 분명하게 말해서 그녀를 놀라게 한다. 세라의 당당한 모습 때문에 상상력도 없고 편협한 민친 교장마저도 "그녀가 믿는 구석이 있으니까 저렇게 대담하게 나오는 것이 아닐까 생각할 정도였다"(108). 다락방에서 연회를 하는 동안 민친 교장이 허락 없이 들어오자 세라는 전혀 건방지지 않게 자기 생각을 다시 말한다. 세라는 "제가 오늘밤 어디에 있었는지 아빠가 알면 뭐라고 하실까 생각하고 있었어요"(146)라고 한다. 이러한 상황에서 "세라는 여전히 당당하다, 마치 진짜 공주인 양"(159)이라고 민친 교장은 인정한다. 이처럼 세라가 민친 교장의 잔혹함에 당당할 수 있는 것은 그녀가 자신을 마리 앙투아네트와 동일시하면서 공주로서 고귀하게 행동하기 때문이다. 세라가 자신을 프랑스 혁명의 순교자와 동일시함으로써 그녀의 다락방은 바스티유 감옥이 되고 그녀 자신은 마리 앙투아네트가 되며, 그녀가 잠자는 공주라고 상상했던 베키는 동료 죄수가 된다. 멜기세덱조차도 "바스티유 감옥의 쥐인데 나랑 친구가 되려고 왔어"(88)라고 세라는 말한다. 베키가 세라를 언제나 공주라고 하듯이, 세라가 다락방에 기거할 때조차도 자신을 공주라고 여기도록 하는 상상력은 그녀 자신을 절망하지 않도록 할 뿐만 아니라 당당하게 행동하도록 한다.

세라가 일반적인 공주와 다른 점은 일을 해야만 하는 것이다. 소설에서 세라는 민친 기숙학교에서 온갖 심부름을 할 뿐만 아니라 어린 학생들에게 프랑스어를 가르치는 교사 역할을 한다. 세라는 아버지의 사망 소식을 듣게 되자 자립하기 위하여 일할 수 있는지를 전혀 공주답지 않게 질문한다. 물론 그녀의 일은 힘들고 불쾌한 것으로 묘사된다. 그녀는 민친 교장과 요리사에게 시달리고 먹을 것이 부족하여 배가 고픈 날도 많다. 그러나 그녀가 일하면서 보낸 힘든 시간은 소설의 마지막 부분에서 그녀의 새로운 가족인 카마이클 가의 아이들에게 들려주는 값진 이야기의 소재가 된다.

세라는 특권을 가진 특별 기숙생이었지만 이제는 누더기를 입었으며 그녀가 다른 사람들에게 비치는 모습은 그녀와 카마이클 가족과의 관계에서 대조된다. "세라는 그[대가족의] 아이들이 너무 귀여워서 책에 나오는 이름을 붙여주었다. 모두 낭만적인 이름이었다"(91). 그러나 "대가족의 아이들은 가난한 아이들의 이야기를 많이 듣고 있었다. . . . 이야기에서 친절한 사람들은 항상 . . . 그 가엾은 아이들에게 돈이나 값비싼 선물을 주었다"(92). 그날 대가족의 아이, 가이 클라렌스(Guy Clarence)는 "허름한 옷을 입고 낡은 모자를 쓴 세라가 장바구니를 든 채 비에 젖은 보도에서 굶주린 표정"(92)을 하고 지나가는 것을 보고 거지 아이라고 생각하여 6펜스 은화를 주었다. "그녀[세라]는 자기 모습이 이상하고 남루한 줄은 알았지만, 거지로 오해할 정도인 줄은 그날 처음 알았다"(93). 그래서 세라는 얼굴이 뜨거워졌지만 그 가족을 좋아하였기 때문에 이 은화를 써버리지 않고 구멍을 뚫어서 목에 걸고 다녔다. 또한, 그녀는 자신보다 더 불쌍하고 굶주린 거지 아이 앤(Anne)을 만났을 때 그녀에게 빵을 건네는 미덕을 가지고 있다. 이처럼 굶주리는 아이들이 있는 풍경은 이 도시 뒤의 리얼리티를 독자들에게 알려준다.

세라는 어린 학생들의 교사 역할을 하기도 한다. 대부분의 학교 이야기처럼 『소공녀』 역시 교육학이나 학교생활에 대한 언급이 많지 않다. 학생들은 교실에서 많은 시간을 보내지 않으며 민친 교장은 학생들을 거의 가르치지 않는다. 또한 민친 교장이 선호하는 교육 방법은 암기인데, 이것은 19세기 후반에 이미 시대에 뒤떨어진 교수법이다. 즉, 민친 기숙학교는 여주인공의 발달을 위한 구식의 사실적인 상황들, 예를 들어 공상보다 사실, 이야기보다 암기의 승리를 선호하는 것을 시사한다. 이 학교의 교육보다 세라가 우월하다는 것은 제15장 「마법」에서 세라가 하는 다락방의 '수업'에 나타난다. 이 장에서 교사로서 세라의 능력을 증명할 여지는 분명하며 그녀가 선호하는 교수법은 대화법이다.

예를 들어 그녀는 칼라일이 쓴 『프랑스 혁명』(*The French Revolution*)을 읽은 후 이해하기 쉽게 들려주어서 "네[어먼가드]가 책 내용을 기억"(133)하도록 도와주겠다고 한다. 세라는 어먼가드가 프랑스어를 공부하는 것 역시 도왔는데, 이에 대하여 어먼가드는 "지난번에 여기 와서 너한테 동사 변화를 배운 뒤로 훨씬 나아졌어"(133)라고 한다. 로티 역시 "덧셈을 잘한다. . . . 로티도 몰래 와서 나한테 배우거든"(133)이라고 세라가 말한다. 세라는 교육적 감옥, 상상의 바스티유 감옥인 민친 기숙학교에서 이야기를 사용하여 가르치면서 이곳의 아이들을 변화시키고 있다.

세라의 교사 역할에서 더욱 중요한 것은 그녀 역시 가르치면서 배운다는 것이다. 엘리자베스 카이저(Elizabeth Keyser)는 "세라가 자신의 불행을 보여주어서 이기적이고 무감각한 어먼가드를 다른 사람과 공감하고 생각할 줄 아는 사람으로 바꾼 것과 비교할 때 람다스가 세라의 다락방을 변화시킨 것은 더 이상 마법이 아니다"(239-40)라고 한다. 「마법」의 장에서 세라는 어먼가드와 자신의 내면적인 삶의 어떤 부분을 공유하면서 그처럼 무딘 아이의 상상력에 불을 붙이기 시작한다. 세라는 자신의 배고픔을 과감하게 숨기고 어먼가드에게 "자기가 베풀 수 있는 것 하나, 세라의 기쁨이자 위안인 상상을 아낌없이 베풀었다"(138).

그러나 민친 교장이 베키에게 도둑질을 했다고 야단치면서 그녀의 뺨을 때리는 소리를 듣자, 세라는 갑자기 슬퍼서 울음을 터뜨린다. "어먼가드는 세라가 울자 겁이 덜컥 났다. 세라가 울다니! 늘 꿋꿋하던 세라가! 그러고 보니 지금까지 어먼가드는 생각도 못 했던 무언가가 있는 것 같았다. 혹시! 혹시!"(138). 어먼가드는 세라가 배가 고플 것이라고 처음으로 '상상을 하면서' 집에서 보낸 이제 막 받은 음식 바구니를 가지러 뛰어간다. 세라는 좋은 음식 생각에 기분이 좋아지면서 트렁크에서 꺼낸 몇 가지 물건과 상상력을 사용하여 다락방을 연회장으로 바꾸어놓는다. "이 다락방에서 . . . 마치 마법과도 같이 기쁜 일이 일어난 것이다"(140). 그러나 어먼가드만이 이러한 공감적 동일시의 힘을 배운 것이 아니라 세라 역시 배우면서 발전하고 있다는 것이 중요하다(Keyser 27).

다락방에서 세라의 일은 심부름을 하고 가르치는 일이지만 그녀의 진정한 일은 어머니 역할, 즉 돌보는 역할이다. 데보라 드럴리(Deborah Druley)는 버넷의 세 권의 어린이 소설, 『소공자』, 『소공녀』, 『비밀의 정원』에 나타난 어머니 역할 연구에서 작가가 빅토리아 시대의 관념에 도전한다고 한다(52). 이 소설들은 얼핏 보면 감상적인 성역할을 증명하는 것으로 보이지만,

버넷의 모성에 관한 생각이 전통적인 여성의 역할에서부터 더욱 성 중립적인 역할에 이르기까지 확장된다. 즉 버넷은 모성이 위대한 가치 가운데 하나이며, 세대와 성을 불문하여 모든 사람이 중요하게 여기고 가담해야만 하는 역할이라는 점을 보여준다.

세라가 고아이기 때문에 어머니 역할에 대하여 많이 안다고 기대할 수는 없지만, 이것은 그녀의 타고난 기술이고 능력이다(Gruner 176). 데보라 역시 "스토리텔링을 하면서 돌보는 세라의 기술은 그녀에게 자연스럽게 생긴 것이며 빅토리아인들이 소녀들에게조차 적절한 역할이라고 생각한 것"(54)이다. 즉, 세라의 어머니 역할은 빅토리아 시대 소녀들의 타고난 자질이다. 세라는 민친 기숙학교의 학생들을 돌보기 이전에 자신의 아버지를 돌본다. 홀아비가 된 세라의 아버지가 그녀를 "작은 마님"(115)이라고 하듯이 둘의 관계가 너무나 가까워서 부적절해 보일 수 있으나, 세라는 자신이 속한 문화가 여성에게 기대하는 양육하고 돌보는 역할을 하는 것이다. 세라가 아버지를 돌보는 것처럼 그녀의 돌보는 역할은 학교의 소녀들에게까지 확장된다. 세라의 스토리텔링과 이를 바탕으로 하는 돌보는 역할은 자신과 어머니가 없는 친구들을 가르치고 돌보는 양육하는 힘이 된다.

세라의 어머니 역할이 중요한 이유는 민친 교장과 그녀의 기숙학교가 "현대 도시의 황무지에 세워진 문명화된 거주 공간"(McGillis 13)으로서 양육의 역할을 다하지 못하기 때문이다. 민친 교장(Miss Michin)은 사악한 계모 인물로서 돈에 사로잡혀 있고, 결혼을 하지 않아서 미스(Miss)이며, 학생들에게 결코 어머니 역할을 하지 않는다. 조금은 더 친절한 아멜리아 선생조차도 어머니다워 보이지 않는데, 이러한 묘사에서 버넷이 강조하는 것은 민친 기숙학교에 애정 어린 양육이 부족하다는 것이다. 버넷은 『소공녀』의 여성 교육기관을 『비밀의 정원』의 양육하는 여성 공동체와 정반대로 묘사한다. 『비밀의 정원』의 소어비 부인(Mrs. Sowerby)은 메리와 콜린이 성장하는

데 필요한 음식을 주고 그들이 착한 일을 하는 것을 칭찬하는 한편, 『소공녀』의 민친 교장은 세라를 굶주리게 하고 칭찬하지 않으며 혹사할 뿐이다. 그러나 세라는 메리처럼 어머니가 되는 법을 안다. 세라는 로티의 어머니, 베키의 친구, 어먼가드의 과외선생 역할을 하고, 이후에 런던 거리의 거지 아이 앤의 후원자가 되어준다. 세라의 어머니 역할은 역경에 처한 자신은 물론 다른 이들을 돌보고 양육하며, 그녀가 결국 왕자 인물인 미스터 캐리스퍼드를 만나서 위안과 안전을 보장받고 아버지가 남긴 막대한 유산을 되찾도록 한다.

상상력과 스토리텔링을 바탕으로 하는 세라의 어머니 역할은 그녀가 민친 교장의 눈 밖에 났을 때조차도 친구들의 사랑을 받도록 하고, 민친 기숙학교에서 그녀의 "길고 힘든 행군"(135)이 결국 보상받도록 한다. 카마이클 가족은 "'거지가 아닌 여자아이'와 친해지면서 꿈에도 생각하지 못했던 즐거움을 얻었다"(182)라고 하는데 그들은 "값을 매길 수 없는 큰 재산"이 된 세라의 이야기, 즉 그녀가 고생하면서 겪은 일들을 듣는 즐거움을 얻었다. 세라는 자신의 이야기를 카마이클 가족과 미스터 캐리스퍼드에게 거듭하여 들려주면서 사랑하는 사람들에게 둘러싸인다. 또한, 세라는 여기에 머무르지 않고 자신이 속한 계층의 어린이와 어른들이 가진 애정을 다른 계층의 사람들에게도 나누어준다. 소설은 세라가 굶주린 아이들에게 빵을 주겠다고 하면서 거지 소녀 앤과 서로를 이해하는 순간을 공유함으로써 마무리된다. 이러한 결말로부터 세라의 돌보는 역할은 가정과 계층을 넘어서 사회까지 확장될 것이라는 비전을 갖게 한다.

4

주인공 세라가 중산층의 안락함 속에서 삶을 시작하지만, 지극히 가난한 상태로 떨어졌다가 이전의 부와 행복을 회복하는 이야기인 『소공녀』는 플롯의 수준에서 「신데렐라」와 유사한 이야기이다. 그러나 이 소설의 힘은 세라가 수동적인 신데렐라들과 달리 성장하는 주인공이라는 점이다. 작가 버넷과 허구의 자매인 주인공 세라는 상상력과 스토리텔링 능력을 사용하여 자신의 운명을 개척할 뿐만 아니라 다른 사람들의 삶을 풍부하게 하는 힘을 가진 여성 인물이기 때문이다.

『소공녀』에서 세라의 상상력은 현실을 바꾸는 힘으로 작용한다. 상상력을 바탕으로 하는 그녀의 스토리텔링은 교육적인 동시에 양육하는 역할, 즉 어머니 역할을 하도록 한다. 세라의 상상력은 그녀 자신에게 두려움에 대하여 말하고 대처하는 법을 알려주며, 역경에 처해서도 남달리 강인한 심리 상태를 갖도록 하고, 사람들과 공감하도록 한다. 그녀의 스토리텔링은 민친 기숙학교의 학생들을 가르치고 어머니 없는 아이들을 애정으로 양육한다. 소설에서 세라가 다가가는 인물들은 하찮은 존재인 학교 소녀 로티와 어먼가드, 하녀 베키, 거리의 거지 앤이다. 세라는 계층 안에서 그리고 계층을 초월하여 소녀들의 친구가 되어줄 뿐만 아니라 돌보는 역할을 한다.

세라는 구혼과 결혼의 단계 없이 대부, 미스터 캐리스퍼드 가정의 안락함과 아버지의 막대한 유산으로 보상받는다. 그녀가 받은 보상은 그녀 스스로 많은 부분을 구한 후에 온 것이며, 그녀가 미스터 캐리스퍼드의 집으로 옮긴 후에도 계속하여 이야기를 들려준다는 사실은 스토리텔러로서 그녀의 미래를 예상하게 한다. 또한, 굶주린 아이들에게 빵을 제공하려는 그녀의 바람은 다른 사람에 대한 공감, 즉 그녀의 돌보는 역할이 줄지 않고 확장될 것을 암시한다. 세라의 어머니 역할이 아버지와 자신을 돌보는 것에서부터, 민친 기숙학교의 어머니 없는 학생들, 굶주린 아이들과 거지 아이 앤에게 확대되는 것은, 그녀의 양육하는 역할이 가정을 넘어 사회·경제적 영역이 다른 여성 공동체로 확산될 것을 암시한다.

여주인공이 성장하여 보상받는 소원성취 동화는 누구보다도 작가 버넷에게 필요했을 것이고 오랜 잉태 기간을 거친 이야기는 『소공녀』로 탄생하였다. 세라에게서 찾을 수 있는 신데렐라의 모습은 역동적으로 적응하고 성장하는 상상력이 풍부한 여주인공이다. 그러므로 『소공녀』의 세라는 세대를 뛰어넘어 독자들의 상상력을 자극하고 그들을 양육할 것이라는 기대를 갖게 한다.

『비밀의 정원』에 나타난 메리의 탐색

1

버넷의 『비밀의 정원』(*The Secret Garden*, 1911)• 은 「잠자는 숲속의 미녀」("Sleeping Beauty")의 동화유형으로 쓰인 메리의 탐색 이야기이다. 『비밀의 정원』은 열 살 된 메리의 성장을 따르면서 가부장적 사회에서 여성의 역할을 발견하고 발전시키기 위하여 여성의 긍정적인 에너지를 사용하는, 그리고 여성성에 내재하는 생명력에 의존하는 이야기이다. 메리는 인도에서 살고 있었으나 콜레라 전염병으로 인하여 부모가 사망한 후 고모부이자 보호자인 아치볼드가 있는 영국 요크셔의 미셀스웨이트 저택(Misselthwaite Manor)으로 옮겨간다. 황량한 요크셔의 저택에서 아치볼드는 10년 전 자신의 아내 릴리아스 크레이븐(Lilias Craven)의 이른 죽음을 슬퍼하면서 아들 콜린을 어두운 잠에 빠지게 하였고, 자신은 외국을 떠돌고 있다. 하인들과 함께 남겨진 메리는 정원과 저택을 하나씩 탐색한다. 처음에 그녀는 죽은 릴리아스를 추억하며 잠겨있는 정원을 발견한 후, 저택의 중심에 아파서 누워있는 사촌 콜린 또한 발견한다. 메리는 퇴락 직전의 정원을 꽃으로 가득한 천국으로 부활시키고, 대지의 에너지를 저택에 누워있는 콜린에게 가져가서 그와 아치볼드를 회복시킨다. 이처럼 『비밀의 정원』은 메리가 촉매가 되어서 미셀스웨이트 저택에 마법이 일어나도록 하는 이야기이다.

• 이 작품으로부터의 인용은 괄호 안에 쪽수만 기입한다. 작품에서 하층민들이 구사하는 요크셔 방언을 우리말 방언으로 옮겼음을 밝혀둔다.

『비밀의 정원』은 메리의 탐색 이야기이자 동화로서 여성적이고 전복적이며 다양한 해석에 열려있는 텍스트이다(Parsons 254). 셜리 포스터와 주디 사이먼즈(Shirley Foster and Judy Simons), 아드리안 건서(Adrian Gunther), 카이저, 린다 파슨즈(Linda T. Parsons) 등은 이 작품을 동화로 해석하였다. 이러한 논의의 공통점은 동화는 여성이 들려준 스토리텔링으로서 주로 여성의 영역이라는 점이다. 스토리텔링은 사회적으로 강요된 침묵에 굴복하기보다는 그것을 깨는 방법이 될 수 있다. 물론 스토리텔링이 여성의 배타적인 영역은 아니지만, 동화는 여성의 구전 전통에서 자라난 것으로 여성이 직면하는 딜레마를 탐색하고 해결책을 실험할 수 있는 서사양식이다(Foster and Simons 176). 카렌 로우(Karen E. Rowe)에 의하면 "민담과 동화의 역사에서 스토리텔러로서 여성은 하나의 수준에서 전체 문화를 이야기하면서 그들의 긴 이야기를 짠다. 그러나 다른 수준에서 숨은 언어, 즉 은밀히 폭로하는 이야기를 이해하는 여성 독자들을 향하여 말한다"(301)라고 하였다. 『비밀의 정원』을 메리의 탐색 이야기이자 동화로 이해할 때 이 소설은 여성적 텍스트로서 독자들을 향한 메시지가 있음을 암시한다.

『비밀의 정원』에 대한 일반적인 비평은 여성이 남성에 종속 또는 예속되는 위치로 떨어져 여주인공의 역할을 가부장적 사회의 전형적인 여성으로 만든다는 것이다. 이러한 시각을 가진 비평가들은 특히 이 책의 마지막 1/3에서 두드러진 남성 전유와 지배, 식민주의적인 태도를 강조한다. 리사 폴(Lissa Paul)에 의하면 비밀의 정원은 궁극적으로 메리가 패배하는 장소이다. 그 이유는 이 소설이 메리의 탐색에서 콜린의 탐색으로 희미해지는 이야기이며, 메리가 자신의 노력을 거의 인정받지 못하면서 이야기의 마지막 부분에서 콜린이 지배하는 닫힌 결말을 가졌기 때문이다. 카이저 역시 콜린이 이 소설의 후반부 1/3을 지배한다고 주장하면서 메리는 "점점 배경으로 이동하다가 마침내 마지막 장에서 완전히 사라진다"(9)라고 한다. 그녀는 메리를 희생하여 콜린을 이상화하고 결말 부분은 가부장적 권위를 확인하는 것이라고 한다. U. C. 크노플마커(U. C. Kneopflmacher)는 메리의 힘을 인정하면서도 이들과 유사한 견해를 보인다. 그는 버넷이 정원을 작은 아담에게 양도한다고 주장하는데, 여주인공 메리가 점점 부차적인 역할로 작아지면서 정원은 소년의 전유물이 된다고 한다. 맥길리스도 이 소설은 표면적으로 사랑의 변화시키는 힘이지만 '여성을 지배하는 남성'의 이야기이기도 하고, 사실상 메리가 아치볼드를 만나는 것은 그녀 중심의 이야기를 약화시키는 것이라고 지적한다(Foster and Simons 177에서 재인용).

위의 연구들은 『비밀의 정원』이 결국 콜린의 이야기임을 주장하는 것이지만 이에 반하는 견해도 있다. 그들은 이 작품을 메리의 탐색 이야기로 이해하면서 가부장적 지배를 약화시키는 여성의 전복적인 힘을 인식하기 위한 해석을 시도한다. 예를 들어 건서는 메리가 누구 대신이 아니라 끝까지 중요한 인물로 남아있다고 한다(160). 이것은 메리의 탐색이 자기 발견의 길을 따라서 콜린보다 훨씬 더 멀리까지 나아가서 자아를 초월하는 지점에 이르지만, 콜린은 마지막까지 자기중심적으로 남아있어서 자기 본위를 넘어설 수 없다는 것이다. 따라서 메리의 역할이 더욱 중요하며, 콜린이 성취하는 것은 그 자신의 것이기보다는 메리의 지혜와 노력의 결과이다. 파슨즈도 같은 맥락에서 이 소설을 동화이자 메리의 탐색으로 본다. 이 소설을 메리의 탐색으로 이해하는 것은 이 이야기가 상징적인 메시지를 가진 여성적이고 전복적인 텍스트라는 것을 인식하는 열쇠가 된다. 또한, 여성이 가부장적 사회의 헤게모니를 전복하는 긍정적이고 분명한 방법은 정원에서 신성한 여성성을 발견하는 것이다. 즉 그의 연구는 여성성의 상징인 정원과 그 가운데 존재하는 메리가 생명력으로 작용하여 가부장적 사회에 영향을 준다는 것이다.

본 장에서는 『비밀의 정원』을 메리의 탐색이자 동화형식이 사용된 이야기라는 시각을 바탕으로 이 소설의 가부장적 가치를 강조하는 비평과 다르게 읽기를 시도할 것이다. 이를 위하여 『비밀의 정원』에 어떠한 동화형식이 사용되었는지, 메리의 탐색에 의존하는 이 소설이 등장인물들의 문제를 어떻게 해결해나가는지를 살펴보고자 한다.

2

『비밀의 정원』에는 「잠자는 숲속의 미녀」의 동화유형이 사용된다. 「잠자는 숲속의 미녀」는 아르네와 톰슨의 민담 유형 AT 410으로 분류되며, 이러한 유형의 민담은 다음과 같은 주요 요소들을 포함한다.

> 바라던 아이/저주받은 선물/불가피한 운명/물레/영웅적 탐색/
> 식인귀 선왕비/구세주의 구원/대체 희생자 (wikipedia)

「잠자는 숲속의 미녀」의 다양한 판본 가운데 페로와 그림 형제의 이야기가 가장 유명하다. 페로의 이야기는 미녀가 왕자를 만나서 결혼을 하는 전반부와 미녀가 시가인 궁전에 들어가서 시어머니의 구박 속에서 살다가 마침내 행복을 얻게 되는 후반부로 나누어진다. 그러나 우리에게 더욱 유명한 「잠자는 숲속의 미녀」는 왕자가 성에 도착하여 미녀를 구한 후 결혼하는 영웅적 탐색에서 이야기가 끝나며 『비밀의 정원』에서도 이러한 유형이 사용된다.

『비밀의 정원』에서 아치볼드는 미셀스웨이트 저택을 저주받은 암흑의 장소로 만든 근원이다. 그는 아내가 죽은 후 아들 콜린과 정원을 저주하여 이들을 10년 동안 어두운 잠에 빠지도록 한다. 이러한 잠은 왕자 역할의 메리가 저택에 도착하여 정원에 들어간 후, 마침내 콜린을 깨울 때까지 계속된다. 왕자가 가시덤불을 헤치면서 성에 도착하여 공주의 잠을 깨우듯이, 메리는 담쟁이 덩굴을 헤치면서 정원으로 들어가고, 이후에 어둠을 밝히면서 콜린의 방에 들어가서 그의 잠을 깨운다. 메리는 거의 죽어있던 무채색의 정원을 장미정원으로 되살린 후 남성성이 지배적인 미셀스웨이트 저택의 잠들어 있는 상황을 해방한다. 100년 동안 잠들어있던 성의 구석구석을 깨우는 왕자처럼 10년 동안 잠들어있던 미셀스웨이트 저택과 정원, 그리고 그곳의 크레이븐 부자를 깨우고 치유하는 것은 메리이다. 따라서 이 소설의 치유하는 힘은 메리에게서 나오며, 메리의 탐색을 중심으로 미셀스웨이트 저택과 정원에 속한 것들이 어떻게 치유되는지를 살펴보기로 하자.

메리의 탐색에서 중요한 두 가지는 죽은 릴리아스로 인하여 잠겨있는 정원과 저택의 중심에 누워있는 콜린을 발견하여 치유하는 것이다. 아치볼드는 정원을 폐쇄하여 무관심 속에 방치하였으며, 그의 아들 콜린은 어머니의 초상화를 가림으로써 아버지가 부인을 잃은 상실감 때문에 여성성을 거부하는 것을 재현한다(Parsons 259). 아치볼드 부자의 치유는 메리가 비밀의 정원을 살려내는 정원의 소생과 직결되고 이것이 소설의 구조가 된다.

한편, 이 소설의 등장인물 콜린, 아치볼드, 릴리아스는 작가 버넷의 개인적인 삶을 반영한다. 버넷은 자신의 아이들을 진심으로 사랑했지만, 어머니와 작가로서의 현실을 타협하기는 어려웠다. 버넷의 아들 라이오넬 버넷(Lionel Burnet)이 15세에 폐결핵을 앓을 때, 그녀는 아들을 1년 이상 돌보지 못하였다. 그녀의 병든 아들은 결국 1890년에 세상을 떠났다. 건강을 회복하는 콜린과 아치볼드 같은 등장인물을 만들어낸 것은 "그녀[버넷]의 소원성취를 투사한 것이며 심지어는 아이들의 중요한 형성기에 그녀 자신이 아이들을 너무나 오랫동안 떠나있었던 죄책감을 덜기 위한 것"이다(Foster and Simons 173). 모성에 대한 그녀의 난제는 양육, 무기력, 어머니 인물의 부재를 묘사할 때 분명해진다. 릴리아스의 영혼이 정원에 존재한다는 서사는 버넷의 사후세계에 대한 믿음을 반영한다. 죽은 릴리아스의 영혼이 콜린, 아치볼드와 함께 있다고 하듯이 버넷은 아들이 죽어서 천사가 되기보다는 항상 그녀 곁에 있다고 믿었다.

다시 작품으로 돌아가 『비밀의 정원』에서, 아치볼드는 정원을 폐쇄하여 거의 파괴될 만큼 방치한다. 아치볼드는 자신의 아내가 정원의 그네에서 낙상하여 죽은 후 정원을 폐쇄하여 열쇠를 땅에 묻고, 아무도 그곳에 들어가지 못하도록 하였다. 이것은 아치볼드가 두려움과 부정적인 생각의 지배를 받고 있기 때문이다. 죽음과 무상함에 대처하지 못하는 것 그리고 그것을 동화의 언어로 바꾸지 못하는 것은 그의 무능함 때문이다(Gunder 167). 아치볼드는 치유의 중심 영역인 정원을 저주하고 그와 아들 콜린을 정신적 · 신체적으로 불구로 만들어서 죽음과 같은 잠 속으로 빠지게 하였다. 그리하여 콜린은 죽음의 기운이 가득한 저택의 중심부에 포로가 되어 누워있고, 그의 아버지는 추방되어 죽음과 직면한 채 세상을 방랑하고 있다. 아치볼드가 여행하는 동안 사람들이 "그 남자에게서 배어나온 음울함이 주위의 공기를 물들이는 것 같았으며 . . . 그 남자가 반쯤 미쳤거나 죄악을 숨기고 지내는 사람일 것이라고 여겼다"(164)라고 생각하는 것은 놀랍지 않다. 미셀스웨이트에 여전히 존재하는 치유하는 여성의 에너지를 아치볼드가 인식하지 못한다는 점에서 그는 상상력의 낙제자로 고통받고 있다고 할 수 있다. 한편, 유능한 스토리텔러이기도 한 메리의 상상력은 황량한 미셀스웨이트에서 자신의 세계를 만들어가도록 한다. 정원이 존재한다는 마사의 이야기, "정원 가운데에서 하나는 문이 잠겨있어요. 요 십 년 동안에 거기에 들어간 사람은 아무두 없구유"(21)라는 말을 듣고 메리는 그곳을 찾아내어 장미정원으로 부활시킨다.

버넷은 메리처럼 정원, 즉 대지를 치유의 장소로 인식하였는데, 이것은 그녀 자신의 경험과 그 당시의 시대상과 관련된다. 버넷은 아주 어렸을 때부터 정원을 좋아하였다. 그녀가 10대 후반이 되었을 때 그녀의 가족은 미국 남부 테네시주의 녹스빌(Knoxville) 외곽에 살았으며, 숲속의 한적한 장소에

정자를 만들어서 행복한 시간을 보내곤 하였다. 그녀는 1898년부터 1907년까지 메이덤 홀(Maytham Hall)을 임대했을 때 처음으로 자신의 정원을 가꾸었는데, 이것이 『비밀의 정원』에 많은 영감을 주었다. 버넷은 이전에 과수원이었으나 황무지가 된 그 지역을 개간하여 300여 그루의 장미나무를 심어서 장미정원으로 탈바꿈시켰다. 버넷은 날씨가 좋을 때 이 정원에서 글을 썼고 울새 친구를 만들기도 하였다. 말년에 그녀는 미국 뉴욕의 플랜덤(Plandome)과 대서양의 섬 버뮤다(Bermuda)에 집을 마련하여 여름 정원과 겨울 정원을 가꾸었다. 또한, 『비밀의 정원』이 출판된 1911년에 마거릿 맥밀런(Margaret McMillan)은 정원이 사회적 요법의 장소가 될 수 있다는 전제하에 런던 남부에 임간학교를 세우기도 하였다. 버넷은 임간학교 운동을 알고 있었으며 런던에 있는 두 개의 단체, 병약한 어린이 원조 협회(Invalid Children's Aid Association)와 드루어리 레인 소년 동호회(the Drury Lane Boys' Club)에 관여하였다. 버넷의 정원 가꾸기에 관한 체험, 지식, 이에 대한 사랑, 사회적 치유의 장소로서 정원에 대한 믿음 등은 경험을 통하여 알게 된 것이며 이 소설에서 메리와 비밀의 정원으로 재현된다.

메리가 영국 요크셔의 미셀스웨이트 저택과 거의 죽어있던 정원을 찾아내어 장미정원으로 살려내기 이전에, 그녀는 영국의 식민지 인도에서 콜레라가 발병하는 동안 탐색 여행을 시작하여 상징적인 죽음과 부활을 경험하였다. "메리는 밖에서 나는 울음소리에도, 뭔가를 방갈로로 들여가고 내가고 하는 소리에도 깨지 않고 달게 자고 있었다"(5)라고 하는 언급처럼 깊은 잠에 빠진다. "잠은 . . . 창조와 부활을 상징한다. 잠은 거듭남의 상징이다" (Estes 148). 그녀가 잠에서 깨어나 처음으로 본 생물은 작은 뱀이다. 뱀은 "과거에서 벗어나 계속하여 살아가려는 생명의 상징"(Campbell 52)이다. 또한, 이것은 대지와 관련된 여성성을 상징하기도 하는데 텍스트에는 처음부터 여성의 에너지가 줄곧 지배적이다(Gunther 168).

메리는 무엇보다도 고집스럽게 묘사된다. 그녀는 못생기고 혈색이 나쁘고 예의가 없으며 형편없이 옷을 입었을 뿐만 아니라 "고분고분하지 않은 인상"(3)을 하고 있다. 또한 그녀는 독립적이고 반항적이며, 인형보다 책을 좋아하고, 닫힌 실내보다 바깥을 좋아한다. 메리는 팸플릿 문학의 버릇없는 아이를 연상시키면서 하찮고, 잊히고, 거부된 문제아의 복잡한 사례를 보여준다. 부모의 돌봄으로부터 방치된 희생물인 메리는 수줍어하고, 뚱하고, 까다롭게 묘사되지만, 이러한 고집이 그녀의 탐색을 이끌어가는 힘이 된다. 어린이다움의 낭만적 원형과 거리가 먼 고집스러운 주인공의 묘사에 대하여 앤 스웨이트(Ann Thwaite)는 『비밀의 정원』을 "새로운 세기의 책"(221)이라고 하였으며, 마르가니타 라스키(Marghanita Laski)는 이것이 이 소설의 힘이라고 하였다(88).

인도에서 콜레라로 인하여 모든 것을 잃고 고아가 된 메리는 그곳을 떠나 영국 요크셔에 있는 고모부 아치볼드의 저택으로 오게 된다. 메리가 미셀스웨이트 저택에 도착하여 메들록 부인(Mrs. Medlock)에게 처음 듣는 말은 "이 방과 옆방이 아가씨가 지낼 곳이에요. 반드시 아가씨 방에만 있어야 합니다. 이 점을 명심하세요!"(15)이다. 이러한 위협에도 불구하고 메리는 "지금까지 그처럼 고집스럽게 느낀 적은 결코 없었을 것이다"(15)라고 묘사된다. 또한 그녀는 "어떤 일을 할 때 그 일을 해도 괜찮은지 허락을 받는다는 건 배운 적이 없었고, 권위에 대해서도 아는 것이 없었다"(33). 그러므로 그녀는 "잠겨있는 백 개의 방"(33)이 있는 저택을 탐색하기 시작한다. 또한 비밀의 정원이 있다는 이야기를 들은 후 "메리는 절대로 겁 많은 아이가 아닌 데다가 언제나 제가 하고 싶은 대로 했으므로"(22) 금지된 정원을 찾아낸다. 어른들에게 매력 없어 보이는 메리의 고집은 사실상 그녀의 힘이며, 결국 이것이 그녀 자신과 다른 사람들을 변화시킨다.

메리는 저택과 정원을 탐색한다. 그녀가 미셀스웨이트 저택에 처음 도착하여 메들록 부인으로부터 저택에 대하여 듣는 것은 부재에 관한 것이다 (Gunther 161). 그곳은 "음울한" 곳이며, 저택에는 "방이 백 개쯤 있지만, 대개는 문을 잠가놓는다"(10). 태피스트리로 장식된 어두운 방들은 저택에 만연한 삶을 부정하는 에너지, 그리고 미로와 감옥으로서 집의 역할을 보여준다. 저택 안에 있는 콜린의 방은 생명력이 부재한 곳으로 양육의 장소는 아니며, 그 안에서 콜린은 신체적 · 정서적으로 불구이다. 한편, 저택의 세계와 다르게 정원은 폐쇄되어 있지만 릴리아스의 영혼이 있는 곳, 즉 여성의 힘이 존재하는 곳이다. 이것은 메리가 처음으로 들어간 정원이 잿빛과 갈색으로 뒤덮여 있지만 "뾰족하고 조그마한 연둣빛 싹"(Burnet 47)이 보이는 것으로 암시된다. 스티븐 록스버러(Stephen D. Roxburgh)는 이에 대하여 "생명의 가능성"(125)이라고 했는데 이것이 메리를 변화시키기 시작한다.

저택과 정원은 대비되는 상징적인 공간이지만 유사점 또한 분명하게 강조된다. "아무도 들어가지 않는 방이 백 개라니. 꼭 비밀의 정원 이야기 같다"(154)라는 콜린의 언급이 두 장소의 유사성을 시사한다. 정원은 미로 같은 복잡한 길과 다른 정원들 가운데에 놓여있고, 그 안으로 들어가는 메리는 일련의 대문과 문을 통과한다.

> 관목 사이에 난 문을 지나자, 널따란 잔디밭이 펼쳐졌고 가장자리를 깔끔하게 다듬은 산책로가 구불구불 나 있는 커다란 뜰이 나왔다. . . . 안으로 들어가자 담으로 둘러싸인 정원이 나왔다. 메리는 이곳이 담을 두른 여러 정원 가운데 하나이며, 이 정원은 또 다른 정원으로 통해있다는 것을 알아냈다. (22)

이것은 자연의 황무지로서 저택에 구현된 인간세계의 황무지와 균형을 이룬다. 정원과 저택의 마비된 중심에 은밀한 빛의 근원이 있으며, 메리가 이것을 찾아내서 깨운다. 그녀는 한밤중에 울음소리의 근원을 찾아 나섰다가 콜린을 발견하고 "모든 게 다 비밀이라니. 방은 다 잠겨있고 정원도 잠겨있고 ─너도 그래! 널 방에 가두어놓았니?"(75)라고 한다. 콜린이 메리를 만났을 때 "진짜 사람이구나, 그렇지? 난 진짜 같은 꿈을 굉장히 자주 꿔. 너도 그런 꿈 가운데에 하나일지도 몰라"(74)라고 하는 것처럼 그는 꿈과 리얼리티를 혼동한다. 메리가 할 일은 그를 '깨우는' 것이다. "정말로 꿈같이 느껴진다. 지금은 한밤중이고, 집 안에 있는 사람들은 모두 잠들었고, 우리 둘만 빼고 말이야. 우린 말짱하게 깨어있어"(75). 콜린을 깨우는 것과 정원을 깨우는 것은 메리에게 중요한 두 가지 일이 된다. 그러나 정원을 깨우는 것이 더욱 중요한데, 여기에 모든 것이 의존하기 때문이다(Gunther 163).

정원은 벽으로 둘러싸인 공간으로, 숨겨진 문을 통해서만 들어갈 수 있고 외부의 제약으로부터 자유로운 세계이다. 또한 정원은 소어비 부인의 언급, "네 어머니는 바로 이 정원에 계셔. 난 그렇게 믿어"(162)라는 말처럼 죽은 릴리아스의 영혼이 머무는 곳이다. 이러한 믿음을 가지고 본다면 여성적 가치인 모성이 존재하는 정원에서 메리가 먼저 영적으로 변화하고 자아를 성장시킨 후 그 에너지를 콜린에게 가져가서 그를 깨우는 것이다. 따라서 메리가 정원에 들어가는 것은 그녀가 다음에 해야 할 일 즉, 물질적인 호화로움에 둘러싸여서 감금된 왕자, 콜린을 해방시킬 수 있도록 그녀 자신을 변화시키는 시간을 의미한다.

저택에서 자신의 방안에 갇혀 지내는 콜린은 신체적·정서적으로 불구이다. 그곳은 무력하게 하고, 용기를 잃게 하고, 생명에서 멀어지게 한다. 메리가 이 어두운 저택의 한가운데에 촛불을 가지고 가서 콜린의 회복이 시작되도록 하는 것은 상징적이다. "메리는 손에 초를 들고서 숨을 멈추고 문가에 서 있다가 살금살금 방 안으로 들어갔다"(73). 이것은 10년 동안 계속되어 온 마비와 공포의 시간에 메리가 종지부를 찍는 것이다(Gunther 162). 이후에 콜린은 정원으로 나와서 얼마동안 시간을 보낸 후 "난 건강해! 난 건강해!"(157), "난 영원히, 영원히, 영원히 살 거야!"(158)라고 한다. 재생과 부활의 시간인 봄이 사방에 와있고, 콜린도 회복하기 시작하는 것이다.

모든 것이 정원에 의존하는 한편, 정원은 메리에게 의존한다(Gunther 165). 콜린은 정원의 여성적 힘의 영향을 받아서 회복하기 시작하는데, 그 이전에 거의 죽어있던 정원이 메리의 노력으로 되살아난다. 메리의 탐색은 집과 부모 등 모든 것을 잃은 지점에서 시작하여 모두를 치유할 수 있을 만큼 발전한다. 콜린의 상황을 메리와 비교하면 그는 그녀와 유사한 부분도 있으나 분명히 다르다. 그들은 동갑이고 사촌이며, 정서적으로 불구인 어른 세계의 희생물이다. 또한 두 아이에게 고통의 주요 원인은 죽음이지만 메리의 경험이 훨씬 더 극적이다. 메리와 콜린은 10년 동안 부모로부터 고립과 유기를 경험하였다. 이들 둘 다 열 살인데, 메리는 업무에 바쁜 인도 주둔 영국군 장교 아버지와 파티에 다니느라 자신을 돌보지 않는 어머니로 인하여 유모의 손에서 키워졌다. 콜린의 어머니는 정원의 그네에서 낙상한 뒤 콜린을 낳다가 죽었다. 그의 아버지 아치볼드는 10년 동안 부인을 잃은 상실감에서 헤어나지 못하였고, 아들을 저택에 방치한 채 돌보지 않으면서 외국에서 방황하고 있다.

메리는 인도에서 전염병으로 인하여 모든 것을 잃고 고아가 되었기 때문에, 이모부가 있는 미셀스웨이트로 와야만 했다. 소설의 첫 장, 「아무도 남아있지 않았다」라는 제목이 메리의 출발점이다. 그러나 콜린의 상황은 매우 다르다. 그를 존재하게 한 생명력은 어머니 릴리아스의 죽음과 함께 사라졌고 아버지는 양육을 거부하기 때문에 그는 고립과 유기를 경험한다. 그러나 그는 온갖 호화로운 가재도구에 둘러싸여 하인들로부터 극진한 보살핌을 받으면서 저택의 중심에 누워있다. 그러나 콜린은 메리를 만나면서 치유가 시작된다. 메리는 정원을 깨워서 아름다운 장미정원으로 부활시킨 후, 봄이 무르익은 후에 비로소 콜린을 정원으로 데려간다. 콜린이 정원에 들어가자 그에게 육체적 · 정신적으로 치유되는 마법이 일어난다. 이처럼 메리가 정원을 깨운 능동적인 힘이라면 콜린은 정원의 에너지를 받는 사람이다. 버넷은 메리를 능동적이고 독립적인 사람으로, 콜린을 수동적인 의존자로 묘사하여 남성과 여성의 전형적인 역할을 전복한다(Gunther 166). 그러므로 콜린을 구하는 것은 전적으로 메리의 열정적이고 사심 없는 노력의 결과이다.

그렇다면 메리와 콜린을 구하는 정원은 무엇인가? 『비밀의 정원』에서 정원은 비옥하고 밀폐된 동시에 자유롭고 "자궁과 같은 정원의 호젓함 속에서 작동하는 여성의 가치체계이며 어머니의 힘에 대한 유추"(Foster and Simons 187)이다. 처음으로 장미정원을 만들 땅을 요구하여 정원을 만든 사람은 릴리아스이다. 그러나 그녀는 정원의 그네에서 낙상하여 콜린을 조산하다가 죽는다. 그녀는 죽은 지 10년이 지났지만, 소어비 부인에 의하면 정원에 영혼으로 남아있다. 소설의 후반부에서 그녀는 아이들을 이토록 신성한 정원의 중심에 들어오도록 한다. 또한 그녀는 외국을 여행하는 남편 아치볼드의 꿈에 나타나서 그를 집에 돌아오도록 한다. 여성과 어머니로서 릴리아스의 에너지는 비밀의 정원에 여전히 존재하여 미셀스웨이트 저택과 그곳의 사람들에게 생명력을 줄 수 있음을 암시한다.

비밀의 정원은 릴리아스 외에도 남성과 여성이 모두 어머니가 되는 공간이다. 이를 통해 버넷은 모성이 본질적으로 여성만의 것이 아니라 인간의 것이라는 소설의 논의를 강조한다(Silver 196). 벤 웨더스타프(Ben Weatherstaff)와 디콘(Dickon)은 남성이지만 정원과 들짐승을 살리는 모성을 가진 등장인물이다. 벤은 울새가 버려졌을 때 그들을 돌봐주고 친구가 되어준다. 그는 정원이 잠긴 후에도 그곳을 주기적으로 돌보면서 살아있도록 하였다. 디콘은 모성, 배려, 온유함 등을 가지고 있어서 자연과 정원의 풍경과 조화롭다. 디콘은 메리가 장미정원을 살리는 것을 도울 뿐만 아니라 조언해준다. 그가 가진 힘과 안정감은 어머니 소어비 부인과 유대를 맺고 있기 때문이다. 그는 메리와 콜린과 상반되는데 이들이 겪는 고통의 근원은 어머니의 부재에 있다(Foster and Simons 186). 어머니는 모성, 돌보는 힘으로 해석할 수 있다. 디콘은 메리와 콜린에게 어머니에 관한 이야기를 들려주고, 어머니가 준비한 신선한 우유와 갓 구운 빵을 가져다주어서 그 자신이 가진 어머니의 힘을 확장한다. 그는 여우, 수탉, 양을 구하여 돌보아줌으로써 그들의 어머니가 되어준다.

특히, 디콘이 어미 잃은 새끼 양을 구해서 보살피는 것은 그가 두 아이를 구하는 것에 대한 비유이다. 새끼 양에게 우유병을 물리면서 디콘은 온화하게 말한다. "자, 아가야. . . . 그러더니 디콘은 고무젖꼭지를 비죽대는 양의 주둥이에 밀어 넣었고, 새끼 양은 걸신들린 듯이 맹렬하게 빨기 시작했다"(117). 디콘이 새끼 양에게 우유를 주어서 성장하도록 하듯이 그는 메리와 콜린이 영적·신체적으로 성장하는 것을 돕는다. 이처럼 디콘은 메리와 콜린을 치유하는 데 결정적인 역할을 한다. 디콘은 또한 메리에게 씨앗을 가져다주어서 그것을 심고 자라나도록 돌봄으로써 어머니가 되는 법을 가르친다. 소어비 부인은 자신의 아들딸들이 황야에서 뛰어놀면서 건강하게 성장하기를 바란다. 이와 마찬가지로 그녀는 아치볼드에게 메리를 위하여 가정교사를 고용하기보다 그녀가 바깥에서 뛰어놀면서 더욱 건강해져야 한다고 조언한다. "모성은 지배하는 것이기보다 자연스러운 발달이 일어나도록 돕는 것"(Parsons 263)이기 때문이다.

등장인물 가운데 소어비 부인은 가장 이상적인 모성을 가졌다고 할 수 있다. 그녀는 모성을 넘어서 성모마리아의 이미지를 가졌다. 가장 분명한 성모마리아의 이미지는 그녀가 정원으로 들어갈 때 보인다. 아이들이 정원에서 영광송을 부를 때 문을 통해 들어온 소어비 부인의 "뒤로 담쟁이덩굴이 드리워져 있고 . . . 나무 사이로 흐르듯이 비껴든 햇살이 비칠 때 기다란 파란 망토"(159)를 입은 그녀의 모습은 성모마리아를 연상시킨다. 그녀는 성모마리아가 자녀와 아버지 사이를 중재하듯이 메리를 위하여 메리와 아치볼드를 중재한다. 그녀는 또한 "오래된 신화적인 유형의 비옥함을 구현하고 수확을 보장하는 원시 의례의 곡모(the Corn-mother)를 연상시킨다"(Roxburgh 127). 그녀는 아이들과 함께 사는 오두막집의 생명력이며, 자연과 조화를 이루는 인간, 비옥함과 양육의 상징이다. 또한 그녀의 언급, "그 어린 아가씨가 저택에 와서 참말루 다행이네. 아가씨헌테두 잘된 일이구, 되련님두 구했으니 말여"(144)라고 하는 것은 콜린이 치유된 것이 메리의 힘이라는 것, 즉 콜린에 대한 메리의 우월함을 강조한다. 소어비 부인의 마지막 임무는 콜린의 아버지, 아치볼드를 정원으로 돌아오도록 불러서 치유 에너지의 영향을 받도록 하는 것이다. 그녀는 외국을 여행하는 아치볼드에게 집에 돌아오도록 편지를 쓴다. 이것은 마지막 장면에서 자기중심적인 크레이븐 부자의 치유를 준비한다.

정원을 모성의 온상으로 간주하는 것 외에도, 정원은 탈정치적 또는 이념적으로 중립적인 공간의 역할을 한다. 정원에서 계층의 장벽이 허물어지는 것은 이러한 예시이다. 메리가 저택에 도착하면서부터 계급의식이 약화되기 시작하는데, 이것은 정원에서 계속된다(Parsons 259). 메리는 미셀스웨이트 저택에 온 첫날 아침에 자기가 예전에 유모를 쳤던 것처럼 마사를 친다면, 마사는 아마도 그녀를 되받아칠 것임을 알아차린다. 또한 그녀는 벤에게 공손하게 말해야 한다는 것을 깨닫는다. 일단 그녀가 이들에게 공손하게 대하자 우정이 생긴다. 그녀는 디콘을 처음 만날 때부터 그를 친구로 여긴다. 메리는 벤과 디콘과 함께 정원을 되살리기 위하여 노력하면서 계층과 무관하게 관계를 발전시킨다. 정원에서 지내는 동안 메리가 상류층의 언어 대신에 요크셔 방언을 사용하는 것은 그녀가 계층적 질서를 허무는 새로운 국면에 들어섰음을 보여준다. 오두막에서 농부의 삶을 사는 소어비 부인은 상류층의 아이들, 메리와 콜린이 정원에서 지내는 동안 음식을 가져다주어서 그들이 영적 · 신체적으로 건강해지도록 돕는다. 정원에서 사람들은 자신의 계층에 상관없이 서로 협력하는 모습을 보여주는 것이다.

그러나 콜린이 정원에 들어오자 부재하던 계층이 만들어진다. 그가 정원에 처음으로 들어가자 공격적인 남성 전유를 보인다. "내가 당신 주인이야. . . . 여기는 내 정원이야"(131)라고 하는 콜린의 언급은 충격적이며, 이후에 그는 "이건 내 노래야"(159)라고 하면서 영광송을 전유한다. 콜린이 가장 흔히 사용하는 단어는 '나'인데 이것은 그가 결코 자신의 자아를 넘어설 수 없음을 암시한다. 또한 콜린은 권위 있게 처신하면서 등장인물들에게 명령한다. 어느 날 정원에서 콜린은 "벤이랑 디콘이랑 메리가 나란히 서서 내 이야기를 들어줬으면 좋겠어요. 내가 여러분에게 굉장히 중요한 이야기를 하려고 해요"(138)라고 말한다. 그는 또한 벤에게 "이제 돌아가서 일하도록 해요. 하지만 내일 다시 와요"(142)라고 한다. 그들이 정원에서 행진할 때 "콜린이 선두에 서고, 디콘과 메리가 그의 양옆에 선다. 벤은 뒤에서 걸어갔고, '동물들'이 줄줄이 뒤따랐다"(142). 이러한 콜린의 행동은 그가 자신의 계층 안에 갇혀서 정원을 지배하고 있음을 보여준다. 이것은 결국 콜린이 치유된다면 정원을 떠나서 가부장적 사회로 돌아갈 것임을 암시한다.

메리와 콜린의 탐색은 정원에서 새로운 단계로 진입하거나 머물러있다. 탐색 원형의 견지에서 여행의 중요한 상태는 자아를 초월하는 것이며 이러한 새로운 단계는 낡은 자아를 태워서 버리는 단계를 포함한다(Gunther 160). 메리는 다른 사람에 대한 통찰과 자신에 대한 성찰을 함으로써 부분적으로나마 자아를 넘어선다. 미셀스웨이트에 도착했을 때 메리는 유아였다. 그녀는 자기중심적이고 혼자서 옷을 입을 줄도 몰랐다. 마사는 메리를 이러한 상태에서 이끌어 그녀가 정원에 더욱 가까이 가도록 도와주고 그녀의 잠재력과 목표를 실현하도록 돕는다. 또한 벤은 그녀에게 다음과 같이 말한다.

아가씨랑 나는 굉장히 닮은 데가 많구먼. 우린 똑같은 천으로 맹글어진 셈이지. 둘 다 잘 생기지 못혔구, 둘 다 생긴 대루 무뚝뚝허구. 아가씨나 나나 똑같이 성질이 더럽지, 내 장담헌다니까. (Burnet 25)

벤이 메리의 외모와 성격을 이처럼 언급하자 그녀는 자신을 비판적으로 바라보면서 불쾌해한다. 부모에게서 버려진 울새를 보살폈다는 벤의 이야기를 듣고 메리는 울새의 곤궁을 자신과 연관시키면서 외로움을 인식한다. 이후에 마사는 메리가 다른 사람들을 싫어하기 때문에 다른 사람들도 메리를 싫어할 것임을 그녀에게 인식시킨다. 마사는 또한 메리가 사람들에게 호감을 줄 수 있을 뿐만 아니라 그들로부터 호감을 받을 수 있다는 것도 이해시킨다. 그리고 메리가 콜린을 만날 때 그가 보이는 완고함, 무례함, 이기적인 마음은 그녀 자신을 반영한다. 메리는 마사, 벤, 콜린과 관계를 맺음으로써 자신의 성격과 사고방식을 성찰하는데, 이는 그녀가 자기를 발견하여 성장하는 길로 더욱 이끈다. 이러한 탐색 여행은 메리가 자아를 초월하여 다른 사람에게 영향을 줄 수 있을 만큼 그녀를 성장시킨다.

한편, 콜린은 이야기 내내 자기중심적이어서 자아를 넘어서지 못한다. 탐색의 길을 따라서 그는 상당히 전진하지만, 그의 특징인 자기 본위, 이기심, 우월함을 넘어설 수 없다는 점에서 메리가 도달하는 지점에는 이르지 못한다. 메리와 콜린은 거의 죽어있던 정원을 장미정원으로 되살아나도록 돕지만 콜린이 이곳을 지배하며, 그의 이러한 방식은 이야기가 끝날 때까지 계속된다. 특히 콜린의 언어는 가부장적인 저택에서 그의 지위를 반영하여 권위적이다. 메리가 비밀의 정원을 처음 언급하였을 때, 콜린은 메리만큼이나 정원에 매료된다. 메리는 그가 정원에 대하여 궁금해하는 것을 아무도 답해주지 않을 것이라고 하자 그는 "내가 대답하게 하겠어"(76)라고 반응한다. 메리는 자신이 콜린을 발견한 것으로 인하여 마사가 해고될지도 모른다고 걱정할 때, 콜린은 마사에게 "내가 바라는 건 네가 네 의무를 다하는 일이다. . . . 내가 너를 돌봐주겠어"(84)라고 한다. 나중에 정원에서 콜린은 벤에게 "내가 당신 주인이야. . . . 그러니 내 말에 복종해"(131)라고 하면서 자신의 지위를 상기시킨다. 콜린의 언어는 저택과 그곳의 사람들이 자신에게 속해 있다는 태도를 반영하는데, 이것은 그를 정원의 다른 사람들로부터 분리한다. 그의 탐색이 전진하기 위해서는 자기 본위적인 단계를 넘어서야 하지만 그는 소설에서 줄곧 계층의 장벽 안에 갇혀 있다. 마지막 장의 "콜린 도련님"(173)이라는 단어가 시사하듯이 콜린은 이야기가 끝날 때까지 자아와 계층을 주장한다. 이것은 그가 탐색에서 얼마나 실패했는가를 보여주는 것이다(Gunther 164).

『비밀의 정원』의 마지막 장은 이 소설이 메리의 이야기임을 분명히 한다. 마지막 장 「정원에서」에서 콜린이 정원에서 나가고 메리가 그곳에 머무르는 것은 이러한 해석을 가능하게 한다. 이 장면 이전에 버넷은 콜린이 "과학적 발견을 시작하기 전에 먼저 운동선수가 될 거야"(143)라고 하지만, 메리는 자연의 힘을 주장한다. 정원은 콜린이 안전하게 통제받지 않고 홀가분하게 회복할 수 있는 장소를 제공하였다(Roxburgh 129). 즉 정원의 모성은 콜린이 부성을 잉태할 수 있도록 하였으며 그가 정원에서 건강해지자 부성을 회복한다.

> 문으로 다가오는 발걸음 소리가 점점 더 빨라지더니, 건강한 아이가 가쁘게 숨을 몰아쉬는 소리가 들려왔고, 도저히 참지 못하는 웃음소리가 터지면서, 담쟁이덩굴이 홱 젖혀지며 담장에 난 문이 활짝 열리더니, 남자아이 하나가 전속력으로 달려 나왔다. 남자아이는 미처 바깥에 있던 사람을 보지 못하고 곧장 품 안으로 달려들었다. (171)

콜린이 아버지의 품 안으로 달려드는 것을 묘사한 이 단락은 탄생의 상징이다. 즉, 콜린이 어머니의 몸인 정원에서 나와서 아버지의 존재로 만들어지려는 순간이다(Parsons 266). 콜린은 건강을 회복하는 동안에 정원을 전유하지만, 회복된 이후 정원의 필요성을 덜 느낀다. 따라서 그는 정원을 뒤로하면서 가부장적 영역인 저택으로 돌아간다.

건강을 되찾은 콜린과 외국에서 돌아온 아치볼드는 정원 바깥에서 재회한다. 아치볼드는 죽은 릴리아스의 꿈과 소어비 부인이 보낸 편지로 인하여 미셀스웨이트로 돌아와서 건강을 회복한 아들을 만난다. 그리고 그들은 머리를 꼿꼿이 들고 잔디밭을 성큼성큼 가로질러 미셀스웨이트 저택을 향하여 남성들의 자리로 돌아간다.

> 많은 하인이 한 번도 본 적 없는 미셀스웨이트의 주인이 잔디밭을 지나오고 있었다. 그 곁에는 눈에 웃음기가 가득한 남자아이가 머리를 꼿꼿이 들고, 요크셔의 어느 아이만큼이나 건강하고 꼿꼿하게 걸어오고 있었다. 바로 콜린 도련님이! (173)

콜린과 아치볼드가 잔디밭을 가로질러 걸어오는 이 장면에 메리는 부재한다. 이에 대하여 다수의 비평가는 남성 유대에 여성을 배제하여 가부장적 가치를 강화하는 것이라고 하였다. 그러나 "콜린이 치유되고 그에게 아버지의 지위를 물려주는 것은 *그가* 정원에서 시간을 보냈기 때문"(Phillips 180)이다. 앞에서 살펴본 것처럼 메리의 역할은 처음부터 끝까지 콜린과 동등하거나 그 이상이다. 메리는 여전히 고집이 세고, 순종적이지 않을 뿐만 아니라, 여성적 에너지로 가득한 아이로 성장하였음을 기억해야 한다. 그렇다면 그녀가 정원에 남는 것은 아치볼드 부자로부터 배제된 것이 아니라 그녀의 선택이라고 할 수 있다. 그러므로 이 장면은 메리의 패배라기보다는 그녀의 "최후의 해방"(Parsons 266)이며, 메리가 정원에 남는 것은 여성적 힘의 영역을 선택하는 것이다.

3

버넷은 「잠자는 숲속의 미녀」의 동화유형을 바탕으로 생명력을 잃어가는 남성문화를 치유하여 풍요롭게 하는 메리의 탐색 이야기, 『비밀의 정원』을 썼다. 아치볼드는 정원을 폐쇄하고 방치하였으며 미셀스웨이트 저택을 거의 잠에 빠뜨렸다. 이곳에 메리가 도착하면서 치유의 이야기는 시작된다. 그녀가 저택에 도착하여 그곳의 문을 열어젖히는 것은 콜린과 아치볼드가 치유되는 마지막 장을 준비하면서 시작되고, 메리는 집과 정원의 문지방을 넘으면서 그곳의 잠, 즉 죽음을 삶의 에너지로 바꾸어놓는다. 문과 문지방의 원형을 통하여 잠과 깨어남이 대조되고 궁극적으로 삶과 죽음을 대조하는 텍스트를 구성하면서 메리는 치유하는 힘으로 작용하는 것이다.

소설에서 정원으로 상징되는 여성성과 모성은 미셀스웨이트 저택의 남성들에게 생명력을 가져다주어서 그들을 깨운다. 우선 릴리아스의 상상력이 장미정원을 만들었지만, 아치볼드는 그녀의 죽음과 함께 정원을 폐쇄하여 치유의 중심 영역인 정원을 방치한다. 그러나 메리는 퇴락 직전의 정원을 발견하여 살려낸다. 정원은 계급과 성의 계층구조가 무시되는 곳으로 자궁과 같은 한적함 속에서 작용하는 모성에 대한 유추이다. 메리는 정원에 존재하는 것으로 여겨지던 릴리아스의 영혼과 모성을 보여주는 등장인물들, 소어비 부인, 벤, 디콘의 도움으로 정원을 살려내어서 그 에너지를 저택의 남성들에게 가져간다. 크레이븐 부자가 결국 정원으로 돌아와서 치유되는 것은 여성성을 가진 등장인물들의 사심 없는 노력의 결과이다.

이러한 책 읽기는 메리와 그녀의 탐색이 콜린과 동등하거나 그가 이르지 못한 지점까지 도달하는 것을 이해하도록 한다. 메리는 그들의 관계를 시작한 사람이다. 메리는 거대한 저택을 열어젖혀서 그들에게 게임의 즐거움과 웃음을 가져다주었고, 그리하여 정원의 치유하는 힘을 저택의 가장 어두운 구석까지 가져간다. 즉 메리는 정원을 발견하여 깨우고 소생시키는 능동적인 주인공으로, 콜린은 그곳의 생명력을 받아 치유되는 수동적인 인물로 묘사된다. 텍스트의 후반부에서 메리가 콜린을 구했다는 소어비 부인의 언급은 메리의 우월함을 강조한다.

그러므로 크레이븐 부자가 저택으로 돌아올 때 메리가 배제된 마지막 장면은 메리의 힘을 확인시켜 준다. 메리는 그들로부터 자신을 스스로 배제해서 힘의 영역인 정원에 남는 것을 선택하였다. 죽어있고 감금된 저택에 속하여 자기 연민과 자기중심적인 남성들에게 생명력을 불어넣어 치유한 것은 정원이므로, 저택은 정원에 의존하고 힘은 정원에 존재하는 것이다. 따라서 정원에 남는 것을 선택한 메리가 우월하고, 메리의 탐색이 소설의 구조를 의미한다.

5장

에디스 네스빗

일상에서 일어나는 마법적 변화

사미어드 삼부작에 나타난 유토피아 사회

1

에디스 네스빗의 사미어드 삼부작은 영국에서의 삶에 대하여 논평하면서 마법적 변화가 가져오는 더 나은 세상을 꿈꾼다. 세 편의 사미어드 소설은 『다섯 아이들과 그것』, 『불사조와 양탄자』, 『부적 이야기』이다. 이 삼부작에서 주인공인 중산층 어린이들은 사미어드, 불사조와 양탄자, 부적이라는 마법적 존재와 더불어 사회·경제적 경계, 그리고 역사·문화를 횡단하는 여행을 한다.• 이러한 과정에서 아이들은 위안과 안전을 제공하는 중산층의 사회구조로부터 소외되는 것이 무엇을 의미하는지를 깨닫는다. 또한, 그들의 과거와 미래 여행은 당대 사회에 대하여 논평하도록 하면서 이상적인 사회에 대한 비전을 갖게 한다. 페이비언 협회(Fabian Society)의 회원이었던 네스빗은 아이들이 판타지 여행을 함으로써 현재 그들의 삶이 매우 진보하였으나 역사적인 모든 사회보다 우위에 있는 것은 아님을 인식하게 하면서 유토피아 사회를 제안한다. 네스빗은 유토피아 사회를 미래의 비전으로만 남겨놓지 않고 현대 영국의 현실에서 찾을 수 있는 유토피아, 즉 가정을 회복하는 것으로 이야기를 마무리한다.

네스빗은 페이비언 협회의 초기 회원이었다. 이들 대부분은 중산층 출신으로, 영국 사회에서 경제적 불평등을 없애려는 바람을 가지고 있었다. 그

• 사미어드 삼부작의 텍스트를 인용할 때, 『다섯 아이들과 그것』은 (*Five Children*), 『불사조와 양탄자』는 (*The Phoenix*), 『부적 이야기』는 (*The Amulet*)이라고 각각 표기하고, 괄호 안에 쪽수를 기입한다.

들은 모든 사람이 중산층의 안락과 안전을 향유하는 유토피아 사회를 실현하고자 하였다. 네스빗도 이 같은 생각을 공유하여 사미어드 소설들에 반영한다. 이에 대하여 알렉 엘리스(Alec Ellis)는 네스빗이 "사회문제, 특히 그 당시에 무시되던 노동자 계층에 대하여 깊이 관심을 가지면서", "작품에서 항상 그녀의 흥미로운 문제들, 특히 사회주의를 언급하는 경향이 있다"라고 주장한다(74). 사미어드 소설들은 이외에도 네스빗의 페이비언으로서 생각과 활동과 연관하여 다양한 비평을 낳았다.

본 장은 사미어드 삼부작을 작가의 현실 인식에 대한 논평과 비전 그리고 어린이를 위한 교훈을 포함하는 어린이 환상문학 작품으로 읽고자 한다. 사미어드 소설은 어린이들의 일상에 마법적 요소들이 들어오면서 이야기가 전개된다. 이에 수반되는 판타지적 변화는 "기적이 더 나은 세상을 만들 수 있다는 희망을 갖게 한다"(Zipes 2). 왜냐하면 판타지에 현실 비평과 소원성취의 요소가 있기 때문이다. 즉, 마법을 동반하는 모험은 상상력이 풍부하게, 비유적·은유적으로 존재의 유물론적 조건에 관심을 가지거나 비평하면서 새로운 세상을 꿈꾸도록 한다. 또한 이 소설들은 어린이를 대상으로 하면서 그들을 위한 교훈을 포함한다. 아동문학의 영원한 이슈는 아이들에게 즐거움과 함께 어떤 식으로든 교훈을 주고자 하기 때문이다(Manlove 110). 이러한 책 읽기는 이 소설들이 페이비언으로서 작가의 생각과 활동, 그리고 어린이에게 주는 가르침이 담겨있는 어린이 환상문학 작품임을 이해하도록 할 것이다.

2

네스빗은 유서 깊은 배스터블 가 아이들의 이야기, 『보물을 찾는 아이들』(*The Story of the Treasure Seekers*, 1899)을 써서 아동문학 작가의 이력을 성공적으로 시작하였다. 이후에 『유언장』(*The Wouldbegoods*, 1901), 『새로운 보물을 찾는 아이들』(*The New Treasure Seekers*, 1904)을 출판했는데, 이 세 편의 소설은 배스터블 가 아이들의 사실적인 이야기를 다루고 있으며 '배스터블 시리즈'(Bastable seriers)라고 불린다. 이후에 네스빗은 배스터블 소설의 리얼리즘에 유머와 판타지 그리고 자신의 페이비언적 이력을 결합한 사미어드 삼부작을 써서 어린이 환상문학 작가로서 명성을 확고히 하였다.

네스빗의 전기 작가와 문학 비평가들은 아동문학사에서 그녀의 중요성을 인정한다. 최근에 최고의 전기 작가, 줄리아 브릭스(Julia Briggs)는 『열정의 여인』(*A Woman of Passion*, 1987)에서 네스빗이 "첫 번째 현대적인 아동문학 작가"이며 문학사에서 중요한 위치를 차지하는 작가라고 기록한다(xi). 브릭스보다 훨씬 이전에 마커스 크라우치(Marcus Crouch)는 네스빗을 아동문학에서 영향력 있는 혁신가로 인정하면서 브릭스와 유사한 주장을 하였다. 그는 제2차 세계대전 이후 영국 아동문학 연구를 『네스빗 전통』(*The Nesbit Tradition*, 1972)이라고 제목을 붙일 만큼 그녀의 현대성을 인정하였다. 대부분의 다른 비평가들 역시 네스빗을 현대적인 아동문학 작가로 인정함에 있어서 관대하였다. 클라우디아 넬슨(Claudia Nelson)은 네스빗이 "에드워드 시대의 가장 위대한 어린이 환상문학 작가 중 한 사람"이라고 주장한다(203). 메리 카도건과 패트리샤 크레이그(Mary Cadogan and Patricia Craig)는 네스빗을 "아동문학 분야의 선구자"라고 하여 훨씬 더 나아간다. 비평가들은 전기 작가들의 이러한 평가를 대부분 받아들였다.

네스빗의 삶 또한 주목할만하다. 도리스 랭글리 무어(Doris Langley Moore)는 "두 명의 네스빗"(12)이 있었다고 할 수 있을 만큼 그녀의 삶은 모순과 갈등을 보여주었다고 한다. 애니타 모스(Anita Moss)에 의하면 "네스빗이 어린이 책을 쓰지 않았더라면, 그녀의 삶은 사회사를 공부하는 학생들을 매료했을 것"이라고 한다(225). 작가로서 네스빗은 여성으로서 네스빗과 불화했던 것으로 보인다.

아동문학가로서 명성과 경제적인 성공을 이룬 네스빗은 전통적인 가정과 가족생활을 찬양하면서 이에 가치를 두는 낭만주의 작가였다(Johnes ix). 그녀는 어린 시절에 자신의 전 생애에 영향을 준 두 번의 상실을 경험함으로써 삶과 작품에서 가정의 중요성을 줄곧 강조하였다. 가족들에게 데이지(Daisy)라고 불렸던 네스빗은 존 네스빗(John Collis Nesbit, 1818~1862)과 사라 네스빗(Sarah Alderton Nesbit, 1818~1902)의 막내딸이었다. 네스빗은 1858년 8월 15일에 남부 런던에서 태어났으며, 아버지는 로어 케닝턴 가(Lower Kennington Lane)의 집 근처에서 작은 농업대학을 운영하였다. 1862년에 아버지가 43세의 나이로 세상을 떠난 것은 그녀에게 커다란 정신적 충격이었으며, 아버지의 부재가 작품에 반영되곤 하였다. 네스빗의 어머니는 아버지 사후에 그 대학을 잠시 운영하다가, 네스빗의 언니의 폐결핵을 치료하기 위하여 가족들을 데리고 기후가 좋은 외국으로 이주하였다. 이로 인하여 네스빗이 로어 케닝턴의 집을 떠나야 했던 것은 인생에서 두 번째로 큰 상실이었다. 특히 그녀가 잉글랜드와 프랑스에서 가족들과 떨어져 지낸 일은 또 하나의 큰 충격으로 남았다. 그러므로 그녀의 소설에서 아버지보다 어머니가 더욱 자주 부재한 것은 놀라운 일이 아니며 가족의 회복은 줄곧 중요한 주제가 되었다.

성인 네스빗은 사회운동을 하던 초기 페미니스트였으며 보헤미안으로 행동하기도 하였다. 그녀는 코르셋과 속바지를 거부하거나, 머리를 짧게 잘라 자전거를 타고 다녔다. 그녀는 공공장소에서 담배를 피우는 등 관심을 끌기 위하여 계산된 행위를 하기도 하였다. 그녀는 런던의 사회주의자, 문학가, 지식인 단체의 저명한 사람들과 친분을 맺었다. 이처럼 그녀는 사회운동가와 문학가로서 활발한 사회활동을 했지만, 이와 동시에 남편의 영향을 크게 받았다. 그녀는 남편의 요구에 따라 여성참정권에 반대하는 발언을 하기도 했고, 남편과 함께 페이비언 협회의 일원이 되었으며 가톨릭으로 개종하였다. 또한 그녀는 남편과 그의 정부가 낳은 아이 둘을 키우면서도 가정을 지켰다. 네스빗은 시대를 앞선 여성이었지만 여성을 식민화시키는 남성의 힘에 의하여 형성되었다고 할 수 있다(Knoeflmacher 301).

네스빗의 아동문학 작품들은 그녀의 삶과 유사하게 가부장적 질서에 근본적인 도전을 하지 않으며, 19세기 초 여성작가들의 단호한 도덕주의에서 분명하게 벗어나지도 않는다. 사미어드 소설의 희극적 상상력은, 철없는 아이들의 소망을 마법을 통하여 실현하는 듯하다가 좌절시키는 아이러니에 의존하면서 기존의 삶의 가치를 가르친다. 또한, 그녀는 이상적인 미래사회로 가난의 추악함이 제거되고 높은 미적 수준의 기준 위로 올라선 페이비언적 유토피아 사회를 제안한다. 이것을 실현하는 방법으로 그녀는 영국의 현실에서 가정의 회복을 선택한다. 본 장에서는 이러한 선택을 페이비언으로서 그녀의 이력과 연관하여 살펴보고자 한다.

페이비언 협회는 프랭크 포드모어(Frank Podmore), 네스빗, 그녀의 첫 번째 남편인 허버트 블랜드(Hubert Bland)에 의하여 1884년에 창설되어 영국 사회주의 발생에 공헌한 지적 운동 단체였다. 페이비언들은 많은 점에서 달랐지만, 그들 대부분이 중산층 출신으로서 그렇게 살아갔다. 페이비언들은 "풍족한 중산층 지식인"들로 구성되었기 때문에 "특히 엘리트주의자의 소인이 찍힌 사회주의자"라는 평판을 얻기도 했다(Britain 223). 그들은 영국 사회에서 경제적 불평등을 없애려는 바람으로 동기화되었지만, 사회체제로부터의 격렬한 분열이 아닌 정치적 온건주의를 띠어 "점진주의자", "진화론자", "실용주의자"로서의 정치 스타일을 보여준다(Smith 153).

페이비언들은 모든 영국인이 중산층이 향유하는 안락과 안전을 제공받을 수 있도록 지적 개입을 통한 사회 변화를 가져오려는 바람을 가졌다. 그들은 우선 노동자 계층의 삶의 추악함과 그러한 불평등을 낳는 상류층의 과도함, 이 모두를 탈피한 평등한 사회를 예상했다고 할 수 있다. 또한 모든 영국인의 삶의 모델로 고상함을 제안하는 것은 페이비언의 중산층 기원과 더불어 상류층의 문화적 측면에도 가치를 두었음을 시사한다. 이처럼 페이비언들은 더 나은 사회에 대한 비전으로 중산층의 가치와 더불어 상류층의 '고귀함' 그리고 '신사다움'의 가치를 추구하였다.

페이비언들은 중산층 또는 상류층의 삶에 가치를 두면서 사회운동을 하는 일종의 선두그룹이었고, 미래 세대를 교육하기 위하여 기존 영국의 경제 제도에서 벗어나거나 안락한 그 자신들의 경험을 이용하려고 하였다. 더욱이 당시 엘리트들만이 향유하던 혜택을 사회 전역으로 분배하는 것 그리고 가난한 사람들의 삶을 '조악한' 상태로부터 고양하기 위한 수단으로 교육을 강조하는 것은 네스빗의 아동문학 작품에서 중요한 주제이다(Flegel 20). 네스빗은 평생 페이비어니즘의 충실한 추종자였으며, 그녀의 아동문학 작품에서 노동자 계층의 문화를 거부하고 중산층 문화를 가치 있게 여기는 생각이 분명하게 나타난다. 그렇다면 사미어드 삼부작에서 중산층 어린이들이 판타지 여행을 하면서 배우는 교훈, 그리고 그녀가 제시하는 이상적인 삶은 어떤 것인지 살펴보자.

3

사미어드 소설의 판타지는 얼핏 보기에 상상력의 중요성을 훨씬 더 옹호하기 때문에 교훈이나 사회적 비전과 관련이 없는 것 같다. 네스빗은 『다섯 아이들과 그것』에서 "이제부터는 아이들이 어떻게 지냈는지 재미있는 이야기를 들려주고 싶어", 그리고 "나는 아주 놀라운 사건만 이야기해줄 작정이거든"이라고 제안한다(*Five Children* 4). 또한, 『불사조와 양탄자』의 도입 부분에서 아이들은 그들의 집에 있는 지하실의 "우중충한 아이 방"에서 밤 시간을 지루하게 보내기 싫다고 한다. 그들은 지난번 휴가에서 사미어드와 함께한 모험의 기억조차도 충분치 않다고 한다. 이에 대하여 시릴(Cyril)은 "나는 기억의 즐거움을 생각하고 싶지 않아", "더 많은 일이 일어났으면 해"라고 한다 (*Phoenix* 23). 『부적 이야기』에서 아이들은 사미어드를 다시 만난 후 얻은 절반의 부적을 가지고 다른 절반을 찾기 위하여 역사적 탐색을 한다. 그들은 탐색 여행에서 보거나 경험하는 세계를 영국의 현실과 비교한다. 이처럼 사미어드 소설들은 일상적인 것보다 특별한 모험을 강조함으로써 판타지의 도피적 자질을 찬양하고, 영국에서의 삶을 부드럽게 풍자하거나 이상적인 삶을 제시한다.

첫 번째 사미어드 소설 『다섯 아이들과 그것』에서 어린이 주인공들 시릴, 앤시어(Anthea), 로버트(Robert), 제인(Jane), 아기 램(The Lamb)이 사회적 불평등을 표면적으로 논하거나 교훈을 주지는 않는다. 그들의 환상적인 여행은 놀이를 강조하면서 교훈보다 즐거움을 준다. 네스빗의 배스터블 소설들은 리얼리즘 기법으로 쓰여서 분명하게 교훈적이다. 그녀는 상업적으로 성공한 세 번째 배스터블 소설을 완성하기도 전에 배스터블 소설의 리얼리즘적 모험에 판타지 요소를 결합하여 어린이 환상문학 작품을 쓰기 위한 새로운 방향을 설정하였다. 그녀는 1902년 4월에 『스트랜드 매거진』(*The Strand Magazine*)에 "사미어드-선물"(The Psammead, or The Gifts)을 연재하기 시작하였다. 네스빗은 배스터블 소설의 1인칭 서술에서 재미있는 3인칭 내레이터로 옮겨갔다. 그녀는 또한 현실에서 만날 수 있는 사실적인 어린이 등장인물들, 즉 상상력이 풍부하고, 순진하고, 호기심이 많고, 종종 잘못된 생각을 하는 어린이 주인공들을 다시 창조하여 그들의 일상에 마법이 일어나도록 하였다. 이처럼 사실적인 어린이 등장인물들과 그들의 평범한 삶에 마법을 끌어들이는 방식은 당대의 아동문학과 비교할 때 현대적이라고 평가된다. 그리고 이 작품들이 네스빗의 실제 삶에 근거하는 것도 주목할만한데, 브릭스에 의하면 그녀의 형제자매들이 주인공 다섯 아이의 모델이고, 모험의 배경이 되는 휴가용

주택은 그들이 휴가차 머물렀던 집과 닮았다(222).

다섯 아이들이 벌이는 환상적인 모험 이야기는 『다섯 아이들과 그것』이라는 제목으로 출판되었다. 한 가족인 다섯 명의 어린이 주인공들이 휴가를 보내고 있는 집 근처 자갈 채취장에서 사미어드라고 불리는 모래요정을 발견하면서 이야기가 시작된다. 모래요정은 매일 아침 아이들의 소원을 이루어주는데, 소원의 효과는 해 질 녘에 사라진다. 소설은 일련의 에피소드인 옴니버스 형식으로 전개되고, 각각의 이야기는 소원을 이루는 것에 초점을 맞추지만 서로 연관이 없다.

『다섯 아이들과 그것』의 흥분한 아이들은 어머니에 의하여 "푸른 정원의 하얀 집과 그 너머의 과수원"으로 안내된다(*Five Children* 22). 어머니는 이들을 하인 마사(Martha)에게 남겨두고, 건강하지 못한 할머니와 지내기 위하여 서둘러 떠났다가 소설의 마지막 장에서 돌아온다. 아이들은 집 근처의 자갈 채석장에서 소설의 제목에 포함된 "그것"(it)을 파내어 이 소설과 속편 『부적 이야기』에 등장하는 믿을 수 없는 힘을 가진 사미어드를 발견한다. 어머니가 떠나자마자 발견되어서 어머니가 돌아오자 즉시 없어지는 사미어드는 어머니와 아버지 두 사람을 대신하는 대리 부모 역할을 한다(Knoeflmacher 308). 아이들이 땅속에 아직 반쯤 묻힌 생물의 털을 만지는 순간에 그것, 즉 사미어드는 자신을 내버려 두라고 요구한다. 소설 내내, 그것은 아이들을 차갑고 짓궂게 대하거나 거의 으르렁거리고 심지어 물려고 하지만, 아이들과 헤어지는 순간에는 그들의 친구였던 것을 좋아한다(*Five Children* 240).

"그 물건"(the thing) 또는 그것이라고 불리는 사미어드는 여러 이유로 복합적인 생물이다(*Five Children* 11). 그것은 달팽이, 박쥐, 거미, 원숭이의 특징을 가진 혼합물이다. 그것은 자신의 이름인 사미어드(Psammead)가 모래를 의미하는 그리스어 "사모스"(psammos)에서 유래한다고 설명한다(*Five Children* 12). 사미어드는 네스빗이 만들어낸 이름으로, 영어로 모래요정을 의미한다.

『다섯 아이들과 그것』에서 아이들은 처음으로 사미어드를 만날 때, 과거에 존재했던 요정의 중요한 기능을 알게 된다. 수천 년 전에 요정들은 음식 공급을 규칙적으로 해주었다.

> 물론 그때는 모래요정도 많았지. 사람들은 아침 일찍 일어나서 모래요정을 찾으러 다녔어. 모래요정을 찾으면 소원을 들어달라고 했지. 사람들은 아침도 먹기 전에 그날의 소원을 이루기 위해 아들들을 바닷가로 보냈어. 대개는 형제들 가운데 맏이한테 금방 요리할 수 있도록 토막이 난 메가테리움을 달라는 소원을 빌라고 시켰지. 메가테리움은 코끼리만 해서 고기가 아주 많이 나와. (*Five Children* 14-15)

사미어드가 설명하듯이 옛날에는 모래요정이 많았을 뿐만 아니라, 그 결과 음식도 풍부했다. 옛날 사람들은 일단 가족들의 기본적인 욕구가 충족되었을 때, "아이들은 다른 것들을 바랄 수 있었다"(*Five Children* 15). 그러므로 아주 오래전 메가테리움 시대에 사람들은 생명 유지를 위한 필수품을 받은 후에야 비로소 소망과 욕망을 가질 수 있었다. 그러나 아이들은 어리석게도 해자가 있는 모래성을 만들었고, 그 결과 사미어드들은 물에 젖어서 죽었다. 사미어드는, "모래요정이 점점 줄어들었어. 그러자 사람들은 모래요정을 만나면 메가테리움을 달라고 해서 자기 양의 두 배는 먹었어. 모래요정을 만나 소원을 빌려면 또 몇 주를 기다려야 할지 모르니까"라고 한다(*Five Children* 16). 사미어드의 설명은 모래 요정이 사라졌기 때문에 어떤 이들이 필요 이상으로 먹거나 가지게 되었고 다른 이들은 아마도 굶주리게 되는 계층화된 사회를 초래했다는 것이다.

사미어드는 삶과 안락함을 유지하기 위하여 소원을 바라는 것이 중요하다고 하였지만, 아이들은 이러한 언급으로부터 교훈을 얻기는커녕 "눈부

시게 아름다워지고 싶어"라고 한다(*Five Children* 29). 아이들은 사미어드에게 자신들의 첫 번째 소원을 말하자 서로를 알아보지 못할 만큼 아름답게 변신한다. 그들은 갑자기 자신들이 매우 아름다워진 것을 알게 되고, 집에 돌아가면 하인들로부터 "엄청나게 예쁘다"(*Five Children* 20)라는 칭찬을 들을 것이라고 상상한다. 내레이터에 의하면 아이들의 소망은 아름다움에 대한 인식 그 자체보다 일종의 사회적인 격상을 원하는 데서 비롯된 것이다. 그러나 그들이 집에 돌아가자, 변하지 않고 그대로 남아있던 아기 램은 형과 누나들을 알아보지 못하여 비명을 지른다. 하인들도 아이들을 알아보지 못하고 그들이 집에 들어가는 것을 저지할 때 아이들은 이전의 모습으로 돌아가기를 바라면서 끔찍한 오후를 보낸다.

> 근처에는 집이 하나도 없어서 아이들이 빵 한 조각, 물 한 잔조차 얻어먹을 수가 없었다. 마을로 가는 것은 겁이 났다. 아까 마사가 바구니를 들고 마을로 갔는데 그곳에는 지방법원이 있기 때문이다. 사실 아이들은 모두 눈부시게 아름답긴 했지만 사냥꾼처럼 배가 고프고 스펀지처럼 목이 마를 때는 아름다운 것도 아무 소용이 없었다. (*Five Children* 23)

아이들은 과도하게 아름다워지고 싶다고 바란 결과, 집에 들어가는 것이 금지되면서 굶주리는 고통을 경험한다. 그들은 이러한 경험으로부터 국외자와 가난한 자가 되는 것 그리고 권위의 두려움 속에서 사는 것이 어떠한 것인지를 경험하면서 자신들의 이전의 모습과 안전한 삶을 그리워한다.

과도함이 궁핍을 낳는 이야기는 계속된다. 아이들은 "꿈도 꿀 수 없을 만큼 부자가 되고 싶어요"라고 다음 소원을 말한다(*Five Children* 33). 이 말에 사미어드가 자갈 채석장을 기니 금화로 가득 채우자 아이들은 그 금화를 가지고 시내에 가서 물건을 산더미처럼 사고 싶어 한다(*Five Children* 36). "하지만 그날 로체스터에서 아이들의 금화를 받아주는 이는 아무도 없었다. 이 가게에서 저 가게로 돌아다니는 동안 아이들은 점점 더 꾀죄죄해지고 머리는 부스스 헝클어졌다. 제인은 살수차가 막 지나간 길에서 미끄러져 넘어지기까지 했다. 다들 몹시 배가 고팠지만 아무도 아이들의 금화를 받고 먹을 것을 팔지 않았다"(*Five Children* 43). 굶주리고 더러워진 아이들은 미스터 피즈마시(Mr. Peasemarch)와 충돌하게 되는데, 그들이 금화를 보이자 그는 경찰을 부른다. 아이들은 "불법 소지 혐의로"(*Five Children* 58) 치안판사 앞에 끌려가서 시설이나 소년원에 수용되기 직전에 하인의 도움과 소원의 특성으로 인하여 구출된다. 소원은 해가 지면 사라지는 성질이 있기 때문이다. 다른 경우에 아이들이 날개를 갖길 바라자, 그들은 이내 시골을 자유롭게 날아다닌다. 그러나 아이들의 날개가 사람들을 위협하여 그들은 음식을 얻지 못하게 된다. 그들은 다시 한번 굶주리게 되자 도둑질을 한다. 그들은 엄청난 부와 자유라는 지나친 것을 바란 경우에, 법의 보호를 받지 못하거나 굶주림을 경험하면서 일시적으로 떠나온 자신들이 속한 중산층 세계의 안락함을 바라게 된다.

『다섯 아이들과 그것』의 에피소드는 코믹한 판타지 너머에 교훈적인 주제, 인간의 허영심, 부, 자유를 바라는 소망의 헛됨을 보여준다. 즉 이야기의 에피소드들은 한 사람이 필요 이상의 메가테리움을 먹어 치우던 것이 계층화된 사회를 초래한 것처럼, 한 사람이 필요하거나 사용할 수 있는 것보다 더 많은 것을 바라는 것이 가난과 굶주림을 야기하는 이유를 설명한다. 네스빗은 아이들이 지나친 것을 바라는 어리석은 소원을 묘사함으로써 영국의 가난한 사람들의 고통이 부의 불평등한 분배에 있음을 상징적으로 재현하는 것이다(Jones xv).

아이들은 지나친 아름다움, 부, 자유에 대한 순진한 욕망으로 인하여 모험과 어려움을 경험하면서 욕망의 실현이 반드시 행복을 가져오는 것은 아님을 알게 된다. 그러므로 이 소설의 결말에서 아이들은 더 많은 소망에 대한 기회를 기꺼이 포기한다. 이러한 결심은 미약하지만 성장 과정의 일부분이다. 아이들은 사미어드에게 소원을 바라지 않겠다고 약속하는 한편, 사미어드는 제인과 앤시어에게 자신과 자신의 힘에 대하여 아무에게도 말하지 말아 달라고 당부한다.

> . . . 너희가 어른들한테 말했다가는 나는 평생 평화롭게 지내지 못한다고. 어른들은 나를 붙잡아서 너희들처럼 바보 같은 소원이 아니라 진짜 진지한 소원을 빌 거야. 과학자들은 아마도 해가 지고 나서도 소원의 결과가 지속될 수 있는 방법을 찾아낼지도 몰라. 그리고 누진 소득세나 노인 연금이나 성년 남자 선거권이나 무료 중등교육 같은 재미없는 것들이 이루어지게 해 달라고 빌 거야. 그러고는 그 소원이 이루어지고 하루가 지나도 계속되면 온 세상이 뒤죽박죽되고 말겠지. (*Five Children* 241)

사람들이 지나친 것을 바라는 것은 사회적 불평등을 초래하기 때문에, 사미어드는 사람들이 이러한 소망을 갖지 않기를 바란다. 사미어드는 모든 사람의 욕구가 충족되는 과거의 메가테리움 시대를 그리워하지만, 현실에서 사회적 균형을 성취하는 것은 상당히 어려워 보인다.

『다섯 아이들과 그것』이 상업적 · 비평적으로 성공한 후, 네스빗은 『불사조와 양탄자』를 출판하였다. 이 소설은 1903년 7월에 『스트랜드 매거진』에서 12회에 걸쳐 연재되었으며 1904년에 단행본으로 출간되었다. 아이들은 『다섯 아이들과 그것』의 결말에서 사미어드에게 더 이상 소원을 바라지 않겠다고 약속했기 때문에 다른 마법 장치가 필요했고, 네스빗은 불사조와 마법의 양탄자를 새로이 도입하였다. 아이 방에 사용하려고 구매한 중고 양탄자에서 불사조의 알이 발견되자 불사조가 아이들의 삶으로 들어온다. 불사조는 자기중심적이고 주저하는 멘토의 역할을 하는 한편, 양탄자는 마법의 이동 수단이 되어 그들을 어디로든 데려간다. 『불사조와 양탄자』에서 마법은 해 질 녘에 사라지는 것이 아니기 때문에 아이들에게 마법을 통제할 더 큰 책임이 주어진다. 이전의 소설에서 아이들은 선견지명이 없었고, 천진난만하게 모험하였다. 그러나 그들은 과도한 것을 바라는 것이 재앙을 초래하였음을 인식하였기 때문에 무엇을 바랄 것인지 대하여 교훈을 얻었다. 이번에 아이들은 소원을 비교적 현명하게 사용할 수 있고, 이것이 사회적 균형을 가져오기는 어려울지라도 남을 돕겠다는 선한 의지를 갖게 할 것이다.

『다섯 아이들과 그것』과 달리 『불사조와 양탄자』의 몇몇 에피소드는 서로 연관된다. 예를 들어 프랑스의 탑에서 보물을 발견하는 아이들의 첫 번째 모험은 착하고 친절한 행동을 바라는 다음의 에피소드로 이어진다. 그들은 조상 대대로 소유해온 성을 잃을 위기에 처한 가난해진 가족에게 그들 조상의 황금을 찾도록 도와준다. 열대 섬을 배경으로 벌어지는 에피소드에서, 아이들은 요리사와 도둑 두 사람을 결혼시키기 위하여 온갖 방법을 동원하여 목사를 데려간다. 보물 에피소드는 아이들의 성장을 증명하는데, 그들은 다른 사람의 행복과 권리를 자신들의 것보다 우선시한다. 서로 연관된 이 에피소드들은 소설에 통일감을 주면서 이타주의적 주제를 발전시키기에 적절하다.

아이들의 소원은 다른 사람에게 도움이 되었을 때 자신들에게도 바람직하게 작용하기 때문에, 네스빗의 자선에 대한 견해를 드러낸다. 대표적인 에피소드 「바자회」에서, 아이들은 인도 여왕으로부터 받은 물건들을 팔아서 가난한 이들에게 옷을 사도록 할 작정이다(*Phoenix* 91). 아이들은 친절한 미스 피즈마시(Miss Peasemarch)에게 물건들을 팔아달라고 하고, 그녀는 이 일을 완수한다. 그러나 아이들은 불쾌한 비들 부인(Mrs. Biddle)을 만나는데, 그녀는 아이들이 타고 온 양탄자를 10실링에 사 간다. 아이들은 집으로 돌아가는 데 필요한 그 양탄자를 훔칠 것인지를 의논하다가, 일단 그녀에게 기회를 주기로 한다. 앤시어는 "비들 부인이 천사처럼 좋은 성격을 가졌으면 좋겠어"라고 소원을 말한다(*Phoenix* 104). 비들 부인은 낯빛이 변하더니 아주 환한 미소를 지었다고 하듯이, 양탄자가 다시 한번 아이들의 소원을 이루어준다. 비들 부인은 아이들에게 양탄자와 함께 10실링을 더 얹어서 돌려줄 뿐만 아니라 케이크 한 조각을 주어서 보상한다. "그날 이후로 비들 부인은 이전과 달리 전혀 쌀쌀맞게 굴지 않았다"(*Phoenix* 106). 아이들은 자신들의 바람대로 미스 피즈마쉬와 바자회로부터 혜택을 입었을 뿐만 아니라, 비들 부인을 변화시킨다. 아이들은 경솔한 소망의 결과에 대하여 좀 더 신중하게 생각한 결과 동정심과 다른 사람에 대한 사랑, 즉 이타주의를 체득한다.

두 번째 소설에서 아이들의 소원은 다른 사람을 돕기 위한 자발성을 보여주었고, 이로 인하여 그들 자신과 다른 이들이 보상을 받는다. 더욱이 아이들은 과도함을 피해야 하는 이유를 이해한다. 제10장 「양탄자에 난 구멍」에서 아이들은 어머니를 위하여 멋진 선물을 사고자 한다. 그러나 그들은 돈이 든 지갑을 갖고 싶은 소망이 과도한 바람이고 이타적이지도 않기 때문에 재앙을 가져올 것임을 인식한다. 대신에 아이들은 "양탄자에게 엄마 선물을 살 돈을 얻을 수 있는 곳으로 데려가 달라고 하는 거야. 엄마가 믿고 오해하지 않을 방법으로 돈을 얻을 수 있는 곳으로 말이야"라고 한다(*Phoenix* 225). 양탄자는 아이들을 레지널드 삼촌(Uncle Reginald)에게 데려간다. 변호사인 삼촌은 지방법원 소송 때문에 그들과 시간을 보내지 못하는 것을 안타까워하면서 약간의 돈을 준다. 아이들은 합당한 기대에 대하여 보상을 받으면서 적절함의 중요성을 배운다.

사미어드 삼부작의 마지막 소설, 『부적 이야기』는 1905년 5월에서 1906년 4월까지 『스트랜드 잡지』에 "부적"(The Amulet)으로 연재되었고, 1906년에 『부적 이야기』로 출판되었다. 피상적으로 보면, 『다섯 아이들과 그것』과 『부적 이야기』는 『이상한 나라의 앨리스』와 『거울나라의 앨리스』처럼 서로 의존적이다(Knoeflmacher 314). 두 편의 『앨리스』의 모험에 각각 같은 주인공들이 등장하는 공통점이 있으나 두 작품이 서로 개념이 다르듯이, 『다섯 아이들과 그것』과 『부적 이야기』 역시 같은 주인공들이 등장하지만 서로 다르다. 『다섯 아이들과 그것』은 에피소드로 구성된 모험 이야기인 한편, 『부적 이야기』는 통일된 플롯을 가진 탐색 이야기이다.

『부적 이야기』는 역사를 횡단하는 탐색 여행이다. 다섯 아이들은 부적과 함께 몇몇 역사적인 시대, 즉 고대 이집트, 바빌론, 고대 로마제국 시대의 영국, 레바논 남부의 티레, 그리고 전설의 아틀란티스를 여행한다. 네스빗의 목적은 아이들이 영국을 떠나 여행하면서, 그곳을 역사적으로 존재했던 과거 사회와 비교하도록 하여 그들의 삶의 장점과 한계를 인식하도록 하려는 것이다. 이 탐색 여행에서 네스빗은 과거부터 그 당시까지 유토피아 사회는 없었음을 보여준다. 이러한 인식의 결과 그녀가 제시하는 미래사회는 가난의 추악함이 제거되고 높은 아름다움의 기준 위로 올라선 페이비언 유토피아 사회로 그려진다. 그러나 미래의 도시는 존재한 적이 없는 가상의 사회이기 때문에 네스빗은 현대 영국에서 찾을 수 있는 이상세계로 가정의 회복을 제안한다. 페이비언들은 중산층에 기원이 있고, 그들의 이상은 모든 사람이 중산층의 가치를 누리는 것이었다. 이러한 가치들 가운데 하나는 안정된 가정을 회복하는 것이다.

『부적 이야기』는 어머니가 매우 아파서 램을 데리고 떠나는 것으로 시작된다. "어머니, 가련한 사랑하는 어머니"는 마데이라(Madeira)에서 건강을 회복해가는 중이고, 아버지는 "중러 전쟁을 취재하기 위하여 만주(Manchuria)로 떠났다"(*The Amulet* 3). 이번에 아이들은 런던 대영박물관 인근 피츠로이가의 하숙집에 기약 없이 머물도록 맡겨진다. 나이 든 보모의 하숙집에서 아이들은 그녀의 친절에도 불구하고 새로운 환경이 매우 끔찍하다고 느낀다.

아이들의 이번 여름휴가는 잠재적으로 불길하고, 고통스러운 시간이 될 것 같다. 그들은 버려졌다고 강하게 느끼기 때문에 이전의 소설에서 보이지 않았던 슬픔을 발산한다. "모두가 평생 울지 않으려고 애쓰면서, 그 때문에 죽는다면 지금이라도 울어야 한다고 느꼈다"(*The Amulet* 4). 아이들이 두려워하는 것은 어머니와 램이 돌아오지 않을지도 모르며, 아버지는 전쟁터에서 죽을지도 모른다는 것이다. 그러나 이내 아이들은 런던의 애완동물 가게에서 사미어드를 다시 만나게 되어 기뻐한다. 그들이 위험에 처한 사미어드를 구해주자, 그것은 아이들이 절반의 부적을 발견하도록 이끈다. 사미어드에 의하면 "그것[부적]은 붉고 매끄럽고 부드럽게 빛나는 돌로 만들어졌다"(*The Amulet* 27). 그리고 그것은 말굽(a horse-shoe) 모양으로 생겼으며, "여기[1차 세계]엔 절반밖에 없다"(*The Amulet* 29). 사미어드는 아이들이 자신의 목숨을 구해주었기 때문에 이 부적에 대하여 다음과 같이 알려준다.

> 이것은 모든 것을 할 수 있는 절반의 부적이야. 그것은 옥수수를 자라게 하고, 물을 흐르게 하고, 나무들이 열매를 맺고, 작은 아름다운 아기들을 오도록 하지. (*The Amulet* 32)

사미어드는 부적의 큰 힘이 여성의 생식능력에서 비롯된다고 설명한다. 이에 앤시어는 절반의 부적 두 개가 만나서 하나를 이루어야 네 명의 아이들을 하나로 묶고, 부모님과 램이 돌아오는 소원을 이룰 수 있다는 것을 금방 알아차린다(Knoeflmacher 314).

아이들은 가족을 회복하고자 하는 바람만큼 부적을 통합하는 것에 관심이 있다. 아이들이 가지고 있는 절반의 부적은 "다른 절반을 찾기 위한"(*The Amulet* 32) 곳으로 그들을 이동시키는 힘을 가지고 있다. 그러나 아이들과 사미어드가 상형문자로 된 부적의 이름을 해독하지 못하기 때문에 그들이 갖게 된 절반의 부적의 힘조차 나오지 않는다. 그 순간, 앤시어는 "위층의 가난한 학식 있는 신사"를 기억해낸다(*The Amulet* 34). 유순하지만 건망증이 많은 지미(Jimmy)는 부적의 이름을 "우르 헤카우 세체쉬"(Ur Hekau Setcheh)라고 해독한다(*The Amulet* 42). 마법 장치로서 부적은 사미어드 그리고 학식 있는 신사와 함께 멘토의 역할을 수행하면서 이야기를 전개한다. 부적을 통합하고, 가족을 회복하기 위하여 아이들의 탐색 여행은 시작된다.

아이들은 사미어드, 부적, 지미와 함께 과거로 가는 여행을 시작한다. 그들은 과거에 만들어진 절반의 부적을 찾기 위하여 과거로 가는 것이다. 그들은 과거 문화의 양상들을 체험하면서, 예를 들어 바빌론 판사의 독단을 목격할 때, 바빌론에서 고문의 위협을 받을 때, 그리고 이집트에서 페니키아인 선장에 의하여 노예로 팔려갈 때, 자신들이 사는 영국 사회가 매우 진보한 곳임을 인식한다. 네스빗은 이 탐색 여행으로 과거의 문화와 사회에 유토피아가 존재하지 않았음을 조심스럽게 증명하는 것이다. 그러나 그녀는 또한 "현재 영국 사회가 그 이전의 모든 사회보다 반드시 우위에 있다"라는 믿음에도 도전한다(Rahn 127). 고대 이집트로 여행할 때 아이들은 "노동자 계층"이 시위하는 것을 본다(*The Amulet* 262). 그들의 지도자가 "우리 노고의 결실로 게으르고 사치스럽게 사는 주인들의 횡포를 언제까지 견뎌야 합니까?"라고 외칠 때, 로버트는 "지난 일요일에 하이드 파크에서 이 한마디 한마디!"를 들었다고 사람들에게 속삭인다(*The Amulet* 205). 더욱이 고대 이집트는 사회적 불평등의 견지에서 오늘날 영국과 매우 유사한 한편, 과거의 대영제국이 현재보다 여러모로 훨씬 더 우월하다는 것을 암시한다.

「어린 흑인 소녀와 줄리어스 시저」 장에서 아이들은 고대 영국에서 가련한 아이에게 어머니를 찾아준다. 네스빗은 아이들이 이집트의 노예, 영국의 노동자 계층의 고통은 물론 바빌론 군주, 이집트의 파라오, 증권거래소 직원의 잘못을 목격하도록 함으로써 역사와 다양한 문화에 존재하는 과잉과 궁핍의 이야기를 이어간다. 앞의 두 소설에서 과도한 것을 바라는 어리석음이 결과적으로 재앙을 낳는 것을 개인적 차원에서 보여주었다면, 『부적 이야기』의 다양한 역사는 불평등에 대한 비평을 사회적 차원으로 확장하는 것이다.

『부적 이야기』의 탐색 여행은 역사적 과거부터 아이들이 사는 현재의 영국에 이르기까지 유토피아 사회는 없었음을 보여준다. 사미어드는 과거의 메가테리움 시대를 그리워하지만 네스빗은 과거 문화와 사회에 유토피아 사회는 없었고 현재 영국에서의 삶은 이상적인 삶과 매우 동떨어져 있다는 것이다. 사회적 균형과 조화를 성취한 유일한 도시는 미래의 유토피아적 런던으로 존재하는데, 수잔 란(Suzanne Rahn)은 이에 대하여 다음과 같이 언급한다.

> 런던은 더 이상 오염되지 않았다. 런던은 기원전 6000년 이집트의 하늘처럼 맑다. 전통적인 성역할은 바뀌었고, 거의 옷을 벗은 아이들이 함께 노는 모습을 지켜보는 부모들의 목가적인 모습은 고대 영국인들과 그들의 깊은 자식 사랑을 떠올린다. 무엇보다 아름다움은 바빌로니아에서처럼, 공원과 우아하고 화려한 의복으로 일상생활의 모든 면에 스며든다. (131)

네스빗이 『부적 이야기』에 재현하고자 하는 미래는 역사적 결점들을 복제하지 않으면서, 과거와 현재 문명의 최상의 특징을 가지는 유토피아 사회이다. 반면, 바빌론, 이집트, 어린이 주인공들이 살고있는 런던, 이 모든 도시는 계급 불안과 사회적 불평등으로 고통받고 있지만, 미래의 유토피아 도시는 이러한 특성들과 거리가 멀다.

> "하지만 거지들, 그리고 그런 사람들은요?" "그리고 부랑자들과 집이 없는 사람들은요?"라고 앤시어가 계속했다.

"집이 없는 사람들?" 그 부인이 되풀이했다. "무슨 말인지 정말 모르겠어요."

. . .

"일하는 사람을 본 적이 없어요"라고 앤시어가 말했다.

"저런, 우리 모두 일하는 사람들이에요"라고 그 부인은 말했다. "적어도 내 남편은 목수지요."

"멋져요"라고 앤시어가 말했다. "하지만 당신은 숙녀입니다."

(*The Amulet* 237-38)

여기에 재현되는 사회는 가난의 추악함이 제거되었고 아름다움의 높은 기준 위로 올라선 페이비언 유토피아 사회이다(Flegel 34). 이 사회에서 계급 차이는 존재하지 않고, 자신의 욕구를 충족시키기 위하여 아무도 자선에 의존할 필요가 없다. 주인공들이 만나는 도시와 문명들 가운데 미래의 도시는 최상의 세계로 인식된다.

그러나 이 소설에서 미래의 도시는 실제로 존재한 적이 없는 도시이다. 사미어드가 알려주듯이 그들이 목격하는 유토피아적 미래는 "일어난 일이 아니라", 사실상 "예언적 비전"(*The Amulet* 247)이다. 미래로 여행하는 것은 과거에 만들어진 부적을 찾는 데 도움이 되지 않을 뿐만 아니라, 아이들은 1차 세계인 현실로 돌아왔을 때 미래에 대하여 아무것도 기억하지 못한다. 미래 도시가 주는 최상의 암시는 미래의 런던에서 만난 한 여성이 들려주는 위대한 개혁가 H. G. 웰스(H. G. Wells)의 말, 즉 "당신이 해야 할 일은 자신이 원하는 것을 알아내고 그것을 얻으려고 노력하는 것"(*The Amulet* 239)이다. 결국 아이들이 "마음으로부터 원하는 것"(*The Amulet* 284)은 가족이 재결합하는 것이다. 앤시어가 언급하듯이 "[나머지] 부적을 찾아낸다면 아버지, 어머니, 램은 집으로 돌아올 수 있을 것이다"(*The Amulet* 241).

부적의 힘은 아이들이 절반의 부적을 찾기 위하여 과거 문명의 시간으로 다시 여행하도록 한다. 그들이 과거로 갔을 때 1차 세계에 존재하던 절반의 부적은 과거에 존재하던 절반의 부적과 하나의 완벽한 전체로 통합된다.

> 그러고 나서, 유리창이 빗물로 주름질 때, 한 방울의 물이 다른 것에 섞이듯이, 한 방울의 수은이 다른 수은 방울에 빨려 들어가듯이, 아이들의 것이었고 또한 레흐마라의 것이었던 절반의 부적은 완전한 부적으로 미끄러져 들어갔다. 보라! 오직 한 가지—완벽하고 궁극적인 마법—이 있었다.
>
> (*The Amulet* 286)

아이들과 이집트의 제사장 레흐마라, 각자가 가지고 있던 절반의 부적들은 온전한 하나의 부적으로 합쳐진다. 그럼에도 여전히 또 다른 환생이 필요하다. 레흐마라가 자신의 미래에 해당하는 "현재"에 머무르기를 원할 때, 그는 학식 있는 신사와 하나가 된다. 왜냐하면,

> 정해진 것이 없으면 아무도 하나의 땅 그리고 하나의 시간에서 계속하여 살 수 없다. . . . 그러나 만약 다른 시간과 장소에서 그것에게 피난처를 제공할 정도로 그것과 유사한 영혼을 발견한다면 하나의 영혼은 살 수 있다. 그러므로 그 둘은 한 몸에서 하나의 영혼이 될 수 있다. (*The Amulet* 288-89)

레흐마라는 그 자신과 유사한 영혼을 찾도록 초대받았다. 그와 유사한 영혼은 학식 있는 신사 지미이고, 그래서 두 사람은 지미의 몸 안에서 하나의 영혼이 된다. 빛나는 아치 아래에서, "레흐마라, 성전의 신부인 아멘-라는 슬며시 들어가 사라졌고, 착하고 사랑받는 학식 있는 신사 지미와 하나가 되었다"(*The Amulet* 290).

부적이 하나의 완벽한 전체로 통합된 후, 아이들에게 아버지와 어머니

그리고 램이 돌아와서 마침내 일곱 명의 가족은 재회한다. 앤시어, 시릴, 로버트, 제인은 가족이 다시 만나는 진정한 기쁨을 찾고, 그들의 모험은 "가정, 집, 친숙한 사람들에게 회귀"(Bar-Yosef 6)하는 것을 찬양하는 본문과 함께 마무리된다. 네스빗은 페이비언 유토피아 사회를 미래의 가상세계로 존재하도록 하여 현실에서 찾기 어렵다는 비관론으로 끝낼 필요가 없었다. 페이비언들의 이상은 모든 사람이 중산층의 삶을 누리는 것이었고 중산층의 중요한 가치는 가정의 회복이었다. 네스빗은 현실에서 가정의 회복을 유토피아로 제안한 것이다.

4

네스빗의 사미어드 삼부작은 판타지의 도피적 자질을 찬양하는 한편 교훈적인 아동문학을 패러디하지만, 이 소설들이 삶과 관련이 없거나 교훈이 없는 것은 아니다. 주인공들의 환상적인 모험은 상상력이 풍부하게, 비유적 또는 은유적으로 존재의 유물론적 조건에 대하여 관심을 가지면서 사회 비평과 비전은 물론 어린이를 위한 교훈을 포함할 수 있기 때문이다.

사미어드 소설은 사회적 불평등을 부드럽게 풍자하면서 유토피아 세계를 제안한다. 『다섯 아이들과 그것』은 아이들이 가진 소망의 순진함, 그러나 소망의 결과에서 비롯되는 상황의 부조리함을 경험함으로써 사회적으로 불평등한 삶을 인식하고 중산층의 삶의 장점에 대하여 배우도록 한다. 『불사조와 양탄자』는 중산층의 이상인 절제, 이타주의, 친절한 개인주의적 행위를 통하여 욕망과 경제적 불평등의 이야기를 계속하는 한편, 『부적 이야기』는 불평등의 이야기를 사회적 영역으로 확장하면서 이에 대한 대안으로 유토피아 사회를 제안한다. 아이들이 역사적 과거로 가는 여행은 동시대 영국 사회가 매우 진보된 것이지만 이전의 모든 사회보다 반드시 우위에 있는 것은 아님을 인식시킨다. 미래 여행은 그들에게 과거와 현재의 문명을 통틀어 최상의 아름다움을 가진 페이비언 유토피아 사회를 보여준다. 그러나 이 사회는 예언적 비전일 뿐이므로, 아이들은 현실세계에서 자신들이 원하는 것을 찾아야 한다. 그들은 마음으로부터 가정의 회복을 바라는데, 부적이 통합되는 마법이 일어나자 어머니와 아버지, 램이 돌아와서 일곱 명의 가정을 회복한다.

오늘날 가정에서 어머니는 앤시어, 시릴, 로버트, 제인, 램에게 메가테리움 시대의 것과 동등한 것들을 제공한다. 사미어드가 아이들을 처음으로 만날 때 "아침은 뭘 먹니? 누가 아침을 주지?"라고 묻는다(*Five Children* 14). 모래요정은 자신들이 주는 혜택 없이 인간이 어떻게 살아남을 수 있는지 상상할 수 없으나 아이들은 "달걀이랑 베이컨, 빵이란 우유, 죽이랑 이것저것, 그리고 아침은 엄마가 줘요"라고 대답한다(*Five Children* 14). 오늘날 런던에서 어머니는 마법과 같은 존재로서 아이들의 필요를 충족시킨다. 아이들은 어머니가 있는 가정을 회복함으로써 현실세계에서 실현 가능한 이상적인 유토피아 사회를 성취하는 것이다. 그러나 안전한 가정의 영역을 만들기 위하여 어머니뿐만 아니라 자본이 필요하며 이것은 가난의 추악함의 근원인 자본주의 제도에서 발생한 것이다. 그럼에도 소설은 어머니가 돌아와서 가정이 회복되는 것에 집중함으로써 자본 획득의 문제를 회피한다.

사미어드 삼부작의 위대한 점은 아이들에 대한 각별한 이해를 바탕으로 지극히 사실적인 것에 마법을 걸었던 점이다. 그 안에서 네스빗은 페이비언으로서 자신이 살았던 영국 사회를 풍자했을 뿐만 아니라 현실세계에서 이상적인 유토피아 사회를 가정의 회복으로 제안한다. 또한, 일상과 더불어 상상력이 풍부하고 유머러스한 판타지적 사건을 통하여 어린이들은 삶을 배우고 성장하는 모습을 보인다.

6장

제임스 배리

피터 팬 이야기 스토리텔링

『피터와 웬디』에 나타난 여성 스토리텔링

1

제임스 배리(1860~1937)의 『피터와 웬디』는 피터 팬(Peter Pan) 이야기를 처음으로 출판한 소설이다. 서사는 두 명의 주인공, 피터와 웬디가 등장하여 자라는 것과 자라지 않는 것을 근간으로 하는 환상적인 세계를 보여준다. 어머니가 들려주는 피터 팬 이야기에 존재하는 허구의 인물 피터는 네버랜드(Neverland)에서 상상력 풍부한 놀이를 통해 영원히 어린이로 남고, 현실의 아이 웬디는 어른으로 성장하게 된다. 화자는 달링 부인(Mrs. Darling) 또는 어머니가 된 웬디와 같은 성인 여성들이다. 그들이 들려주는 피터 팬과 네버랜드 이야기는 이 소설을 메타 서사(meta-narrative), 즉 이야기에 대한 이야기로 만드는 한편, 마법으로 가득한 이야기를 해명하는 반동화적인 소설, 그리고 상상력 풍부한 이야기를 들려주면서 아이들을 성장시키는 방법을 이야기한다.

사실 일반인들이 피터 팬과 그와 관련된 인물들을 알게 되는 것은 연극, 디즈니 애니메이션, 피터 팬 관련 도서, 영화와 텔레비전 각색물 등을 통해서이다. 피터 팬은 대중문화와 함께 어른이 되지 않는 남자아이 주인공으로서 전 세계 어린이들의 친구가 되어온 것이 사실이다. 그러나 100년 넘게 지속된 피터 팬 이야기의 문화현상에도 불구하고 배리 또는 그의 작품들, 소설이나 희곡작품 텍스트에 관심을 가진 사람들은 많지 않을 것이다.

배리는 잠시 종사한 기자직을 제외하고 변변한 직업을 갖지 못하다가, 런던으로 이사한 후 영국에서 가장 촉망받는 젊은 작가로 성장하였다. 그는

『세인트 제임스 가젯』(*St. James's Gazette*), 『스펙테이터』(*Spectator*), 『챔버스 저널』(*Chambers Journal*) 및 신문과 잡지에 수많은 기사와 글을 게재하였고, 풍자 글이나 짧은 희곡을 쓰기도 하였다. 그의 첫 번째 주요 작품으로 『올드 리히트의 목가』(*Auld Licht Idylls*, 1888), 『스럼스의 창문』(*A Window in Thrums*, 1889) 등이 있으며, 첫 번째 소설 『어린 성직자』(*The Little Minister*, 1891)는 베스트셀러가 되었다. 또한, 그의 어머니의 전기 『마거릿 오길비』(*Margaret Ogilvy by Her Son*, 1896), 자전적인 요소가 강한 어린 몽상가 이야기 『감상적인 토미』(*Sentimental Tommy*, 1895), 속편 『토미와 그리젤』(*Tommy and Grizel*, 1900) 등이 있다. 대표적인 희곡으로 『어린 성직자』(*The Little Minister*, 1897), 『퀄리티 스트리트』(*Quality Street*, 1902), 『훌륭한 크라이턴』(*The Admirable Crichton*, 1902), 『어린 메리』(*Little Mary*, 1903), 『피터 팬』, 『모든 여자가 아는 것』(*What Every Woman Knows*, 1908), 『삶의 단편』(*Slice of Life*, 1910) 등이 있다.

배리의 작품 가운데 피터 팬이 처음으로 등장하는 이야기는 어른을 위한 소설 『작은 흰 새』(*The Little White Bird*, 1902)이다. 이 소설에서 화자는 켄싱턴 공원에서 데이비드(David)라는 소년과 함께했던 일을 이야기하는데, 피터 팬과 관련된 주요 장들은 1906년에 『켄싱턴 공원의 피터 팬』(*Peter Pan in Kensington Gardens*, 1906)에 포함되어 별도로 출간되었다. 그 후 3막으로 구성된 "피터 팬" 연극을 위한 초고가 1904년 3월 1일에 완성되어, 같은 해 11월 27일에 연극 〈피터 팬〉이 런던에서 처음으로 성황리에 상연되었다. 피터 팬 이야기는 배리에 의하여 거듭 수정되면서 다양한 연극 대본과 소설 판본을 가지게 되었다. R. D. S. 잭(R. D. S. Jack)은 『네버랜드로 가는 길』(*The Road to Never Land*, 1991)에서 배리가 쓴 피터 팬 연극 대본만 해도 최소한 20편이 넘는다고 하였다. 연극 〈피터 팬〉은 배리 생전에는 물론이고 그 후에도 매년 크리스마스에 런던에서 상연되었다. 그러나 그는 1928년이 되어서야 최종적으로 수정된 희곡 『피터 팬, 자라지 않는 소년』(*Peter Pan, or The Boy Who*

Would Not Grow Up, 1928)을 출판하였다. 그 해에 그는 피터 팬 이야기로 인하여 발생하는 모든 저작권 수입을 그레이트 오몬트 가 어린이병원(the Hospital for Sick Children, Great Ormond Street)에 남겼다(Zipes xviii).

자라지 않는 행복한 어린이라는 피터 팬의 이미지는 배리의 소설 『피터와 웬디』 또는 희곡 『피터 팬』과는 별개로 하나의 신화가 되었다. 피터 팬을 신화화한 문화산업의 한가운데 월트 디즈니 애니메이션 스튜디오(Walt Disney Animation Studios, 이하 디즈니)가 존재한다. 디즈니가 1953년에 발표한 열네 번째 장편 애니메이션 〈피터 팬〉은 현재 일반에 알려진 피터 팬 이미지를 생산하여 전 세계에 확산시켰다. 전 세계 어린이를 대상으로 꿈과 환상이 가득한 이야기들을 만들어온 디즈니는 '서구, 미국, 남성 중심의 이데올로기'를 전파하기 위하여 원전 변형도 서슴지 않는다. 디즈니가 만들어낸 피터 팬 이미지도 이러한 해석에 근거한다.

디즈니 애니메이션 〈피터 팬〉(1953)을 보고 자란 어린이들에게 피터 팬은 나뭇잎으로 만든 옷을 입고 자유롭게 날아다니는 소년이다. 피터는 어른을 대변하는 후크선장과 해적들을 상대로 결투를 벌여서 그들을 네버랜드에서 몰아낸다. 악당이지만 전혀 무섭지 않은 후크선장과 그의 좌충우돌하는 부하들과 싸워 이기는 피터의 모험은 긴장감이 있고 환상적이다. 또한, 네버랜드에서 피터는 사회의 격식을 배우거나 학교 교육을 받은 적이 없으니, 런던은 네버랜드와 대비되어 무미건조해 보인다. 그러므로 네버랜드는 결코 되돌아갈 수 없는 어린 시절을 상징하는 천국인 동시에 환상세계로 그려진다. 이처럼 디즈니의 〈피터 팬〉은 그들 자신의 이데올로기, 이야기 구조와 등장인물 구성 방식에 따라 '디즈니화'하는 이야기 변형을 겪으면서 또 하나의 피터 팬을 탄생시켰다. 본서는 다양한 문화현상 속에 존재하는 피터 팬으로부터 원전 텍스트, 『피터와 웬디』로 돌아가고자 한다. 이 소설은 처음 출간된 피터 팬 이야기로서 메타 서사라는 장르적 특성을 가진다.

『피터와 웬디』는 1970년대까지 문학계에서 높은 평가를 받았다. 초기 연구와 1990년대의 연구들 가운데 정신분석학적 연구와 전기적 연구가 현재까지도 중요한데, 두 편의 주요한 정신분석학적인 연구(Meisel, 1977; Tucker, 1982)와 두 편의 분석심리학적인 연구(Hallman, 1969; Yeoman, 1998)가 있다. 네 편 모두 런던의 달링 가(the Darling family)라는 현실세계에서 네버랜드라는 환상세계로 갔다가 다시 현실세계로 돌아오는 여행을 이야기한다. 그 밖의 정신분석학적 연구와 전기적 연구들은 피터 팬과 배리를 서로의 분신으로 동일시하면서 자전적 측면에서 작품을 분석하는 경향이 있다. 즉 피터와 웬디의 관계가 배리와 그의 어머니 사이의 오이디푸스 콤플렉스적인 불안정한 관계, 또는 배리의 실비아 루엘린 데이비스(Sylvia Llewelyn Davis)를 향한 열정을 보여준다고 한다. 실비아는 배리가 켄싱턴 공원에서 만난 남자아이들, 조지(George), 잭(Jack), 피터, 마이클(Michael), 니콜라스(Nicholas)의 어머니이다. 그녀는 배리의 일생에 걸친 사랑으로서, 엄마이자 아내의 표상이다.

이러한 분석 외에도 자라지 않는 소년 피터 팬이 전형적인 영국 사회에 합류하길 거부하는 반항적 특성은 문화적 차원에서 호소력이 있다. 즉, 피터 팬은 현실세계와 별개의 환상세계인 네버랜드에 거주하면서 성장을 원하지 않는 소년으로서 환상적 특성을 가진다. 그는 어린이가 받아야 할 교육, 예를 들어 글자를 배운다거나 책을 읽는 등의 활동이나 예의 바름, 겸손함과 같은 도덕적 가치를 습득하는 일을 거의 하지 않는다. 그러므로 피터 팬은 문명화되는 것을 거부하는 외로운 반항아의 문화적 아이콘으로 읽힐 수 있다. 그는 동시대에 발표된 다른 아동문학 작품의 주인공들, 예를 들면 『허클베리 핀의 모험』(*Adventures of Huckleberry Finn*, 1884)의 허클베리 핀과 『오즈의 마법사』(*The Wizard of Oz*, 1900)의 도로시(Dorothy)와 닮았다. 문명화되느니 차라리 지옥에 가겠다고 하는 허크, 자신이 떠나온 캔자스(Kansas)로 돌아가는 것을 거부하고 오즈에 남는 도로시를 넘어서서 그는 머무를 수 없다는 것을 보여주기 위하여 네버랜드로 계속 돌아간다.

이 외에도 『피터와 웬디』와 『피터 팬』은 19세기 말 근대화로 인하여 사회와 가정에 커다란 변화를 가져온 시대에 남성들의 불안을 반영하는 작품으로 읽히기도 한다. 이러한 관점에서 소년 시절, 즉 아동기는 근심 걱정 없던 목가적인 과거에 대한 그리움으로 해석된다. 아동문학은 아동기를 다루거나 찬양하는 장르인데, 재클린 로즈(Jacqueline Rose)는 『피터 팬』을 아동문학이라고 한다. 로즈에 의하면 최고의 아동문학은 어린이와 어른을 동시에 독자로 상정하는 작품이다(10). 정전으로 분류되는 아동문학이 어린이와 어른이라는 양방향의 독자를 가진다는 것은 새로운 견해가 아니다. 아동문학 연구의 초기 단계에서부터 이 분야의 대가들인 피터 헌트(Peter Hunt)와 자이프스 등이 이러한 주장을 해왔으며, 아동문학 연구가 성숙기에 접어든 오늘날 이것은 이미 받아들여진 학설이다. 아동문학은 즐거움과 교훈을 바탕으로 어린이의 상상력을 신장하거나 사회화를 돕는데 영향을 주었을 뿐만 아니라 작고 어리지만 새로운 것, 즉 진보적인 것을 염원하는 어른들을 매료해 온 문학 장르이다. 로즈의 논의의 핵심은 아동문학이 아이들에게 이익이나 기쁨을 주기 위한 것이 아니라 어린이의 사회화 과정에서 성인들이 그들을 이용하는 방식과 관련된다는 것이다. 그녀는 어린이 세계를 프로이트의 무의식과 연관시켜서 어린 시절에 대한 낭만주의적 인식, 즉 천진난만과 순진무구함이라는 개념과 연관시키기보다 심리적인 억압과 병적인 강박으로 가득한 시기라고 한다(64). 로즈의 연구는 피터 팬 연구와 관련하여 가장 뛰어난 연구로 평가받는다.

『피터와 웬디』에 대하여 다양한 논의가 있지만, 비평가들 대부분은 『피터와 웬디』가 아동문학이 아니라는 데 동의하며 자이프스가 이러한 주장을 하는 대표적인 학자이다. 자이프스에 의하면 희곡 『피터 팬』은 행동으로 가득해서 어린이와 어른이 모두 즐길 수 있는 아동문학 작품인데, 『피터와 웬디』는 어린이 독자들이 즐기기에 어렵고 다소 묵직한 소설로서 희곡『피터 팬』에 대한 해설서 역할을 한다(xxiii). 두 작품 가운데 먼저 출판된『피터와 웬디』는 아이들이 책임감 있는 어른으로 성장하는 것을 돕기 위하여 부모들이 상상력 풍부한 이야기를 어떻게 보존하는지를 알려주는 어른들을 위한 메타 서사의 성격을 띤다. 어른들은 부모가 되기 위한 환상적인 이야기를 지켜나가는 재교육을 받음으로써 장차 아이들이 자신들의 영역으로 날아갈 수 있도록 보살핌을 주는 존재가 될 수 있다.

『피터와 웬디』에서 성인 여성 화자가 들려주는 피터 팬 이야기는 아이들을 성장시키는 도구가 된다. 현실의 아이 웬디는 어머니의 이야기 속 인물인 피터와 함께 네버랜드 여행을 하면서 어른이자 어머니로 성장하는 한편, 피터는 영원히 아이로 존재한다. 그러므로 네버랜드로 향하는 입구와 그 세계는 아이들이 자신의 상상력을 펼칠 수 있는 환상적인 장소이며, 네버랜드를 꿈꾸도록 하는 것은 그곳에 여행을 다녀온 후 이야기를 들려주는 어른이 된 웬디와 그녀의 딸들이다. 피터에게 "너 왜 울고 있어?"(24)라고 묻는 어린 웬디의 첫 질문은 그녀의 딸 제인(Jane)의 같은 질문, "너 왜 울고 있어?"(152)로 반복되듯이 어머니 달링 부인에서 그녀의 딸 웬디와 웬디의 딸, 다시 그녀의 딸로 이어지는 여성 스토리텔링의 전통 안에서 배리는 부모가 되는 것에 관한 이야기를 전개할 수 있었다.

그렇다면 본 장은 작가가 여성을 스토리텔러로 설정한 배경, 피터와 웬디를 중심으로 자라는 것과 자라지 않는 것에 관한 이야기를 전개하는 방법, 이 소설을 메타 서사로 만드는 스토리텔링 장치에 대하여 논의하고자 한다.

2

피터와 웬디의 이야기는 “자라는 것과 자라지 않는 것”에 대한 환상적인 이야기이다(Hearn 17). 이것은 부모의 상상력 풍부한 이야기가 아이들을 어떻게 성장시키는지, 그러한 이야기를 왜 보존해야 하는지에 대한 필요성을 암시하면서 이 소설을 어른을 위한 메타 서사로 만든다. 이 소설이 이야기에 대한 이야기라는 것은 제1장 「피터, 모습을 드러내다」에서 달링 부인의 피터 팬에 대한 언급에서 드러난다.

> 아이들의 머릿속을 여행하던 달링 부인은 가끔 이해할 수 없는 말들을 발견했다. 그중에서도 가장 알 수 없었던 건 피터라는 이름이었다. . . . 그 이름은 다른 말들보다 굵은 글씨로 쓰여 있었는데, 그걸 바라보던 달링 부인은 그 글씨가 왠지 모르게 건방져 보인다고 생각했다. (10)

달링 부인에 의하면 피터는 아이들의 마음속에서 글자로 발견되는 상상적 존재로서 가공의 인물이다. 또한, 마지막 장 「웬디가 어른이 되었을 때」에서 소녀였던 웬디는 피터 팬 이야기와 함께 성장하여 다시 그 이야기를 들려주는 스토리텔러가 되었음을 보여주면서 피터를 어머니의 이야기에 존재하는 상상적 존재라고 분명히 한다.

배리는 어머니의 전기, 『마거릿 오길비』에서 산업화 이전 시대 가내공업에 대한 향수 어린 추억을 어머니의 중요성과 결합하면서 빅토리아 시대의 여성 이데올로기를 어머니와 연관시킨다. 그는 어머니의 가정적, 모성적 특성을 찬양하는데, 어머니는 “19세기 감상주의로부터 내려온 원형적 가부장적 여성성”이라고 하는 E. 앤 카플란(E. Ann Kaplan)의 개념을 보인다(3). 이것은 “양육하는 어머니는 산업화 이전 시대의 물레와 난로를 지키는 사람”이라는 견해이다(Kaplan 22). 배리는 또한 『마거릿 오길비』에서 바느질과 직물 짜기 그리고 글쓰기를 모성과 연관시키면서 자신의 어머니가 바느질과 이야기 들려주는 능력을 갖추고 있었다고 언급한다. 배리 또한 작가로서 자신의 미래에 대하여 언급하는 장에서 어머니를 행복하게 하려고 "충분히 잘 짜는 것"이 자신의 바람이었다고 한다(54-55). 배리에게 짜는 것은 이야기를 쓰는 것, 즉 스토리텔링을 의미한다. 방직술 그리고 스토리텔링과 관련하여, 연구자들이 이 둘의 상관관계를 연구하였다. 예를 들어 동화와 스토리텔러에 대한 마리나 워너(Marina Warner)의 연구 『야수에서 금발미녀까지: 동화와 스토리텔러』(*From the Beast to the Blonde: On Fairy Tales and Their Tellers*, 1995), 여성의 직물 관련 일에 대한 엘리자베스 바버(Elizabeth Wayland Barber)의 연구 『여성의 일: 초기 20,000년』(*Women's Work: The First 20,000 Years*, 1995), 여성 스토리텔링 전통에 대한 엠마 테넌트(Emma Tennant)의 연구 『테스』(*Tess*, 1994) 등이 대표적이다.

배리는 『마거릿 오길비』와 피터 팬 이야기를 포함하는 소설 『작은 흰 새』에서 역시 어머니의 능력을 찬양한다. 배리의 전기적 연구들에 의하면 그의 소설에 등장하는 어머니 인물은 자신의 어머니 마거릿과 세 아이의 어머니인 실비아에게 근거한다. 어머니는 무에서 유를 창조하는 데 익숙한 유능한 주부이다. 『피터와 웬디』에서 달링 부인과 마지막 장, 아이 방 난롯가에서 바느질하면서 이야기를 들려주는 어른이 된 웬디가 피터를 만나는 것은 배리가 어머니 모습을 회상하는 것을 떠올린다. 그는 아이들을 강건하게 할 의식주를 담당하는 동시에 영혼을 살찌울 스토리텔러의 역할을 하는 사람을 이상적인 어머니로 강조하는 것이다.

『피터와 웬디』에서 화자는 피터 팬을 따라 네버랜드에 다녀온 "한때 웬디였던 사람"(Rose 68)이다. 그렇다면 화자는 달링 부인이기도 하면서 어른이 된 웬디라고 할 수 있다(Schott 25). 이러한 여성 화자가 피터 팬과 네버랜드에 관한 이야기를 들려주는 것은 이 소설을 여성 스토리텔링 전통에 위치하도록 한다.

> "달링 부인의 낭만적인 마음은 미지의 동쪽에서 온, 상자 안에 또 다른 상자가 들어 있는 여러 겹의 작은 상자와 같았다." 어머니 세대가 자립적이며 영원하다는 것이 또한 그러하다. 배리는 이러한 개념을 강화하면서 「웬디가 어른이 되었을 때」라는 마지막 장을 쓰는데, 이것은 그들이 어머니의 자리를 연속적으로 이어나가는 것을 보여준다. (Schott 25)

저자는 끝없이 낭만적인 이야기를 풀어내는 어머니의 스토리텔링 능력을 신비로운 동쪽에서 온 여러 겹의 상자에 비유한다. 어머니가 들려주는 이야기의 속성은 달링 부인, 어른이 된 웬디와 그녀의 딸, 다시 그녀의 딸의 상상력 풍부한 스토리텔링으로 이어지면서 피터 팬과 네버랜드를 영원히 살아있게 하고, 환상적인 모험을 통하여 현실세계의 어린이들을 성장하도록 돕는다.

『피터와 웬디』의 첫 문장이 "단 한 명만 제외하고 모든 아이는 자란다"(7)라고 하듯이, 소설은 자라는 것과 자라지 않는 것을 이야기하고자 한다. 이야기는 피터가 네버랜드에서 런던으로 날아와 웬디의 집 창문을 기웃거리는 것으로 시작된다. 그때 그는 잃어버린 그림자 때문에 울다가 웬디와 처음으로 만난다.

> "왜 그렇게 울고 있니?" 웬디가 친절하게 말을 건넸다. . . .
> "넌 이름이 뭐니" 피터가 물었다.
> "웬디 모이라 안젤라 달링." 웬디는 자랑스럽게 대답했다. . . .
> "난 그림자가 안 붙어서 운 거야." . . .
> 다행스럽게도 웬디는 단번에 방법을 알아냈다. "그림자를 꿰매야겠어." (24-25)

웬디가 바느질해주자 피터의 그림자는 제대로 움직였다. 한편, 피터는 어른이 되기 싫어서 유모차에서 도망쳐서 영원히 소년으로 사는 길을 선택했다. 피터는 보모가 한눈파는 사이 유모차에서 떨어지는 바람에 부모를 찾지 못하여 네버랜드로 보내어진 잃어버린 소년들과 함께 살고 있으며 자신이 그들의 대장이라고 한다. 한편, 피터는 이야기를 듣기 위하여 여기에 왔다고 털어놓는다.

> "나는 알고 있는 이야기가 하나도 없어. 잃어버린 소년들도 이야기 같은 건 아예 몰라." . . .
> "넌 제비들이 왜 처마 밑에 둥지를 트는지 알아? 그건 이야기를 듣기 위해서야. 그런데 너희 엄마는 너한테 정말 재미있는 이야기를 들려주시더라." "무슨 이야기였는데?" "유리 구두 신은 아가씨를 찾지 못한 왕자님 이야기였어." "피터, 그건 신데렐라 이야기야." 웬디는 신이 나서 말했다. (30)

피터는 런던에 있는 웬디의 집 창가로 찾아와 달링 부인이 아이들에게 밤마다 들려주는 이야기를 몰래 엿들었다. 그가 런던으로 자꾸 오는 것은 자신의 몸과 영혼을 돌보아줄, 즉 바느질해주고 이야기를 들려줄 어머니가 필요하기 때문이다.

피터는 웬디의 스토리텔링 능력에 매료되어 그녀에게 네버랜드로 같이 가자고 한다. 그러나 화자에 의하면 "웬디가 피터를 먼저 꾀어낸 셈"이다(30). 그녀가 신데렐라 이야기 외에 "다른 이야기도 많이 알아"라고 했을 뿐만 아니라, "나는 다른 아이들에게 이야기를 들려줄 수 있어!"라고 했기 때문이다(30). 그러자 피터는 "나랑 같이 가서 다른 아이들에게 이야기를 들려줘"라고 하면서 그녀를 붙들어서 창가로 끌어당기기 시작한다(31). 피터는 웬디에게 나는 것과 인어를 보게 되는 환상적인 모험을 약속하면서, 잃어버린 소년들을 밤에 재워주고, 옷을 꿰매주고 호주머니도 달아달라고 부탁한다. 결국, 웬디는 남동생들, 존(John)과 마이클(Michael)을 데리고 피터와 함께 네버랜드로 날아간다. 네버랜드의 피터와 잃어버린 소년들에게 어머니가 필요하다는 것은 분명하다. 웬디는 피터의 그림자를 꿰매듯이 바느질로 상징되는 그들의 몸을 건강하게 돌보는 것, 그리고 이야기를 들려주어서 그들의 영혼을 성장시키는 것, 즉 어머니 역할을 수행한다.

웬디가 피터를 따라나선 네버랜드 여행은 성장의례가 된다. 그녀가 어머니로부터 분리되는 것은 어린 시절로부터 탈출하여 어머니 역할을 수행하도록 한다. 웬디는 아직 호기심이 가득한 사랑스러운 소녀지만 피터와 잃어버린 소년들이 사는 네버랜드에서 바느질하고 이야기를 들려주면서 헌신적인 어머니 역할을 한다. 즉 그녀는 '어머니', '주부', '스토리텔러'의 역할을 기꺼이 받아들이고 다른 사람들과 유대관계를 유지하면서 어른으로 성장해간다.

웬디는 네버랜드에서 이야기를 들려주는 사람으로서 무엇보다도 중요한 역할을 한다. 그녀는 어머니의 이야기로부터 피터와 네버랜드를 알게 되어 그곳으로 모험을 떠났고, 어머니로부터 분리되어서 자신의 이야기를 만들어낸다. 웬디가 어머니에게서 들은 「신데렐라」 이야기에 내용을 덧붙여서 피터에게 들려주는 것은 그녀가 어머니의 스토리텔링 기술을 배웠음을 암시한다. 달링 부인은 아이들이 잠드는 동안 "난롯가에서 조용히 바느질"하면서 이야기를 들려주는 방식으로 웬디에게 그 기술을 전수한 것이다(12). 어머니가 아이들에게 들려주는 잠자리 이야기(a bedtime story)로 대표되는 스토리텔링은 "유럽문화에서 여성이 스토리텔러임을 입증한다"(Rowe 65). 이러한 여성 스토리텔링 전통에서 어머니는 딸에게, 딸은 다시 딸에게 이야기를 들려주면서 그들을 성장시키고, 성장한 딸들도 스토리텔러가 되어 다음 세대를 성장시킨다.

스토리텔러로서 웬디의 잠재적인 힘은 남동생들 존과 마이클, 그리고 잃어버린 소년들에게 실제 삶에 근거하는 이야기를 들려주어서 그들이 런던으로 돌아가고 싶다는 욕망을 불러일으킬 때 드러난다. 그녀가 아이들에게 들려주는 런던과 부모님의 이야기는 다음과 같다.

> "자, 들어봐." 웬디가 이야기를 시작하며 말했다. 마이클은 웬디의 발아래, 일곱 명의 소년들은 침대에 앉아있었다. "옛날 옛적에 한 신사가 살았는데−"
>
> . . .
>
> "그 신사의 이름은 달링 씨였어." 웬디는 이야기를 이어갔다. "아내의 이름은 달링 부인이었지."
>
> "그 사람들을 알아." 존이 말하자, 다른 아이들은 짜증을 냈다.
>
> "그 사람들을 아는 것 같아." 마이클은 좀 미심쩍어하면서 말했다. (94)

웬디는 네버랜드에 현실의 이야기를 끌어들여서 상상력이 풍부한 이야기를 만들어낸다. 그녀는 자신이 떠나온 런던이라는 리얼리티를 굳건히 붙들고 있는 스토리텔러로서 동생들에게 부모님이 살고있는 런던의 이야기를 들려준다. 웬디의 동생들은 런던과 부모님 이야기로 인하여 어머니의 사랑과 어머니와 재회할 필요성을 인식하면서 "웬디, 집에 가자"(98)라고 하면서 집에 돌아가고 싶은 욕망을 가지게 된다.

웬디가 어머니의 이야기를 듣고 네버랜드로 모험을 떠나면서 어머니와 분리되었던 것처럼 그녀는 잃어버린 소년들에게 이야기를 들려주면서 이들을 분리할 준비를 한다. 그녀는 즐거운 놀이와 모험에 빠져있는 잃어버린 소년들의 삶에 질서를 부여하고, 부모의 사랑을 일깨워서 그들로부터 "나는 어머니의 사랑이 좋아"(96)라는 고백을 하도록 한다. 그러므로 웬디는 어머니로부터 분리된 자이면서 네버랜드의 소년들을 어머니로부터 분리시키는 자,

즉 그들을 성장시키는 사람이 된다. 웬디는 결국 그녀 자신과 소년들의 성장을 완성하기 위하여 그들과 함께 런던으로 돌아온다.

피터는 웬디와 달리 가장 근본적인 '삶의 이야기'를 부인한다. 그러므로 그는 가장으로서 남성 역할을 거부하고 네버랜드에서 해적과 싸우거나 모험을 하면서 자유롭게 날아다닌다. 그는 레드스킨(readskins)과 공모하여 영웅이 되고 웬디의 남동생들과 공유하는 "남성성을 가진 남자아이의 판타지를 보여준다"(Kissel 35-36). 이처럼 피터는 네버랜드의 영원한 소년인 동시에, 네버랜드를 다스리는 어른으로서 권위도 가지고 있다. 그의 권위는 그에게 절대적으로 복종하는 잃어버린 소년들과 그를 끊임없이 없애려고 노력하는 불행한 어른 후크 선장에게서 비롯된다. 즉, 피터는 네버랜드에서 어린이와 어른의 특성을 동시에 가지는 모순적 존재이다. 그러나 그의 모순은 다른 이들을 자라게 하고 네버랜드를 영원히 존속시키는 중요한 특성이 된다.

피터와 후크는 젊은이와 노인의 원형적인 양상들을 표현한다(Yeoman 138-41). 피터는 젊은이의 긍정적인 특성들, 즉 젊음, 생기, 창의성, 상상력을 가지고 있다. 그는 또한 젊은이의 병적인 무모함, 무지한 이상주의, 지나치게 정신적인 성향을 보이기도 한다. 반면에 후크는 노인의 속된 마음, 물질성, 역사성은 물론 노인의 병적인 권위주의, 엄격함, 흐린 우울함을 가지고 있다. 그러므로 후크는 젊음 그 자체를 상징하는 피터를 능가할 수 없다. 즉, 교육받고 타락한 늙은 어른이 영원히 어리고 순진무구한 어린이를 이길 수는 없다. 후크는 시계를 삼킨 악어에게 쫓기다가 시간에 먹혀 사라지고 그가 다스리던 해적선마저도 피터의 손에 들어간다. 한편, 피터는 후크와의 대결에서 이겼기 때문에, 어린이인 동시에 어른이다. 어린이와 어른이라는 양립할 수 없는 모순적인 피터는 자신의 모순을 인지할 수 없을 뿐만 아니라 그것을 극복하려는 의지가 없다. 그래서 피터는 성장하지 않는다.

피터와 후크는 상반되는 특성을 보이지만, 이와 동시에 그들은 서로 의존적이다. 여러 경우에 피터와 후크는 정신적으로 하나의 동전의 양면임을 암시하고, 이것은 그들이 처음으로 결투하면서 충돌하는 해적선 장면에서 분명히 드러난다. 또한, 집으로 돌아가는 항해에서 피터는 웬디에게 "후크의 가장 사악한 의복"(135)을 사용하여 자신의 해적 옷을 만들도록 하는데, 이로 인하여 그가 런던으로 돌아오는 여행은 쉽지 않을 것이 예상된다. 후크의 옷을 입고 그를 흉내 내는 피터 선장은 어른의 모습이지만 또한 항상 어머니를 찾는 불완전한 자로서 영원히 어린이라는 모순적 존재이다. 피터가 생존하는 길은 영원히 자라지 않은 채 네버랜드에 머무르는 것이다.

피터의 모순적 특성은 웬디를 성장시키고 네버랜드를 영원히 존속시킨다(Smith 10). 앞에서 언급하였듯이 피터는 배리의 1902년 소설『작은 흰 새』의 13~18장에 처음으로 등장했으며, 이 소설은 1906년에『켄싱턴 가든의 피터 팬』으로 재출판되었다. 이 텍스트에서 피터는 "이도 저도 아닌 얼치기"(172)라고 불린다. 이것은 그가 올림포스 신들이 지하세계를 여행할 때 영혼의 안내자인 동시에 그들의 전령인 헤르메스(Hermes)와 닮았음을 암시한다. 헤르메스는 상반되는 영역들, 즉 신과 인간, 삶과 죽음의 공간을 왕래하면서 그들을 연결한다. 그는 중재자로서 행동하는 것인데, 환상세계인 네버랜드와 리얼리티를 연결하는 상호작용이 두드러진다. 피터는 환상세계인 네버랜드에 존재하지만 네버랜드와 현실세계 런던을 왕래하면서 웬디의 성장을 이끌 뿐만 아니라 그녀의 딸, 다시 딸을 성장시켜서 더욱 큰 의미가 있는 세계로 안내한다.

피터는 영원히 성장하지 않고 아이인 채 남아있음으로써 다른 이들을 성장시킨다. 한편 웬디와 그녀의 남동생들, 잃어버린 소년들은 성장하는 것을 선택하기 때문에 현실세계로 돌아와야만 한다. 웬디는 네버랜드에서도 리얼리티를 굳건히 붙들고 있는 스토리텔러로서 자신이 살았던 런던과 부모님에 관한 이야기를 들려준다. 현실에 근거한 웬디의 스토리텔링은 남동생들에게 집에 돌아가고 싶다는 욕망을 불러일으킬 뿐만 아니라 잃어버린 소년들에게 부모의 사랑을 일깨워준다. 그들은 네버랜드의 자유분방한 삶을 뒤로하고 웬디를 따라 어른들의 세계인 런던으로 돌아온다. 만일 웬디가 없었다면 그들은 상상의 세계인 이야기에 갇혀서 결코 현실에서 받아들여지지 않았을 것이다. 그녀가 소년들을 데리고 런던으로 돌아오는 것은 이후 네버랜드의 모험을 판타지로 정의하는 데 중요한 역할을 한다(Routh 70).

화자는 웬디와 그녀의 동생들이 런던으로 돌아와서 부모와 재회하는 감격스러운 모습을 지켜보는 피터의 감정을 다음과 같이 묘사한다.

> 피터는 그동안 다른 소년들은 절대로 알지 못하는 황홀한 기쁨들을 많이 느껴봤다. 그러나 창문을 통해 바라보고 있는 그 행복한 광경을 피터 자신은 영원히 누릴 수 없는 것이었다. (141)

피터는 웬디와 그녀의 남동생들을 떠나보내면서 상실감을 느낄 것이다. 그러나 피터는 신화 속에 갇혀 있는 판타지적 인물이기 때문에, 그가 느낄지도 모를 상실감은 그 자신의 것이라기보다 그의 이야기를 만들어내고 읽는 화자와 독자의 몫이 될 것이다.

피터와 웬디의 여행은 웬디가 런던으로 돌아옴으로써 마무리되고, 자라는 것과 자라지 않는 것이라는 주제 역시 결론에 이른다. 피터의 주요한 특징인 미성숙함은 그가 끊임없이 어머니를 찾는 것으로 강조된다. 그러나 웬디는 어머니와 분리되어 네버랜드로 떠나면서 성장하기 시작한다. 그녀는 그곳에서 어머니 역할을 수행 하면서 성장하는 중이고, 동생들과 잃어버린 아이들을 데리고 런던으로 돌아온 후 자신의 성장을 마무리한다. 그녀는 어른의 세계로 들어갈 준비가 되어있으며, 그녀가 보여주는 능숙한 어머니의 기술들, 예컨대 바느질과 스토리텔링 능력은 다른 사람들과의 관계 또는 결혼과 연관되는 상징을 제공한다. 이 두 가지 능력은 항상 어린이로 남고자 하는 피터가 강력히 부인하는 것이다.

화자는 피터 팬 이야기를 성인 독자들과 공유하는 것이 분명하다. 소설의 시작하는 장 「피터, 모습을 드러내다」와 마지막 장 「웬디가 어른이 되었을 때」에서 화자는 아이들과 그들의 세계에 대하여 알고 있다고 언급하였고, 어른이 된 웬디는 여전히 소년이자 허구의 인물인 피터를 만난다. 결국, 웬디가 가족들이 있는 집으로 돌아와서 창문을 통해 세상을 바라보면서 만족할 때 피터는 여전히 속박되는 것을 거부하면서 영원히 아이로 남아있다. 그 후, 피터는 매번 봄마다 어머니를 찾아 런던으로 날아오는데 어느 날 울고 있던 그에게 웬디의 딸 제인이 말을 건네자 그는 "난 엄마를 찾으러 왔어"(152)라고 대답한다. 웬디는 자신의 딸 제인이 피터와 함께 가는 것을 허락한 후 창가에 서서 아이들이 날아가는 것을 바라본다. 웬디가 제인을 보내준 것처럼, 어른이 된 제인 역시 딸 마거릿(Margaret)에게 피터와 함께 날아갈 것을 허락한다.

> 매년 봄 대청소 할 때가 되면 기억하지 못할 때를 빼고는 피터가 찾아와 마거릿을 네버랜드로 데리고 간다. 그곳에서 피터는 자신에 대해 마거릿이 들려주는 이야기를 열심히 듣곤 한다. 그리고 언젠가 마거릿이 어른이 되면 딸이 생길 것이고 그 딸은 또 피터의 엄마가 될 것이다. 아이들이 쾌활하고 순수하고 매정한 한, 언제까지나 그럴 것이다. (152-53)

웬디가 피터 팬 이야기와 더불어 성장하였듯이, 그녀의 딸 그리고 다시 딸 역시 어머니의 이야기를 들으면서 성장할 것이다. 어른이 된 딸은 다시 그 이야기를 어린 딸에게 들려주면서 여성 스토리텔링을 이어나갈 것이다.

3

『피터와 웬디』는 어머니의 스토리텔링에 존재하는 피터 팬과 현실의 아이 웬디를 중심으로 자라는 것과 자라지 않는 것에 대하여 환상적인 이야기를 들려준다. 네버랜드의 상상적 존재인 피터의 자라지 않는 특성은 웬디와 다른 어린이 등장인물들을 성장시킨다. 피터는 런던이라는 현실세계와 네버랜드라는 환상세계를 연결하는 중재자로서 현실의 웬디와 다른 아이들을 환상세계로 초대하여 성장하도록 한다. 웬디는 피터와 함께 네버랜드로 떠나면서 어머니와 분리되는 성장의례를 시작한다. 그녀는 그곳에서 스토리텔링과 바느질로 상징되는 어머니 역할을 하면서 자신과 다른 아이들을 성장시키고 그들과 함께 어른의 세계인 런던으로 되돌아온다. 네버랜드로부터 현실세계로 돌아온 후에 그들의 성장은 성취된다.

현실세계에 존재하는 어른이 된 웬디는 자신이 듣고 경험한 피터 팬과 네버랜드 이야기를 딸 제인에게, 어른이 된 제인 역시 딸 마거릿에게 들려주면서 아이들을 성장시킨다. 이처럼 여성 스토리텔링 전통은 피터 팬과 네버랜드를 항상 살아있도록 존속시키는 힘이 될 뿐만 아니라 아이들을 성장시키는 원동력이 되면서, 이 소설을 다층적 의미구조를 가진 메타 서사가 되도록 한다. 그러므로 『피터와 웬디』는 마법과 신비를 포함한 환상적인 이야기일 뿐만 아니라 그러한 신비를 해명하려고 하는 반동화적인 소설, 그리고 상상력이 풍부한 이야기를 어떻게 보존하여 아이들을 성장시키기 위하여 활용할 것인지를 암시하는 메타 서사가 된다.

마지막 장에 등장하는 어머니 웬디는 문지방에 서서 창문을 열어두고 있다. 창문을 열어놓았다는 것은 피터와 함께 네버랜드로 떠난 자신의 딸 제인이 돌아오기를 기다리는 것을 암시한다. 이것은 상상력의 중요성을 인식하는 부모의 역할과 어머니의 상상력 풍부한 이야기가 소녀 웬디를 성장시킬 것을 암시한다. 환상세계로 날아가는 어린이들은 그들 나름의 속도로 자라면서 아동기를 즐길 수 있는 자유를 허락받는다. 그들은 자신들을 기다리는 사랑하는 가족이 있는 한 무엇이든 상상하고 할 수 있는 힘을 가진 어른으로 성장하게 된다. 상상력 풍부한 어머니의 스토리텔링은 피터 팬을 현실세계와 네버랜드에 동시에 살아있도록 하여 이야기를 존속시키면서 현실의 아이들을 성장시키는 것이다.

피터 팬과 네버랜드는 화자의 스토리텔링에 존재하는 상상력의 산물이다. 그러나 성인 여성 화자와 그녀가 들려주는 이야기를 만들어낸 것은 능숙한 스토리텔러였던 작가 배리였다. 그는 서구의 이야기 전통에서 스토리텔링을 여성의 주요한 능력으로 인식하면서 화자 역할을 어머니 인물들에게 부과하였다. 그리하여 피터 팬 이야기는 한때 어린 웬디였던 성인이 된 여성들, 즉 달링 부인, 어머니가 된 웬디, 그녀의 딸 제인, 그리고 제인의 딸 마거릿에게 전달되고 확장된다. 배리가 자신을 아홉 살의 웬디로 변장시켜서 이야기를 듣거나 들려준 것은 어머니의 스토리텔링을 존속시키기 위한 영리한 장치였다. 그의 이야기의 힘은 피터 팬을 끊임없이 우리에게 되돌아오도록 하면서 아이들에게 요정을 여전히 믿도록 한다. 그는 자신의 스토리텔링을 어머니의 것으로 만들어서 이것을 서구의 오래된 여성 스토리텔링 전통에 위치하도록 하여 여성들이 들려주는 이야기의 영향력과 활력의 증거로 만들고 있다.

〈후크〉에 나타난 남성 역할의 문화적 기대: 『피터와 웬디』 스토리텔링

1

스필버그(1946~)의 영화 〈후크〉는 『피터와 웬디』를 재화한 판타지 영화로 현대사회가 요구하는 남성 역할의 문화적 기대와 해답을 제안한다. 스필버그는 다분히 자서전적인 이 영화에서 일 때문에 자신을 돌보지 않았던 어린 시절의 아버지에 대한 분노와 성인 남성으로서 아버지가 되는 것에 대한 갈등을 묘사한다. 주인공 피터 배닝(Peter Banning)은 스필버그뿐만 아니라 동시대 미국 남성을 반영하면서 어린 시절 자신의 모습인 피터 팬으로 돌아가는 환상적인 여행을 함으로써 더욱 양육하는 아버지로 변화한다. 그는 1990년대 미국에서 남성성에 관한 변화하는 견해, 양육하는 부성 또는 신세대의 배려하는 남성을 남성 정체성으로 제시하면서 그 당시 유행하던 대중심리학으로부터 '내면 아이'(the inner child)와 화해를 통하여 남성성을 회복할 것을 주장한다.

스필버그는 『피터와 웬디』에서 남성성의 중요한 것을 발견하고 이를 회복해야 하는 중요성을 이야기한다. 그는 성인이 된 주인공 배닝이 잃어버린 소년들(the lost boys)과의 의식에 참여하도록 하여 피터 팬 전사로서 어린 시절의 기억을 되찾는 동시에 양육하는 아버지가 되도록 한다. 배리는 원작에서 "한 명의 아이만 제외하고 모든 아이는 자란다"라고 했듯이(5), 피터 팬이 자라는 것을 허락하지 않았다. 피터 팬 이야기는 대본으로 존재하다가 1904년 12월에 런던의 요크공작 극장(the Duke of York's theatre)에서 연극으로 처음 공연되었다. 이 이야기는 1911년에 소설 『피터와 웬디』로 처음 출판되었고, 이후에 희곡 『피터 팬』으로 출판되었다. 피터 팬 이야기가 연극으로 공연되었을 때, 연극의 마지막 부분에서 웬디는 세월이 흘러서 어른이 되지만 피터는 여전히 아이로 남아있다. 웬디는 피터가 일 년에 한 번씩 그녀를 찾아오다가 왜 그것을 점차 잊어버렸는지에 대하여 어린 딸 제인에게 이야기를 들려주는 성인 여성이다. 제인이 잠들자 피터가 나타나서 웬디에게 함께 가자고 한다. 그러나 그녀는 이제 더는 어린아이가 아니라서 갈 수 없다고 한다. 피터가 울기 시작하자 제인이 깨어나서 그와 함께 날아간다. 연극의 결말 부분에서 웬디는 유모인 나나(Nana)에게 "언제나, 사랑하는 나나, 아이들이 어리고 순진하기만 한다면" 이러한 일이 다음 세대에서도 계속하여 일어날 것이라고 말한다(153). 이것은 오늘날에도 피터 팬 이야기가 끊임없이 재화되는 이유이다.

〈후크〉는 피터 팬 이야기를 현대 미국을 배경으로 스토리텔링 한다. 이 영화는 피터 팬 이야기에 근거하는 디즈니의 〈피터 팬 1〉(*Peter Pan*, 1954)과 대조되며, 〈피터 팬 2〉(*Peter Pan: Adventures in Neverland*, 2002)와도 다르다. 〈후크〉에서 피터 팬은 어른이 되는 것을 선택한다. 피터 팬은 영원한 소년으로 네버랜드의 수호자였지만 어느 날 웬디에게 갔다가 그녀의 손녀 모이라(Moira)를 보자 사랑하게 된다. 〈후크〉에서 피터 팬은 인간 세상에서 모이라와 결혼하여 성장하는 것을 선택한 후, 피터 팬으로서 기억을 잃어버리고 피터 배닝으로 살아간다. 피터 배닝은 기반을 갖춘 40세 미국인 변호사이며 아내와 남매, 잭(Jack)과 매기(Maggy)가 있는 가정의 가장이다. 배닝은 변호사로서 일에만 몰두할 뿐, 아내와 아이들에게 점점 소홀해지면서 문제를 겪는다. 이처럼 배닝은 사회와 가정의 영역에서 정체성 문제를 겪지만 팬으로서 어린 시절의 삶을 기억해내기 시작하여 이것을 어른의 삶으로 통합시킴으로써 문제를 해결해나간다. 스필버그는 성인 남성의 정체성 문제에 관심을 가지면서 이것을 배닝과 자신의 문제이자 동시대 미국 남성의 문제로 확장하고 이에 대한 해결책을 어린이개념, 즉 내면 아이를 회복하는 것으로 풀어나간다.

스필버그의 삶은 1980년대와 90년대 미국 성인 남성들의 '일 중독'(workaholic)적인 삶을 대변한다. 제2차 세계대전 이후 컴퓨터 산업에서 붐이 일어났고 출세 가도를 달리던 엔지니어였던 스필버그의 아버지, 아널드 스필버그(Arnold Spielberg)는 일할 기회를 잡기 위하여 오하이오에서 뉴저지, 애리조나에서 캘리포니아까지 주를 넘나들면서 가족과 함께 수년마다 이사했다. "아버지는 나보다 일을 더 중요하게 생각한다고 항상 느꼈다"라고 스티븐 스필버그는 말한다(McBride 41). 그의 아버지는 이혼 후 스트레스를 이겨내기 위하여 "더욱 열심히 일했다"라고 한 것처럼 일에 빠져있었음을 인정했는데, 그 당시 스필버그는 10대였다(McBride 42). 그는 아버지를 멀리 떨어진 냉담한 인물로 기억한다.

성인이 된 스필버그는 아버지 못지않게 야심 찼으며 일 지향적이었다. "나의 일 중독주의가 사실상 단점이다"(Breskin 78)라고 언급하듯이 그는 쉬지 않고 일하면서 많은 영화를 만드는 것을 즐겼다. 그는 촬영이 많을 때 주말에만 자녀들을 만날 정도로 바쁘게 일을 했고, 이러한 사실에 죄책감을 느끼기도 했다(Bahiana 154). 그러나 스필버그의 일 중독은 그의 모습만이 아니라 그와 동시대 미국 남성들의 일반적인 모습이었다.

일 중독이라는 용어는 스필버그의 시대 이전에도 존재했지만, 1980년대 레이건 시대에 그들을 설명하기에 적절한 단어는 '여피'족(Yuppies)이다. 1980년대는 1960년대에 태어난 사람들이 결혼과 출산을 하고, 일에 몰두하면서 경제활동을 하던 시대였다. 이러한 시대에 여피족(Yuppies)이란 젊은(young), 도시화(urban), 전문직(professional)의 세 머리글자를 딴 'YUP'에서 온 단어로서, 고등교육을 받고, 도시 근교에 살면서 전문직에 종사하여 고소득을 올리는 일군의 젊은이들로 1980년대의 젊은 부자들을 상징한다. 여피족은 1990년대의 경제 호황을 이끌면서 더욱더 일에 몰두하는 추세를 가져왔다. 여피족을 포함한 일 중독자들은 야망으로 인하여 강박적으로 된다. 그들은 나르시시즘과 편집증이 강해지면서 일을 하지 않는 것을 불안해한다. 또한, 그들은 "정서적으로 불안하고 인정과 성공을 얻으려는 강박적인 바람으로 인하여 힘과 통제에 중독된다. 그들은 점차 개인적인 사랑과 친교 능력을 잃어간다"(Killinger 6-7). 그들은 자신의 정체성을 일하는 것으로 규정하기 때문에 가족으로부터 소외와 갈등을 겪어야 했다.

스필버그는 일 중독에 빠져서 아버지와 남편으로서 정체성을 상실한 남성적 갈등을 동시대 남성들과 공유하면서 부분적으로나마 이러한 모습과 결별하고 싶었다. 사실 스필버그 자신이 심리치료를 받았던 경험이 있고, 그가 〈후크〉를 제작한 것은 자신의 갈등을 끝내는 하나의 방편이 될 것으로 생각했다. 피터 배닝의 아들 잭이 스필버그의 어린 시절 모습을 투영하는 것은 그의 아버지가 어린 그를 방치한 것을 원망하는 것이다. 주인공 피터 배닝은 스필버그의 아버지인 동시에 아버지로서 그 자신을 합성한다. 그는 중년의 위기에 처한 남성들을 치유하기 위하여 자신의 어린 시절로부터 내면 아이를 찾을 것을 제안하면서 남자 주인공의 정체성 변화를 다룬다. 그러므로 영화는 자의식적, 자기 성찰적, 정신분석적이라고 할 수 있다(Morris 184).

피터 배닝은 1990년대 미국 남성을 대변하는 일 중독적인 주인공이다. 그가 자신의 어린 시절 피터 팬으로서 정체를 회복하면서 보이는 변화는 "융의 남성 해방과 관련된 저서에서 자세하게 묘사한 개념, 대부분은 로버트 블라이(Robert Bly), 제임스 힐만(James Hillamn), 존 로완(John Rowan)이 주장하는 일련의 각성"을 반영한다(Pace 160). 블라이가 자신의 베스트셀러인 『무쇠 한스 이야기』(*Iron John*, 1990)에서 주장하기를, 동시대 남성들은 대중문화로 인하여 아버지의 품격을 떨어뜨려서 이미지를 실추시켰고, 아버지와 아들 간 유대 단절로 인하여 "아버지 결핍"(father hunger)을 강하게 느낀다(xi). 또한, 어린 남자아이들은 성인 남성이 이끌어주는 입문이 필요한데 '동화, 전설, 신화, 난롯가 이야기'가 이러한 의식의 단서를 가진다. 남자아이들은 성인 남성이 이끌어주는 의식에 참여함으로써, 예를 들면 내적 '전사'(warrior) 또는 태고의 남성성의 원형인 '자연인'(Wild Man)에 다가갈 수 있다.

〈후크〉의 피터 배닝은 블라이의 공식을 따른다. 그는 피터 팬 이야기에서 중요한 남성성을 발견하고, 잃어버린 소년들과 의식에 참여함으로써 전사 피터 팬으로서 기억을 되찾는 동시에 양육하는 아버지의 모습을 회복한다. 이런 점에서 〈후크〉는 디킨스의 『크리스마스 캐럴』(*A Christmas Carol*)과 유사한 감상적인 크리스마스 우화이다. 『크리스마스 캐럴』에서 가족으로부터 고립된 탐욕스러운 사업가가 어린 시절로 돌아가는 판타지 여행을 경험함으로써 마음속에 사랑을 가진 자선가로 변화하듯이, 〈후크〉는 판타지 여행을 통해 주인공을 양육하는 남성으로 변화시킨다. 스필버그의 그 외 작품들, 예를 들어 〈영혼은 그대 곁에〉(*Always*, 1989), 〈프리티 우먼〉(*Pretty Woman*, 1990), 〈늑대와 춤을〉(*Dances with Wolves*, 1990) 등에서 신세대의 배려하는 남성 주인공들이 등장하며, 이것은 1990년대에 요구되던 남성 정체성을 구체화한다.

〈후크〉에서 피터 배닝이 피터 팬 이야기의 의식을 통하여 전사 팬의 기억을 되찾고 이를 현재 그의 인격과 통합하여 자신의 정체성을 바꾸는 일종의 입문식을 하였듯이, 〈후크〉는 청년들에게 우리 사회가 요구하는 양육하는 남성상 또는 더욱 친절하고 배려하는 남성상을 심어주기 위한 일종의 입문식이 될 수 있다.

2

스필버그는 "남성 역할의 문화적 기대"(Friedman 22)를 제안하기 위하여, 즉 양육하는 남성 정체성을 심어주기 위한 치유의 해답을 1980년대 대중심리학에서 유행했던 융의 남성 해방운동의 내면 아이 개념에서 찾는다. 그는 일 중독에 빠진 성인 남성들에게 더욱 친절하고 배려하는 남성성을 회복시킴으로써 사적인 영역에서 아버지로서 정체성을 되찾고 그것을 공적 영역으로 확장하여 사회적 부성을 발휘할 것을 제안한다.

우선, 그는 성(gender)을 아버지에서 아들로 이어지는 사회적 세습으로 인식하였다. 아버지는 아들의 성이 발전하는 과정에서 특별히 중요하다(Aaltio-Marjosola 125). 정신분석학 이론에 따르면 아버지가 부재할 때 소년은 자신의 성을 동일시할 대상이 없으므로 남성성 발달에 문제를 보일 수 있다. 즉, 소년에게 아버지가 부재한다면 그는 성적인 역할, 성적 정체성 발달, 학교생활, 심리적 적응, 또한 공격성 조절에서 문제를 보일 수 있다는 것이다. 인간의 성적 역할의 많은 부분이 사회적으로 세습된다고 여겨지기 때문이다.

세습된 아버지와 어머니의 전형은 전통적인 가정에서 이분법적 이상을 보인다. 어머니는 가족 지향적, 순수함, 우아함, 도덕적, 정서적, 섬세한 역할을 하는 한편, 아버지는 성공 지향적, 공격적, 실용적, 이성적, 강인한 전통적인 역할을 한다. 가정생활에서 남성은 중심적이고 합리적이며, 남성의 가장 중요한 정체는 가장으로서 생계비를 버는 사람이다. 이것을 보완하여 여성은 정서적이며 통합하는 기능을 한다. 아버지는 이성적인 사람으로서 아이들과의 관계에서 어떠한 충동이나 감정을 보이지 않는 것이 이상적이다. 그는 가족의 대표로서 조언과 규제를 하고, 모범을 보임으로써 자라는 아이들이 사회에서 통합되기를 기대한다(Aaltio-Marjosola 126). 전통적인 시각에서 볼 때 친근하고, 애정이 넘치고, 온화하게 돌보는 사람으로서 아버지의 정체는 미미하다. 그러나 현대사회에서 남성상은 변화의 필요에 직면하였으며 부성은 재구성되고 있다. 즉, 현대의 일 중독에 빠진 남성들에게 양육하는 부성을 인식시키는 것이 필요하며, 이것이 〈후크〉에서 피터 배닝에게 필요한 자질로 재현한다.

남성들은 양육하는 부성을 가지기 위하여 상상력과 모성적 가치가 필요하다. 그들은 상상력을 사용하여 내면 아이와 만남으로써 이것을 각자가 가진 어른의 인격과 통합해야 한다. 내면 아이의 치유적 개념은 제레미아 에이브럼스(Jeremiah Abrams)가 편집한 『내면 아이 되찾기』(*Reclaiming the Inner Child*, 1990), 존 브레드쇼(John Bradshaw)의 『귀향: 내면 아이 되찾기와 옹호하기』(*Homecoming: Reclaiming and Championing Your Inner Child*, 1992)와 같은 연구서에서 자세히 설명하고 있다. 이 연구들에 의하면 심리적으로 상처받은 어른들은 억압하거나 상실한, 또는 학대받은 아동기의 자아를 재발견하여 재건함으로서 자신의 내면을 치유할 수 있다고 주장한다. 치료사들 대부분은 내면 아이를 되찾기 위하여 정신분석가 칼 융(Carl G. Jung)의 어린이원형 개념에 의존한다. 융에 의하면, "어린이는 인간의 전의식과 후의식의 본질을 상징한다"(29). 그리고 정신분석학자 나다니엘 브랜든(Nathaniel Branden)은 내면 아이의 치료가 융의 어린이원형 개념에서 유래했다고 하면서, "한때 우리가 경험했던 어린이의 내적 표현을 어린이 자아라고 할 수 있고 . . . 이것은 [어른의] 자아를 구성하는 구성요소"(233)라고 한다. 그러나 한 사람이 자신의 어린이 자아를 거부할 때 "'사고뭉치'가 된다. . . . 한편 통합적 치유법인 어린이 자아는 우리의 삶을 풍부하게 하는 자발성, 재미, 상상력의 가능성을 가진 막대한 자원이 될 수 있다"(Branden 244).

〈후크〉의 주인공 피터 배닝은 자신의 내면 아이와 화해하여 현재의 일중독적인 모습을 치유해야 할 대표적인 성인 남성이다. 그는 공적인 영역에서 변호사이자 사업체 관리자인 동시에 사적인 영역에서 한 가정의 남편이자 아버지이다. 그러나 그의 성인 역할은 내면에 존재하는 영원한 아이와 충돌하면서 균형을 이루지 못한다. 그의 휴대폰이 계속 울리는 것은 그가 쉬지 않고 일한다는 것이고, 이로 인해 가족과의 시간은 방해를 받는다. 그러나 아이들이 후크선장에게 납치되자 그는 그들을 되찾기 위하여 네버랜드로 여행을 떠나야만 한다. 즉 배닝은 상상력을 통하여 네버랜드로 가는 판타지 여행을 함으로써 어린 시절의 내면 아이인 팬을 만나고 이것을 성인의 인격과 통합한 후 이성과 감성을 갖춘 더욱 양육하는 아버지로 변화하게 될 것이다. 그렇다면 주인공 배닝이 성인 남성으로서 가정과 사회적 영역에서 겪게 되는 갈등은 무엇이고, 이것을 해결하기 위하여 남성 역할의 문화적 기대를 어떻게 터득해 가는지를 어린이개념을 중심으로 논의해보자.

3

영화 〈후크〉는 실패한 아버지와 잃어버린 아이들에 대한 것으로, 결국 아버지와 아들의 관계를 회복하는 방향으로 전개된다. 영화가 시작될 때 피터 배닝은 사춘기 이전의 아동기, 즉 피터 팬이었던 12세 또는 13세 이전의 일에 대하여 망각한 중년 남성이다. 그는 40세의 미국인 변호사로서 사랑하는 아내와 남매를 둔 한 가정의 아버지이자 남편이 되었지만, 사회적인 부분에서 자신의 정체성을 지키려고 할 뿐 가족들에게 무관심하다.

배닝의 아들 잭은 아버지가 남성적이지 않기 때문에, 즉 아버지 역할에 충실하지 않기 때문에 그에게 반항한다. 잭은 블라이가 언급한 아버지 결핍을 경험한다. 배닝이 아버지 역할을 적절히 해야만 잭은 아들로서 편안해질 것이다. 이러한 점에서 아버지와 아들로서 배닝과 잭의 정체성은 연관되며 영화는 두 사람의 정체성 변화를 다루기 위한 다양한 남근 상징들, 예를 들어 야구, 휴대폰, 수표책, 시계, 검 그리고 후크의 의수(an artificial hand)인 갈고리(hook)와 같은 소품들과 함께 이야기를 전개한다.

영화의 도입 장면에 등장하는 잭과 야구처럼 배닝과 휴대폰이 불가분의 관계이다. 외야에 있던 잭이 공을 잡기 위하여 손을 뻗을 때, 근무 중인 아버지는 손을 내밀어 전화기를 붙잡는다. 배닝이 언제 어디서나 항상 휴대폰 통화를 하는 것은 그의 일 중독적인 모습을 재현한다. 그가 휴대폰을 가지고 매일 매 순간 원하는 것에 도달할 수 있다는 의식은 자신의 자존감을 일에서 찾으려는 것을 암시하며, 이로 인하여 그는 가정에서 실패한 아버지가 된다. 배닝의 가치체계에서 일이 모든 것에 우선하지만 이 게임에서 그는 가족을 잃는다(Aaltio-Marjosola 130). 무대 위에서 아이들이 "우리는 작은 피터 팬이 되고 싶어요, 우리는 자라고 싶지 않아요"를 노래할 때, 배닝이 관객들 사이에 앉아서 걸려온 전화를 받는 것은, '피터 팬과 상반된 배닝'(anti-Pan Banning)의 모습이다. 즉, 그는 내면 아이인 팬과 멀어져서 어린이 세계를 하찮게 여기는 혐오스러운 성인의 모습을 재현한다. 또한, 배닝은 아들의 야구 경기에 가기로 한 약속을 어기고 비서를 보내서 그 경기를 녹화하도록 한다. 그는 녹화 영상을 시청하는 것이 약속을 지키는 것을 보상할 수 있다고 생각하지만, 이것은 그에게 현실감이 없음을 입증한다. 배닝의 끝없는 전화 통화가 암시하듯이 그가 일에 시간과 마음을 빼앗겨서 가족을 위협하기 때문에 그의 아내는 결국 남편의 전화기를 창밖으로 던져버린다.

잭은 아버지에 대하여 불만을 표현한다. 그는 웬디 할머니의 집으로 가는 비행기 안에서 야구공을 객실 천장에 튕기면서 아버지에게 의도적으로 반항한다. 이에 대하여 배닝이 "어린애처럼 행동하지 마라"라고 하자 그는 "저 어린애예요!"라고 대답한다. 이 대화는 배닝의 생각, 즉 아이들의 세계는 혼란스럽고, 비논리적이어서 중요하지 않기 때문에 고쳐야 할 잘못된 세계라는 것을 드러낸다. 한편, 평생 고아를 위해 헌신한 웬디는 고아인 그를 양육하였다. 피터는 고아병원 개원식에서 웬디에게 바치는 연설을 하기 위하여 10년 만에 런던으로 가는 중이다. 그는 웬디의 집에 도착한 후에도 계속하여 휴대폰 통화를 하는데, 예를 들면 생물인 부엉이는 사업상 결정에 방해가 되기 때문에 하찮은 존재라고 하는 대화를 들을 수 있다. 그리고 그가 뛰어다니는 아이들을 훈계하는 장면은 자유로운 행동이 위험하므로 인간에게 규율이 필요하다는 생각을 드러낸다. 부엉이와 자연 그리고 자유로운 아이들은 배닝에게 하찮고, 혼란스럽고, 비논리적인 존재일 뿐이다. 배닝의 조언하고 규제하는 이성적인 행위는 그가 철저히 가부장적이고 전통적인 아버지상을 가지고 있음을 나타낸다.

그러나 때마침 네버랜드에서 온 후크가 배닝의 아이들인 잭과 매기를 납치해서 사라지자 그는 아이들을 구하러 네버랜드로 가게 된다. 배닝은 비즈니스 관리자로서 자신의 지위와 경제력을 나타내는 수표책과 시계로 네버랜드에서도 자신의 남성 정체성을 보여주려고 한다. 아이들을 구하러 온 배닝은 후크와 그의 부하들과 대적한 상태에서 권총이나 검을 뽑을 것이 예상된다. 그러나 그는 비즈니스맨의 무기인 수표책을 사용하여 아이들을 구하려고 한다. 후크는 권총을 쏘아서 그 수표책에 구멍을 냄으로써 배닝이 네버랜드에서 무력하다는 것을 보여준다. 배닝의 손목시계 역시 힘의 다른 이미지이다. 배닝은 잭과 야구 약속을 어긴 것을 보상하기 위하여 그에게 자신의 손목시계를 주면서 "잭, 이것은 매우 특별한 시계야. 그러니 시간을 잘 사용할 수 있을 것이다"라고 한다. 그러나 잭은 네버랜드에서 후크에게 고무되어 그 시계를 박살냄으로써 아버지에게 반항한다.

후크는 배닝과 대적하는 상대이다. 후크는 자신이 탁월한 사람이라고 생각하도록 부하들을 안심시킬 필요가 있다. 그는 부하인 해적들에게 공포정치를 해왔으니, 그의 말은 곧 법이며 그것을 의심하는 자는 누구든지 처벌받는다. 이것은 그의 나르시시즘, 신경증, 허영심을 분명히 드러내는 것이다 (Aaltio-Marjosola 130). 후크를 물리칠 수 있는 유일한 사람은 팬인데, 후크는 자신의 자아와 이미지를 팬에게 상처받았기 때문에 그에게 복수를 열망하고 있다.

후크는 이전에 팬과의 칼싸움에서 오른손을 잃어서 악어의 먹이가 된 후에 벽시계와 손목시계에 대하여 피해망상적이다. 악어는 후크의 남은 손을 삼키기 위하여 계속 추격하는 중이며, 시계 소리가 째깍거리는 것은 시계를 삼킨 악어가 가까이 있음을 암시한다. 후크에게 시계는 악어가 가까이에 있다는 두려움의 상징이듯이, 스필버그에게 시계 역시 나이 듦과 죽어야 할 인간의 운명 즉, 삶에 존재하는 커다란 시계에 대한 두려움의 상징이다. 그러나 후크는 모든 시계를 멎게 하고 시간을 멈추어서 불멸이 되고자 한다.

배닝이 전화기, 수표책, 시계 등에 의존하여 자신의 남성성을 표현한다면, 후크에게도 남성성의 강력한 상징인 갈고리 의수가 있다. 후크의 갈고리는 무기인 동시에 분리 가능한 남근의 일종이다. "잃어버린 손과 그것을 대신하는 강철로 된 갈고리는 거세된 사실과 거세의 위협을 융합한다"(Morris 180). 갈고리(hook)는 후크(Hook) 자신을 상징하면서 그의 삶에 대한 집착이자 숭배의 대상으로서 기능을 한다. 후크가 해적선의 선장으로 등장하기 이전에 갑판장 스미(Smee)가 그의 갈고리를 날카롭게 갈아서 벨벳 쿠션에 올리는 장면이 먼저 나온다. 그는 자신이 속한 해적선을 찬양하면서 "후크, 후크, 우리에게 후크를 주세요!"(Hook, hook, give us the hook!)라고 챈트를 부르는데, 이것은 선장의 이름 후크(Hook)와 그의 갈고리(hook)를 동시에 암시한다.

스미는 후크가 갈고리(hook)를 착용하고 벗는 것을 돕는다. 후크는 갈고리(hook)를 착용했을 때 의기양양하지만, 그것을 착용하지 않으면 불완전하고 무력해 보인다. "물신 숭배자들의 집착은 . . . '마법의 힘'을 가지고 있다"(Rycroft 51)라고 하듯이, 후크도 마찬가지이다. 후크가 스미에게 자신의 갈고리를 만지도록 허락하자 스미는 전율한다. 그렇다면 배닝이 잃어버린 소년들의 도움으로 후크의 갈고리를 훔치려고 하는 것은 그의 힘을 훔치려고 시도하는 것이다. 그러나 배닝의 아들, 잭이 그 대신에 후크를 아버지로 선택하자 배닝은 낙담하여 이 일에 실패한다.

잭의 사랑을 차지하기 위하여 다투는 배닝과 후크는 같은 목적을 가지고 다투는 한 사람이 가진 두 가지 모습이다. 후크는 "배닝의 악한 더블(dark double)이다. . . . 배닝의 아이들, 잭과 매기가 유괴되는 것은 그의 바람이었기 때문이다. 후크는 배닝의 가장 억압된 욕망의 대리인으로서 두 등장인물은 거울 이미지이다"(Sheehan 70-71). 이 두 등장인물은 잭을 차지하려는 것 외에도 여러 가지 공통점을 가진다. 우선, 두 사람은 공포심을 가진 불구자이다. 배닝은 나는 것을 두려워하고 후크는 시계를 두려워한다. 또한, 그들은 잃어버린 소년들과 해적 무리에게 자신을 찬양하도록 요구하는 나르시시스트이다. 후크는 세 개의 거울 앞에서 몸치장을 한다. 그리고 그는 지극히 남자다운 동시에 상당히 유치하며, 어린이 혐오자이다. 후크는 남성들로만 이루어진 해적집단의 잔인한 선장인데, 배닝의 딸 매기에 의하면 그가 잔인한 이유는 어머니가 없기 때문이다. 한편, 스미는 후크를 돌보는 보모역할을 한다. 스미는 후크가 근심을 떨칠 수 있도록 장난감 배를 가지고 놀도록 한다. 두 사람의 친밀함은 어머니와 아이의 관계와 같다. 후크가 "코하고 싶어"(I want to go beddy-bye)라고 하자, 스미는 그가 옷을 벗는 것을 도운 후 "잘 자라 아가야, 아가야"라고 자장가를 불러준다. 후크는 철이 없는 동시에 배닝의 아이들을 유괴해서 학대하는 어린이 혐오자라고 할 수 있다.

배닝은 후크처럼 남성이 지배하는 비즈니스 세계의 해적으로서 기업인수에 적대적으로 가담한다. 잭은 바다에서 배의 비유를 사용하여 아버지의 역할을 설명한다. "큰 회사가 어려움에 부닥치면 아빠는 배를 타고 가서, 저항하든 말든 그들을 박살내 버려요"라고 잭이 아버지가 하는 일을 설명하자, 웬디는 "피터, 해적이 되었구나!"라고 한다. 이러한 대화는 배닝이 일하는 비즈니스 세계가 강탈하고 싸우고 죽이는 해적의 세계와 유사하다는 것을 암시한다.

배닝은 후크처럼 잭과 매기에게 잔인하다. 영화의 시작 부분 즉, 매기의 학교 연극에서 배닝이 휴대폰으로 통화하는 장면, 그리고 그가 아들과 야구 약속을 어기는 사건 등에서 아이들은 그에게 중요하지 않다. 웬디의 집에서 배닝은 "끌고 밀면서 뛰어다니는 아이들에게 고함치면서 그들을 상당히 거부한다"(Sheehan 70). 그러나 아이들이 후크에게 납치되자 배닝은 아이들을 구하기 위하여 네버랜드, 즉 어린 시절로 돌아가는 여행을 해야만 하는 것이다.

배닝은 네버랜드에서 자신이 피터 팬이던 시절의 놀이 친구, 잃어버린 소년들을 만난다. 그러나 소년들은 배닝을 잊었고 그도 그들을 기억할 수 없다. 배닝은 잃어버린 소년들과 그들의 장난기 많은 세계와 자신과의 연관성을 도무지 찾을 수 없을 뿐만 아니라 그 세계가 낯설다. 그러나 배닝은 자신이 나는 것과 싸우는 것을 배우고, 타잔(Tarzan)과 같은 소리를 내야만 잭과 매기를 구할 수 있다는 것을 이내 분명하게 깨닫는다. 잃어버린 소년들 가운데 가장 어린 남자아이가 배닝을 쳐다보면서 "당신이 피터 팬이라고 믿으세요"라고 말할 때 그는 변신의 충동을 강력하게 느끼면서 어린 시절을 기억해내기 시작한다. 피터 팬이었던 그가 네버랜드를 떠나서 평범하게 성장하게 된 이유는 결혼해서 아이를 갖고 싶었기 때문이었다. 그가 결혼해서 잭이 태어났을 때가 행복한 순간이었고, 그 "행복한 생각"을 소환해냄으로써 그는 나는 방법을 다시 터득한다.

배닝과 후크는 서로 더블인 동시에 경쟁자이기도 하다. 후크는 잭이 시간을 함께 보내지 않았던 생물학적인 아버지 배닝을 증오하도록 하는 데 성공한다. 잭은 이제 후크를 아버지라고 생각한다. 그러므로 후크는 잭을 유괴했을 뿐만 아니라 그의 생물학적인 아버지를 사회적으로 훔쳤다. 후크가 잭을 자기 아들로 만들려는 행위들, 즉 교실 수업, 아버지의 시계를 박살내는 의식, 야구 경기, 후크 아들(Hook, Jr) 옷을 입히는 등 잭의 입문식을 구성하는 동안, 배닝은 팬으로 되돌아가는 변화를 경험한 후에 후크가 준비한 마지막 의식을 방해하여 아들을 되찾으려고 한다.

배닝은 이미 팬으로서 모든 것을 성공적으로 기억해냈고 팬의 기술들을 회복하였다. 영화는 배닝이 팬이었을 때 가지고 있었던 기술과 능력을 회복하는 고통스러운 과정 그리고 그가 팬의 기억을 되찾아서 현재의 인격과 통합하는 방법을 보여준다. 이것은 이성, 질서, 효율성 대신에 상상력, 자유, 놀이의 중요성을 받아들이는 것을 의미한다. 팬으로서 그는 잃어버린 소년들과 함께 꽃향기와 음식 냄새를 느끼기 시작하는데 이것은 그가 자연을 의식하고 느끼고 즐기기 시작하는 것을 암시한다. 그는 소년들과 함께 하는 동안 옷이 더러워지는 것을 두려워하지 않음으로써 육체적인 몸을 감지하기 시작하고, 자신이 모든 것을 통제할 필요는 없다는 것을 인식한다. 그는 팬의 기술들을 회복한 것이다.

비즈니스맨으로서 배닝이 휴대폰, 수표책, 시계와 연관된다면 팬은 검과 연관된다. 검을 사용하는 남성성 대결 장면에서 배닝과 루피오(Rufio)는 잃어버린 소년들의 대장 역할을 놓고 겨룬다. 사춘기 소년 루피오는 피터 팬이 부재한 동안에 그들의 대장이었다. 그러나 그는 배닝의 우월성을 인정하면서 배닝에게 대장 역할을 내어준다. 결국 배닝을 대장으로 하는 피터 팬 군단은 후크와 싸워서 승리한다. 잭이 진짜 아버지를 기억해내자 그들은 아버지와 아들로서 다시 만난다. 한편, 딸 매기는 결코 아버지를 잊은 적이 없다. 마침내 배닝은 되찾은 아들과 딸, 잭과 매기와 런던으로 돌아가서 어머니 모이라와 할머니 웬디를 만난다. 배닝은 네버랜드로 여행함으로써 팬으로서의 어린 시절을 기억해내고 화해하여 부성을 회복함과 동시에 아이들을 되찾게 된 것이다.

영화는 배닝의 미국인 양아버지 행크 배닝(Hank Banning)에 대하여 정보를 주는 바가 없다. 남성 역할이 아버지에서 아들로 세습되는 것이라고 언급하였듯이, 배닝에게 아버지의 역할모델이 없었기 때문에 그가 아버지 역할에 서툴 수 있다. 그러나 그가 네버랜드의 웅덩이에 비친 자신의 모습을 들여다보면서 어린 시절의 기억을 소환해내는 것은 그를 변화시키는 출발점이 된다. 그는 자신의 내면 아이로부터 소원해졌고, 아내와 아이들로부터 고립되어서 자기도취적으로 되었으며, 정서적으로 무책임해졌다. 그는 서툰 아버지 역할과 더불어 지나치게 일에 의존함으로써 자신의 정체성을 지켜왔지만 부적절하였다. 그러나 그는 자신의 어린 시절의 모습을 응시하고 기억을 되찾음으로써 자신의 내면 아이, 팬을 회복한다. 그 순간부터 그는 억압되었던 어린이 자아에 다가가서 그와 화해하고 성인으로서 자신의 인격을 치유할 수 있었다.

영화의 결말에서 배닝이 휴대폰을 창문 밖으로 던지는 것은 변화를 암시한다. 그는 모험을 즐기던 팬으로서의 삶을 기억할 수 있고, 어린 시절의 놀이, 상상력, 모성으로부터 양육하는 부성을 회복한 후 이것을 현재의 삶에 통합시킬 수 있다. 한 걸음 더 나아가는 것은 그가 아버지로서 양육하는 부성을 인식하듯이, 그의 새로운 남성 역할을 공적 영역에서도 비즈니스 매니저 역할과 결합하는 것이다. 이것은 생물학적 부성과 함께 사회적인 아버지 역할에 가치를 두는 것을 의미하면서 다양한 문제해결에 도움을 줄 것이다. 합리성과 독단적인 기획은 충분하지 않으며 동료들과 공유하는 판타지와 정서적 삶이 창의적인 업무 또는 협업 등 공적 영역의 목표를 성취하기 위한 진정한 힘이 될 것이다. 배닝이 회복한 양육하는 부성은 사적 영역인 가정은 물론 공적 영역인 사회로 확장되어 다양한 것들을 치유하고 성취하는 힘으로 작용할 것이다.

4

영화 〈후크〉는 흥행작이었으며 내면 아이와 화해함으로써 잃어버린 부성을 회복하고자 하는 아버지와 성인에 대한 것이다. 그러나 이 영화에 대한 평가가 부정적이었던 것은 피터 팬 이야기와 관련된 영화가 어린이를 위한 심지어 어린이에 관한 영화가 아니라는 점이다. 〈후크〉가 목표로 하는 관객은 어린이가 아니다. 그것은 부모가 되었으나 아동기에 대한 감상이 필요한 베이비 붐 세대의 성인들 또는 내면 아이 회복이 필요한 현대사회의 일 중독적인 어른들을 위한 것이다. 다시 만들어진 피터 팬 이야기 〈후크〉는 중년의 위기에 처한 성인 남성, 피터 배닝이 주인공이다. 그는 잃어버린 부성을 회복하기 위하여 네버랜드로 환상의 여행을 하면서 내적인 팬, 즉 어린이를 발견하여 해방하고 그것을 성인의 정체성과 통합하여 새로운 정체성을 찾는 여정을 보여준다.

1991년에 제작된 〈후크〉의 어린이는 성인과 화해하기 위한 내면 아이이다. 즉, 미국 사회에서 위기에 처한 성인 남성들이 시대적 요구에 맞는 정체성을 회복하기 위하여 어린이가 어른의 아버지로 등장하였다고 할 수 있다. 『피터와 웬디』는 어린이에 대한 것이지만 〈후크〉는 내면 아이를 회복하고자 하는 아버지를 포함하는 성인들에 대한 것이다. 영화에서 주인공, 성인 남성은 자신의 아동기 기억을 소환하여 내면 아이와 화해함으로써 양육하는 부성이라는 남성성을 회복하는 것이다.

배닝이 자신의 어린 시절 모습인 팬과 만남으로써 새로운 남성성을 회복하듯이, 성인이 내면 아이를 만나고 화해하는 것은 상상력과 연관된다. 요정 팅크가 "깨어있는 시간과 잠든 시간 사이에, 우리가 꿈꾸고 있을 때, 거기서 내가 너를 기다릴게, 피터"라고 하듯이 내면 아이와 만나는 것은 상상력을 사용하는 것, 아이들의 세계를 인정하는 것, 그리고 그들을 양육하는 공통의 시간이 전제되어야 한다. 이처럼 이 영화는 우리 시대의 일 중독에 빠져있는 불안한 성인 남성들에게 어린 시절의 놀이, 상상력, 모성을 인정하고 내면화하여 양육하는 부성을 회복할 필요가 있음을 시사한다.

〈후크〉에서 제시하는 남성상은 이성, 질서, 효율성을 강조하는 전통적인 남성 역할에서 상상력에 대한 새로운 인식의 필요성, 이것에 기초한 더욱 양육하는 부성, 즉 친절하고 배려하는 남성 역할이다. 배닝이 회복한 양육하는 부성은 현대사회의 가정은 물론 공적 영역으로 확장하여 다양한 것들을 치유하고 성취하는 힘으로 작용할 것이다.

3부

동시대: 판타지와 SF

— 전통의 수용과 과학적 미래에 대한 사유

20세기 말부터 오늘날까지 세계는 과학기술 발전이 가져온 엄청난 속도의 변화를 겪고 있다. 과학과 기술의 향상, 예를 들면 상대성 이론, 원자에너지 실험과 히로시마와 나가사키에 첫 번째 원폭 투하, 우주탐험의 성공, 그리고 수학과 지리학에 대한 대안적 이론 등으로 인하여 인류는 자연법칙을 대하는 태도가 변화하였다. 인류는 우주에 대한 제한된 견해로부터 더욱 넓고 열린 삶에 대한 인식이 필요하게 되었으며 어린이 환상문학의 세계가 다루는 다양한 현상의 가능성을 받아들일 만하게 사람들의 의식이 충분히 성숙하였다. 우주에 대한 새로운 견해가 20세기 문학의 본류에서부터 분명해졌는데, 이러한 경향을 보이는 작가들로, 올더스 헉슬리(Aldous Huxley), 버지니아 울프(Virginia Woolf), 제임스 조이스(James Joyce) 등을 꼽을 수 있다. 영국 어린이 환상문학도 이러한 영문학 본류의 작품에서 볼 수 있는 사유를 포함하기 시작하였다.

동시대 어린이 환상문학에서 새로운 규칙은 오래된 규칙과 지속적으로 대화하면서 이것을 모방하거나 반하여 만들어지고 있으며 판타지와 SF를 포함하는 작품들을 출판하고 있다. 새로운 유형의 작품들로 톨킨의 『호빗』과 『반지의 제왕』, C. S. 루이스의 『나니아』 시리즈(*Narnia* books), 앨런 가너(Alan Garner)의 『레드 시프트』(*Red Shift*) 등을 들 수 있다. 이들 가운데 20세기 대표적인 작가는 누구보다도 톨킨이라고 할 수 있는데, 그는 고대의 영향을 결합하여 작품을 썼다. 톨킨의 『호빗』과 『반지의 제왕』은 아동문학과 문학 전반의 폭넓은 분야에 영향을 주었다. 그에게서 강력하고 분명한 영향을 받은 최초의 작가는 그의 친구이자 동료였던 루이스였다. 루이스가 어린이 책을 집필하는 이유는 자신이 말하고자 하는 내용을 가장 잘 표현할 수 있는 예술형식이기 때문이다. 『나니아』 시리즈는 『사자와 마녀와 옷장』(*The Lion, the Witch and the Wardrobe*, 1950)을 시작으로 『마지막 전투』(*The Last Battle*, 1956)로 끝나는데, 이 작품들은 이내 상당한 인기를 끌었다. 루이스는 자신이 잘 알고 있던 중세의 알레고리, 북구 신화와 그리스 로마 신화를 활용하였고, 톨킨을 위시하여 맥도널드와 네스빗의 영향을 받았다. 톨킨과 루이스의 작품은 어린이뿐만 아니라 어른 독자들의 높은 지성을 요구하면서 널리 읽히고 호평받았다.

동시대의 어린이 환상문학은 상상력을 사용하여 전통적인 것을 활용하고 급변하는 과학 발달의 시대에 미래에 대한 사유를 작품화하면서 대중성은 물론 문학성을 확보한 작품들을 포함한다. 대표적인 작가로 조앤 롤링과 브라이언 올디스를 들 수 있다. 20세기 말에서 21세기로 들어오면서 세계적인 밀리언셀러로 자리 잡은 롤링의 『해리포터』 시리즈(the *Harry Potter* series)는 문학성과 대중성을 동시에 확보하면서 영국 어린이 환상문학이 오늘날에도 건재함을 입증한다. 롤링의 『해리포터』 시리즈의 선풍적인 인기에 대하여 다층적인 접근이 필요하겠지만 이 시리즈는 영국의 역사와 전통, 스코틀랜드 특유의 기담과 전설을 포함하는 매우 영국적인 작품이다.

또한, 『해리포터』는 19세기 영국의 '학교 소설' 구조와 할리우드의 성공적인 영웅서사 구조가 사용되었고, '동화와 신화'에 보편적으로 나타나는 주제와 구성, 인물유형 등이 사용되었다. 해럴드 블룸(Harold Bloom)은 『해리포터』 시리즈의 첫 번째 소설, 『해리포터와 마법사의 돌』(*Harry Potter and the Philosopher's Stone*, 1997)에 대하여 이 소설은 "진정한 상상적인 비전"이 결여되었고 "상투성"은 심한데 "미학적인 면이 약하다"라고 폄하하였다(A26). 그러나 『해리포터』 시리즈를 단순한 대중문학이 아닌 문학성이 있는 어린이 환상문학 작품으로 보는 견해도 많다. 그 이유는 이 작품이 남성들의 선과 악의 싸움, 다문화주의, 물질주의, 권력의 속성 등과 같이 다양하고 복잡한 주제를 치밀한 서사 구성에 담고 있기 때문이다. 그럼에도 이 소설은 자국중심주의에 근거하며 인종 문제에 대한 편견과 더불어 물질주의와 기존 질서로 회귀하는 한계를 드러낸다는 평가를 받기도 한다. 이러한 현상은 해리포터 시리즈가 학교 소설과 동화 이데올로기의 보수적인 특성으로부터 영향을 받았기 때문이다.

『해리포터』 시리즈 1~7권은 영화로 제작되어서 천문학적인 수익을 올렸다. 해리포터 영화는 영국적인 판타지 소설 『해리포터』 시리즈를 충실하게 전환한 판타지 블록버스터인 동시에 헤리티지 영화의 특징 또한 가지고 있는 하이브리드 영화이다. 영국 헤리티지 영화는 이 나라가 급격하게 변화하던 1980년대에 탄생한 용어이다. 그 당시, 대처 정부는 전통과 현대의 충돌을 해결하기 위한 새로운 방법으로 헤리티지 산업을 시작하였으며, 헤리티지 영화는 이 산업의 일부분이다. 해리포터 영화는 과거에 대한 향수와 진보적 가치관이라는 주제가 서사와 영상에 나타나면서 헤리티지 영화의 특성을 보인다. '상상력'과 '콘텐츠'가 중요해지고, 헤리티지 영화가 영국만의 현상이 아니라 세계적인 포스트모던 현상이 되는 시대에 『해리포터』 소설의 영화 전환을 이러한 시각에서 살펴보는 것은 영국 어린이 환상문학 작품들의 다양한 활용 가능성을 시사한다.

동시대 어린이 환상문학에서 또 하나의 분야인 SF 작가들 역시 과학 발달에 따른 사유를 과학적 상상력을 바탕으로 유토피아 또는 디스토피아의 판타지 세계에 형상화해왔다. SF가 일반인과 연구자들의 지대한 관심을 받게 된 것은 21세기 초이다. 4차 산업혁명 시대에 대한 기대와 두려움이 시작된 이 시기에, 사람들은 눈부신 과학 발달이 바꿔놓을 미래의 삶에 대한 궁금증과 불안을 크게 경험하였다. SF 작가들은 오래전부터 첨단과학을 장착한 미래사회에 대한 작품을 써왔기 때문에 일반인들의 궁금증에 대하여 해답을 줄 수 있다. 예를 들면, 올디스는 동시대 SF 분야의 대표 작가로서 SF 작품을 써서 두 번의 휴고상(Hugo Awards), 네뷸라상(Nebula Award), 캠벨기념상(John W. Campbell Memorial Award)을 수상한 바 있다. 그는 작품에서 우리와 공존하게 될 인공적인 것에 대한 철학적 질문을 과학적 상상력을 바탕으로 발전시킨 후 해답을 제시한다.

올디스는 SF에 대하여 "우주에서 인간의 정의와 그 위상을 혼란스럽지만 진보하는 지식 안에서 추구하는 것"이라고 혁신적으로 정의한다(박상준 49). 한편, 미국인 휴고 건스백(Hugo Gernsback)은 과학적 상상력을 바탕으로 쓰는 소설을 SF라고 명명했으며, SF를 '과학이론과 미래의 전망이 허구적으로 결합한 것'이라고 고전적인 정의를 내린다. SF의 기원은 신화와 역사의 경계가 흐릿하던 시대까지 거슬러 올라가기도 한다. 그러나 SF를 '현재 존재하지 않는 가상의 상황을 합리적으로 묘사한 소설'이라고 간주한다면 그 역사는 토머스 모어(Thomas More)의 『유토피아』(*Utopia*, 1516)까지 거슬러 올라갈 수 있다. SF는 기존 과학이론에 의존하는 것이라기보다는 작가의 과학적 상상력이 창조한 가상세계라는 점에서 환상문학의 하위 장르로 구분되는 것이 일반적이다.

SF는 판타지처럼 그 뿌리가 고딕소설에 닿아있다. 올디스는 SF의 기원을 메리 셸리의 『프랑켄슈타인』이라고 주장한다(67). SF는 20세기 초에 영국에서 꽃을 피운 후 1930년대 미국에서 『어스타운딩 SF』(*Astounding Science Fiction*) 발간 이후 SF의 황금시대를 열었고 여전히 미국이 이 장르를 주도하고 있다. 1990년대 이후의 영국과 미국의 SF 작품들은 인공두뇌학, 유전공학, 생체공학, 핵융합기술, 광속 여행, 컴퓨터, 과거와 미래로의 시간여행, 생태계 파괴와 환경문제, 우주의 기원 등에 관한 주제를 빈번하게 다룬다. 그러므로 SF는 과학과 기술에 대한 비판, 외계인 또는 외부세계 등 타자에 대한 이해, 미래에 대한 비전, 문명과 자연에 대한 성찰을 제공한다. 시간과 공간의 초월, 과거와 미래의 연결, 의식과 무의식의 혼합, 순간과 영원의 합일을 가능하게 해주는 독특한 내러티브들은 SF의 주제를 실현하는 주된 기법들이다(김성곤 26-27).

동시대 영국 어린이 환상문학에서 SF를 대표하는 작가는 올디스이기 때문에 영국 SF를 이해하기 위하여 그의 SF 이론과 작품을 살펴볼 필요가 있다. 올디스는 『10억 년의 슈프레강-SF의 진실한 역사』(*Billion Year Spree: The True History of Science Fiction*, 1973)에서 자신의 SF 이론을 정립하였으며 이에 근거한 소설 『프랑켄슈타인의 해방』(*Frankenstein Unbound*, 1973)을 발표하였다. 그는 이 작품에서 엄청난 속도로 진행되는 현대의 과학발전을 이성이 감성으로부터 분리되어 극단적으로 치닫는 것으로 여기면서 이성과 감성의 통합을 주장한다. 이를 위하여 작가는 계몽주의 시대에 길을 잃은 어린이를 어른의 마음속에 되살리는 것이 이성과 감성을 통합하여 인류의 황량한 디스토피아적 결말을 막을 수 있는 길이라고 제안한다. 그의 『슈퍼토이 시리즈와 단편들』(*Supter-Toy Last All Summer Long and Other Stories of Future Time*, 1969)은 〈A.I.〉(*A.I.Artificial Intelligence*, 2001, 이하 A.I.)로 영화화되어서 널리 알려져 있다. 『슈퍼토이 시리즈와 단편들』의 영화화는 1990년대에 스탠리 큐브릭(Stanley Kubrick) 감독에 의하여 시도되었으며, 스필버그가 이 프로젝트를 이어받아 〈A.I.〉로 제작·발표하였다.

〈A.I.〉는 어머니를 사랑하도록 프로그램된 남자아이의 모습을 가진 안드로이드와 인간을 등장인물로 설정하여 이야기를 발전시킨다. 작가는 안드로이드가 인간을 사랑하는 것에 대하여 "인간이 그(안드로이드)를 사랑할 수 있을까"라는 의문을 심각하게 제기한다. 〈A.I.〉는 올디스의 소설을 바탕으로 인간과 비인간의 관계에 대한 철학적 질문에 대한 해답을 찾는 과정을 '피노키오의 피카레스크 로봇 버전'의 플롯으로 전개하면서 소설보다 더 큰 울림을 주고 있다.

롤링과 올디스가 대표하는 동시대 어린이 환상문학은 동화적 구성 등 전통을 수용하여 동시대 삶의 복잡한 문제들을 환상세계에 형상화하거나, 우주와 과학에 대한 제한된 견해로부터 더욱 넓고 열린 삶에 대하여 새로운 견해를 받아들이도록 한다. 동시대 어린이 환상문학은 전통을 수용하여 현재의 삶을 성찰하고 미래의 삶을 예견하면서 철학적 질문에 대한 해답을 시사한다.

7장

조앤 롤링

『해리포터』 시리즈의 문학성과 대중성

『해리포터』에 나타난 동화 서사와 주제

1

조앤 롤링(1965~)의 『해리포터』 시리즈(이하 『해리포터』)는 전 7권 모두 동화 서사와 주제로 쓰인 어린이 환상문학 작품이다. 영국 어린이 환상문학이 시작되던 빅토리아 중반의 작품들처럼 『해리포터』는 동화유형의 마법적 상상력의 공간에서 부담 없이 유희하도록 할 뿐만 아니라 그 안에 작가의 사회비평과 비전을 담고 있다. 이 소설 시리즈는 영국은 물론 전 세계 어린이들의 책 읽는 즐거움을 불러일으켰고 독서 시장에서 밀리언셀러로 기록되었다. 『해리포터』는 대중적인 인기와 더불어 다양한 문화 콘텐츠, 예를 들어 영화, 게임, 테마파크, 관광 상품, 소품 등으로도 재생산되면서 문화현상을 만들어왔다. 『해리포터』 성공의 주요 요소 가운데 하나는 탄탄한 서사 구성인데, 이 소설은 고전문학, 영화로 대표되는 대중문화, 대중문학의 특성을 결합하여 동화구조 또는 영웅서사 구조를 사용하여 이야기를 흥미롭게 전개한다. 또한 『해리포터』는 시리즈 전권에서 동화의 대주제인 선과 악의 싸움 즉, 해리와 덤블도어 교수(Albus Dumbledore)로 상징되는 절대 선과 볼드모트(Voldemort)가 대표하는 절대 악의 싸움을 주제로 설정한다. 이처럼 『해리포터』는 동화구조와 주제 등, 동화적 특성이 적절하게 사용되었다.

『해리포터』는 해리가 호그와트 마법학교(Hogwats)에 입학하여 졸업하는 11세에서 17세까지 계속되는데, 그가 호그와트에서 보내는 1년 단위로 전 7권이 출간된다. 블룸은 『해리포터』에 대하여 이 시리즈가 "『톰 브라운의 학창 시절』(*Tom Brown's School Days*, 1857)을 톨킨의 마법으로 재해석"하였으며,

영국 사립 기숙학교의 특성을 환상적으로 재생산하는 측면이 있다고 하였다(A26). 롤링은 처음부터 『해리포터』를 마법의 숫자인 일곱 권으로 출판할 생각이었다. 『해리포터』 1~3권은 동화의 정교한 서사를 바탕으로 이야기가 전개되는 전형적인 어린이 환상문학 작품이다. 『해리포터』 4권부터는 분량이 갑자기 많아지는 동시에 사망자가 발생하여 이야기가 어두워지기 시작하며, 5권에서부터 정치 싸움이 시작되어 급격하게 어두워진다. 그러나 1권을 읽던 초등학생 독자들이 7권을 발매하는 시점에서 이미 고등학생이나 대학생이 되었을 것이며, 해리 자신이 어린이에서 청소년, 그리고 어른으로 성장하는 것을 반영할 때 이러한 이야기 전개는 적절하다.

롤링은 『해리포터』에서 다양한 동화적 특성을 가진 아이디어와 이야기를 창의력과 유머 감각을 사용하여 텍스트로 재창조한다. 동화의 서사와 주제 외에도 이 시리즈에는 다양한 동화 모티프가 등장한다. 따돌림을 받는 주인공, 죽은 어머니의 보호, 소원성취, 과업, 신비한 조력자 등의 요소들은 하늘을 나는 빗자루, 투명망토, 소망 거울, 코에서 불꽃을 뿜는 용, 말하는 일기장, 암호로 통과할 수 있는 그림, 9와 3/4 개찰구 등 환상적인 아이디어와 함께 사건을 흥미롭고 속도감 있게 끌어간다.

자이프스는 사회역사적 렌즈를 사용하여 동화를 읽어야 한다고 주장한다. 왜냐하면 동화는 구전설화에 근거하며, 하층민들의 현실 인식과 비평, 소원성취를 담고 있기 때문이다. 마리아 워너(Marina Warner) 역시 동화는 "당신에게 더욱더 잘 말하고, 당신을 더욱더 잘 설득한다"(193)라고 한다. 동화 이야기꾼들은 자신의 작품을 오락물로 위장한 후 능숙하게 세상을 풍자해왔으며 동화적 특성을 가지고 창조된 『해리포터』의 환상세계 역시 작가의 현실 인식에 대한 논평을 포함한다.

그렇다면 『해리포터』에서 롤링의 사회적 관심사는 무엇인가? 그녀는 각 작품의 환상세계에서 물질만능주의, 인종차별주의, 여성문제에 대한 자신의 견해를 전개한다. 그녀는 우선 물질만능주의가 보여주는 천박함과 사회적 지위와 경제력이라는 무기를 가지고 권력을 휘두르는 상류층을 비판한다. 또한, 그녀는 인종차별주의에 반하는 선한 다문화주의를 수용하여 혼혈의 해리를 호그와트의 계승자로 선택하는 것과 함께, 여성주의적 시각을 진보적으로 발전시킨다. 그러나 사회적 논의에 대한 작가의 견해는 일관되지 않으며, 이것이 『해리포터』의 한계인 동시에 동화의 특성이라고 정의할 수 있다.

롤링이 사회문제를 다루는 방법은 진보적인 동시에 보수적이어서 마치 동화를 읽는 것 같다. 동화는 일찍이 구전으로 이어지던 설화에 근거한다. 이러한 이야기들은 하층민이 상류층을 신랄하게 풍자할 수 있었던 카니발적 웃음의 공간이었으며, 그들의 현실인식과 소원성취를 담고 있다. 이후, 동화는 17세기 프랑스 궁정에서 유행하기 시작하였는데, 어린이를 위한 이야기로 재화(retelling)되면서 더욱 보수적인 특성을 띠게 되었다. 동화가 어린이를 위하여 교육적으로 재화될 때 "어린이의 사회화"(Zipes, *Fairy Tales* 3) 즉, 어린이를 교육하는 것에 관심을 가지기 때문이다. 롤링의 『해리포터』 역시 현실에 대한 비판이나 대안적 생각들을 표현하다가도, 이에 반하는 생각들로 바뀌기도 한다(Acocella 74). 『해리포터』의 이러한 특성은 동화의 카니발적 웃음보다 아동문학으로서 교육적인 역할을 더욱 인식하는 것이다.

예를 들어 롤링의 반물질주의는 부에 대한 경외심으로 대체된다. 소설은 더즐리 가(the Dursleys)가 보여주는 물질주의의 천박함, 드레이코 말포이(Draco Malfoy) 가족이 부와 지위에 의존하는 경멸적인 태도를 보이다가, 해리가 부모로부터 받게 될 유산을 바라보면서 기뻐하는 장면으로 바뀐다. 『해리포터』는 인종차별주의에 반하여 선한 다원주의를 표방한다. 롤링은 어린이에게 피부색이나 혈통이 아니라 개인의 성격이 중요하다고 가르친다. 그러나 그녀의 반 인종주의적 생각은 순수 마법사 혈통을 가진 백인 앵글로색슨족 어린이들이 다른 인종에게 보이는 태도에서 반전된다. 또한, 해리의 중요한 조력자로 등장하는 영리한 소녀 허마이니 그레인저(Hermione Granger)는 동시대의 진보적인 여성주의적 시각을 반영하지만, 대부분의 여성 등장인물들은 보수적인 특성을 보인다. 이처럼 『해리포터』의 환상적인 세계는 사회 현상에 대하여 논평하면서 진보적인 견해를 보이다가 결국 보수적인 특성으로 회귀한다. 이러한 특성들은 동화가 가진 진보적 또는 보수적 특성으로 논의할 수 있다.

본 장은 『해리포터』 시리즈 1~3권, 즉 『해리포터와 마법사의 돌』(*Harry Potter and the Philosopher's Stone*, published in the United States as *Harry Potter and the Sorcerer's Stone*, 1997), 『해리포터와 비밀의 방』(*Harry Potter and the Chamber of Secrets*, 1998), 『해리포터와 아즈카반의 죄수』(*Harry Potter and the Prisoner of Azkaban*, 1999)에 나타난 동화구조 그리고 주제와 함께 전개되는 작가의 사회적인 메시지를 살펴볼 것이다.• 『해리포터』 전권이 동화 서사와 주제를 사용하고 있으나 이 장에서는 1~3권의 텍스트만을 다룬다. 이 세 권의 작품이 어린이를 대상으로 하는 어린이 환상문학의 특성을 더욱 분명히 보여주며, 텍스트의 범위를 좁혀 보다 충실한 논의를 하기 위한 것이다. 동화는 구전설화로 존재할 때 현실 비판적이고 진보적이었지만 어린이를 위하여 재화되면서 보수적인 특성을 보였다. 『해리포터』의 동화적 특성에 관한 본 장에서는 어린이들이 종횡무진 사건을 전개하는 마법적 상상 공간에서 작가가 현실 인식을 표현하는 방법을 살펴보고자 한다.

• 『해리포터』 1~3권을 언급할 때 각각 『마법사의 돌』(*The Sorcerer's Stone*), 『비밀의 방』(*The Chamber of Secrets*), 『아즈카반의 죄수』(*The Prisoner of Azkaban*)로 줄여서 표기한다. 텍스트는 미국판 『해리포터』를 사용할 것이다. 이는 우리나라의 『해리포터』 번역이 미국 스콜라스틱 판(Scholastic Inc.)을 사용하였고, 우리나라 독자들이 선호하는 판본이기 때문이다. 작가 롤링도 미국판의 표지가 가장 마음에 든다고 언급한 바 있다.

2

『해리포터』는 복잡한 플롯과 놀라운 반전에도 불구하고 서사양식과 메시지 표현방법에 있어서 동화적 특성을 보인다. 동화 서사는 일반적으로 집-떠남-모험-집으로 전개되고 주제는 선과 악의 싸움으로 요약될 수 있으며, 『해리포터』 전편에 이러한 요소들이 사용된다. 특히 첫 세 권의 플롯은 전통적인 동화 서사를 분명히 보여주는데, 『해리포터』 1권 『마법사의 돌』을 집-떠남-모험-집에 따라 다음과 같이 요약할 수 있다.

집: 상상력이 풍부한 주인공 해리는 고아이기 때문에 버논 더즐리(Vernon Dursley) 이모부와 페투니아 더즐리(Petunia Dursley) 이모의 집에 산다. 그들의 뚱뚱한 게으름뱅이 아들 더들리 더즐리(Dudley Dursley)는 역겹고 호감이 가지 않게 묘사된다. 세 사람 모두 마법사가 아닌 인간, 즉 머글(Muggles)이라고 언급된다. 그들은 상상력이 결핍된 유물론적 속물들이다.

떠남: 동화 주인공은 소명 의식 때문에 집을 떠난다. 해리는 선택된 자로서 11세가 되던 해 여름 막바지에, 호그와트 마법학교에 출석하라는 소명을 받는다. 해리는 자신의 임무를 완수하기 위하여 더즐리 가를 떠난다.

모험: 동화 주인공은 적대자를 만나서 모험을 한다. 그는 도중에 조력자를 만나서 도움을 받기도 하는데 모험이 끝날 무렵에 항상 승리한다. 해리는 호그와트에서 다양한 시험을 치른다. 그러나 그는 덤블도어 교수와 친구들, 론 위즐리(Ron Weasley)와 허마이니 등의 조력자를 만나서 도움을 받는다. 해리는 볼드모트와 항상 대적한다. 볼드모트는 사악한 마법사로서 해리의 부모님을 죽였고 해리 또한 죽이려고 했으며, 이 일을 완수하기 위하여 사악한 탐색을 한다. 해리는 가학적인 드레이코와 그의 친구들 크레이브(Crabbe)와 고일(Goyle)과도 대적한다. 『해리포터』의 각 권은 엄청난 남성

적인 싸움과 신비한 사건들을 포함하며 결국 해리가 항상 승리한다.

집: 동화 주인공은 영웅적인 모험을 한 후 집으로 귀환한다. 해리는 호그와트에서 지내는 1년 동안 몹시 지쳤지만 많이 배웠고 여름방학이 시작될 무렵이 되자 승리한다. 해리가 이모 댁의 지극히 평범한 환경으로 돌아가야만 하는 것은 불행한 일이다.

동화는 일반적으로 집-떠남-모험-집의 원형 구조를 선호한다. 이것은 이야기가 시작된 곳에서 이야기를 끝내는 안정적인 구조인데, 『해리포터』에도 이러한 이야기 구조가 사용된다. 이와 더불어 동화의 주제는 선과 악의 대립이고 독자들은 선이 결국에는 승리할 것을 처음부터 안다. 『해리포터』에서 선은 주인공 해리로 구현된다. 해리는 처음에 등장할 때 너무나 평범하지만, 사악한 악으로부터 친구들과 세계를 구하기 위하여 신화적으로 선택된 주인공들 가운데 한 사람이다. 그는 "다윗, 톰 섬, 잭과 거인, 알라딘, 호레이쇼 앨저(Horatio Alger)를 모두 합한 것"(Zipes, "Phenomenon" 175)이거나, 심지어 그들보다 강하다는 것을 입증하는 남자 어린이 주인공으로 성장한다.

해리는 임무를 수행하기 위하여 집을 떠난다. 도중에 그는 신비한 숲이나 탐색을 위한 미지의 영역으로 들어가기도 한다. 그는 동물이나 친구, 나이 든 현자나 현명한 여성을 만나서 선물이나 도움을 받는다. 어떤 지점에서 그는 독재자, 거인, 또는 경쟁자를 만나지만, 자신의 임무를 완수하기 위하여 이들을 극복해야만 한다. 동화에서 주인공은 항상 적을 물리친 후 집으로 돌아가거나 돈, 아내, 행복한 미래를 전망하면서 새로운 곳에 정착한다. 롤링의 소설은 고전 동화의 문법보다 훨씬 더 복잡하지만 동화의 특성들에 분명하게 근거한다.

해리는 호그와트가 선택한 마법사로서 악의 힘에 대항할 임무를 부여받는다. 제1권 『마법사의 돌』에서 그는 마법사의 돌이 무엇이고, 누가 그것을 발명했는지, 볼드모트가 왜 그것을 손에 넣지 못했는지를 알아내는 임무를 부여받는다. 제2권 『비밀의 방』에서 그는 친구들을 돌로 변화시키려고 하는 자, 특히 지니 위즐리(Ginny Weasley)의 육체와 영혼이 악당의 힘에 지배당하는 이유를 알아내야 한다. 제3권 『아즈카반의 죄수』에서 그는 아즈카반에서 도주한 악명 높은 죄수, 시리우스 블랙(Sirius Black)을 붙잡는 것을 돕고 진실을 알아낸다. 시리우스는 볼드모트가 해리의 부모를 죽이는 것을 돕지 않았고, 해리를 죽이려고 하지 않았음이 밝혀진다. 더욱이 그가 해리를 돌보아줄 대부라는 것은 놀랍다. 『해리포터』는 시리즈의 숫자가 더해질수록 사건의 플롯이 점점 더 복잡해지고 단서를 찾기가 상당히 어려워지지만, 해리는 자신의 힘과 조력자들의 도움으로 임무를 성취한다. 크리스틴 샤퍼(Christine Schoefer)는 이에 대하여 다음과 같이 평한다.

> 해리의 허구적인 마법적 영역은 인간 세상이 돌아가는 전통적인 가정을 완벽하게 반영한다. 『해리포터』 1권에서부터 남자아이와 성인 남성, 남자 마법사와 마법사들이 장면을 지배하고 행동을 결정함으로써 우리의 관심을 끈다. 물론 해리가 주역이다. 어둠의 세력과 그의 서사시적인 싸움-사악한 마법사 볼드모트와 해리를 돕는 남성 조력자들, 즉 위엄 있는 마법사 덤블도어와 형형색색의 남성 등장인물들로부터 해리는 지원을 받는다. (1)

이 방대한 이야기에서 해리가 결국 탐정이고 스타이며, 많은 버디영화(buddy films)에서처럼 론은 항상 그와 함께하는 친구이다. 또한, 해리가 성장하도록 돕는 몇 명의 아버지 인물이 있는데, 해리의 죽은 아버지 제임스 포터(James Potter), 사냥터지기 루베우스 해그리드(Rubeus Hagrid), 덤블도어 교수가 그들이다. 해리의 생물학적인 아버지는 제임스 포터이고 해리에게 대단한 인물로 미화되어 있다. 해리가 출생하면서부터 주목받는 삶을 살도록 운명 지어진 이유가 아버지 덕분이다. 그의 아버지는 호그와트의 유명인사였으며, 사후에도 해리에게 투명망토를 선물하여 모험하도록 하는 등, 아들이 마법사로서 정체성을 형성해나가도록 지속적으로 영향을 준다.

해리에게 생물학적 아버지는 부재하지만 해그리드와 덤블도어가 대리 아버지로 존재한다. 해그리드는 괴팍한 성격에 끔찍한 동물들을 좋아하여 거대한 거미를 돕거나, 입으로 불을 뿜는 용을 몰래 기르며, 머리 셋 달린 개에게 플러피(Fluffy)라는 귀여운 이름을 붙여주기도 하는 인물이다. 그는 해리보다 더 천진난만하고 계산하지 않는 즉흥성을 가졌다. 그는 정이 많은 인물로서, 해리의 생일이나 크리스마스를 잊지 않고 챙겨주며 최첨단 경기용 빗자루 파이어볼트(Firebolt)를 몰래 선물하는 자상함도 가지고 있다. 그는 해리와 더불어 자유분방하고 통제되지 않는 기질을 공유한다.

덤블도어 교수는 말없이 해리를 지원하는 호그와트의 교장이다. 그는 숭고하고 진지한 연금술사의 이미지를 가지며, 천재이자 최고의 마법사로서 우상시 된다. 그는 학생들이 위기에 처한 순간에 나타나 도움을 주기도 하고, 금기를 위반한 학생들을 처벌하기보다 사태 수습을 우선시하며, 현명한 판단자로서 역할을 다한다. 그는 배려와 관용, 지혜와 판단력, 인자함과 위엄, 친근함 등의 자질을 갖춘 진정한 어른이다. 이상적인 참스승의 모습을 가진 그는 해리에게 정신적 아버지의 역할을 한다.

이 밖에도 엄격한 맥고나걸 교감(Minerva McGonagall), 해리에게 원한을 품은 비열한 선생이지만 긍정적인 면을 보여주게 될 스네이프 교수(Severus Snape), 해리를 보호하는 대부 시리우스 등의 등장인물들이 있다. 그리고 해리 주변에는 신뢰할만한 친구 론, 해리에게 관심이 있는 론의 여동생 지니, 항상 정답을 말하고 책을 좋아하는 영리한 소녀 허마이니가 있다. 이들 역시 순수한 영혼을 가지고 있다. 그들은 호그와트의 규칙을 준수하고, 혹시 이를 어길 때 타당한 이유가 있거나 죄책감을 느낀다. 그들은 자신들의 단정한 삶을 위협하는 잔인한 힘에 직면해야 할 때 용감하다. 학교에서 그들을 가르치는 온화하고 성실한 교수들처럼 그들은 성장하여 충실하고 예의 바른 마법사와 마녀가 될 것이 예상된다. 그러나 이들은 일차원적인 인물들로서 해리의 주변에서 그의 놀라운 역할을 강조하는 기능을 할 뿐이다. 롤링은 해리에게 초인적인 힘을 부여했으며, 해리는 자신에게 맡겨진 거의 모든 일을 훌륭하게 완수하는 주인공의 모델이다. 그러나 해리의 완벽한 성격은 문학적 등장인물로서 딜레마이기도 하다.

해리와 친구들에 의하여 선이 구현된다면 이에 대항하는 주요 악은 볼드모트와 더즐리 가족으로 존재한다(Zipes, "The Phenomenon" 180). 그들의 악의 본질은 다르지만 모두 잔인하게 묘사된다. 우선, 볼드모트는 해리를 따라다니면서 괴롭히는 살인자이다. 해리를 제외하고 다른 사람들은 볼드모트의 이름을 언급하기보다 "그 사람(You-Know-Who)"(*The Sorcerer's Stones* 107)이라고 칭한다. 왜냐하면 그의 이름을 부르는 것은 그를 부르는 것이라고 믿기 때문이다. 볼드모트는 끊임없이 모습을 바꾸기 때문에 정의하기 어렵고, 해리는 그로부터 자기 자신과 다른 사람들을 지키기 위하여 호그와트에서 매 순간 소환된다. 볼드모트는 해리를 위협하고 자극하는 고통을 주지만, 결국 그를 담대하고 용감한 어린이로 성장시키는 역할을 한다.

해리가 볼드모트를 추적하고 맞서는 과정은 이 세상의 악마적 속성 또는 예측하거나 제어할 수 없는 재난과 맞서는 과정에 대한 은유이기도 하다. 그리고 이런 대결이 자기와의 싸움을 암시한다는 점이 『해리포터』가 보여주는 새로운 인간해석이다. 일반적으로 동화에 등장하는 선한 자와 악한 자는 한 사람이 가진 두 가지 모습이듯이, 해리와 볼드모트의 연관성은 『마법사의 돌』에서 둘의 마법 지팡이에 동일한 불사조의 깃털이 사용된 것에서 드러난다. 『비밀의 방』에서 해리가 볼드모트의 과거 존재인 톰 리들(Tom Riddle)을 만날 때 이 둘의 관계가 더욱 분명해진다.

우리 사이에는 이상한 유사함이 존재하지. 너도 눈치챘을 거야. 둘 다 혼혈이고 고아이며 머글 손에서 자랐어. 아마 위대한 슬리데린 이후 호그와트에서 뱀의 언어를 할 수 있는 사람은 너하고 나 단둘뿐일 거야. 우린 심지어 생김새까지도 좀 닮았잖아. (*The Chamber of Secrets* 317)

볼드모트의 언급에서 알 수 있는 것은 그가 해리의 적대자인 동시에 해리의 잠재력을 구성하는 하나의 근원이라는 점이다. 해리는 볼드모트가 남겨놓은 이마의 상처를 통해 그의 마음을 읽을 수 있고, 이후에 해리의 피는 "어둠의 마왕"을 살리는 힘이 되기도 한다. 그러나 해리는 반 편성을 할 때 "반 편성 모자"(the sorting hat)가 했던 말을 기억한다. 그 모자는 슬리데린(Slytherin)과 그리핀도르(Gryffindor) 사이에서 망설이면서 해리를 향하여, "슬리데린은 아니라고? . . . 네가 그렇게 확신한다면 . . . 그리핀도르가 나을 거야!"(*The Sorcerer's Stones* 121)라고 하여 해리의 선택을 존중한다. 덤블도어 역시 해리가 뱀의 언어, 비상한 재치, 결단력 등 슬리데린이 높이 평가하는 자질을 가졌지만, 그가 슬리데린을 거부했기 때문에 그리핀도르에 소속된 것이라고 하면서, 바로 이러한 점이 해리의 특별함이라고 인식시킨다. 덤블도어의 지적은 인간의 진정한 모습은 타고난 자질이나 능력이 아니라 의지와 선택으로 결정될 수 있다는 점이다. 해리는 친구들의 질시, 성에 대한 자각과 초 챙(Cho Chang)에 대한 좌절된 연모, 온갖 권력이 가하는 압박 등 성장의 고통을 경험하지만, 점차 자신의 진정한 정체성을 찾아간다.

다른 악은 영국 교외에 더즐리 가족이라는 머글의 형태로 존재한다. 페투니아와 버논은 해리를 벽장 안에 기거하도록 하고, 그의 음식을 빼앗을 뿐만 아니라, 친구들과 연락하지 못하도록 학대한다. 페투니아 이모는 마녀에 대해 중세적 관점을 견지하면서 해리를 구박한다. 드릴 회사에 다니는 버논 이모부는 마법사의 피가 한 방울도 흐르지 않는 인물로서 상상력이 결여된

데다가, 야비하고 실용적인 유물론자를 대표한다. 이들의 아들이자 이종사촌인 더들리 역시 기회가 될 때마다 해리를 괴롭힌다. 이처럼 이모 가족은 가학적이지만 해리는 항상 자신의 영리함이나 친구들의 도움으로 그들의 상스러움과 악을 뛰어넘는다. 그들이 해리에게 저지르는 악행보다 상상력과 동정심이 없는 점이 이들을 더욱 사악해 보이게 한다.

이 밖에도 악은 다양한 모습으로 소설의 거의 모든 페이지에 숨어있다. 드레이코와 그의 아버지 루시우스 말포이(Lucius Malfoy), 바티 크라우치(Barty Crouch), 웜테일(Wormtail) 등, 사악한 등장인물들이 보여주는 악행이 곳곳에 존재한다. 이처럼 롤링은 해리를 중심으로 하는 선과 다른 한 축인 악의 대결 구도를 바탕으로 사회현상을 드러내고 논평한다.

3

롤링은 선과 악의 주제와 함께 동시대의 논의들 가운데 물질주의, 인종차별주의, 여성문제 등에 대한 자신의 견해를 개진하기 위하여 동화 모티프를 사용한다. 그녀는 다양한 사회현상에 대하여 날을 세우다가도 동화의 오래된 특성처럼 보수적 견해로 돌아선다. 동화는 더 나은 삶을 꿈꾸던 소작농들이 이야기하던 설화, 즉 민담으로 전해지다가 아이들을 가르치기 위하여 적절하게 개작되었다. 이로 인하여 동화는 권선징악의 주제를 가지고 어린이를 교육하는 데 사용되었다. 따라서 동화는 선한 것으로 확대되고, '겸손한 선택'은 보상을 받는다. 즉, 주인공은 인위적인 것보다 자연적인 것, 화려한 것보다 보잘것없는 것을 선택할 때 복을 받는다. 예를 들어 「미녀와 야수」("Beauty and the Beast")에서 미녀가 아버지에게 장미를 가져다 달라고 할 때, 그녀는 황금을 탐하는 언니들과 구별된다. 『해리포터』에서 역시 해리와 친구들인 론과 허마이니의 겸손한 선택이 보상받는다.

롤링은 『비밀의 방』에서 중산층의 물질주의에 대한 전복을 시도한다. 이를 위하여 우선 더즐리 가족을 등장시키는데, 더즐리 부부는 자신들의 가정이 "완벽하다"라고 한다(*The Chamber of Secret* 6). 이 가족이 언급하는 완벽함은 물질에 대한 집착으로 요약된다. 우선 페투니아의 긴 목은 정원의 담벼락 넘어 이웃을 살피면서 그들을 이기기 위한 경쟁의 도구로 유용하다. 버논과 더들리의 뚱뚱한 몸은 그들이 물질적 과잉과 향락에 지나치게 집착하는 것을 암시한다. 더즐리 가에 놓여있는 단 한 번도 읽지 않은 먼지가 덮인 책들, 고장 난 장난감들은 중산층의 황량한 정신세계를 보여준다. 이 속물적인 가정에서 해리는 자신의 부모에 대하여 언급하는 것마저 거부당하면서 정서적·신체적으로 고통받고 있다. 이 가족은 마법의 피가 흐르지 않는 상상력이 결여된 사람들로서 수동적이고 폐쇄적이며 천박한 삶을 살고 있음을 대변한다.

롤링은 해리와 그의 친구들, 론과 허마이니를 등장시켜서 물질주의와 이에 대한 편견을 논평한다. 마법사 세계의 상류층에 속한 드레이코와 그의 아버지 루시우스는 자신들의 부와 권력을 과시하면서 위즐리 가족의 상대적 빈곤, 머글 부모를 둔 허마이니의 사회적 지위를 조롱하여 이들을 격분케 한다. 그러나 위즐리 가족은 가난하지만 행복한 가족의 전형을 보인다. 해리는 동화 주인공들의 겸손한 선택처럼 위즐리의 작은 집을 "최고"라고 칭찬하는데(*The Secret of Chambers* 41), 위즐리 가족은 소설의 여러 부분에서 선함을 증명한다.

그러나 『해리포터』에서 부에 대한 태도는 상충되기도 한다. 우선, 동화는 가난한 사람들이 부자가 되고, 악한 자들은 모든 것을 박탈당하는 해피엔딩으로 끝나는 경향이 있다. 겸손한 선택은 부, 특히 부유한 사람과의 결혼으로 보상받게 된다. 겸손한 사람은 권력을 얻고, 검소한 삶을 옹호하는 사람은 악에 굴하지 않는 것이 반어적이다. 이와 유사하게 『마법사의 돌』에서 부모를 잃고 이모 집에서 구박받던 고아 해리는 마법사 세계로 들어가면서 제임스와 릴리 포터(Lily Potter)의 아들임이 밝혀지고, 볼드모트가 살해하려고 한 마법으로부터 살아난 전설적인 존재라는 지위를 되찾는다. 더욱이 해리는 부모가 그링고트 은행(Gringotts)에 남겨둔 막대한 유산을 받는다. 막스 뤼티(Max Luthi)는 동화 주인공들이 금과 은에 매료되는 점을 언급하였고(51), 해리 역시 은행 금고에 남겨진 금화 더미의 유산을 처음 볼 때 "숨이 멎을 것처럼" 흥분하면서 기뻐한다(*The Sorcerer's Stone* 75). 이 부분에서 해리를 재현하는 롤링의 태도는 부에 대하여 긍정적으로 바뀐다. 다만 해리는 『아즈카반의 죄수』에서 파이어 볼트를 사고 싶은 욕망을 현명하게 절제하는데, 이것은 과시적인 소비를 일삼는 더들리와 그를 차별화한다.

호그와트 자체는 화려한 연회와 초콜릿이 풍성한 부유하고 풍요로운 장소이다. 풍요로운 음식은 배고픈 농부의 꿈인 마음껏 먹을 수 있는 무릉도원과 같은 장소를 암시한다. 유토피아적인 호그와트는 마법 능력을 소유한 학생만이 입학할 수 있으며, 이곳의 마법사가 되는 것은 엘리트 세계에 들어가는 것에 대한 은유이다(Ostry 93). 이곳의 학생들이 즐기는 퀴디치 경기는 최신 빗자루를 가진 팀에게 유리하다. 해리는 익명의 기증자로부터 드레이코가 가진 님부스 2001보다 훨씬 더 탁월한 성능을 가진 파이어 볼트를 선물로 받았을 때 이것을 거부하지 못한다. 이 사건에 앞서 드레이코가 '뇌물'을 주고 슬리데린 팀에 들어간 행위가 비난의 대상이지, 다른 팀보다 더 강력한 경기 도구를 보유하는 것이 공정치 못한 행위로 여겨지지는 않는다. 학교 스포츠가 경제적 능력의 영향을 받는 것은 동시대의 물질주의 현상을 그대로 반영하는 것이다.

이러한 사건들에서 볼 수 있듯이 롤링의 물질주의에 대한 태도는 이에 대하여 일격을 가하는 것으로 시작되지만 일관적이지 않다. 그녀는 더즐리가를 등장시켜서 물질주의의 천박함을 재현하고, 순수한 마법사 혈통을 가졌으나 상대적으로 가난한 론과 그의 집을 해리가 최고라고 칭찬하도록 하는 한편, 아버지의 부와 사회적 지위를 배경으로 권력을 휘두르는 드레이코에게 허마이니가 일침을 가하도록 한다. 그러나 해리가 금고에 쌓인 엄청난 유산을 보고 기뻐하는 것, 선물로 받은 파이어볼드를 거절하지 못하는 것, 그리고 호그와트와 그곳의 풍성한 음식이 보여주는 유토피아 세계는 부에 대하여 긍정적인 태도를 보이는 것이다. 물질주의에 대한 롤링의 비판적 견해는 현실을 있는 그대로 재현하는 것으로 바뀌면서 보수적으로 된다.

롤링은 인종차별주의와 계급의 편견에 저항하고(Colbert 70), 배제 대신 포용과 통합의 다문화주의를 옹호하면서 시작한다. 『해리포터』에서 인종차별주의와 계급의 편견은 혈통적 편견으로 재현되는데, 이 갈등의 근간에 순수 혈통의 마법사와 머글 태생의 마법사, 그리고 인간 마법사와 비인간 마법사 간에 존재하는 긴장이 있다. 롤링은 이러한 주제를 전개하기 위하여 드레이코, 허마이니와 해리의 정체를 다르게 설정한다. 드레이코는 순수 혈통 출신으로 귀족주의를 대변하며 부를 미덕으로 삼고 있다. 드레이코가 뇌물을 주고 슬리데린의 퀴디치 팀에 수색 꾼으로 들어간 것에 대하여 허마이니가 "그리핀도르 팀에서는 적어도 돈을 내고 선수가 된 사람은 없어"라고 나무랄 때, 그는 그녀를 "더러운 머글"(a filthy little Mudblood)이라고 모욕한다(*The Chamber of Secrets* 112). 양쪽 부모가 인간인 허마이니를 머글이라고 하는 것은 드레이코의 철저한 계급의식을 보여준다. 순수 혈통 마법사에 대한 반대말로써 머글은 비 마법사 부모에게서 태어난 마법사를 칭하는 모욕적인 단어임을 해리와 론은 알고 있다. 롤링은 마법사 세계에서 머글이라는 단어가 인간세계에서 '흑인이라는 단어'(N-word)에 해당하는 것을 알고 있었을 것이다. 흑인 미국인을 '머드 피플'(mud people) 또는 니그로라고 하는 것은 그들에 대한 최악의 모욕인 것처럼 인간 혈통의 마법사를 머글이라고 하는 것도 마찬가지이다.

드레이코는 해리와 처음 만날 때에도 혈통적 편견을 보여준다. 드레이코는 순수 마법사 혈통에 대한 우월주의를 보이면서 해리에게 부모가 "우리와 같은 부류의 사람들이었겠지?"라고 질문하여(*The Sorcerer's Stone* 78), 그가 순수 혈통 출신인지를 묻는다. 해리는 유명한 마법사 아버지와 인간 어머니 사이에서 태어난 혼혈마법사이지만 머글 세계에서 성장하여 마법사 세계의 가치나 관점에 대해서 아직 무지하다. 드레이코는 머글 태생의 마법사들을 호그와트에 들어오게 해서는 안 된다고 생각하며, 호그와트는 "오래된 마법사 가족"을 위하여 존재해야 한다고 주장한다(*The Socerer's Stone* 78). 만나는 사람들의 혈통을 알고자 하는 드레이코는 인종차별주의자인 동시에 계급 차별주의자이다. 호그와트로 가는 기차 안에서 그들이 두 번째 만날 때, 드레이코는 순수 혈통의 중요성을 암시하면서 해리를 자기 편으로 만들려고 한다. 그는 해리에게 "나쁜 부류의 아이들"과 사귀지 말라고 하면서 적당한 친구를 찾는 것을 돕겠다고 하지만, 해리는 이 제안을 거절한다(*The Socerer's Stone* 108). 해리와 드레이코 간에 대립이 설정되는 것이다.

드레이코의 가족들 역시 인종차별주의적이다. 드레이코의 아버지는 그의 아들이 머글 출신의 허마이니 만큼 학교에서 성공적이지 않음을 비난한다. 불어로 "나쁜 믿음"(bad faith)을 의미하는 "말포이"(Malfoy)라는 이 가족의 성(family name)은 말포이 가족의 상황을 대변한다. 그들은 포용의 기본적인 철학을 거부하면서 나쁜 믿음을 증명한다. 호그와트는 중세에 마법사들을 박해하던 머글들로부터 마법사를 보호하여 안전한 천국을 만들기 위하여 설립되었다. 그러나 공동설립자 살라자르 슬리데린(Salazer Slytherin)이 호그와트를 순혈 마법사에게만 제한하려고 할 때 배제와 박해의 역사가 시작되었다. 나쁜 믿음은 또한 믿음이 악하다는 그들의 철학을 암시한다.

그러면 슬리데린 철학에 반대하는 해리에게 머글은 무엇인가? 해리의 아버지는 순수 혈통의 마법사지만 어머니는 머글 출신이기 때문에, 해리는 혼혈이다. 그러나 해리의 장점들이 부각되면서 그가 혼혈이라는 사실이 잊힌다. 다원주의 가치를 옹호하는 해리는 볼드모트를 물리치는 유일한 자로서 마법세계가 선택한 자가 될 것이다. 롤링은 이처럼 혼혈 출신의 마법사가 승리하도록 하여 인종차별주의에 저항한다. 드레이코는 순수 혈통의 마법사지만 호그와트에서 해리보다 지위가 낮다. 순수 혈통을 가진 론이 해리의 임무를 부여받았더라면 『해리포터』의 성공은 훨씬 보장하기 어려웠을 것이다. 롤링은 해리의 혼혈을 강조하는 대신에 아버지의 마법사 혈통과 그의 장점을 부각해서 그를 마법사 세계가 선택한 자로 만들었다.

롤링이 해리를 선택했음에도 순수 혈통에 대한 그녀의 태도는 다소 모순적이다. 해그리드는 밤늦은 시간에 지하철 타는 것을 싫어하고 머글들이 마법을 사용하지 않고도 지하철을 타는 것을 이해하지 못한다. 해그리드는 마법사 세계에서 해리의 신분을 강조하면서, "최고의 마법사 가운데 몇 명은" 머글 출신이라고 한다(*The Sorcerer's Stone* 79). 롤링은 마법사들에 대하여 언급할 때 혈통보다 그들의 장점, 행동, 도덕성으로 판단해야 한다고 가르치고 있지만 해그리드가 혈통을 언급하도록 한 것은 인종차별적이다.

롤링의 다원주의에 대한 비전은 다른 인종의 학생들을 간혹 포함하지만 인종차별적이다. 『해리포터』의 주요 등장인물들은 백인 앵글로색슨족이며 그 외의 등장인물들은 미미하게 존재한다. 퀴디치 팀의 선수들로 안젤리나 존슨(Angelina Johnson)은 흑인 선수이고, 리 조던(Lee Jordan)은 레게머리를 한 흑인 학생이다. 또한, 해리는 아름다운 중국계 선수 초 챙에게 반하지만, 그녀에 관한 정보는 거의 없다. 롤링이 이들의 인종에 대하여 언급을 절제하여 색맹의 태도를 보이는 것은 인종적 배경이 문제가 되지 않음을 강조한다. 그러나 이러한 태도는 소수 민족의 차이를 인정하지 않으면서 그들을 보이지 않는 존재로 만들기 때문에 문제가 될 수 있다. 즉 유럽적이 아닌 것은 타자보다 못한 보이지 않는 존재가 되어버리고 만다(심경석 348).

수직적 계급사회인 마법사 세계에서 늑대인간과 혼혈 거인족은 그들이 받는 사회적 편견과 박해를 구체적으로 보여준다. 그들은 마법사 세계에서 최하층에 존재할 뿐만 아니라 고정관념으로 인하여 고통스럽다. 『아즈카반의 죄수』에서 루핀(Lupin) 교수는 학생들에게 보이는 애정으로 인기가 많았다. 그러나 그가 늑대인간임이 밝혀지자 론은 "그럼 덤블도어 교수님은 당신이 늑대인간이라는 것을 알면서도 고용했단 말인가요? . . . 정신 나간 거 아니에요?"(*The Prisoner of Azkaban* 346)라고 의아한 듯 반문하면서 혈통에 대한 편견을 보인다. 루핀 교수는 자신의 정체가 학생들에게 밝혀지자 부모들의 사임 압력을 예상하여 사직한다.

늑대인간과 더불어 박해를 받는 또 다른 종족은 혼혈 거인족이다. 어머니가 거인족인 해그리드는 자신의 혈통을 숨기려고 한다. 그는 다정하지만 거인족은 폭력적이고 야만적이라고 알려져 있기 때문이다. 이것은 그가 자신의 혈통이나 인종적 유산을 '지나치거나'(passing) 부인하여 편견을 회피하려는 것이다. 현실에서 "지나치는 것"은 특히 흑인 미국인들에게 오랫동안 고통스러운 역사이다(Ostry 94). 해그리드는 자신의 정체가 밝혀지자 덤블도어 교수에게 신비한 동물 돌보기 교사직에 사직서를 제출한 후에 자신의 정체가 부끄럽지 않다고 한다. 이것은 지나치는 것에 대하여 갈등하는 것이고, 혼혈의 정체성에 자부심을 느끼려고 애쓰는 것이다.

그러나 론은 해그리드와 루핀의 정체를 알게 되자 그들을 즉각적으로 꺼리는 편견의 대변자 모습을 보인다. 드레이코는 해그리드가 사용하는 하층민의 언어를 흉내 낸다. 해리나 허마이니 역시 해그리드를 돌보아주어야 할 대상으로 여기는 것은 그를 자신들과 동등하게 여기지 않는다는 것을 암시한다. 롤링은 루핀과 해그리드에 대하여 긍정적 태도를 보이다가도 루핀을 아이들을 공격할 수 있는 위협적 존재로, 해그리드를 하층민의 전형으로 재현하고 있다. 이것은 어린이 주인공들이 이들에 대하여 보이는 태도를 '정상'인 것처럼 생각하도록 하는 작가의 인종차별에 대한 이중적인 태도이다.

롤링이 재현하는 물질주의와 인종차별주의가 진보적·보수적인 면모를 함께 보인다면 『해리포터』는 현실에 대한 전복적인 대안의 세계라기보다는 마법적 상상력을 통하여 현실을 재현하는 모방의 세계이다. 또한, 이 작품은 해리와 남성 등장인물들을 중심으로 서사를 이끌어가는 남성 중심 세계이며 여성들의 성역할을 안전한 수위에서 보수적 또는 진보적으로 재생산하고 있을 뿐이다. 『해리포터』에서 묘사하는 어머니는 시종일관 미미하다. 해리의 어머니, 릴리는 아들을 구하기 위하여 대신 죽는 극단적인 '모성'을 보여준다. 어머니에 대한 해리의 인식은 희생과 연민으로 기억될 뿐이고, 해리를 구박하는 이모 가족이라는 부정적 가족 이미지로 확대된다. 해리는 호그와트로 떠나기 전까지 10년 이상 이모 가족과 살면서 쓰레기만도 못한 취급을 받았고, 그래서 자신을 따뜻하게 감싸줄 수 있는 보호자가 필요하였다. 보호자로서 모성 이미지는 자애롭고 부드러운 론의 어머니를 통해 투사된다. 그녀는 스웨터를 뜨고, 요리하는 고전적인 어머니상을 재생산한다. 이와 더불어 호그와트의 세계에서 맥고나걸 교감과 간호 선생님, 마담 폼프리(Madame PomFrey)가 존재하지만 비중 있는 여성 인물은 아니다.

『해리포터』는 전통적인 여성상을 주로 하여 진보적인 여성주의 시각을 수용한다. 예컨대 그리핀도르 기숙사의 퀴디치 팀 주장은 고학년 남학생 우드(Wood)이고 주목받는 선수는 해리이지만, 일곱 명의 선수 중 세 명의 여학생이 포함되어 있다. 경쟁 팀인 슬리데린에 여학생 선수가 단 한 명도 없다는 점은 주목할만하다. 여학생 선수들을 기꺼이 영입하고 그들의 재능을 통해 집단의 우월성을 과시하는 그리핀도르의 세계는 이상적인 세계임이 분명하다. 그러나 그리핀도르에서도 주목받는 선수는 주장인 우드와 해리이며, 여학생 선수들은 게임을 위하여 동원될 뿐이다.

남성적인 호그와트에서 허마이니는 압도적인 서사적 비중을 차지하면서 중요하게 다루어지는 여자 어린이이다. 허마이니는 규칙과 질서를 중시하는 모범생이며, 머글 출신이기 때문에 프리미엄이 없는 호그와트의 마법사 세계에서 자기의 자리를 찾기 위해 남들보다 몇 배 더 노력한다. 그녀는 사려 깊고 공정할 뿐만 아니라 판단력이 있으며 총명하고 합리적인 인물로서 사건의 실마리를 주도적으로 풀어간다. 그녀의 이러한 면모는 때때로 맥고나걸 교수와 겹친다. 허마이니는 언제나 도서관으로 달려가지만 책이나 영리함보다 더 중요한 것이 우정과 용기임을 아는 존재이기도 하다. 이처럼 실천적 지식인의 모습을 갖추어가는 허마이니가 비중 있게 등장하는 유일한 여자 어린이라는 점은 『해리포터』가 보여주는 여성주의의 가능성이자 한계이다. 호그와트의 세계에 재현되는 여성들은 아들을 위하여 목숨을 버리는 희생적인 어머니, 가족을 위하여 스웨터를 뜨고 요리를 하는 전형적인 어머니, 그리고 호그와트의 여성 선생님들과 퀴디치 팀 여학생 선수들로 존재한다. 이들의 미미한 존재감과 달리 해리의 강력한 조력자인 허마이니는 작가의 진보적인 여성관을 상식선에서 재현한다고 할 수 있다.

롤링의 『해리포터』는 어린이들이 종횡무진 활약하면서 문제를 해결하는 마법적 상상력의 세계이다. 그 안에서 롤링은 자신의 현실에 대하여 진보적인 견해를 피력하면서 비판의 날을 세우다가도 현실의 편안함으로 돌아오면서 각 권의 서사를 마무리한다. 고전 동화가 가진 해피엔딩의 낙관주의에 대하여 현대 작가들이 도전해온 것이 사실이지만 롤링은 해피엔딩을 사용하는 동화작가 군에 남아있다. 『해리포터』에서 선악의 싸움은 해리를 중심으로 하는 선이 승리하도록 하기에 충분하며, 그 안에서 그녀가 재현하는 물질주의는 현실세계의 다양한 것들을 공격하다가도 머뭇거리면서 보수적인 결론에 이른다. 인종차별주의에 대한 작가의 선한 동기와 다양한 진보적인 사건에도 불구하고, 마법사의 세계는 수직적인 계급제도를 가지고 있어서 선한 다문화주의 역시 자국 중심주의를 보인다. 또한, 주도적으로 활약하면서 사건의 실마리를 풀어나가는 허마이니는 롤링의 진보적인 여성주의를 재현한다. 그러나 『해리포터』의 서사시적 싸움을 하는 남성 세계에서 여성 등장인물 대부분은 미미하게 존재할 뿐이다. 결국, 호그와트의 마법세계는 즐거운 도전을 허락하다가도 어느새 친숙한 현실세계로 복귀한다.

4

『해리포터』는 이야기를 시작한 지점에서 끝내는 동화의 회귀적 구성과 동화의 대주제인 선과 악의 투쟁이 사용되어, 선이 승리하는 해피엔딩으로 마무리된다. 동화의 특성은 진보적인 동시에 보수적인 것처럼, 『해리포터』에도 이러한 특성들이 사용된다. 『해리포터』는 앞에서 살펴보았던 주제들, 즉 마법사 세계의 계급 · 혈통 · 인종 · 신분 · 성 등의 차별을 비평하지만, 진보적 시도에도 불구하고 이들을 전복하는 데 미흡할 수밖에 없으며, 삶은 현실 복귀를 통해 재현된다.

『해리포터』의 동화 서사는 주인공 해리를 등장시켜서 선과 악의 싸움을 이끌어간다. 그는 처음에 구박받는 고아로 등장하지만, 호그와트의 유명한 마법사 제임스와 릴리의 아들이고, 볼드모트가 죽일 수 없었던 전설적인 마법사, 덤블도어의 후계자로서 호그와트의 계승자로 성장한다. 그는 많은 대중 서사의 주인공들을 합친 것보다 강력하게 발전하며, 더욱 위대한 것을 성취하기 위하여 마법사 세계의 선택을 받는 운명을 가졌다. 그는 론과 허마이니와 더불어 어린이의 활력과 생명력을 보여주면서 다양한 문제를 해결해 나간다. 선을 대표하는 해리가 승리하는 것이며 그가 영웅이다.

동화의 마법적 공간에서 읽게 되는 작가의 메시지는 즐거운 기대를 하게 하지만, 롤링은 급진적인 동화를 쓰지는 않았다(Zipes, *Sticks* 182). 환상적인 공간에서조차 독자들은 현실과 별다른 것 없는 물질주의, 인종차별주의,

여성주의를 경험한다. 문제적 상황은 안전선을 넘어서지 않는 범위에서 해결되고 독자들은 이러한 환상세계를 자연스럽고 인정할만한 세계로 받아들이게 된다. 동화의 현실 인식과 소원성취의 특성, 즉 동화의 진보적 그리고 보수적인 특성 가운데, 롤링은 보수적인 특성에 좀 더 충실한 것이다. 그러므로 『해리포터』는 마법적 상상력을 동원하여 현실을 전복하는 대안적 세계라기보다는 현실을 재현하는 모방의 세계이다.

동화의 보수적 특성은 사회 발전만큼이나 사회 안정에 가치를 두는 것이다. 이것은 곧 동화의 교육적 특성과 연관되며, 자이프스와 마리아 타타르(Maria Tatar) 등 동화 전문가들의 관심 분야이기도 하다. 자이프스는 동화가 어린이의 사회화, 즉 교육에 사용되었다고 한다. 타타르는 "잠자리 독서가 주는 접촉지대"의 영향력을 연구하여(3), 아동기의 독서가 어린이의 성장에 영향을 줄 수 있다고 한다. 동화의 보수적인 본질은 아동문학 작품에 일반적으로 반영된다. 피터 홀링데일(Peter Hollingdale)은 "모든 아동문학은 불가피하게 교훈적이다"(18)라고 한다. 잔느 워커(Jeanne M. Walker)는 어린이 환상문학을 "혼란에 질서를 부여하는" "교훈적인 장르"(117)라고 한다. 이러한 주장은 어린이 환상문학의 마법이 현실에 도전하기보다 그것을 재현하는 장치임을 의미한다.

『해리포터』는 어린이 환상문학 작품으로서 동화의 구조와 주제 안에서 현실을 재현하면서 어린이의 사회화를 위하여 쓰인 아동문학 작품이라는 결론에 이르게 된다. 롤링은 아동문학이 원하는 것이 혁신보다는 보수, 즉 동화의 새로운 세계보다 안심시키는 세계라는 것을 매우 잘 이해한 것이다.

해리포터 영화에 나타난 헤리티지 미학

1

해리포터 영화는 판타지 블록버스터로 분류되는 것이 일반적이나, 영국의 전통적 가치관과 이미지를 포함하는 헤리티지 영화의 특성 역시 가지고 있다. 영국 헤리티지 영화는 영광스러운 국가의 과거를 재현하여 중상류층의 국가관과 과거에 대한 향수를 불러오는 동시에, 능력 본위의 사회에 대한 진보적 가치관을 수용한다. 해리포터 영화 역시 영국 사립 기숙학교 시스템인 호그와트 마법학교를 중심으로 국가적 향수와 진보적 미래를 수용하는 주제를 서사와 영상으로 보여준다. 영화는 영웅서사와 학교 이야기를 근간으로 하며, 현실에서 과거로 가는 시간여행처럼 보이도록 호그와트를 상상의 세계로 설정하여 헤리티지 영화의 특성을 재현한다. 현대 영국의 현실에서 호그와트행 고속열차를 타고 마치 시간을 거슬러 가는 것처럼 달려서 도착한 중세 건물의 학교에 예복을 입은 학생들, 짙은 색 나무 책상, 양피지와 깃펜을 사용하는 사람들이 등장한다. 호그와트 마법학교는 영국의 엘리트를 양성하던 사립 기숙학교를 재현하면서 중상류층을 위한 향수를 불러일으킨다. 그러나 영화는 그들의 세계 역시 안전하지 않다는 인식과 함께 혼혈 영웅 해리포터가 호그와트를 계승하는 점에서 변화의 물결을 수용한다.

영국 헤리티지 산업은 1980년대에 탄생한 용어이다. 급격한 변화의 시기였던 대처 정부 시대에 전통과 현대의 충돌을 해결하기 위한 새로운 방법을 모색하였는데, 이것은 '헤리티지'(heritage)와 '엔터프라이즈'(enterprise)라는 두 단어의 조합으로 요약된다. 과거의 가치관과 전통을 보존하는 의미의 헤리티지, 그리고 변화와 혁신을 의미하는 엔터프라이즈라는 상반된 두 단어의 조합으로 헤리티지 엔터프라이즈(heritage enterprise)라는 용어가 만들어졌다. 헤리티지 엔터프라이즈는 헤리티지 산업 또는 문화유산 산업으로 번역되어 사용되었으며, 오늘날에는 영국을 넘어 전 세계적인 포스트모던 문화현상으로 확장되었다. 헤리티지 산업의 한 부분으로서 '헤리티지 영화'(heritage films)는 향수(nostalgia) 정서와 자본주의 정신의 결합물로 탄생하였다. 1980년대에 헤리티지 영화는 영국적 과거를 재현하여 국민에게 안정감을 제공할 뿐만 아니라 시대변화에 대한 적응력을 갖도록 진보적인 가치관을 포함하여 국민 통합의 효과를 가져왔다. 이뿐만 아니라 헤리티지 영화의 영상은 국가의 과거에 대한 시각적·역사적 이미지를 만들어내고 영화 촬영 장소는 관광산업으로 이어지도록 함으로써 경제적 수익을 창출하는 헤리티지 산업으로 확장되었다.

헤리티지 영화에 대한 초기 비평에서 앤드류 힉슨(Andrew Higson)은 해리포터 영화에 나타난 헤리티지 영화의 특성에 주목하였다(*English* 258). 해리포터 영화는 원작 소설에 사용된 영웅서사 구조를 사용하면서 호그와트 마법학교 부분은 토마스 휴즈(Thomas Hughes)의 학교소설, 『톰 브라운의 학창 시절』(*Tom Brown's Schooldays*, 1857)을 전환한 영화 〈톰 브라운의 학창 시절〉(*Tom Brown's Schooldays*, 1951)의 실례를 따른다. 『해리포터』 소설은 치밀한 서사구조로 쓰여서 앞의 논의에서 사용한 동화구조는 물론 영웅서사 구조를 이야기 분석의 도구로 사용할 수 있다. 소설에 매우 충실하게 전환된 해리포터 영화는 주인공 해리의 도입과 성장, 그리고 그를 성장시키는 호그와트 마법학교를 적절하게 배치하여 이야기를 발전시킨다. 무엇보다도 이 영화가 호그와트를 사립 기숙학교로 재현하는 것은 영국적 이미지를 만들어내기에 매우 적절하다. 이와 더불어 다이애건 앨리(Diagon Alley)의 디킨스 시대를 암시하는 의상과 배경, 소품, 그링고트 은행의 경외심을 불러일으키는 당당한 외관, 호그와트 건축물의 외관과 실내, 그리고 학생들의 삶을 시각적으로 재현하는 것은 헤리티지 영화의 특성을 보여준다.

영화는 해리가 이모 집에서 생활하는 현실을 배경으로 호그와트 마법학교의 판타지를 과거처럼 보이도록 설정한다. 해리가 처음으로 소개되는 시작 부분은 현실이지만 이 또한 과장되고 유머러스하게 재현되어, 호그와트 마법 세계의 판타지 역시 현실처럼 보이도록 하는 효과를 준다. 호그와트의 영상은 역사적인 건물이나 사물들을 미장센(mise-en-scene) 안에 자연스럽게 포함하면서 마법사 세계와 그곳의 제도와 문화를 환상적으로 보여준다. 해리포터는 처음에 소개될 때 구박받는 아이 영웅으로 등장한다. 그러나 그가 11살이 되자 영웅 여정이 시작되어 호그와트로 떠난다. 해리가 호그와트의 엘리트 세계에 들어간 직후에 마법의 거울 앞에 앉아서 살해된 부모를 생각할 때 그는 여전히 두려움과 슬픔으로 가득한 아이에 불과해 보인다. 그러나 어린 마법사 해리는 명성과 우정, 타고난 마법 기술, 부모가 남긴 의복이나 유산으로 너무나 보호받고 있으며 호그와트의 강력한 영웅으로 성장하여 변화를 수용하는 주제에 적절한 주인공으로 성장할 것이다.

본 장에서 해리포터 영화에 나타난 헤리티지 미학을 논의하기 위하여 영국 헤리티지 영화의 특성을 간략히 언급하고, 이 영화의 원천텍스트인『해리포터』시리즈의 영화 전환과정을 살펴보고자 한다. 그리고 해리포터 영화에 재현되는 헤리티지 미학, 즉 영국적 전통에 대한 향수와 진보적 가치관의 수용이라는 주제가 영화의 서사와 주요 영상에서 전개되는 방식을 논의할 것이다. 마지막으로 이 영화의 영상과 야외촬영 장소가 만들어내는 국가 이미지가 영국 역사와 문화에 관한 관심을 불러일으켜서 헤리티지 산업의 관광 분야로 확장되는 현상 또한 살펴보고자 한다. 이것은 영국 헤리티지 영화가 영국문화를 사용하는 방법, 즉 영광스러운 국가의 역사로부터 영국성을 부각함으로써 중상류층을 위한 국가적 향수를 불러옴과 동시에 변화하는 시대에 능력 있는 중산층을 수용하기 위한 진보적인 사고를 포함하여 모든 계층의 국민을 통합하는 것, 그리고 이것을 헤리티지 산업으로 활용하는 방법을 이해하게 할 것이다.

2

영국 헤리티지 영화는 영광스러운 역사와 문화를 재현하여 국민들에게 정서적 안정감을 주는 동시에 격변하는 시대의 사회변화를 수용하기 위하여 제작된 측면이 있다. 해리포터 영화 역시 헤리티지 영화의 주제인 향수와 진보를 포함하고 있는데 이러한 특성들을 논의하기 이전에 영국 헤리티지 영화의 특징과 소설 『해리포터』 시리즈의 영화 전환과정을 살펴보자.

1980년대 초반에 영국 헤리티지 영화는 인종과 계급의 차별을 지양하고 능력 본위 사회에 기반하는 국가를 지향하는 대처주의 가치관을 표방하였다. 이러한 경향의 영화는 〈불의 전차〉(*Chariots of Fire*, 1981)가 대표적인데, 이 영화는 귀족적 오만함과 계층적 차별 위에 세워진 잉글랜드를 비판한다. 영화는 야심 차고, 부지런하며, 재능 있는 사람들의 능력주의 사회를 암묵적으로 지지한다. 〈불의 전차〉를 시작으로 헤리티지 영화들이 제작되었으며, 〈다른 나라〉(*Another Country*, 1984), 〈인도로 가는 길〉(*A Passage to India*, 1984), 〈전망 좋은 방〉(*Room with a View*, 1986), 〈모리스〉(*Maurice*, 1987)가 발표되었다. 이 외에도 〈브렌다의 이중생활〉(*A Handful of Dust*, 1987), 〈리틀 도릿〉(*Little Dorrit*, 1987), 〈헨리 5세〉(*Henry V*, 1989) 등이 있다. 1990년대에는 〈천사들이 두려워하는 곳〉(*Where Angels Fear to Tread*, 1991), 〈하워즈 엔드〉(*Howards End*, 1992), 〈그날의 추억〉(*Remains of the Day*, 1993) 등이 출시되었다.

헤리티지 영화의 제작방식은 시각적인 것에 더욱 중점을 두어 과거의 향수를 자아내도록 촬영한다. 과거 상류층의 생활상과 역사를 보여주는 장면들은 역사적인 건축물들의 유형과 풍경뿐만 아니라, 의복, 가구, 예술품 등 전통적인 귀족적 유물들을 헤리티지 영화의 아이콘이 되도록 한다. 또한 헤리티지 영화는 장소, 분위기, 주변 환경을 시각적으로 재현한다. 카메라는 우아하고 부드럽게 움직이면서 배우들의 움직임보다는 과거 특정 시대를 대표하는 장소와 그곳을 구성하는 사물들을 더욱 아름다운 각도에서 영상화한다. 그리고 이 영화는 신록의 아름다운 풍경 속에 자리한 웅장한 시골 저택의 이미지처럼 먼 거리에서 촬영한 장면들을 자주 보여준다. 과거의 가치가 붕괴되어 가는 현실의 위기에서 그들은 영국의 시골 저택을 안정과 평화의 순간으로 상정하여 그곳으로 돌아가고자 한다. 시골 저택은 헤리티지 영화에서 영국적 향수를 불러일으키는 안정감을 주는 중요한 상징이기 때문에, 이곳에 대한 위협은 삶의 방식에 대한 위협으로 시각화된다. 헤리티지 영화는 과거를 중요하게 재현하기 때문에 보수적인 영화제작 방식이라고 비난받기도 했지만 이러한 견해는 점차 사라졌다. 더욱이 이 장르가 판타지와 결합하면서, 자연을 떠나 초자연으로 가거나 희망적인 생각을 포함하는 시대변화를 수용하는 영화로 발전하였다.

헤리티지 영화는 배우를 선택할 때도 특징이 있다. 동일한 배우들로 하여금 유사한 역할과 계층을 계속 연기하도록 하여 과거 인간형의 고정된 이미지를 관객들에게 깊이 각인시킨다. 배우들은 보통 두 그룹으로 나뉜다. 한 그룹은 특정 배역을 전문으로 맡는 연기력을 인정받은 배우들로서 영국 연극의 높은 수준과 경험을 영화로 재현한다. 다른 그룹은 헤리티지 영화의 배역을 연기하기 위하여 훈련받은 배우들이다.

헤리티지 영화에 나타나는 전통적, 보수적, 목가적인 정서는 영국인의 이미지, 잉글랜드적인 것(Englishness), 즉 영국적인 것을 상품화하고 산업화해왔다. 영화의 이미지와 영화 촬영 장소는 영국의 역사와 문화에 대한 관심을 발전시켰을 뿐만 아니라, 역사유적을 탐방하는 관광산업의 놀라운 성장을 가져왔다. 그러나 영화에서 만들어진 영국적 이미지들은 시각화된 "소비로서의 판타지, 국가의 과거에 대한 판타지"(Higson, "Re-presenting" 114)에 머물러있다는 평도 받는다. 이러한 이미지는 허구인 동시에 소비되는 이미지에 불과하므로 영국적 성격과 실체와 거리가 있을 수 있다. 헤리티지 영화는 긍정적 또는 비판적 관심을 불러일으키면서 우리 시대의 상상력 풍부한 관념적 구성물 가운데 하나가 되었으며 전 세계적으로 확장되고 있다.

해리포터 영화는 원천콘텐츠인 『해리포터』 소설을 영화로 전환하기 위한 준비 단계에서부터 헤리티지 영화로 제작하려는 의도가 있었다고 추론할 수 있다. 영국인 제작자 데이비드 헤이먼(David Heyman)은 1999년에 4권의 『해리포터』 영화 판권을 워너 브러더스(Warner Bros. Entertainment Inc.)에 100만 파운드에 중개하였다. 이때 작가 롤링은 텍스트에 대한 충실성과 주연배우들을 영국인으로 할 것을 요구하였다. 해리포터 영화가 매우 영국적인 판타지 『해리포터』 원작에 충실한 판타지이자 헤리티지 영화로 제작되기 위한 첫 단계에 들어간 것이다.

『해리포터』 시리즈는 다음과 같이 시작된다. "그는 유명한 사람이 될 거야—전설적인 사람 . . . 해리에 관한 책이 쓰이겠지. 전 세계 모든 아이가 그의 이름을 알게 될 거야!"(*Harry Potter and the Philosopher's Stone* 15). 소설에서 주인공 해리는 구박받는 고아로 등장하지만 호그와트를 구할 뿐만 아니라, 해리처럼 비참한 처지에 있던 작가 롤링을 구하는 영웅으로 성장한다. 『해리포터』 각 권은 영웅서사 구조를 따르며, 전체 『해리포터』 시리즈도 하나의 커다란 영웅서사 구조에 따라 전개된다. 영웅서사 구조는 영화 〈스타워즈〉(*Star Wars*, 1977)에 사용되어 엄청난 성공을 거둔 이후, 할리우드의 유명한 스토리 컨설턴트, 크리스토퍼 보글러(Christopher Vogler)가 시나리오 작성을 위한 지침으로 널리 보급시켰다. 보글러는 영웅서사의 효용성을 인정하여 영웅 여정을 3막 12단계의 이야기 구조로 변화시켰다. 그의 영웅서사는 1막 출발[일상 세계, 모험에의 소명, 소명의 거부, 정신적 스승과의 만남, 첫 관문의 통과], 2막 입문[시험 · 협력자 · 적대자, 심연 접근, 시련, 보상], 3막 귀환[귀환의 길, 부활, 영약을 가지고 귀환]을 포함한다. 해리포터 영화 역시 원천텍스트의 영웅서사 구조를 근간으로 하며 호그와트 마법학교 생활을 보여주는 입문단계와 그 외의 전통적인 부분에서 영국문화의 특성을 재현한다.

『해리포터』 시리즈는 모든 시대를 통틀어 가장 잘 팔리는 아동문학 작품이다. 이 소설들은 영국에서 가장 인기 있는 두 명의 아동문학 작가, 2위 이니드 블라이튼(Enid Blyton)과 1위 로알드 달(Roald Dahn) 각각의 매출액을 넘어서 밀리언셀러로 기록되면서 세계적으로 엄청난 숫자의 독자층을 가지고 있다. 해리포터 판권이 팔린 1999년 당시, 약 1억 명으로 추정되는 독자를 보유한 소설 『해리포터』를 영화로 전환하는 과정은 신중했다. 이것은 널리 알려진 주연 배우 캐스팅 과정, 소설의 물리적 세계를 재현하기 위하여 엄청난 자본을 투입한 스튜디오 구성 및 영화 촬영, 소설의 대부분 사건을 포함하기 위하여 영화 상영시간을 연장한 것에 이르기까지 작가와 제작자의 요구, 그리고 소설 텍스트에 충실한 요소들을 포함한다. 워너 브러더스는 『해리포터』의 영화화를 위하여 A급 감독들을 고려하였으며, 마침내 2000년 3월에 크리스 콜럼버스(Chris Columbus)를 첫 영화의 키를 잡을 감독으로 선정하였다(Glynn 220). 그는 성공적인 가족영화 〈나 홀로 집에〉(*Home Alone*, 1990), 〈미세스 다웃파이어〉(*Mrs Doubtfire*, 1993), 〈바이센테니얼 맨〉(*The Bicentennial Man*, 1999) 등을 감독하였다. 콜럼버스 감독이 어린이와 판타지 장르 영화에서 이미 성공한 경험이 있기 때문에 판타지와 헤리티지 영화를 만들 감독으로 적절했을 것이다.

콜럼버스 감독이 만든 첫 번째 해리포터 영화 〈해리포터와 마법사의 돌〉(*Harry Potter and the Sorcerer's Stone*, 2001)의 예고편은 다이애건 앨리, 그링고트 은행, 호그와트의 영상으로 시작하여 '마법이 곧 일어납니다!'라는 자막과 함께 끝난다. 예고편의 메시지는 소설에서 상상한 마법적 문자언어가 영화의 기술적 가능성에 의하여 훨씬 더 우월하고 환상적인 영상이 될 것임을 암시한다. 또한, 영화의 판타지는 호그와트 마법학교를 비롯하여 영국적인 이미지를 만들어내는 영국의 문화유산을 영상으로 보여주면서 헤리티지 영화의 주제를 발전시킨다. 〈해리포터와 마법사의 돌〉에서 해리가 이모 댁, 더즐리 가와 함께 처음 소개될 때, 그는 헝클어진 머리카락에 구박받는 모습으로 등장하여 특별한 재능이나 운명을 가진 것으로 인식되지 않는다. 헐렁한 옷을 입고, 테이프가 감긴 안경을 착용한 해리는 캠벨의 전형적인 "멸시받는 아이"이다(Campbell 38). "운명의 아이"는 무명에서 시작하여 "자신의 깊숙한 곳"까지 또는 미지의 영역까지 확장하여 나아간다(Campbell 327). 그는 양심과 악이 공존하는 어둠 속에 존재하게 된다. 종종 천사, 때로는 동물이나 노파와 같은 안내자나 조력자가 그에게 다가온다. 아이 영웅은 학교나 다른 특별한 환경으로 가서 자신에게 비상한 재능이 있다는 것과 자신이 무언가 될 수 있는 능력이 있다는 것을 인지한다. 결국 아이 영웅은 환호를 받거나 인정을 받으면서 돌아온다. 때때로 영웅의 업적은 동료나 친구 그룹으로부터 찬사를 받기도 한다.

현실세계에서 더즐리 가는 해리에게 온갖 수모와 위험을 제공하면서 적개심과 경멸을 보인다. 버논 이모부의 악의가 점점 더 강렬해지자 해리는 어둠과 불확실함에 직면한다. 이모부는 해리의 정체를 드러낼 운명적인 편지를 막으려고 시도할 때 비이성적이고 폭력적으로 된다. 이모부의 생각에 어떠한 메신저도 올 수 없을 것 같은 외딴집에 해리의 첫 번째 조력자가 나타나자 폭풍우 치는 어둠 속에서 폭로가 시작된다. 초자연적인 "보호 인물"(Campbell 72)로서 갈팡질팡하는 털북숭이 거인 해그리드는 천사는 아니지만,

해리를 마법세계로 안내하여 영웅 여정을 시작하도록 도와주기에 충분하다.

캠벨의 아이 영웅처럼 해리는 학교에 다닌다. 〈해리포터와 마법사의 돌〉은 〈톰 브라운의 학창 시절〉의 학교 시스템을 호그와트 마법학교로 재현하면서 헤리티지 영화의 주제를 서사와 영상으로 재현한다. 해리와 톰은 모두 처음에 평범한 11살의 남자아이들로 기숙학교로 보내진다[호그와트/럭비(Rugby)]. 두 주인공은 그들을 지지해줄 가장 좋은 친구를 얻고[위즐리/이스트(East)], 자신들을 성장시킬 학식이 풍부하고 인자한 교장 선생님을 만난다[덤블도어 교수/아널드 박사(Dr Arnold)]. 주인공 해리/톰은 교실 수업보다 학교 스포츠에서 더욱 두각을 보인다[퀴디치/럭비]. 주인공은 오만하고 괴롭히는 동료들에게 괴롭힘을 당하지만[말포이/플래시맨(Flashman)], 괴롭힘을 당하는 다른 친구들을 돕는다[네빌 롱바텀(Neville Longbottom)/조지 아서(George Arthur)]. 주인공은 올바른 길을 선택하는 것에 흔들릴 때도 있지만, 굳은 충성심과 끈기 있는 용기를 가지고 결국 승리한다(Glynn 222). 기존 학교소설에서 보이는 영국 상류층을 위한 학교 시스템이 호그와트 마법학교에서 해리를 성장시키는 여정에 적용될 때, 호그와트의 영상은 영국적 과거를 재현하기에 충분하고 해리가 영웅으로 성장하는 여정은 사회적 변화를 대변하기에 적절하다.

〈해리포터와 마법사의 돌〉에서 해리는 모험을 하면서 헤리티지 영화의 주제를 발전시킨다. 해리는 호그와트에서 장애물에 직면하면서 시작한다. 즉 동굴의 괴물 같은 트롤, 머리 셋 달린 공격적인 개, 미약하지만 여전히 강력하여 해리를 파괴하고자 하는 볼드모트를 지지하고 보호하면서 계략을 꾸미는 퀴렐 교수(Professor Quirrell) 등이 해리의 장애물이다. 해리는 현명한 주문, 친구들의 도움, 용기 등을 가지고 이러한 장애물들을 극복하여 힘과 재능을 부여받은 영웅이라는 것을 증명한 후 방학이 되자 이모 집으로 돌아간다. 해리는 이번 모험뿐만 아니라 거듭되는 모험을 하면서 가르침을 통해 자신을 성장시키거나 스스로 힘을 개발하면서 특별한 재능을 부여받은 인물, 즉 영웅으로 성장한다.

콜럼버스 감독의 〈해리포터와 마법사의 돌〉은 헤리티지 영화의 미학을 성공적으로 보여주면서 이후 해리포터 영화의 방향을 적절히 설정했다는 호평을 받는다. 이 영화에서 호그와트 세계는 남성 엘리트를 양성했던 영국의 문화유산인 사립 기숙학교의 재현으로, 그곳의 세계는 중세 건물, 제도와 문화 그리고 사물 등을 시각화하면서 영국인들의 기분 좋은 향수를 불러일으킨다. 또한, 혼혈 마법사 해리가 호그와트를 계승할 영웅으로 성장해가는 것은 새로운 세계의 진보적인 세계관을 수용하는 것을 보여주기에 적절하다. 향수와 진보라는 헤리티지 영화의 주제는 판타지 영상에서 분명하게 표현되고 있다.

3

1) 향수와 진보의 주제

해리포터 영화를 영국 기반의 블록버스터 판타지로 만든 것은 거대한 산업을 창출하는 것인 동시에 국가 정체성을 형성하기 위한 것이기도 하다. 해리포터 영화의 호그와트 마법학교를 통해 드러나는 영국적 "정체성은 전통적이고 특권층을 위한 사립학교 교육 방식, 고대 학교 건물들의 견고함을 재현하는 계층적인 세계에 대한 것으로 허구적이면서 친숙하다"(Higson, *Film* 28). 계급의 정체성에 대한 의미 그리고 변화하는 세계의 권력구조가 가져오는 두려움과 긴장감은 헤리티지 영화의 주제이자 해리포터 영화에도 나타난다.

헤리티지 영화는 영국의 영광스러운 과거를 재현하여 중상류층의 안정감을 불러옴과 동시에 능력 본위의 사회에 대한 진보적 세계관을 수용한다.

중상류층의 가치가 붕괴해가는 현실에서 그들은 현재의 사회·정치·경제적 위기로부터 후퇴하여, 국가 정체성의 이미지를 순수하고 흠 없고 완전했던 과거에서 되찾기 위하여 노력한다. 영국적 향수를 불러일으키는 편안함을 주는 상징이 시골 저택이며, 이러한 "향수는 안정에서 불안정에 이르는 상상의 역사적 궤적을 기록하는 상실의 서사인 동시에 주제를 닫힌 과거로 안전하게 투영하는 회복의 서사이다"(Higson, "Re-presenting" 104). 그러므로 헤리티지 영화에서 시골 저택은 영국성과 연관된 역사적 가치를 표현하는 중요한 요소가 된다.

해리포터 영화에서 호그와트는 마법세계의 안정성과 질서를 상징하면서 향수를 불러일으키는 시골 저택에 해당한다. 해리포터 영화 전편을 지배하는 호그와트에서 남성적 선악의 싸움, 즉 해리와 덤블도어로 상징되는 절대 선과 볼드모트가 대표하는 절대 악의 싸움은 전통적인 남성 중심 세계를 재현한다. 그러나 〈해리포터와 불사조 기사단〉(*Harry Potter and the Order of the Phoenix*, 2007)에서 시리우스 블랙이 "호그와트는 더 이상 안전하지 않아"라고 해리에게 경고할 때, 이것은 호그와트에 대한 위협일 뿐만 아니라 마법사 세계 전체가 위험에 처했다는 것을 암시한다. 〈해리포터와 죽음의 성물 2〉(*Harry Potter and the Deathly Hallows: Part 2*, 2011)에서 호그와트를 지키기 위한 싸움의 클라이맥스에서 학교가 파괴되는데, 이것은 마법적 삶의 방식이 붕괴하는 것을 시사한다. 〈해리포터와 혼혈왕자〉(*Harry Potter and the Half-Blood Prince*, 2009)의 결말에서 덤블도어 교수의 죽음 이후 매우 처절한 순간 가운데 하나는 볼드모트의 지지자들이 호그와트 대강당의 장식물을 벗기고 창문을 박살내는 장면이다. 이때 해리가 호그와트의 경관을 내다보면서 "이곳이 얼마나 아름다운 곳이었는지를 결코 깨닫지 못했어"라고 할 때, 이것은 마법세계의 잠재적 상실을 고통스러워하는 것이며 호그와트와 그곳의 삶의 방식이 위험에 처했다는 것이다. 과거의 방식을 대표하는 호그와트에 대하여 등장인물들이 보여주는 향수는 사회 격변이 초래한 변화와 중상류층이 처한 삶의 위기, 이와 더불어 그들이 새로운 세상에 적응하기 위하여 고군분투하는 모습을 암시한다.

호그와트의 건축물들, 사립 기숙학교의 규칙과 전통, 그곳의 남성 중심 세계가 엘리트 남성 중심의 영국적 삶에 대한 중상류층의 향수를 재현한다면, 그곳에서의 삶이 불안해졌다는 변화의 개념은 순수 혈통 마법사 가족을 적대자로 설정함으로써 분명해진다. 〈해리포터와 마법사의 돌〉에서 드레이코 말포이는 말포이 가(the Malfoys)의 곤경을 보여준다. 상류층 순수 혈통 마법사 가족인 말포이 가는 사악하고 속물적인 태도를 보이는 것에서부터, 마법부를 파시스트적으로 장악하고, 혼혈 혈통이나 인간 혈통의 마녀와 마법사를 추방하려고 시도한다. 호그와트와 마법부 기관을 통제하려는 그들의 절박함, 실력주의 기풍을 재현하는 인간 혈통의 허마이니에 대한 그들의 분노는 기존 마법사 세계의 권력구조가 불안해졌음을 시사한다. 이처럼 해리포터 영화는 권력을 향유해 온 중상류층의 집단정체성 위기와 현대사회의 공평한 분배를 막고자 하는 몸부림, 그리고 이러한 것들을 극복하기 위한 시도를 재현한다.

호그와트에서 순수 혈통 마법사 가족을 대표하는 말포이 가는 최종적으로 패배한다. 그들은 궁극적으로 호그와트의 '후계자'로 확인되는 해리포터라는 혼혈 영웅이 이끄는 덤블도어 군단의 연합군에 대항하지만 패배하는 것이다(Beasley 70). 해리포터 영화는 호그와트와 그곳에서 엘리트 중상류층의 남성 세계를 재현하여 영국의 역사적 과거를 미화하는 한편, 열심히 일하고 노력하는 실력 있는 등장인물들이 보상받는다는 것, 즉 능력주의와 공평한 힘의 분배에 대한 견해를 지지하면서 국민을 통합시키고자 한다.

2) 영상에 나타나는 헤리티지 미학

해리포터 영화는 영웅서사 구조의 출발, 입문, 귀환의 3막 구조에 따라 해리가 이모 집에서 지내는 현실세계, 과거처럼 보이도록 구성한 호그와트의 마법세계, 그리고 다시 현실세계로 전개된다. 카트멜과 웰레한(Cartmell and Whelehan)은 "해리포터 소설들이 . . . 환상세계를 만들어냄으로써 현재에 과거를 재구성하는 향수"(46)를 불러일으킨다고 하였는데, 영화 역시 현재를 배경으로 호그와트 마법학교가 과거처럼 보이도록 구성된다. 호그와트를 동시대에서 멀리 떨어진 영국의 전통적인 사립 기숙학교로 재현하는 것은 과거 특권층의 삶과 문화를 헤리티지 영화의 미학을 사용하여 부각하는 것이다. 현실세계에서 해리의 삶은 이모 페투니아, 이모부 버논, 사촌 더들리와 함께 기괴한 고정관념의 세계에서 시작되는 한편, 호그와트에서 그의 삶은 편안할 정도로 정상적으로 묘사된다. 이 등장인물들은 현실의 삶을 고조된 느낌으로 재현하는데, 이에 대하여 수만 굽타(Suman Gupta)는 다음과 같이 논의한다.

> 머글 세계와 마법세계의 관계는 소설에서 추론할 수 있는 것보다 더욱 확실하게 연속성을 가진다. 더즐리의 집과 프리벳 가는 마법세계와 같은 방식으로 환상적으로 묘사된다. . . . 두 세계의 등장인물들은 신체적 행동적 기이함을 비슷하게 가지고 있는 것으로 제시된다. 어두운 그림자와 교차하는 선명한 색채 . . . 연속적으로 일어나는 광적인 행위, 시청각적 풍부함이 머글 세계와 마법세계를 유사한 감각으로 함께 보여준다. (146)

영화의 시작 부분에서 머글들이 사는 현실세계를 도입할 때 사실적인 묘사를 주로 사용하지만 환상적인 요소가 첨가된다. 이와 함께 더즐리 가를 묘사하는 것은 이모 가족을 연기한 배우들의 연기처럼 다소 풍자만화와 같은 면이 있다. 버논 이모부와 더들리의 큰 체형은 더즐리 가 남성들의 폭력적인 본성을 강조하고, 페투니아 이모의 막대기처럼 여윈 모습은 가정적인 순종을 암시한다. 이러한 인물묘사의 근거가 되는 『해리포터와 마법사의 돌』은 "글로 쓰인 디즈니 만화"라는 평을 받기도 한다(Holden, *The Observer* 25 June 2000). 한편, 더즐리의 집은 어수선한 가구 배치와 다양한 장식과 함께 영국의 전통적인 교외주택을 정교한 미장센으로 재현한다. 이 장면들은 하이 키 조명(high-key lighting)으로 촬영되어 밝고 경쾌하다. 현실세계의 교외에 위치한 더즐리 집과 이모 가족들을 다소 환상적으로 재현하는 것은 현실의 일상성을 약화시키지만, 호그와트 마법세계를 실제세계처럼 보이도록 하는 효과를 준다.

현실의 영국이라는 이모 댁에서 해리는 아웃사이더로 등장한다. 머글들이 사는 그곳에서 해리만이 진실한 인간이기 때문이다. 〈해리포터와 마법사의 돌〉의 시작 부분에서 해리가 호그와트의 마법 영역에 들어가기 전에 자신의 삶을 이야기하는 것은 관객들에게 그의 곤경을 충분히 이해시킨다. 이것은 해리가 호그와트로 들어가는 것을 지연시키지만 현실과 호그와트의 두 세계를 대비하면서 호그와트의 삶을 더욱 강조하는 효과를 준다.

해리와 호그와트의 학생들이 런던의 킹스크로스 역(King's Cross Station)의 숨겨진 승강장에서 호그와트행 고속열차를 잡아타서 마법세계로 들어가는 장면은 유명하다. 이 장면의 세세한 요소들은 이미 소설 『해리포터와 마법사의 돌』에 포함되어 있다. 소설의 서사는 독자들을 염두에 두면서 영상이 전개되듯이 세세히 내레이션 되는데, 예를 들어 해리가 9와 3/4 승강장을 통과하는 장면은 매우 영화적이다.

> . . . 그는 수레에 몸을 기대고 갑자기 힘껏 달리기 시작했다. 벽이 점점 더 가까워지고 있었다. 멈출 수가 없었다. 수레는 통제가 되지 않았다. 그는 한

발짝 떨어져 있었다. 그는 충돌할까 봐서 눈을 감았다. 그러나 충돌하지 않았다. . . . 계속 달렸다. . . . 해리는 눈을 떴다.

사람들로 꽉 찬 승강장 옆에서 진홍색 증기기관차 한 대가 기다리고 있었다. 머리 위의 표지판에는 *호그와트 고속열차, 11시*라고 쓰여 있었다. 뒤를 돌아보니 개찰구가 있던 곳에 *9와 3/4 승강장*이라고 적힌 매표소가 있던 철제 아치 통로가 보였다. 해리는 해낸 것이다. (*Harry Potter and the Philosopher's Stone* 70-71)

『해리포터』의 여러 순간처럼 이 부분은 독자들이 소설에서 영화적 장면을 경험하도록 한다(Cartmell and Whelehan 42). 영화 역시 소설의 장면을 충실히 시각화하여 해리가 눈을 감았다 뜨면 관객들은 해체되는 듯한 경험을 하면서 그와 함께 호그와트로 향한다.

해리가 황금빛 증기기관차를 타고 마법세계로 들어가는 것은 시간여행처럼 재현된다. 호그와트행 고속열차는 시간여행의 양상을 띠지만 사실상 시간여행은 아니며 해리를 헤리티지 장소라고 할 수 있는 호그와트의 환상세계로 데려간다. 호그와트에서의 삶은 영웅서사 구조의 출발, 입문, 귀환 가운데 입문에 해당되며, 영국의 남성 엘리트 지도자를 양성하기 위하여 존재했던 사립 기숙학교로 재현된다. 해리는 호그와트의 마법세계에 도착하자 그 세계 안으로 자신을 재빨리 해방시킨다. 이러한 방법은 〈해리포터와 마법사의 돌〉에서 해리가 첫 번째 마법 장소인 다이애건 앨리를 방문할 때도 사용된다. 해리는 대낮에 전형적인 런던 중심가에서 리키 콜드런 술집(Leaky Cauldron Tavern)으로 가다가 검은 망토를 입은 사람들로 둘러싸인다. 이러한 장면들은 모두 로우 키 조명(low-key lighting)으로 촬영되어서 전등의 부재와 디킨스 시대의 런던을 강하게 암시하는 의상과 배경을 계속 보여준다. 해리는 해그리드의 안내를 받으면서 리키 콜드런의 뒷골목을 지나 다이애건 앨리로 들어간다. 소설에서 다이애건 앨리의 입구 장면은 "해그리드가 담에 기대어 있는 쓰레기통 위쪽의 벽돌 숫자를 세고 있었다"(*The Philosopher's Stone* 55)라고 언급하여, 이곳의 쓰레기통이 단순하게 묘사된다. 그러나 영화의 쓰레기통은 묵직한 참나무통으로 대체되어 소설보다 훨씬 더 영국적으로 재현된다. 해리가 벽으로 난 구멍을 통과하여 다이애건 앨리로 들어설 때도, 이 골목의 첫인상은 어두운색 옷을 입은 엑스트라들로 붐비는 거리로 재현되어 BBC방송의 시대극을 연상하게 한다.

카메라는 해리의 얼굴을 따라가면서 번잡한 거리를 하이 앵글로 보여주다가 다이애건 앨리에 집중한다. 행인들은 주로 왕정복고기나 빅토리아 시대의 소설을 각색한 영화에 나오는 망토를 입거나 보닛을 쓰고 있다. 두꺼운 납 창틀의 창문, 구식 화보가 붙어있는 짙은 색깔 목재로 지어진 상점 건물들이 즐비한 거리는 관광객을 위해 잘 정돈된 역사적인 도시의 모습을 시각화한다. 이와 대비되는 것은 대리석 바닥과 황금색 테두리로 장식된 당당하고 인상적인 그링고트 은행이다. 건물은 로우 앵글(low camera angle)로 촬영되어 경외심을 불러일으키면서 고전적인 헤리티지 장소의 특성을 보여준다. 그링고트 은행에 남겨진 부모님의 유산인 금화더미는 해리를 '올리버 트위스트'적으로 변화시킬 것이다. 해리는 머글 세계에서 경제적 빈곤으로 인하여 의존적이었지만, 마법세계로 건너가자 엄청난 부자로 변신한다는 것이 의미심장하다.

해리가 그링고트 은행을 들른 후, 해그리드와 함께 집으로 돌아가는 길에 다시 한번 다이애건 앨리를 하이 앵글로 보여준다. 해리가 그곳으로 첫 나들이를 나갔기 때문에 이러한 영상들은 움직이는 카메라로 촬영되어 '보여주기'를 한다. 구식 가게의 간판, 새장에 갇힌 불만스러운 표정의 올빼미, 모자와 실크 모자를 쓴 엑스트라들의 모습 등을 세세하게 근접 촬영한 장면들이 이어진다. 또한, 해리는 11살의 작은 소년이기 때문에 성인의 평균 키보다 낮은 어린이의 시선에서 보는 장면들이 로우 앵글로 촬영되었다. 해리의 시각에서 다이애건 앨리의 영상들이 소개되는 것은 환상적인 장소를 처음 방문한 어린이가 느끼는 경이로움과 즐거움을 관객들과 공유하려는 것이다. 이것은 헤리티지 영화가 관객들을 영화의 미장센에 끌어들이는 방식이기도 하다.

학생들이 호그와트에 도착하자 영화는 더 이상 시간여행처럼 느껴지지 않고, 헤리티지 영화의 미학 안에서 그곳의 삶을 재현한다. 힉슨은 모든 헤리티지 영화가 "극단적인 롱 샷으로, 인상적인 시골 저택과 그림 같은 푸르른 배경을 보여주는 반복적인 영상을 포함"하는 것에 주목하였다("Re-presenting" 97). 카메라는 전형적인 헤리티지 공간을 보여주려는 의도를 가지고 호그와트로 다가간다. 카메라는 여러 지점에서 빙빙 돌면서 호그와트에 접근하여 이 장소를 아름답고 경건하게 보이도록 촬영한다. 힉슨은 헤리티지 영화가 헤리티지 공간을 시각화하는 것에 대하여 "카메라의 움직임은 등장인물의 움직임보다 시대적 배경과 그곳의 사물에 대해 관객들에게 미학적인 관점을 제공하려는 더 큰 욕망을 따르는 것 같다"(*English* 38)라고 언급한다. 이는 헤리티지 영화가 역사를 기반으로 국가적 이미지를 만들려는 의도와 관련된다.

호그와트의 도입은 등장인물들의 움직임과 분리되어서 하이 앵글로 촬영되었다. 넬(Philip Nel)은 〈해리포터와 마법사의 돌〉에서 호그와트가 처음으로 공개되는 순간에 학교를 도입하는 장면과 효과를 강조하다 보니 영화의 진행 속도가 늦다고 언급한다.

> 보트가 다가가는 동안 카메라는 성을 촬영한다. 그리고 1학년생들의 경외심에 찬 표정을 보여주다가, 다시 한번 성 위에 머무른다. 카메라는 다시 학생들의 얼굴을 클로즈업하고, 결국 다시 . . . 성 위로 되돌아가서 머무른다. ("Lost" 280)

카메라는 영국적인 역사와 문화적 장소를 보여주기 위하여 호그와트에 경건하게 접근하여, 건물 주변을 천천히 움직이면서 이곳의 장엄함을 하나씩 보여준다. 호그와트는 첫 등장부터 관객들에게 호기심을 가지게 한다.

헤리티지 미학은 호그와트의 외관뿐만 아니라 해리와 학생들이 생활하는 공간에도 적용된다. 영상은 호그와트 기숙사의 시스템, 가운을 입은 교직원과 학생들, 독특한 강의 스타일, 대강당에서의 식사, 기숙사의 밤, 학교의 중앙에 있는 퀴디치 경기장 등을 보여주면서, "권력을 가진 백인 엘리트 계층을 양성하는 영국 사립학교 시스템을 헤리티지 미학의 관점에서 시각화한다"(Glynn 223). 건축물의 실내 또한 중세 전통의 숭고함을 느끼도록 촬영되었다. 카메라는 학생들의 환경을 롱 샷으로 촬영하다가, 학교의 실내, 짙은 색 나무계단, 많은 그림으로 장식된 높은 벽과 계단, 때로는 움직이는 인물들을 포함하는 그림, 이와 유사한 움직이는 높은 계단 등을 보여주기 위하여 로우 앵글과 하이 앵글 촬영을 적절히 사용한다.

호그와트 영상에 나타나는 헤리티지 영화의 특성과 더불어, 작가 롤링의 요구대로 해리포터 영화에 영국인 배우들이 대거 등장한다. 콜럼버스 감독이 7개월 동안 수천 번의 공개 오디션을 통해 확보한 어린이 주연 배우들은 모두 영국인으로, 해리 포터 역에 다니엘 래드클리프(Daniel Radcliff), 론 위즐리 역에 루퍼트 그린트(Rupert Grint), 허마이니 그레인저 역에 엠마 왓슨(Emma Watson)이 선정되었다. 그들은 캐스팅되었을 때 무명이었던 반면, 조연 출연진들은 유명한 이름으로 넘쳐났다. 맥고나걸 교수(Professor McGonagal) 역에 매기 스미스(Maggie Smith), 퀴렐 교수 역에 이언 하트(Ian Hart), 트릴로니 교수(Profesor Trelawney) 역에 엠마 톰슨(Emma Tompson), 록허트 교수(Professor Lockhart) 역에 케네스 브래나(Kenneth Branagh), 그 외에 1980년대와 90년대 헤리티지 영화의 포스터 걸 헬레나 보넘 카터(Helena Bonham Carter), 레이프 파인스(Ralph Fiennes) 등이 등장한다. 이처럼 신인 주연 배우들과 함께 기존 헤리티지 영화 분야의 유명한 배우들을 대거 등장시킨 것은 그들이 연기했던 이전의 역할들을 상기시킴으로써 해리포터 영화가 할리우드 양질의 영화 전통을 계승함과 동시에 헤리티지 영화적 특성을 충분히 갖추고 있음을 입증한다.

해리포터 영화는 이처럼 환상세계인 호그와트를 영국의 전통적인 학교로 재현하면서 서사와 영상에서 헤리티지 영화의 특성을 보인다. 환상세계인 호그와트 건축물과 그곳의 제도와 문화는 영국성을 재현하기에 적절하고, 그 안에서 해리는 유명한 마법사 아버지 제임스 포터와 머글 어머니 릴리 포터의 아들이라는 혼혈 혈통임에도 불구하고 호그와트를 계승하는 영웅으로 성장한다. 해리포터 영화는 소설의 판권 협상에서 언급되었던 소설에 충실한 영화 전환, 즉 영국적인 소설 텍스트를 시각적으로 전환하는 것은 물론 대다수 영국인 배우들을 등장시킨 것에 이르기까지 영국적 이미지 재현과 시대변화를 수용하는 메시지를 포함하면서 헤리티지 영화의 특징들을 보여주고 있다.

3) 야외촬영 장소와 헤리티지 관광산업

해리포터 영화는 영국 하트퍼드셔(Hertfordshire)에 있는 워너 브러더스의 리브즈든 스튜디오(Leavesden Studios)에서 주로 촬영되었지만, 야외촬영은 영국의 역사·문화적 장소에서 이루어져서 영국적 이미지를 만들어내면서 헤리티지 산업의 관광 분야를 활성화한다. 우선, 영화의 장소들 가운데 현실세계와 마법세계를 이어주는 9와 3/4 승강장은 킹스크로스 역에서 촬영되었다. 이곳은 호그와트 학생들이 호그와트행 고속열차를 타는 장소인데, 그들은 일반인에게 견고하기만 한 이 승강장을 통과한다. 또한, 〈해리포터와 비밀의 방〉(*Harry Potter and the Chamber of Secrets*, 2002)에서 해리와 론이 호그와트 행 기차를 놓친 후 론의 아버지, 미스터 위즐리(Mr. Wesley)의 차를 타고 날아갈 때 빅벤(Big Ben)의 탑이 보인다. 햇빛에 반사되는 빅벤의 황금빛은 관객들의 눈을 고블린들이 운영하는 그링고트 은행으로 향하게 한다. 〈해리포터와 마법사의 돌〉에서 두드러지는 그링고트 은행의 외관은 조지 5세(King George V)때 완성된 스트랜드(Strand)에 있는 오스트레일리아 하우스(Australia House)에서 촬영되었다.

해리포터 영화를 헤리티지 영화로 만드는 것은 무엇보다도 호그와트이다. 호그와트 장면들은 영국의 안윅 성(Alnwick Castle), 더럼 대성당(Durham Cathedral), 옥스퍼드 대학교의 보들레이안 도서관(Bodleian Library)과 크라이스트처치(Christ Church)의 그레이트 홀(the Great Hall), 해로우 스쿨(Harrow School) 등에서 촬영되었다. 배우들은 영화 촬영을 위하여 수백 킬로미터 떨어진 이 장소들을 옮겨 다녀야 했다. 예를 들어 〈해리포터와 마법사의 돌〉의 마지막 부분에서 해리, 론, 허마이니가 호그와트의 운동장에서 어두운 숲 근처에 있는 해그리드의 오두막까지 뛰어가는 장면은 안윅 성의 쌍둥이 빌딩 앞에서 촬영되었다.

이 오두막은 안윅 성에서 남쪽으로 약 480킬로미터 떨어진 버킹엄셔(Buckinghmashire)에 있는 블랙 파크(Black Park)를 배경으로 해리포터 영화 촬영을 위하여 지어졌다. 이처럼 호그와트와 해그리드의 오두막은 약 480킬로미터 떨어져 있지만, 아이들이 해그리드의 집에서 이야기를 나누는 장면의 뒷 배경에 호그와트가 보이는 것은 컴퓨터 그래픽 작업에 의한 것이다. 아이들은 해그리드를 떠나 그리핀도르 기숙사의 책임자인 맥고나걸 교수의 사무실로 뛰어간다. 그녀의 사무실 외관은 안윅 성에서 촬영되었지만, 교실 내부는 이곳에서 약 72킬로미터 떨어진 영국 북부에 있는 더럼 대성당의 챕터하우스(the Chapter House)이다. 영화 호그와트의 대부분을 대표하는 세 장소, 즉 호그와트, 해그리드의 오두막, 맥고나걸 교수의 사무실과 교실은 이처럼 서로 멀리 떨어진 장소에 위치한다.

영화의 다른 장면들도 이와 유사한 특성을 보인다. 맥고나걸 교수는 16세기 계단 위에 서서 1학년 학생들을 맞이하는데, 이 계단은 호그와트의 대강당으로 이어진다. 호그와트의 실내 장면들은 옥스퍼드 대학교의 보들레이안 도서관과 크라이스트처치의 그레이트 홀, 처칠 수상이 다녔던 해로우 스쿨 등에서 촬영되었으며, 호그와트 대강당은 역사적인 인물과 사건이 가득한 크라이스트처치의 그레이트 홀에서 촬영되었다. 이곳은 찰스 1세(Charles I)가 영국 내전 중에 의회를 개최한 역사적인 장소이다. 이외에도 그레이트 홀에는 존 로크(John Locke), W. H. 오든(W. H. Auden), 존 웨슬리(John Wesley), 윌리엄 글래드스턴(William Gladstone) 등 이 대학에서 교육받은 수십 명의 수상, 이 대학의 원래 설립자 울시 추기경(Cardinal Wolsey), 그가 신임을 잃자 1546년에 다시 이 대학을 설립한 헨리 8세(Henry VIII), 갑옷을 입은 평화주의자 윌리엄 펜(William Penn) 등의 초상화가 걸려있다. 크라이스트처치에는 이외에도 많은 문학적 · 정치적 역사가 존재한다. 특히 그레이트 홀은 이 대학을 졸업한 『이상한 나라의 앨리스』의 저자 루이스 캐럴, 즉 찰스 도지슨이 학생 시절과 수학 교수 시절에 생활했던 곳이다. 그는 크라이스트처치 학장의 딸, 앨리스 리델(Alice Liddell)과 그녀의 자매들을 데리고 간 소풍에서 들려주었던 환상적인 이야기를 『이상한 나라의 앨리스』로 출판하여 영문학과 아동문학사에 정전작가로 기록되었다.

호그와트의 본관은 안윅 성에서 촬영되었는데, 이곳은 옥스퍼드 북동쪽으로 약 402킬로미터 떨어져 있다. 안윅 성과 크라이스트처치 간에도 연결고리가 있다. 안윅 성의 현재 주인인 공작과 그의 아버지는 크라이스트처치에서 공부하였다. 화면에 롱 샷으로 보이는 호그와트의 외관은 안윅 성의 원래 모습에 탑과 부가적인 것을 첨가하는 컴퓨터 그래픽 작업을 한 것이다. 이러한 호그와트의 외관은 우드 교수(Professor Wood)의 빗자루 타기 수업과 학교 스포츠 퀴디치의 기본을 소개할 때 잘 드러난다.

헤리티지 영화와 관련된 장소들은 영화 장면들을 자본화하면서 영화 애호가들의 순례 장소가 되거나 헤리티지 관광의 대중화로 이어져 왔다. 2001년 10월 19일 자 『가디언』(*The Guardian*)에 실린 기사, 「호그와트와 모든 것」("Hogwarts and All")에서 가레스 맥린(Gareth McLean)은 해리포터의 야외촬영 장소에 대하여 헤리티지 산업의 영향력을 예상하였다. 그러나 해리포터 영화의 장소들은 역사성과 영국성을 분명하게 보여주지만 관광산업에서 커다란 수익 창출로 이어지지는 않았다. 그럼에도 헤리티지 영화와 함께 드러나는 영국적 이미지들은 국가의 과거에 대한 환상적인 이미지를 만들어내면서 영국의 역사와 문화에 대한 관심을 제도적으로 발전시키고, 문화유적 탐방을 위한 관광산업의 성장을 가져오는 역할을 하고 있다.

4

해리포터 영화는 현대적인 판타지 블록버스터인 동시에 헤리티지 영화의 특성을 가진 일종의 하이브리드 영화인데, 본 장에서는 이 영화의 헤리티지 미학을 논의하였다. 해리포터 영화는 영국 중상류층의 가치를 교육하던 사립 기숙학교를 재현한 호그와트를 중심으로, 계급의 정체성에 대한 의미와 변화하는 권력구조가 가져오는 두려움과 긴장감을 서사와 영상에서 전개한다. 호그와트 세계와 그곳에서 해리와 덤블도어로 대표되는 선 그리고 볼드모트로 대표되는 악의 남성적 싸움은 중상류층 남성들을 위한 과거 세계의 삶과 문화를 재현한다. 그러나 그들은 변화하는 세계에서 남성 엘리트 계층으로서 자신들의 삶이 위험하다는 것을 인식한다. 또한, 상류층을 대표하는 말포이 가의 행보, 즉 마법부 기관을 통제하려는 절박함과 머글 출신의 실력주의를 대표하는 허마이니에게 보이는 분노는 기존 권력구조의 불안정성과 실력 있는 중산층을 향한 그들의 두려움을 암시한다. 말포이 가는 상류층의 집단정체성 위기와 이것을 극복하기 위한 몸부림을 재현하지만, 그들은 해리포터에게 패배한다. 해리는 혼혈 혈통을 가졌지만 자신에게 잠재된 능력과 자질을 발견하여 이것을 단호하게 발전시킴으로써 호그와트의 계승자로 성장한다. 이처럼 호그와트 세계는 중상류층 남성 지배를 정당화하는 영국적 과거를 재현하는 동시에 해리포터가 호그와트의 계승자가 됨으로써 변화하는 시대의 계층을 초월한 진보적 가치관을 수용하여 국가적 통합을 시도한다.

해리포터 영화의 영상 또한 헤리티지 영화의 특성을 보인다. 〈해리포터와 마법사의 돌〉의 현실 세계를 도입하는 영상은 영국의 아름다운 교외주택에 다소 과장된 인물들을 배치하여 풍자만화 같고 환상적인 장면들과 함께 주인공 해리를 소개한다. 영화의 킹스크로스 역과 9와 3/4 승강장은 영국적 향수를 시작하는 지점으로서 호그와트의 학생들을 마법의 세계로 데려가는 지점이다. 호그와트는 영국의 전통적 가치를 재현하는 중요한 상징으로서 일반적인 헤리티지 영화의 시골 저택에 해당된다. 호그와트의 배경과 도입, 건축물의 외관과 실내, 그곳에서 학생들의 삶을 시각적으로 전개하는 것은 헤리티지 영화 촬영방식을 적절히 사용하여 영국인의 역사와 문화적 특성을 고취한다. 이외에도 다이애건 앨리와 그링고트 은행의 당당한 외관은 디킨스 시대를 시각화하는 듯한 영국적 이미지를 만들어내어 향수의 주제를 재현한다.

해리포터 영화에서 영국의 문화유산을 시각화한 장소들이 관광을 통한 커다란 수익 창출로 이어지지 않았음을 언급하였다. 일반적으로 헤리티지 영화가 재현하는 과거 중상류층의 생활상, 역사적인 건축물, 풍경, 귀족적 유형의 소품 등과 이들을 보유한 영화 촬영 장소는 영국의 영광스러운 과거에 대한 영국적 이미지로 상품화·상업화되어 관광산업으로 이어져 왔다. 그러나 영화에 형상화되는 국가의 이미지는 실제 그 나라의 역사와 문화와 거리가 먼 단지 소비 촉진을 위한 환상적 이미지를 만들어내기도 한다. 헤리티지 영화가 생산하는 국가적 이미지에 대한 다양한 견해에도 불구하고 이러한 이미지는 변화의 시기에 국민들에게 안정감을 주는 상징이면서 역사와 문화에 대한 관심을 불러일으키는 긍정적인 측면도 있다.

해리포터 영화는 호그와트와 주인공 해리포터로 대표되는 헤리티지 주제, 즉 향수와 진보적 변화의 수용을 표방하기에 적절하였다. 이러한 주제가 서사와 영상으로 전개될 때 영국의 전통적 삶과 문화는 그것을 미화하는 상상력이 풍부한 관념적 구성물들을 만들어내면서 다양한 분야를 활성화한다. 헤리티지 영화는 해리포터 영화가 보여주듯이 영광스러운 영국의 과거와 변화하는 진보적 가치관을 수용하여 모든 계층의 국민을 통합시키고자 한다. 이뿐만 아니라 헤리티지 영화는 문화유산을 바탕으로 국가적 이미지를 만들어내면서 이를 제도적으로 발전시키기 위한 동기를 부여하거나 헤리티지 산업으로 확장되고 있으며, 영국을 넘어 전 세계적인 포스트모던 영화의 한 흐름이 되고 있다.

8장

브라이언 올디스

이성 지향적인 삶에 대한 경각심

『프랑켄슈타인의 해방』: 통합의 문학으로서 SF

1

브라이언 올디스(1925~2017)는 『10억 년의 슈프레강-SF의 진실한 역사』에서 과학소설 즉, SF의 기원을 메리 셸리의 『프랑켄슈타인』(*Frankenstein*, 1818, 1831)이라고 제안할 뿐만 아니라, 이 이론을 소설화한 『프랑켄슈타인의 해방』을 발표한다.• 올디스는 SF의 기원에 대하여 자신과 다른 주장이 있음을 물론 인식하고 있었다. 그러나 그의 목적은 사모사타의 루시안(Lucian of Samosata), H. G. 웰스, 휴고 건스백(Hugo Gernsback) 또는 SF의 창시자라고 알려진 다른 작가들보다 SF의 고딕적 특성과 함께 메리 셸리를 SF의 기원이라고 주장한다. 이와 관련하여 본 장은 올디스의 SF이론과 『프랑켄슈타인의 해방』을 논의할 것이다. 이 소설은 아동문학으로 분류되지 않지만, 어머니의 부재 또는 계몽주의 시대에 잃어버린 어린이의 마음을 어른에게 회복하게 함으로써, 이성으로 치닫는 우리 삶의 디스토피아적 결말을 피할 수 있다고 제안한다. 올디스는 SF이론과 소설에서 영국 SF가 낭만주의 전통에 기원이 있으며 이성지향적인 우리 세계의 디스토피아적 결말을 피하기 위하여 모성 또는 어린이 회복의 필요성을 주장한다.

올디스는 『10억 년의 슈프레강』의 첫 장, 「종의 기원: 메리 셸리」("The Origins of the Species: Mary Shelley")에서 메리 셸리의 『프랑켄슈타인』을 분석

• 올디스의 『10억 년의 슈프레강-SF의 진실한 역사』는 『10억 년의 슈프레강』이라고 줄여서 표기한다. 『프랑켄슈타인의 해방』의 텍스트 인용 시 괄호 안에 쪽수만 기입한다.

한다. 그는 이 소설의 고딕적 유형 간의 연관성을 논의한다. 올디스는 SF가 "고딕소설의 꿈의 세계"에서 발생하였으며(*Billion* 8), 오늘날까지도 SF는 고딕적 또는 후기 고딕적 유형으로 쓰인다고 주장한다. 그러므로 첫 번째 진정한 SF는 메리 셸리의 『프랑켄슈타인』이며, 이 소설은 서구 문화에서 마침내 종교적 교의를 깨는 진화론을 반영하는 첫 번째 소설이라는 것이다. 메리 셸리는 진화론적 사고에 몰두하였으며 그녀의 『프랑켄슈타인』은 다윈의 『종의 기원』(*Origin of Species*, 1859)을 40년 이상 앞선다는 데 반론의 여지가 없다. 더욱이 『프랑켄슈타인』의 가치는 "과학과 사회의 외면성"과 "자기성찰" 간의 균형을 성취하여 "정신적 깊이"를 갖기 위한 것이다(Aldiss, *Billion* 28). 이와 더불어 『프랑켄슈타인』은 전례 없이 인간이 겪는 곤경의 원인이 어머니의 부재 그리고 계몽주의 시대에 잃어버린 어린이라고 인식하는 것을 후대인들과 공유하기 때문에 새로운 신화가 된다. 올디스의 이러한 주장을 작품화한 소설 『프랑켄슈타인의 해방』에서 주인공이자 내레이터인 조셉 보덴랜드(Joseph Bodenland)는 2020년에 "이전 세대가 만든 것이 무엇이건 21세기에 메리 셸리의 『프랑켄슈타인』은 과학혁명을 보여주는 첫 번째 소설이자 SF로 여긴다"(67)라고 주장한다.

올디스는 몇 편의 논문과 소설에서 SF를 낭만주의의 중요한 유산인 고딕소설과 연관시킨다. 이것은 영국 SF가 낭만주의 전통에 뿌리를 두고 있다는 주장이다. 메리 셸리는 현재까지 많은 페미니스트 학자와 비평가들에게 여성작가로서 관심과 연구의 대상이지만, 올디스는 낭만주의 전통과 고딕문학의 특성에 주목하여 그녀를 SF의 창시자라고 주장한다. 그러므로 메리 셸리는 단순히 유명한 시인이자 문학적 재능을 가진 남편 퍼시 비시 셸리(Percy Bysshe Shelley), 저명한 철학가이자 아버지 윌리엄 고드윈(William Godwin), 페미니스트 작가이자 어머니 메리 울스턴크래프트(Mary Wollstonecraft)를 반영하는 사람으로서가 아니라 걸출한 문학적 능력을 갖춘 중요한 문학가로 여겨진다. 올디스는 1970년부터 이러한 논의를 확산시켜 왔으며, 이것은 로버트 스콜즈(Robert Scholes)와 에릭 랍킨(Eric S. Rabkin)의 『과학소설: 역사, 과학, 비전』(*Science Fiction: History, Science, Vision*, 1977)에서 논의되었고, 조지 레빈(George Levine)과 U. C. 크노플마커(U. C. Knoepflmacher)가 편집한 『프랑켄슈타인의 지속성』(*The Endurance of Frankenstein*, 1979)에서 더욱 발전한다.

SF 문학사에 대하여 메리 셸리와 올디스의 영향 관계에 흥미로운 요소가 있다. 『10억 년의 슈프레강』을 포함하는 올디스의 연구가 주목하는 것은 메리 셸리가 낭만주의 시대에 고딕소설을 쓴 것, 살아가는 것에 소외감을 강하게 느꼈던 여성작가라는 것, 그럼에도 기존 영문학 전통에 위치하는 영국 작가라는 것이며, 이 모든 것은 SF의 역사를 정리하는 올디스의 입장에서 매우 중요한 요소이다. 본 장에서는 올디스의 SF에 대한 논의를 살펴보고, 메리 셸리의 『프랑켄슈타인』의 영향을 받은 그의 소설 『프랑켄슈타인의 해방』과 이를 영화화한 로저 코먼(Roger Corman)의 〈프랑켄슈타인의 해방〉(*Frankenstein Unbound*, 1990)을 비교하여 논의하고자 한다.

올디스의 『프랑켄슈타인의 해방』은 메리 셸리의 『프랑켄슈타인』에서 영감을 받아서 쓴 작품이다. 이 작품은 미래에 인류의 종말을 가져올 가능성이 있는 레이저 빔 무기를 발명한 보덴랜드가 1816년 제네바 호숫가로 가는 시간여행을 하여 메리 셸리와 프랑켄슈타인 박사를 만나면서 시작된다. 『프랑켄슈타인의 해방』이 속하는 SF 장르 역시 판타지처럼 영국 낭만주의, 고딕소설에 기원이 있다. 낭만주의에 기원을 둔 이 작품 역시 이성으로 치우친 현대사회에서 감성회복에 가치를 두며, 이를 위하여 계몽주의 시대에 길을 잃은 무지한 어린이를 살리는 데 관심이 있다. 그렇다면 소설 『프랑켄슈타인의 해방』과 영화 〈프랑켄슈타인의 해방〉을 논의하여 두 작품의 황량한 디스토피아적 결말과 이를 통하여 SF 작가가 우리의 미래에 대하여 경고하는 메시지는 무엇인지 살펴보자.

2

올디스는 초기 논문집, 『더 많은 것의 형성—변화에 대한 숙고』(*The Shape of Further Things: Speculation on Change*, 1970)에서 SF 논의를 『10억 년의 슈프레강』에서도 줄곧 이어간다. 『더 많은 것의 형성』에 의하면 서구 남성들은 자신을 불구로 만듦으로써 엄청난 기술적 성공을 성취하였다. 그 결과 서구 문명은 "새로운 기술적 야만 상태를 향하여 가고 있다"(Aldiss, *The Shape* 172). 그들이 불구가 된 이유는 마음이라는 감성을 희생하고 머리라는 지적 영역을 지나치게 발달시킨 결과이다. 또한, 그들은 오래전에 아동기를 상실했고, 어머니가 부재하기 때문에 삶에 대하여 모른다. 이성과 감성이 분리되어서 지나치게 이성 지향적으로 되는 것, 그래서 삶을 제대로 인식하지 못하는 것은 과학과 예술/문학의 분리로 이어진다. SF 작가는 이렇게 분리된 이성과 감성을 통합하고자 한다. 올디스에 의하면 "과학과 예술은 그 기원이 서로 혼합되어 분리할 수 없다. 훌륭한 SF 작가는 그들을 다시 전체로 통합하고자 노력한다"(*The Shape* 85). 이성과 감성이라는 이중성의 표현은 깨어있는 리얼리티와 꿈의 관계로 표현되고, 과학기술 지향적인 불구사회에 대한 해결책을 찾기 위하여 우리는 SF 작가를 중재인으로 여기면서 그들에게 주목한다.

> SF는 판타지의 특정 유형이다. SF는 형식과 표현에 관한 한 다소 색 바랜 리얼리즘을 고수하는 것이 일반적이지만, 내용은 꿈과 매우 유사하여 고대와 현대의 신화적 요소들을 결합한다. (Aldiss, *The Shape* 54)

꿈은 비이성적이지만 이성적인 뇌의 행복에 필요하다. 메리 셸리가 만들어낸 이성과 감성의 분리로 인하여 태어난 괴물의 저주로 인하여 우리는 고통받고 있으며, 지나치게 통제하려고 함으로써 분별력을 잃어가고 있다. 괴물의 저주는 이성의 특권을 가진 사람들로부터 발생하며, 이는 결국 자기 파괴로 이어진다. 그러므로 오늘날 지식인들은 우리의 지구를 그들 자신에게조차 위험한 곳으로 만들고 있다.

올디스는 이성과 감성의 분리를 두뇌의 좌반구와 우반구로도 표현한다. 그는 자신의 팸플릿 『과학소설로서 SF』(*Science Fiction as Science Fiction*, 1978)에서 머리와 가슴, 즉 이성과 감성의 이원성을 두뇌 생리학에 근거하여 설명한다. 그는 SF를 두뇌의 두 개의 반구를 위한 이상적인 협상자라고 한다. 즉 "합리적 인식, 예를 들어 "과학적인" 좌측 뇌 그리고 직관적인 인식, 예를 들어 "문학적-예술적인" 우측 뇌, 그래서 양쪽 뇌가 적절히 기능하도록 하는 것은 과학과 문학을 분리하지 않는 것이다"(Aldiss, *Science Fiction* 1-2).

올디스는 메리 셸리가 여성으로서 동시대 남성들보다 "삶"을 훨씬 더 잘 이해하였음에 주목한다. 그는 자신의 논문 「메리 울스턴크래프트 셸리」("Mary Wollstonecraft Shelley", 1982)와 이후에 이 논문을 발전시킨 연구 「SF의 어머니 인물」("Science Fiction's Mother Figure")에서 메리 셸리가 아이를 가지는 것을 두려워하였고, 삶에 대하여 죄책감, 우울, 불안을 느끼고 있었다고 지적한다. 이와 더불어 그녀는 "결혼한 남성"의 친구였고, "낯선 곳에서 부채로 인하여 괴로워하고 있었다"(Aldiss, "Science Fiction's" 7). 더욱이 그녀는 어린 시절의 경험으로 인하여 살아가는 것이 쉽지 않다는 것을 깨달았다. 메리는 타고난 내성적인 태도로 인하여 아버지와 소원해졌고, 어머니의 죽음에 대하여 당혹스러운 깊은 감정을 숨기면서 자신을 형성해갔다. 그 결과 올디스는 "『프랑켄슈타인』을 [메리 셸리의] 자서전적" 작품이라고 한다("Science Fiction's" 7). 괴물은 지식을 찾아서 안도감을 느끼기 위하여 세계를 어슬렁거리는 인류일 뿐만 아니라, 사회에서 받아들여지지 않은 죽은 자에게서 태어난 메리 셸리이기도 하다.

올디스는 메리 셸리와 『프랑켄슈타인』을 중심으로 SF 장르의 특성과 기원을 논의한다. 그는 「1982 사계절의 괴물」("A Monster for All Seasons, 1982")에서 "SF를 "건스벡과 더불어 시작되었다"라고 하는 것은 SF의 격을 떨어뜨리는 부당한 일이라고 한다(18). 여기서 올디스의 논의는 훌륭한 SF란 리얼리즘 소설의 방식을 전복하는 것이고, 산업시대의 "냉랭한 지적 흐름에 대한 객관적 상관물"을 찾는 것이다(Aldiss, "A Monster" 17). 이런 이유에서 올디스는 『프랑켄슈타인』을 우리 시대의 첫 번째 위대한 신화이자 SF의 효시라고 주장한다.

『프랑켄슈타인』에서 괴물을 삶에 대하여 어려움을 느끼는 자, 그리하여 지식과 안심을 찾기 위하여 어슬렁거리는 자라고 이해할 때, 이 소설을 메리 셸리의 자서전적 소설로 볼 수 있다. 괴물이 고통스럽게 느끼는 힘든 삶과 소외감을 『프랑켄슈타인의 해방』의 작가 올디스 역시 강렬하게 느껴왔다. 그에 의하면 "어린 시절에 발전시킨 예술과 과학을 사랑하는 것은 의기양양한 자본주의 사회에서 살아가는 것에 대한 저항이었다"("A Monster" 12). 더욱이 그는 "유아기에 오랫동안 살았던 곳에서 갑작스럽게 떠난 일"로 인하여 아이작 아시모프(Isaac Asimov), 제라르 드 네르발(Gérard de Nerval), H. G. 웰스, 윌리엄 올라프 스테이플턴(William Olaf Stapledon), 메리 셸리와 같은 SF 작가들의 작품에 공감하게 되었다. 결국 올디스는 자서전적 작품 「유리 숲」("The Glass Forest", 1986)에서 메리 셸리와 그의 공통적인 단서라고 할만한 것을 밝힌다.

> 수년 동안 내가 경험한 고통을 다룰 수 없었고, 그것과 소통할 수 없었다. 나는 프랑켄슈타인의 괴물처럼 비참했기 때문에 적대감을 느꼈다. 이것은 기독교 교리와 매우 상반된다. 그리고 나는 괴물이 느꼈던 고통, 즉 부모의 냉담함을 느끼고 있었다. (*And the Luird* 123)

괴물은 자신을 창조한 프랑켄슈타인에게 냉담함을 느꼈는데, 이것은 메리 셸리와 올디스가 부모로부터 느꼈을 감정이다. 그러므로 메리 셸리는 올디스에게 그녀의 작품만큼 신화적이다. 올디스에게 메리 셸리는 불완전한 남성작가에 비하여 삶을 더 잘 이해하는 여성작가이며, 그가 그녀를 이해하려는 열정은 점점 더 비극으로 치닫는 정신적·문화적 분열이 특징인 우리 시대에 온전함을 바라는 것이다. 그녀는 이성과 감성의 분열, 어머니의 부재, 길 잃은 아동기에 대한 자전적인 소설을 씀으로써 우리가 동시대의 난국에 정면으로 직면하도록 하는 신화를 낳았으며, SF 장르의 초석을 마련하였다.

3

올디스의 SF 논의, 『10억 년의 슈프레강』과 다양한 연구에서 주장하는 것은 이성과 감성, 즉 뇌의 과학적인 좌반구와 예술적인 우반구를 통합하는 문제이다. 이것을 바탕으로 올디스가 삶에서 느끼는 어려움과 소외감 등의 문제가 그의 『프랑켄슈타인의 해방』과 이를 영화화한 코먼의 〈프랑켄슈타인의 해방〉에서 재현되는 방식을 살펴보고자 한다. 이러한 논의는 놀라운 속도로 과학이 발전하여 이성 지향적으로 치닫는 우리 사회가 잃어버린 아동기 또는 이성에 억압된 감성을 회복하여 이성과 감성의 통합을 가져올 것을 제안한다.

『프랑켄슈타인의 해방』에서 올디스는 그 자신을 대신하는 인물 보덴랜드 박사를 등장시킨다. 보덴랜드는 『10억 년의 슈프레강』의 대변인 그 이상이다. 1973년에 쓰인 소설은 미래의 2020년을 배경으로 하며 새로 제작된 대량살상 무기는 살생보다 훨씬 더 나쁜 부작용을 가진다. 그것은 시공간의 분열을 가져와서 사람들을 그 틈 사이로 추락하도록 하는 것이다. 이 소설의 주인공 보덴랜드는 바로 그러한 시간 여행자가 되는데 그는 메리 셸리가 살았던 과거와 과학기술이 급속도로 발전한 미래의 양방향으로 시간여행을 한다. 그의 과거와 미래로의 여정은 산업혁명에서 시작한 과학기술 지향적인 우리 사회가 미래에 처하게 될 모습을 황량한 겨울의 디스토피아 이미지로 재현한다. 서구 테크노크라시(technocracy)의 역동성을 재현하는 보덴랜드는 1816년 5월의 스위스 제네바로 시간 이동을 한다. 올디스는 『프랑켄슈타인의 해방』을 문학적・역사적으로 존재했던 많은 인물이 등장하는 판타지로 발전시킨다. 낭만주의 독자와 연구자들이 1816년 여름 제네바 근처, 빌라 디오다티(Villa Diodati)에서 작가들의 회합에 매료되는 것처럼 『프랑켄슈타인의 해방』의 27장 가운데 2개의 장, 제7장과 제8장에 걸쳐 보덴랜드가 그곳을 방문하는 사건은 흥미롭다. 그는 메리 셸리와 역사적 인물 조지 고든 바이런(George Gorden Byron)과 퍼시 셸리를 만난다.

빌라 디오다티는 메리 셸리와 그녀의 소설 속 등장인물들이 공존하는 장소이다. 보덴랜드는 프랑켄슈타인 박사(Dr. Frankenstein)의 연구를 지켜보면서 "전염병 바이러스"(35)가 무엇인지를 분명히 이해한다. 이것은 죽어야 할 인간의 운명을 연장함으로써 "자연 정복-인간의 내적 자아 상실"(36)의 상태를 그의 시대까지 지속시킬 뿐만 아니라 우리 사회를 디스토피아로 향하게 한다. 내적 자아 상실은 초자연적 그리고 문화적 붕괴에 이른다는 결론이 자명하고, 이것은 소설에서 시간여행으로 재현된다. 서구 남성들은 시간에 "일직선의 제한성"을 부과하였다. 그러나 자연적 시간은 "메리 셸리의 평판처럼"(58) 또는 그보다 훨씬 더 다루기 어렵다. 보덴랜드는 서구 남성으로서 자신의 시계를 버려야만 1816년의 교훈을 이해할 수 있다. 그의 시간여행은 마법처럼 시작되어 과거 또는 미래로 여행하는 것을 가능하게 한다. 올디스는 우선 보덴랜드에게 메리 셸리가 존재했던 역사적 시간, 즉 『프랑켄슈타인』의 소설적 시간으로 여행하도록 한다. 보덴랜드는 과거로의 시간여행에서 메리 셸리를 만남으로써 자연의 본질과 시간에 대하여 더욱 관심을 가진다. 그는 그곳 사람들의 삶을 혼란스럽게 함으로써 그 자신뿐만 아니라 인류의 시간 의식을 혼동시킨다. 보덴랜드가 1816년으로 여행할 때 시간은 "직선적이며 무자비하게 앞으로 나아가는 것"이라기보다 "메리의 명성이 커지는 것처럼 기만적이고 모호하다"라는 것을 깨닫는다(80).

주지하듯이 시간여행은 웰스가 지구의 디스토피아적인 미래를 비관적으로 설명하는 『타임머신』(*The Time Machine*, 1895)과 함께 SF의 시사적인 주제이다. 미국인 보덴랜드는 미래보다 오히려 과거로 여행하는 것에 흥미를 갖는다. 그는 웰스의 여행자의 암울한 비전을 회상한 후에 "과거로 가는 것이 더욱 좋아. 과거는 안전하거든! 나는 역사적 과거로 돌아가는 거야"(34)라고 하면서 황홀해한다. 한편, 그가 먼 미래를 두려워하는 것은 분명하다. 그는 다른 시간여행에서 마침내 미래의 장소에 도달하였을 때 웰스의 여행자처럼 인류에게 닥칠 공포를 보게 된다. 『프랑켄슈타인의 해방』에서 재현되는 미래는 원자력을 발견한 이후의 냉랭하고 홀로코스트적인 황량한 결말이며, 이것은 메리 셸리가 재현하기 시작한 기술공포 전통(technophobic tradition)과 웰스가 확립한 디스토피아 전통 위에 존재한다(Martin 78).

『프랑켄슈타인의 해방』의 디스토피아적 결말에도 불구하고 올디스는 다른 작품에서처럼 이 소설에서도 짧은 시간 동안이나마 통합의 가능성을 제안한다. 제9장에서 보덴랜드와 메리 셸리의 성적 전원시는 올디스의 비평에 나타나는 이중성의 통합을 극화한다. 그 안에서 남성과 여성, 허구와 사실, 이성과 감성, 계몽주의적 어린이와 낭만주의적 어린이, 좌뇌와 우뇌는 잠시 통합된다. 보덴랜드가 미국의 진보적 과학기술 분야의 전문가라면, 메리 셸리는 영국의 문학 전통을 구현한다. 과학기술과 문학/예술은 그 기원이 혼합되어 있어 분리가 불가능하므로 올디스는 현대의 문화적 궁지에 대항할 수 있는 순간을 보덴랜드와 메리 셸리의 로맨스로 제안하는 것이다.

그러나 이러한 통합에서 제외되는 것은 올디스가 『더 많은 것의 형성』에서 언급한 것들, 즉 미국인이 숭배하는 펄프 SF(pulp science fiction), 그리고 "웰스의 주장에 반대하는 영문학의 신사들"인 고상한 영국인의 보수적인 문학 전통을 암시한다(27). 펄프 SF는 SF 잡지가 저렴한 종이에 인쇄되어 출판되던 1930~50년대의 SF 작품들을 일컫는다. 이러한 잡지들은 야수 같은 괴물, 우주의 영웅, 비탄에 빠진 소녀 등을 화려하게 그린 독특한 양식의 책 표지로 되어있었다. 올디스의 통합 프로젝트는 해체적인 것을 필요로 하며 그는 SF의 권위를 남성보다 여성, 미국인보다 영국인인 메리 셸리에게 둔다. 『프랑켄슈타인의 해방』의 저자/내레이터 즉 올디스/보덴랜드와 메리 셸리의 성적인 전원시에 대하여 패트릭 맥리오드(Patrick G. McLeod)가 언급하듯이 우리는 "올디스의 간접적인 소원성취를 이해한다"(162). 왜냐하면 『프랑켄슈타인의 해방』은 올디스가 『더 많은 것의 형성』에서 논의한 이성과 감성의 조화, 여성과 남성 원리의 음과 양의 조화를 추구하며 올디스의 다른 소설에서처럼 결국 통합을 추구하기 때문이다(Griffin and Wingrove 169).

성적 전원시 이후 보덴랜드와 메리 셸리의 대화에서 그녀는 『프랑켄슈타인의 해방』을 읽을 독자들에게 1816년 비 오는 저녁의 유명한 일화를 들려준다. 이 일화에 따르면 그날 그들은 독일의 공포 이야기를 함께 읽었고 메리 셸리, 로버트 폴리도리(Robort Polidori), 바이런, 퍼시 셸리는 서로에게 유령 이야기를 쓸 것을 권유하였다. 메리 셸리의 『프랑켄슈타인』의 근원은 아마도 올디스가 『슈프레강의 10억 년』에서 언급한 것들 즉, 무엇보다도 과학자 찰스 다윈(Charls Dawin)의 할아버지, 에라스무스 다윈(Erasmus Darwin)의 『주노미아-유기체의 법칙』(*Zoonomia or The Laws of Organic Life*, 1794~1796), 철학가이자 소설가인 그녀의 아버지 윌리엄 고드윈(William Godwin)의 『칼렙 윌리암스의 모험』(*The Adventures of Caleb Williams*, 1794), 그리고 그녀 자신의 악몽에서 유래한다.

『프랑켄슈타인의 해방』은 『칼렙 윌리암스의 모험』처럼 하층민들이 무고하게 처형되는 것을 반복한다. 하인 저스틴(Justine)은 프랑켄슈타인 박사의 어린 남동생 윌리엄(William)을 죽였다는 누명을 써서 처형되고, 그 후에 프랑켄슈타인 박사가 사람들의 눈에서 사라지자 시간여행을 하던 보덴랜드가 그를 죽였다는 혐의로 투옥된다. 보덴랜드가 알고 있듯이 프랑켄슈타인 박사는 남성 괴물의 짝을 만들기 위하여 사라졌지만, 프랑켄슈타인 박사는 보덴랜드의 결백을 밝히는 것을 돕지 않는다. 프랑켄슈타인 박사는 저스틴이 받은 부당한 재판과 그로 인한 죽음에 무심할 뿐만 아니라 여성 괴물을 만들기 위하여 그녀의 몸을 사용할 만큼 냉담하다. 그의 냉담함은 우리 사회가 향하고 있는 감성, 어머니, 어린이가 부재한 이성 지향적인 과학자의 모습을 반영하며, 결국 그는 보덴랜드에게 죽임을 당한다.

여성 괴물을 만드는 주제는 『프랑켄슈타인의 해방』의 중심 사건이다. 과학 발전은 인간 복제를 가능하게 하였지만 복제된 남성 괴물이 짝을 얻어서 후손을 가지게 되는 상상은 인간에게 최악의 종말론적 미래이다. 보덴랜드가 프랑켄슈타인 박사를 만났을 때 괴물은 그의 동생 윌리엄을 이미 죽였고 자신의 창조자에게 짝을 만들어달라고 요구한다. 프랑켄슈타인 박사는 시간과 죽음이 가져오는 황폐화를 막으려는 바람으로 새로운 생명을 만들기 위하여 동기유발이 된다. 그는 무신론자로서 신이 없다고 굳게 믿기 때문에 인간 복제에 대한 회한이나 죄의식을 느끼지 않는다.

보덴랜드의 견해로 프랑켄슈타인 박사의 창조행위는 그 자신이 떠나온 사회를 예시한다. "나는 정신세계가 없는 프랑켄슈타인 괴물의 몸을 가지고 태어났던 과학기술 사회를 보았다"(167). 그가 괴물의 짝을 창조하는 데 열중하는 것은 괴물을 만족시키기 위해서가 아니라 그의 과학기술로 창조하게 될 두 번째 복제품의 완전성을 시험하고 싶기 때문이다. 프랑켄슈타인 박사는 자신의 연구가 과학 발전에 공헌한다고 주장하지만, 그 자신이 느끼는 즐거움을 제외하면 연구의 대의명분은 거의 없다.

프랑켄슈타인 박사의 두 번째 창조물은 첫 번째 괴물만큼 흉측하다. 이 여성 괴물은 부당하게 처형된 저스틴의 시체로 만들어진다. 그녀는 귀 뒤의 구멍으로 숨을 쉴 것이고, 두꺼운 피부는 낮은 온도를 견디도록 할 것이다. 제22장에서 괴물 커플이 잔인한 짝짓기를 하는 것을 보덴랜드가 목격할 때 이 소설의 관음증은 절정에 달한다. 프랑켄슈타인 박사 또한 이를 지켜보다가 그 괴물이 새로운 인류를 낳을 수 있다는 생각으로 심란해져서 여성 괴물을 죽인다. 프랑켄슈타인 박사의 행동은 남성 괴물을 실망시키고, 남성 괴물은 다시 외로움이 계속될 것을 예상하자 분노하여 엘리자베스와 그의 가족을 파멸시킨다.

인간보다 우월한 괴물에게서 탄생하게 될지도 모를 인류의 문제는 포스트 인간(post human)에 대한 올디스의 예측이지만, 『프랑켄슈타인의 해방』의 결말에서 보이는 종말론적 시나리오는 설득력 있다. 보덴랜드는 마침내 괴물과 프랑켄슈타인 박사를 죽이려고 한다. 그는 "괴물과 그의 창조자는 인류, 심지어 자연 질서에 대한 위협이기 때문에 둘 다 죽이는 것이 또한 나의 의무인 것 같다"(183)라고 하면서 프랑켄슈타인 박사를 죽인 후 그의 실험실을 불태운다. 그는 프랑켄슈타인 박사의 연구기록물을 보존하면서 괴물이 주도하는 역설적인 추격전에서 쫓는 자의 역할을 맡는다. 이 일이 일어날 무렵인 1816년 유럽 대부분 지역은 불가사의한 홍수로 인하여 이미 파괴되었다. 보덴랜드는 이러한 사실과 자신이 프랑켄슈타인을 살해한 것으로부터 다음의 결론에 이른다.

> 어딘가에, 아마도 2020년인 것 같고, 거기서 나는 프랑켄슈타인과 메리에 대한 소설에서 단지 등장인물로서 존재했다.
>
> 나는 미래나 과거를 바꾸지 못했으며 구름 조각과 같은 시간 위로 나 자

신을 흩뜨렸다.

미래도 과거도 없었다. 무한한 현재에 단지 구름 덮인 하늘만이 존재했다. (190)

괴물들은 미래의 도시가 흐릿하게 보이는 거대한 빙산 쪽으로 보덴랜드를 이끈다. 보덴랜드는 자신이 "괴물 살해자의 역할"(190)을 맡고 있다고 생각하면서 두 명의 괴물을 추적하여 죽인다. 그는 인상적인 초현대적 건물들에 주목한다. 그러나 "건물들의 디스토피아적 비전이 천상의 비전에 너무나 가까워서 그것을 쳐다보는 것이 위안인지 불길함인지 알지 못했다"(208). 소설에서 보덴랜드는 관찰자이자 침입자 역할을 하면서 우리가 이미 알고 있는 이야기에 새로운 서사를 더하는 것이다. 과학기술의 공포가 괴물의 형태로 존재하고 보덴랜드는 그것을 막으려고 노력한다. 보덴랜드는 그 자신이 시작하지는 않았지만 끝내야 하는 추격전에 갇혀 있다. 그러나 세계가 그와 미래를 둘러싸고 무너지기 시작하는 것이다.

올디스를 대변하는 보덴랜드 박사는 메리 셸리가 살았던 과거와 과학기술이 발전하는 미래로 시간여행을 한다. 그는 과학기술 지향적인 우리 사회가 미래에 처하게 될 가능성이 있는 거대한 빙산과 초현대적 건물들에 둘러싸인 황량한 도시를 목격한다. 『프랑켄슈타인의 해방』은 이처럼 과학기술을 찬양하는 것과는 거의 관련이 없고, 올디스를 포함하는 디스토피아 소설작가들은 "인문주의 정신을 과학/기술적인 것으로 대신하는 것을 비판"하면서 반과학적으로 작품을 쓰는 경향을 보인다(Aldridge ix). 그는 과학기술 공포증과 그러한 기술 사용에 있어서 휴머니스트의 견해를 옹호하면서 우리 사회의 디스토피아적 미래를 회피하기 위하여 과학기술과 예술/문학의 통합을 제안하는 것이다.

코먼의 영화 〈프랑켄슈타인의 해방〉은 올디스의 『프랑켄슈타인의 해방』에 근거하지만 비교적 자유롭게 각색한 작품이다. 이 영화 또한 과거와 미래로의 시간여행 판타지를 포함하면서 소설에서 이야기하는 과학발전의 공포를 더욱 생생하게 시각적으로 재현한다. 영화의 결말은 이성적인 것이 팽배하게 되는 미래사회가 처하게 될 정신적·문화적 궁핍으로 인한 디스토피아 세계를 시각화한다.

〈프랑켄슈타인의 해방〉은 소설의 등장인물 보덴랜드에 해당하는 주인공 조셉 뷰캐넌 박사(Dr. Joseph Buchanan)의 시간여행으로 시작된다. 양방향으로 가는 시간여행 장치는 서구 남성이 시간에 부과한 일직선의 제한성을 파괴한다. 영화가 시작되는 배경은 2031년, 뷰캐넌 박사팀은 어떠한 표적이라도 완전히 제거할 수 있는 에너지빔 무기를 개발하는 데 성공한다. 그러나 무기의 부작용 가운데 하나는 시간과 공간에 균열을 만들어서 그 틈으로 사람들을 사라지게 하는 것이다. 과학기술 공포가 가져올 재앙적인 디스토피아 세계에 관한 영화 서사는 액자 이야기로 시작된다. 영화가 시작되자 아이들은 과학적으로 좀 더 발전한 자전거가 생겼기 때문에 낡은 자전거를 땅에 파묻는 자전거 장례식을 하고 있다. 이 순간에 뷰캐넌 박사가 컴퓨터의 제어를 받는 스마트 자동차를 타고 등장하는데 갑작스러운 굉음과 함께 하늘이 열리더니, 그는 그 자동차를 탄 채로 1817년 스위스로 간다. 신무기의 부작용인 시간과 공간의 균열이 생긴 것이며, 그 틈을 통하여 뷰캐넌 박사가 과거로 가는 시간여행이 시작된 것이다. 뷰캐넌 박사는 그곳에서 프랑켄슈타인 박사를 만나는데 두 인물의 유사성이 흥미롭다. 뷰캐넌과 프랑켄슈타인 박사는 미래의 과학기술과 산업혁명에서 시작된 과거의 과학기술과의 연관성을 보여주기 때문이다.

코먼의 영화는 소설에서처럼 시간여행으로 과거와 현재 그리고 미래를 자연스럽게 연결한다. 그러나 영화는 소설의 빌라 디오다티에서 보덴랜드와 낭만주의 시인들이 회합하는 흥미로운 장을 생략한다. 바이런과 퍼시 셸리 역시 등장하지만, 그들은 메리 셸리의 삶에 영향을 주지 않는 미미한 역할을 할 뿐이다. 뷰캐넌은 윌리엄을 살해한 죄목으로 인하여 목숨을 잃게 될 저스틴을 구하는 것을 도와 달라고 하면서 메리 셸리에게 접근한다. 뷰캐넌과 메리 셸리의 짧은 로맨스는 메리가 그의 정의감을 존경하면서 시작된다. 그러나 그들의 사랑은 올디스가 추구하는 이성과 감성의 통합에 의한 감성 회복보다는 관객의 흥미를 끌기 위한 남녀의 사랑일 뿐이다. 영화에서 메리 셸리는 뷰캐넌에게 프랑켄슈타인 박사가 세상을 파멸시키는 것을 멈추게 해달라고 할 만큼 지각 있는 모습을 보인다.

뷰캐넌은 자신을 2031년 뉴 로스앤젤레스 호킨스 연구소(the Hawkins Institute in the New Los Angeles)에 근무하는 미국의 과학자라고 프랑켄슈타인 박사에게 소개한다. 코먼의 프랑켄슈타인 박사는 다소 나이가 든 과학자의 모습이며, 젊은이의 열정은 부족하지만 안정된 결정력을 가지고 있다. 그는 "잔혹한 허구적인 신으로부터" 인간을 해방하려고 창조물을 만들었으며, 무신론자일 뿐만 아니라 과학자이기 때문에 자신의 창조행위를 무죄라고 생각한다. 특히 코먼의 프랑켄슈타인 박사가 괴물 신부를 만드는 장면은 올디스의 낭만적인 과학자와 비교할 때 다소 미치광이 같은 모습을 시각화한다.

프랑켄슈타인 박사가 창조한 남성 괴물은 폭력적인 사건들을 일으키는데 이러한 사건들이 하나씩 시각화될 때 그의 냉혈성이 소설보다 더욱 두드러진다. 남성 괴물은 이마와 머리의 측면에 휘어있는 금속조각이 삽입되어 있고, 볼의 광대뼈가 튀어나와 있으며, 머리의 피부는 매우 두껍다. 괴물의 머리 측면에 돌출된 금속 조각들은 그의 모습을 더욱 초현대적인 모습으로 보이도록 한다. 여성 괴물 역시 관자놀이에 금속조각이 붙어있지만, 그녀는 남성 괴물보다 덜 흉측해 보인다. 괴물은 자신의 요구를 들어주지 않는 프랑켄슈타인 박사에게 상처를 주기 위하여 그의 약혼녀 엘리자베스를 살해한다. 영화는 남성 괴물이 엘리자베스의 가슴을 찢어서 죽이는 섬뜩한 순간을 재현한다. 괴물이 인간의 몸을 냉혈적으로 다루는 것은 그가 자연 생명체와 복제된 생명체를 혼동하는 것을 정당화한다(Martin 89). 괴물은 자신이 만나는 사람들과 피조물들을 프랑켄슈타인 박사가 만들었다고 생각하기 때문에 뷰캐넌이 그 자신을 신의 창조물이라고 하는 것을 이해하지 못한다.

영화의 프랑켄슈타인 박사는 엘리자베스의 시체로 여성 괴물을 만드는데, 이는 하녀 저스틴의 몸을 사용하는 소설의 내용과 다르다. 새 생명을 얻은 여성 괴물은 깊은 고통을 가진 살아있는 인형으로서 새로운 역할을 연기한다. 그녀는 자신이 더 이상 엘리자베스가 아니라, 졸렬한 복제품이라는 것을 인식한다. 이때 뷰캐넌의 레이저 빔이 다시 시간과 공간의 균열을 만들면서 그들 모두를 미래로 보낸다. 그들은 문명의 흔적이 없는 눈 덮인 산에 이른다. 여성 괴물은 프랑켄슈타인 박사와 남성 괴물을 거부하면서 괴물로서 삶을 인내하기보다 불길에 휩싸여서 끔찍하게 죽는 것을 선택한다. 남성 괴물이 여성 괴물의 죽음에 격분하면서 그를 만든 자, 프랑켄슈타인 박사를 죽이자 뷰캐넌은 결국 프랑켄슈타인 박사의 역할을 떠맡는다. 괴물과 뷰캐넌은 프랑켄슈타인 박사의 실험실에서 만난다. 거기서 괴물은 그들을 둘러싼 세상의 진실에 대하여 말한다. "당신이 만든 이 세상은 . . . 빅터[프랑켄슈타인]의 세상보다 나아. 이곳은 나만큼 황량해. 나만큼 외롭다고." 이 말에 화가 난 뷰캐넌은 프랑켄슈타인이 된 듯이 그를 죽이려고 한다.

괴물: 네가 나를 죽여야 한다면 나는 뭐지?

뷰캐넌: 신의 눈에 혐오스러운 자이지.

괴물: 당신은 뭔데?

뷰캐넌: 나는 프랑켄슈타인이다.

결국, 괴물은 죽지만 뷰캐넌의 승리는 너무나 많은 희생을 치렀다. 영화와 소설에서 괴물은 죽음으로써 자신을 영원히 해방시킨다. 즉, 괴물은 뷰캐넌의 기록과 경험은 물론 메리 셸리의 소설과 그 소설에 영감을 받은 모든 서사에 살아있다. 영화 〈프랑켄슈타인의 해방〉은 올디스의 소설 『프랑켄슈타인의 해방』을 더욱 무섭고 끔찍하게 시각화하였다. 이는 과학기술 지향적인 우리 사회가 직면하게 될 냉랭하고 홀로코스트적인 세계를 더욱 생생하고 잔인하게 재현하면서 이성으로 치닫는 현대사회에 경고하는 것이다. 소설과 영화는 이러한 디스토피아적 비전을 끝낼 수 있는 것이 감성의 회복을 통한 이성과 감성의 통합임을 역설하고 있다.

4

올디스는 『10억 년의 슈프레강』에서 메리 셸리와 그녀의 『프랑켄슈타인』을 신화화하였고, 그의 『프랑켄슈타인의 해방』은 SF란 포스트-고딕적이거나 판타지 유형이며 서구 문명의 분리된 자아, 즉 이성과 감성, 좌뇌와 우뇌의 통합을 위한 문학양식이라는 정의를 함축하여 보여주었다. 메리 셸리와 그녀의 소설 『프랑켄슈타인』 모두 올디스에게 신화적임을 언급하였다. 메리 셸리는 불완전한 남성작가에 비하여 여성작가로서 삶을 더욱 잘 이해할 뿐만 아니라 인생에서 소외감을 느끼고 있었다. 올디스가 그녀를 이해하려고 하는 열정은 점점 더 비극적으로 향해가는 정신적·문화적 분열을 특징으로 하는 우리 시대에 온전함을 바라는 것이다. 그녀는 우리의 이성과 감성을 통합할 뿐만 아니라, 좌뇌의 사고방식이 망각했던 영원한 어머니의 구현이며, 어른의 마음에 무지한 어린이를 살려내기 위한 감성의 회복을 주장한다. 어머니로서 그녀는 『프랑켄슈타인』을 씀으로써 우리가 현대의 난국에 직면하도록 하는 신화를 낳았다. 그녀는 SF 장르를 위한 길을 준비하였으며,

예술/문학작품 가운데 SF가 우리의 분열된 자아와 소외된 뇌의 양쪽 측면에 가교가 되고, 그들 간에 대화와 통합을 시작하도록 한다.

올디스의 SF 논의는 『프랑켄슈타인의 해방』으로 작품화된다. 이 작품은 낭만주의 자체가 어린이 환상문학, 특히 SF의 기원이 되었다는 흥미로운 통찰력 그리고 낭만주의 작가 메리 셸리가 SF의 길을 준비하였다는 그의 주장을 소설화한다. 이 소설에서 올디스를 대신하여 시간여행을 한 대리인 보덴랜드는 우리 삶의 궁핍한 본질을 메리 셸리에게서 발견한다. 보덴랜드의 과거와 미래로의 시간여행은 산업혁명에서 시작된 과학기술의 발전이 현재와 미래로 이어져서 우리 사회를 마침내 빙산으로 둘러싸인 디스토피아적인 도시로 향하도록 한다는 것을 재현한다. 이것은 이성으로 치닫는 현대사회에 경각심을 불러일으키는 것이다. 그러나 보덴랜드와 메리 셸리를 포함하는 등장인물들이 낭만주의와 SF가 공존하는 영역에 살아있는 것은 과학과 예술의 통합이 우리 사회의 종말론을 피할 수 있음을 암시한다.

올디스의 『프랑켄슈타인의 해방』과 코먼의 〈프랑켄슈타인의 해방〉은 인문 정신에 반하여 과학/기술적인 것이 팽배한 우리 시대를 비판한다. 즉, 프랑켄슈타인 이야기의 재화는 이성과 감성, 좌뇌와 우뇌, 과학기술과 문학/예술 등의 분열로 인하여 삶에서 느끼는 고통과 소외감, 그리고 이를 재현한 괴물들로 인하여 야기되는 냉랭하고 황량하며 홀로코스트적인 세계를 예견한다. 과학자로서 보덴랜드/뷰캐넌의 파괴적이고 종말론적인 디스토피아가 암시하는 것은 무책임한 과학적·상업적 착취가 승리한 직접적인 결과로서 우리의 미래에 대하여 경고하는 것이다. SF 문학은 어머니 또는 어린이의 회복, 즉 감성의 회복을 통한 이성/감성의 통합이 우리의 미래를 구할 수 있음을 시사한다.

〈A.I.〉와 『슈퍼토이의 여름과 단편들』에 나타난 디스토피아 세계

1

스필버그(1946~)의 영화 〈A.I.〉는 다소 먼 미래를 배경으로 어머니를 사랑하도록 프로그램된 데이빗(David)이라는 아이 로봇, 즉 인공지능 로봇(Artificial Intelligence)을 주인공으로 등장시켜서 인간, 비인간, 포스트 인간이 만들어가는 디스토피아 세계를 재현한다. 〈A.I.〉는 올디스의 SF, 『슈퍼토이의 여름과 단편들』(*Super-Toys Last All Summer Long and Other Stories of Future Time*, 1969)을 바탕으로 제작되었다.• 〈A.I.〉의 대본은 카를로 콜로디(Carlo Collodi)의 『피노키오의 모험』(*Adventures of Pinocchio*, 1883)의 서사 구성과 인공지능 로봇 전문가 한스 모라벡(Hans Moravec)의 『마음의 아이들: 로봇과 인간의 미래』(*Mind Children: The Future of Robot and Human*, 1988)에서 인공지능 로봇 이론을 근거로 영국 SF 작가 이안 왓슨(Ian Watson)이 쓴 '피노키오의 피카레스크 로봇 버전'에 기초한다.

SF 문학이나 영화는 과학이 폭발적으로 발전하여 인공지능 컴퓨터가 우리 삶에서 중요해진 오늘날, 과학적 상상력을 바탕으로 미래사회를 예상하도록 한다. 4차 산업혁명 시대의 화두 가운데서 인공지능 로봇은 우리 삶

• 올디스의 『슈퍼토이의 여름과 단편들』은 「슈퍼토이의 여름」("Supertoys Last All Summer Long"), 「슈퍼토이의 겨울」("Supertoys When Winter Comes"), 「슈퍼토이의 다른 계절」("Supertoys in Other Seasons")의 '슈퍼토이 시리즈'와 그 밖의 단편소설을 포함한다. 앞으로 『슈퍼토이의 여름과 단편들』을 언급할 때 간략히 『슈퍼토이』라 하고, 텍스트로부터의 인용은 괄호 안에 쪽수만 기입한다.

의 다양한 부분에 이미 들어와 있을 뿐만 아니라 인류 미래의 삶을 상당히 변화시킬 것이라고 예상된다. 본 장은 과학발전이 바꿀 우리의 현재와 미래의 삶에 관심을 가지면서 과학적 상상력과 통찰력을 바탕으로 만들어진 작품, 〈A.I.〉와 『슈퍼토이』를 논의한다.

영화 〈A.I.〉는 동화양식과 방법 안에 올디스와 큐브릭의 사유를 바탕으로 스필버그가 완성하였다. 올디스의 소설에 기초한 영화제작에 관한 생각을 최초로 발전시킨 사람은 1970년대 초에 큐브릭이었다. 그러나 큐브릭은 1995년에 이 프로젝트를 스필버그에게 넘겼고, 큐브릭 사망 이후 영화는 스필버그에 의하여 〈A.I.〉로 제작 · 발표되었다. 영화의 내용은 가정극, 길 위의 여정, 디지털 처리된 꿈이 보여주는 세 부분으로 구성된다. 영화에서 열한 살의 안드로이드 데이빗은 어머니 모니카 스윈턴(Monica Swinton)이 들려주는 피노키오 이야기에 매료된다. 안드로이드는 인간의 모습을 가진 인공지능 로봇을 일반적으로 언급하는 단어인데, 이 영화에서는 안드로이드를 유기 생물인 오가(orga)와 구분하기 위하여 메카(mecha)라고도 한다.

이후에 데이빗은 피노키오가 자신의 문제를 모두 해결하여 진짜 남자아이가 된다는 동화내용을 기억해두었다가, 어머니 모니카에 의하여 숲속에 버려졌을 때 그녀의 사랑을 되찾기 위하여 진짜 남자아이가 되고자 한다. 데이빗이 피노키오와 자신을 동일시하는 것은 관객들의 동정심을 끌어낼 뿐만 아니라, 피노키오 이야기의 결말을 아는 관객들이 영화의 결론에 대하여 해피엔딩의 기대와 희망을 품도록 한다. 데이빗은 버려진 후 푸른 요정을 찾아다니다가 바다 밑에 갇혀 불활성 상태가 된다. 2000년 후, 지구에 인류가 사라지고 포스트 인간인 진화한 로봇들이 거주하게 된다. 이때 데이빗은 그들에 의해 깨어나서 어머니가 있는 집에 잠깐 돌아오는 데 성공한다. 낯선 모습의 진화한 로봇들에게 세계가 지배되는 영상은 인류의 미래에 대한 큐브릭의 비관적인 전망을 재현한다.

큐브릭은 올디스의 『슈퍼토이』 판권을 구매한 후 1970년대 초에 영화 각색을 위한 계획을 착수하였다. 큐브릭은 인간의 성악설을 믿었으며 냉정하고 냉소적이었다. 그가 만든 여러 편의 영화가 문학작품을 원작으로 하며, 이 작품들의 특징은 비범한 플롯 전개, 독특한 위트, 상상력이 풍부한 각본과 환상성 등을 특징으로 한다. 큐브릭은 이후 20년 동안 SF 작가들, 즉 올디스와 왓슨 등과 그 외의 협력자들과 함께 〈A.I.〉 영화 대본의 아이디어를 발전시켰는데 수천 명의 예술가와 함께 영화 스케치와 스토리보드 작업을 하였다. 1995년 당시에 그는 CG 이미지(the computer-generated imagery) 기술이 이 영화를 찍을 만큼 발전하지 않은 것을 알게 되자 영화제작을 보류하였다. 그는 말년에 이 프로젝트에 다시 관심을 가지면서 스필버그와 공동작업의 가능성을 언급하였다. 그는 스필버그를 가장 훌륭한 차세대 영화제작자 중 한 사람이자, CG 이미지를 영화에 능숙하게 사용할 수 있는 사람이라고 생각하였다. 큐브릭 사망 후에 스필버그는 큐브릭이 다룬 90쪽의 대본, 수천 장의 드로잉과 스토리보드를 가지고 영화제작을 시작하였는데, 자신의 창의적인 탁월함과 큐브릭의 유지를 균형 잡기 위하여 고심하였다(Tibbetts 260).

올디스의 소설은 입양한 다섯 살의 로봇 소년과 어머니의 일상을 중심으로 그녀의 어려움을 시적인 인상으로 스케치한다. 스필버그는 소설 서사에 근거하여 몇 가지 특성과 상상을 추가하였다. 예를 들어 올디스의 소설에는 피노키오의 모험에 대한 암시가 없으며, 소설의 결말에서 데이빗은 아버지가 근무했던 신탱크 사(Synthank)를 방문해서 자신과 같은 안드로이드의 실체들을 마주할 때까지 자신의 기계적 정체성을 인식하지 못한다. "그가 기계임을 알게 된다면 충격이다"라고 올디스는 썼다(xvii). 영화는 1980년대에 올디스와 큐브릭이 논의하고 상상하던 것과는 조금 멀어졌지만, 결과적으로 스필버그의 방법 안에 그들의 사유는 여전히 살아있다.

스필버그는 아이 로봇 데이빗이 어머니의 사랑을 찾는 주제를 강조하면서 왓슨의 초고와 데이빗이 보여주게 될 피노키오 피카레스크 방식을 채택한다. 스필버그의 대본은 데이빗을 집에서 쫓겨난 도망자로 변형시켜서 그가 도중에 많은 위험을 겪도록 한다. 어린 데이빗은 여행 중에 남창 로봇 기골로 조(Gigolo Joe)를 만나서 동행한다. 데이빗의 여정은 자신을 진짜 남자아이로 만들어서 어머니와 재회하도록 도와줄 푸른 요정을 찾아가기 위한 것이다. 결국 그는 포스트 인간들의 도움으로 잠깐이지만 어머니와 만나고 싶은 소망을 이룬다. 한편, 조는 데이빗과 성격이 매우 다른 큐브릭적 성격의 안드로이드이다. 그는 "냉혹하고, 아찔하고, 엄마가 없으며, 잔혹하고 냉정한 큐브릭적 세상에서 당당하도록 프로그램" 되었지만(Schwarzbaum 109), 데이빗과 동행하면서 그와 공동체를 형성한다.

〈A.I.〉에 대한 비평적 반응은 엇갈렸다. 데이비드 덴비(David Denby)는 『뉴요커』(*The New Yorker*)에 "스필버그의 행복감이 큐브릭의 무섭고 형이상학적인 경이감과 어떻게 만나는가를 궁금해한다면", "그 대답은 이상하고 혼란스럽다"라고 하였다(86). 그러나 앤드류 사리스(Andrew Sarris)는 "영원히 강렬한 부모의 사랑에 대하여 아름답게 만들어진 숙고"라고 하면서 영화의 오이디푸스적 요소에 가치를 둔다(1). 아몬드 화이트(Armond White)는 『뉴욕 프레스』(*The New York Press*)에서 이 작품을 "위대한 예술의 수준까지 부상한 동화"의 "돌파구" 작품이라고 호평하였다(Tibbetts 261 재인용).

〈A.I.〉에서 스필버그는 피노키오 동화라는 행복한 구성안에 올디스의 『슈퍼토이』와 큐브릭적 상상력으로 재현된 세계, 즉 인간과 비인간, 포스트 인간에 대한 디스토피아 세계의 가능성을 재현한다. 올디스의 인간성(humanity)에 대한 슬픈 논평을 기반으로 〈A.I.〉는 인간이 로봇을 만들어서 괴롭히고, 환경을 잘못 경영함으로써 생물학적 삶을 마감하는 미래사회를 예견하는 것이다(Morrissey 250). 더불어 이 영화는 큐브릭의 미래에 대한 예상대로 비인간의 주체화를 재현한다. 로봇 아이가 자신의 이야기에 주인공으로 등장하는 것은 과학에 대한 인간 주체라는 헤게모니적 입장에 도전하는 것이기도 하다.

그렇다면 본 장에서는 〈A.I.〉에서 인간, 비인간, 포스트 인간이 만드는 디스토피아 세계가 재현되는 방식을 살펴볼 것이다. 논의는 영화에서 데이빗의 여정을 따라가는 것을 근간으로 하며 필요한 부분에서 소설을 함께 언급하고자 한다.

2

영화는 세 부분, 즉 가정극, 길 위에서 데이빗의 여정, 디지털 처리한 미래로 분명하게 나뉜다. 세 부분 각각은 특유의 어조와 분위기를 가지는데 첫 번째 부분은 부드러운 파스텔 색조의 아동기 우화이다. 두 번째 부분은 어두운 색깔, 광란의 잔인성, 냉소적인 부패를 보이는 성인 인간의 세계를 보여준다. 세 번째 부분에서 데이빗은 꿈같은 우주의 흐릿함 속에서 길을 잃는다. 영화의 모든 하드웨어와 기술적 현란함을 넘어서 특히 인상적인 것은 첫 번째 부분에서 사이버트로닉스 사(Cybertronics)의 회의 장면, 두 번째 부분에서 플레시 페어(the Flesh Fair), 루즈 시티(Rouge City), 물에 잠긴 맨-해튼(Man-Hattan) 장면, 세 번째 부분에서 데이빗과 미래형 로봇이 보여주는 꿈같은 영상이 만드는 가상의 미래이다. 이 장면들은 영화의 주제, 즉 미래의 디스토피아 세계를 과학적 상상력을 바탕으로 시적으로 시각화한다.

1) 집: 인간과 비인간이 만드는 가족

영화는 파도 이미지와 함께 내레이터의 목소리로 시작된다. 지구 온난화의 결과 암스테르담, 베니스, 뉴욕 등 해안 도시들이 바다 밑에 잠긴 미래가 영화의 배경이다. 다음 장면은 뉴저지의 사이버트로닉스 사에서 열리는 과학자 회의이다. 앨런 하비 교수(Professor Allan Hobby)가 주재하는 이 회의에서 그는 어머니를 사랑하도록 프로그램된 아이 로봇을 제작하기 위한 프로젝트를 제안한다. 과학이 탄생한 이후 인공지능 로봇의 개념은 볼프강 폰 켐펠렌(Wolfgang von Kempelen)의 「체스 플레이어」("Chess Player")와 함께 1796년까지 거슬러 올라간다. 현대 인공지능 로봇 실험의 출발은 수학자이자 암호사용자인 앨런 튜링(Alan Turing)의 '1950년에 흉내 내기 게임'을 통한 실험이다. 매사추세츠 공과대학(MIT)에서 1950년에 인공지능 실험실을 처음으로 개소한 후, 2001년에 코그(Cog)와 키스멧(Kismet)이라는 안드로이드가 만들어졌다. 키스멧은 인간의 얼굴과 유사하고, 생물과 무생물을 구분할 뿐만 아니라 인간이 안드로이드를 무시하는 것을 인식한다. 그들은 '나의 아기 인형'(My Real Baby Doll)이라는 전자 인형 역시 시판하였다.

남은 문제는 컴퓨터를 인간이라고 부르기 위해서는 컴퓨터에 감정을 주입하는 것이고, 가비 우드(Gaby Wood)가 『에디슨의 이브』(*Edison's Eve: A Magical History of the Quest for Mechanical Life*, 2002)에서 언급하듯이, 인간은 이러한 무생물에 동화될 수 있다(16-22). 모라벡은 그 당시에 시그리드 사(Seegrid Corporation)의 수석 과학자이면서 카네기 멜론 대학교(Carnegie Mellon University), 로봇 공학 연구소의 부교수였는데, 2050년경 "제4차 세대의 로봇과 그 후계자는 모든 면에서 인간을 대신할 것"이라고 예상하였다("The universal robot", cmu.edu). 과학자들은 안드로이드가 생산적인 일을 할 뿐만 아니라 사랑하는 감정을 가지는 지점까지 발전할 가능성이 있는 미래사회를 예견하는 것이다.

영화는 하비 교수가 인공지능 로봇에 대한 과학적 성취를 언급하는 것으로 시작된다. 인공지능 로봇은 "인류의 꿈"이었는데 이제 그것은 완벽해져서 "완벽한 외모와 자연스러운 팔다리 관절을 가지며, 분명한 발음과 인간적인 반응을 한다." 하비 교수는 안드로이드가 인간보다 얼마나 열등한지를 보여주기 위하여 칼을 꺼내서 안드로이드의 손을 찌른다. 안드로이드가 소리를 지르면서 반응할 때 하비 교수는 이에 대하여 질문한다.

"어떤 기분이지? 화가 나? 충격인가?"

"잘 모르겠어요." 로봇이 말한다.

"내가 네 느낌에 어떻게 했지?" 교수가 말한다.

"저의 손에 그것을 하셨죠." 로봇이 대답한다.

이 장면에서 하비 교수는 인간과 비인간을 구분하는 방법을 보여주는 것이다. 안드로이드는 인간처럼 생각하고 말하고 행동하고 아픔을 느끼지만, 감정이 없어서 인간처럼 사랑하고 꿈꾸고 행복을 추구할 줄 모른다. 하비 교수에 의하면 안드로이드는 "영리한 행동 영역을 가진 오감 지각장치"일 뿐이다.

하비 교수는 환호하는 동료들에게 과학발전을 통해 인간의 삶을 향상시키는 것이 과학자의 목표이고, 이와 더불어 사랑할 수 있는 로봇을 만들 계획을 제안한다. 청중들의 관심이 정점에 이르렀을 때 그는 안드로이드에게 사랑의 정의를 묻는다. 안드로이드는 "사랑은 우선 눈이 커지고 숨이 가빠지며 체온이 올라가고 . . ."라고 대답한다. 로봇은 '이성적인' 언어를 사용하여 질문에 대답하고 있으며 이것은 안드로이드의 비인간적 본질을 보여준다(Pechtelidis 10). 감정이 배제되었기 때문이다. 하비 교수는 인간만이 가지는 감정을 로봇에 주입하여 사랑할 수 있는 아이 로봇을 만들 것을 제안한다. 그는 아이와 부모의 사랑에 가치를 두고 있다.

전 성적인 도구가 아닌 '사랑'이라고 했습니다. 부모에 대한 아이의 사랑 같은 거죠. 순수한 마음으로 부모를 사랑하는 아이 로봇을 만들 겁니다. 영원한 사랑을 가진 로봇이요.

하비 교수는 아이와 부모의 사랑을 진정한 사랑이라고 하면서 영원히 부모를 사랑할 아이 로봇을 만들겠다고 한다. 이 제안에 흑인 동료가 그 프로젝트의 윤리와 책임에 관하여, "인간이 기꺼이 다시 그 로봇을 사랑하게 될까요?"라고 질문한다. 하비 교수는 배경에서 들리는 전지적인 천둥소리와 함께 "태초에 신은 아담을 사랑하기 위하여 창조하지 않았나요?"라고 대답한다. 그는 신이 아담을 사랑한 것처럼, 인간이 로봇을 사랑하게 될 것을 암시하면서 과학자의 자만심을 드러낸다. 하비 교수는 안드로이드를 만들 계획을 발표하여 프랑켄슈타인 박사(Victor Frankenstein)처럼 창조주를 불완전하게 흉내내고 있다. 다른 인간들 역시 의식적이든 그렇지 않든 지구상에 지구 온난화를 일으키는 등 생명체를 파괴하는 일에 가담하고 있다. 〈A.I.〉에서 하비 교수를 포함하여 인간은 에덴, 즉 신이 허락한 지구를 함부로 사용해서 그것의 사용권을 박탈당하게 되는 것이다.

사이버트로닉스 사 장면은 하비 교수가 아이 로봇을 만드는 것을 금융 용어로 정당화한다. "아이가 없는 부모들은 (아이 로봇 제작) 허가가 나기만을 기다리고 있죠. 우리의 메카는 새로운 시장을 열 것이며 인간의 필요를 충족할 것입니다." 하비 교수는 다양한 이유를 들어 인간 아이들을 대신하기 위한 아이 로봇 시장이 필요하다고 하면서 과학·지식·기술을 시장과 기업과 연관시킨다. 그것은 인간적 욕구와 관계를 궁극적으로 상업화할 것을 암시한다(Thomas 254). 하비 교수는 아들을 잃은 자신의 상실을 완화하기 위하여 그리고 그와 같은 처지에 놓인 사람들을 위하여 "영원한 사랑을 각인하여 부모를 진정으로 사랑하게 될" 그리고 회사에 수익을 창출해줄 남자아이 로봇을 제작하기 시작한다.

일상의 장면이 뒤따른다. 헨리 스윈턴(Henry Swinton)은 사이버트로닉스 사에 근무하고 있으며 모니카와 부부이다. 그들에게 마틴 스윈턴(Matin Swinton)이라는 생물학적 아들이 있으나 의식불명 상태로 병원에 냉동되어 있다. 모니카는 이 때문에 정신적인 고통을 느끼면서 거의 온종일 집에서 지낸다. 사이버트로닉스 사는 그녀가 우울증을 이겨낼 수 있도록 그 가족에게 첫 번째 아이 안드로이드, 즉 열한 살의 소년 데이빗을 제공하기로 결정한다. 하비 교수의 언급처럼 인간과 비인간을 결정하는 것이 감정이지만 사랑이 프로그램된 안드로이드, 데이빗이 어머니를 어떻게 사랑하게 될지 그의 여정을 따라가 본다.

데이빗은 완벽하게 만들어졌다. 모니카는 머뭇거리다가 결국 그를 받아들일 것을 결정한다. 모니카가 데이빗을 프로그램하는 장면이 흥미롭다. 모니카는 프로토콜을 각인하기 위하여 데이빗이 자신을 쳐다보도록 한 후 매뉴얼에 따라 그의 목에 손을 대고 그를 프로그램한다.

> "새털구름, 소크라테스, 미립자, 제자, 허리케인, 돌고래, 튤립, 모니카, 데이빗, 모니카. 됐다, 제대로 했는지 모르겠구나."
> "왜 그 단어들은 말하세요, 엄마?"
> "날 뭐라고 불렀어?"
> "엄마."
> "내가 누구니, 데이빗?"
> "내 엄마예요." (모니카가 데이빗을 꼭 껴안는다)

모니카가 데이빗을 프로그램하는 것을 마치자 그는 처음으로 '엄마'라는 마법의 단어를 사용한다. 하비 교수가 이전에 언급하였듯이 아이와 부모, 특히 아이와 어머니와의 관계는 사랑의 최고의 형태라고 여겨진다. 그러나 아이가 어머니에게 보여주게 될 저항할 수 없는 영원한 사랑은 그녀가 로봇 아이를 더 이상 원하지 않을 때 비극적으로 바뀔 것이다.

스필버그의 모니카와 데이빗의 일상적인 장면은 단편소설과 겹친다.

인공적인 것들이 인류의 많은 것을 대체하는 미래사회를 배경으로 올디스의 이야기가 시작될 때 데이빗은 이미 거기에 존재한다. 그는 겨우 다섯 살이고 곰 인형 로봇 테디(Teddy)와 놀고 있다. 그는 어머니를 영원히 사랑한다는 맹세, 예를 들어 "사랑하는 엄마, 나는 당신의 외아들이고 당신을 너무나 사랑해요"와 같은 메시지를 이미 여러 장의 종이에 썼다(8-9). 그러나 올디스의 모니카는 안드로이드 아들에게 별다른 관심을 보이지 않고 자신의 임신 요구가 받아들여졌다는 소식에 기뻐하는 한편, 스필버그의 모니카는 데이빗이 무한히 애정을 보이는 시도에 감명받는다. 그럼에도 그녀는 자신의 생물학적 아들 마틴을 치료하여 집에 데려오는 것에 관심이 있다.

올디스의 『슈퍼토이』의 두 번째 단편, 「슈퍼토이의 겨울」에서 모니카의 아들은 죽고 데이빗은 성장하지 않는다. 실망한 모니카는 알코올에 의존하지만, 영화에서 그녀의 알코올 중독은 삭제된다. 반면에 영화에서 모니카는 병원에서 돌아온 그리고 다소 이기적이고 경쟁적인 자신의 생물학적 아들보다 데이빗에게 더 깊은 애정을 보이기도 한다. 그녀의 아들 마틴은 데이빗을 장난감 테디를 대신하는 로봇 정도로 여긴다. 그는 데이빗을 잔인하게 대하면서 복수심을 보이기도 한다. 아이 안드로이드는 먹을 수 없다. 그러나 마틴은 데이빗에게 시금치를 먹도록 하여 그의 하드웨어를 망가뜨린다. 또한, 마틴은 데이빗에게 엄마가 잠들어있는 동안에 그녀의 머리 타래를 자르게 한다. 이 장면에서 실제로 일어난 일은 마틴이 데이빗에게 모니카의 머리 타래를 자른다면 엄마의 사랑을 받게 될 것이라고 말해주었고, 데이빗은 그 일을 순진하게 한 것이다.

영화에서 『피노키오의 모험』이 도입되는 것은 집으로 돌아온 마틴이 어머니에게 그 이야기책을 읽어달라고 할 때이다. 이것은 〈A.I.〉와 콜로디의 『피노키오의 모험』을 직접적으로 분명하게 관련시킨다. 이 장면에서 모니카는 맥밀런 번역본으로 된 콜로디의 『피노키오의 모험』 두 페이지를 그대로 읽는다. 맥밀런 판본은 아틸로 미씽(Attilio Missing)이 그린 화려한 책 표지를 보여주면서 아름답게 영상화된다. 피노키오 이야기가 데이빗에게 준 효과는 예상 밖으로 크다. 데이빗은 피노키오 이야기를 듣고 자신이 진짜 아이가 된다면 엄마의 사랑을 받게 되리라 생각하는데, 이러한 생각은 이후 그의 모험에 대한 충동이 된다(Chira 3). 그가 피노키오라면, 그가 겪는 고통은 인격 형성의 암시와 더불어 진짜 남자아이가 된다는 희망을 줄 것이다. 그러나 데이빗은 피노키오가 아닌 사랑이 프로그램된 로봇일 뿐이기 때문에, 피노키오 이야기는 그에게 험난한 여정과 궁극적으로 비극의 핵심을 도입한다.

〈A.I.〉에서 모니카는 데이빗이 쓴 어머니를 사랑한다는 편지를 읽지만, 그의 낯설고, 예측할 수 없는 면을 보여주는 사건들 이후에 그와 한집에 사는 것을 불안해한다. 헨리는 데이빗이 자신의 가족과 함께 사는 것이 위험하다고 하면서 결국 그를 버릴 결심을 하는데, 모니카도 이에 반대하지 않는다. 이내 모니카는 데이빗과 테디를 차에 태우고 숲까지 운전해서 간다. 그녀는 운전하는 동안 울고 있지만, 헨리의 직장 사이버트로닉스 사 주변에 데이빗을 버린다. 한편 「슈퍼토이의 여름」에서 모니카는 헨리의 직장 신탱크 사 주변에 데이빗을 버린다. 데이빗은 자신이 어머니를 사랑한다고 분명히 말하면서 이것이 게임이고 어머니가 그를 찾으러 올 것인지를 묻는다.

> "피노키오가 살아있는 아이가 된 것처럼, 저도 살아있는 아이가 될 수 있어요. . . . 내가 진짜 소년이 되면 집에 갈 수 있나요?"
> "사람들을 멀리해, 메카만이 안전하단다."
> "세상에 대해 말해주지 않아서 미안하구나."

모니카는 울고 있지만 데이빗을 밀어내면서 그가 진짜 아이가 될 수 없다고 분명히 말한다. 영화에서 죽은 아들을 잊을 수 없어서 그리고 아이 로봇 시장을 겨냥해서 데이빗을 만든 과학자 하비 교수, 아이가 필요해서 그를 입양했던 헨리와 모니카 부부의 경우처럼 인간은 필요에 따라 안드로이드를 만들거나 선택한다. N. 뤼케(N. Lykke)와 같은 비평가들은 이와 관련하여 현대과학에서 인간은 비인간인 안드로이드를 만들어 다양한 분야에 활용해왔지만, 비인간은 인간을 위한 대상일 뿐만 아니라 착취의 근원이 되었다고 주장한다. 영화의 이 장면은 인간이 로봇을 착취하는 것에 대한 논평을 시사한다.

2) 데이빗의 여정: 어머니의 사랑을 되찾기 위하여

열한 살의 안드로이드 데이빗은 어머니에게서 버려진 후 테디와 함께 세상을 마주한다. 그의 여정은 콜로디의 『피노키오의 모험』과 유사하지만 표면상 디즈니의 피노키오와 더욱 닮아있다. 콜로디의 피노키오와 디즈니의 피노키오는 기원이 매우 다르다. 콜로디의 『피노키오의 모험』은 연재된 이야기로 제15장에서 피노키오가 나무에 목매달려 죽는 것으로 끝나면서, 나쁜 짓을 하는 어린이가 벌 받는 교훈적인 이야기였다. 그러나 어린이 독자들이 피노키오 나무 인형을 살려달라고 요청하였으며 편집자와 작가는 이를 받아들였다. 이에 대하여 자이프스는 『꿈이 실현될 때: 고전 동화와 전통』(*When Dreams Come True: Classical Fairy Tales and Their Tradition*)에서 "콜로디는 애초에 비관적인 시각을 가졌으나 나무 인형 주인공은 '발전하거나' '교육받아야' 했다"라고 한다(146). 콜로디의 피노키오는 16장에서 푸른 요정의 마법으로 다시 살아났고, 『피노키오의 모험』은 16~36장의 이야기가 더해져서 해피엔딩이 보장된 성장소설로 바뀌었다. 콜로디의 피노키오가 갑자기 성장한다면, 디즈니의 피노키오는 기획과 마케팅의 결과로서 의도된 것이다. 디즈니는 블록버스터를 목표로 콜로디의 『피노키오의 모험』의 다양한 판본을 구입하여 분석하였고, 기존 디즈니 애니메이션 주인공들의 인기와 애니메이션 시장 역시 조사하였다. 콜로디의 소설 그리고 디즈니 애니메이션 가운데 어느 것이 〈A.I.〉의 주요한 인터텍스트(intertext)인가 하는 문제는 중요하고 복잡하지만, 디즈니가 스필버그의 선구자라고 하는 편이 적절해 보인다.

영화에서 마틴이 피노키오를 도입할 때 콜로디의 『피노키오의 모험』 맥밀런 번역본을 가져온다. 콜로디의 피노키오 또는 디즈니의 피노키오, 그 어느 것이 되었든 피노키오는 여행을 하면서 도덕적으로 성장하여 살아있는 남자아이가 된다. 특히 콜로디의 피노키오는 진짜 소년이 되기 위하여 자신의 이기심을 인정하고, 가치를 구별하는 감각, 동정심, 다른 사람에 대한 감정이입 등과 같은 '도덕적인 시험'을 이겨내어 일련의 덕목들을 분명하게 배운다. 더글러스 스트리트(Douglas Street)가 주목하듯이, "이러한 등장인물이 결국 보상을 받는 것은 자명하다. 그는 엄격한 정화와 교육의 과정을 거친 후 받아들여진다"(47). 피노키오는 결국 푸른 요정의 마법으로 인하여 진짜 소년이 되어서 자신을 만든 사람과 재회한다. 그러나 〈A.I.〉에서 데이빗의 여정을 따라갈 때 그가 피노키오의 덕목들 가운데 어느 것이라도 가지게 될 것이라고 시사하는 사건은 없다. 대신에 그는 어머니의 사랑을 되찾기 위하여 자신을 진짜 소년으로 변화시켜줄 푸른 요정을 줄곧 찾는다. 푸른 요정은 여러 가면을 써서 등장하는데, 데이빗은 결국 미래형 로봇인 푸른 요정과 만난다. 푸른 요정은 데이빗과 어머니가 재회하는 하루 동안의 해피엔딩을 가져다준다.

올디스의 「슈퍼토이의 겨울」에서 데이빗은 〈A.I.〉에서와 다른 삶을 산다. 모니카의 생물학적 아들은 죽고, 그녀는 데이빗과 테디, 하인 안드로이드 줄스(Jules)와 함께 산다. 모니카는 데이빗이 같은 게임을 반복하고 같은 이야기책만 보는 등 성장하지 않으며, 남편이 거의 부재중이라는 사실에 불만을 느껴서 알코올 중독자가 된다. 줄스가 계단에서 넘어져서 머리가 깨져 망가지자 그녀는 슬퍼한다. 그때 데이빗이 어머니를 달래면서 말한다.

"엄마, 아무 일 아니에요. . . . 그는 안드로이드일 뿐이에요. . . . 다른 것을 사오면 되죠."

"너는 뭔데! 너 역시 안드로이드일 뿐이야." (20)

데이빗은 그 자신 역시 안드로이드라는 모니카의 설명을 이해하지 못한다. 그는 방에 들어가서 테디의 배를 열어 복잡한 내부 회로를 살핀 후 그가 기계임을 인식한다. 그는 화가 나서 펄펄 뛰다가 집의 통제 센터가 벽에서 분리되면서 사고를 당한다. 모든 것이 무너지고 모니카가 죽었을 때 그는 어머니에게 몸을 숙여서 말한다. "엄마, 난 인간이에요. 나는 엄마를 사랑하고 인간처럼 슬픔을 느껴요, 그러니 내가 인간임이 틀림없잖아요. . . . 그래서는 안 되나요?"(22). 여전히 데이빗은 자신이 안드로이드라는 것을 받아들이지 못하는 것이다.

〈A.I.〉의 데이빗은 테디와 단둘이 숲속을 여행하다가 남창 로봇 조를 만난다. 조에 의하면 하비 교수의 회사인 사이버트로닉스 사에서 최고의 제품은 인간의 욕구 충족을 위하여 만든 자신과 같은 남창 로봇이다. 조는 데이빗에게 "우리는 외로운 인간에게 무고한 즐거움이야"라고 한다. 조의 '무고한 즐거움'이라는 단어는 〈A.I.〉를 포함하여 SF 문학이나 영화에 자주 등장하는 주제이다. 인간은 종종 인간관계에서 규정된 도덕적 규제로부터 자유로워지기 위하여 안드로이드를 비윤리적으로 착취해왔다(Thomas 255). 이러한 주제를 다룬 SF의 고전, 필립 딕(Philip K. Dick)의 『안드로이드는 전기 양을 꿈꾸는가?』(*Do Androids Dream of Electric Sheep?*)는 〈A.I.〉의 주제와 배경을 공유한다.

망가진 로봇으로 뒤덮인 쓰레기 더미를 시각화한 밤의 장면은 올디스의 「다른 계절의 슈퍼토이」에서 폐기물 처리장, 버리는 도시(Throwaway town)를 재현한다. 데이빗이 치명적인 사고를 당한 후에 도착한 버리는 도시는 "바쁜 인간이 사용하다가 망가져서 버려진 자동화 장치, 로봇, 안드로이드"를 폐기하는 곳이다. 영화에서 떠 있는 달(Moon on the rise)은 안드로이드를 찾기 위한 인간의 풍선인데, 이것은 등록되지 않은 도망자 로봇인 데이빗과 조에게 치명적으로 위험하다. 데이빗은 떠 있는 달에 붙잡혀서 우리 안에 가둬지고 "플레시 페어-생명의 축제"(Flesh Fair-Celebration of Life), 즉 "인공물을 파괴하는" 의식에서 죽어야 할 운명이 된다.

플레시 페어에서 인간은 안드로이드를 잔인하고 기상천외하게 파괴하는 것을 즐긴다. 감정이 없는 안드로이드는 삶을 구걸하지 않고 인간들의 손에 존엄하게 파괴되어 간다. 붙잡혀 온 안드로이드의 언급처럼 플레시 페어는 기계의 숫자가 과도하게 많아지는 것을 두려워한 인간들이 안드로이드를 파괴하는 서커스이다. 조는 유기체 인간이 안드로이드와 서로 경쟁하는 이유를 설명한다.

> 인간은 우릴 너무 똑똑하게, 너무 빠르게, 너무 많이 만들었어. 인간의 실수로 우리가 괴로운 거야. 세상이 끝나도 남는 건 우리니까. 그래서 우리를 미워하는 거야.

통제 불가능한 지구 온난화, 인류를 멸종시키는 기후 재앙으로 인하여 죽은 인류의 노동을 대체하기 위하여 로봇이 개발되었지만, 인간은 그들을 착취하고 고문하고 심지어 파괴하기까지 해왔기 때문에 조의 인간에 대하여 가혹한 판단은 타당한 면이 있다.

플레시 페어에서 인간들은 데이빗과 조를 파멸시키려고 한다. 그러나 그들은 무대 위에서 인간처럼 반응한다. 데이빗의 머리 위에 장착된 산(acid)이 든 양동이에서 한 방울의 산이 떨어져서 그의 옷을 태우자 그는 진짜 소년처럼 두려워하면서 소리를 지른다. 안드로이드가 인간처럼 반응하는 것은 기계와 인간의 차이점을 약화한다. 이것은 삶과 성격이 서구인들의 모습과 유사한 조에 대한 묘사에서도 드러나지만, 데이빗은 그보다 더 인간과 기계의 경계를 모호하게 한다(Pechtelidis 13). 인간 관객들은 데이빗이 로봇이라는 것을 잊어버리고 그와 공감한다. 인간 관객들이 안드로이드에게 공감하여 감정을 유발하는 것은 인간과 안드로이드의 구분을 어렵게 만들기 위한 전략적 장치이다.

의식의 최고조에서 뜻밖의 소란으로 인하여 데이빗과 조는 풀려나자 다시 숲속으로 달아난다. 데이빗이 진짜 아이가 되기 위하여 푸른 요정을 만나고 싶다고 하자, 조는 여자가 많은 루즈 시티로 갈 것을 제안한다. 조는 "모든 길은 루즈 시티로 통한다"라고 하면서 라스베이거스와 디즈니랜드에 맞먹는 유흥가인 루즈 시티로 데이빗을 데려간다. 그곳에서 그들은 푸른 요정을 찾기 위하여 닥터 노우(Dr. Know)를 만난다. 닥터 노우는 아인쉬타인(Einstein)을 재현한 컴퓨터인데, 그에 의하면 푸른 요정은 "사자가 우는 세상의 끝", "맨-해튼"에 존재한다. 많은 메카가 맨-해튼으로 가서 결코 돌아오지 못했다. 그럼에도 데이빗은 단호하게 그곳에 가고자 하며, 그들은 조가 조종하는 헬리콥터를 타고 맨-해튼까지 간다.

조는 데이빗과 동행하면서 그를 줄곧 지켜주고 심지어 비행기를 조종하여 맨-해튼까지 데려다준다. 그곳은 안드로이드가 없는 지역인데 그들이 불법의 안드로이드임을 고려할 때 조의 행동은 매우 위험하다. 그럼에도 데이빗의 여행에 동행하는 가짜 인간들, 조와 테디는 혐오스러운 인간과 다른 모습이다. 이후에 슈퍼토이 테디는 데이빗을 진심으로 사랑하고 그가 자른 모니카의 머리 타래를 줄곧 간직한 채 여행하는 다정함을 보인다. 영화의 시작 부분에서 내레이터가 "메카는 일상생활의 다양한 부분에서 인간을 도울 것이다"라고 하였듯이, 안드로이드는 인간의 필요와 목적을 위하여 만들어졌다. 그러나 영화가 진행되는 동안 그들은 점차 주체적으로 되거나 양심을 발전시키기까지 한다(Thomas 255). 특히 파괴의 위협을 받는 불법의 메카들은 생존을 위하여 자신들의 공동체를 형성한다. 이처럼 SF 문학이나 영화에서 안드로이드는 인간보다 더욱 인간적인 행동을 하거나 애초에 프로그램된 것을 넘어 진화하는 것을 보여준다.

물에 잠긴 맨-해튼 장면에서 그들은 눈에서 눈물을 쏟는 사자상이 세워진 사이버트로닉스 사 빌딩을 찾아낸다. 그 건물은 자본주의와 서구 문명의 강력한 상징 가운데 하나인 록펠러 센터(the Rockefeller Center)에 위치하고 있다. 데이빗은 닥터 노우가 알려준 그 건물을 발견하자 자신의 소원을 이루게 될 것이라고 확신하면서 문을 열고 들어간다. 그러나 그가 처음으로 만난 것은 자신과 똑같은 모습을 가진 또 하나의 데이빗이다. "내가 데이빗이야. 너는 아니야." "아니야, 내가 데이빗이야." 두 번째 데이빗은 친절하지만, 그곳까지 여행한 첫 번째 데이빗에게 박살난다. 또한, 제페토의 조끼를 입고 등장한 하비 교수는 "내가 푸른 요정이다"라고 한다. 하비 교수는 닥터 노우의 대답이 사실상 그의 대답이었고, 지적·정서적 만족이 충만한 과학자의 견지에서 데이빗이 어떻게 만들어져서 작동되었는지를 설명한다.

한편, 하비 교수의 책상 위에 놓인 자신과 아들의 사진이 보여주듯이 데이빗은 그의 죽은 아들의 모습을 하고 있다. 과학자 아버지와 아이 로봇에 대한 아이디어는 일본 만화 시리즈 『아스트로보이』(*Astroboy*, 1952~1968)와 이것을 바탕으로 제작된 애니메이션 시리즈(1963)와 영화(2003, 2009)로 관심을 돌린다. 이 애니메이션은 2030년 도쿄를 배경으로 한다. 닥터 텐마(Dr. Tenma)는 매우 실용적인 응용과학자이자 과학부 장관이며, 특별한 안드로이드를 만들 것을 몹시도 갈망한다. 그는 사고로 죽은 아들 토비오(Tobio)의 DNA를 이식해 인간의 감성과 하이테크놀로지가 결합된 최고의 로봇 '아스트로보이, 아톰'을 만들어낸다. 『아스트로보이』처럼, 과학자 하비 교수 역시 아들을 잃은 상실을 완화하기 위하여 사랑이 프로그램된 아이 로봇을 만들었다. 하비 교수의 언급대로 데이빗의 모든 여정에 그가 개입한 것은 닥터 노우뿐이었다는 사실은 데이빗의 어머니에 대한 '사랑'과 그녀를 만나고자 하는 '꿈'이 그가 문제를 해결하고 맨해튼까지 찾아오도록 한 원동력이 되었다. 열한 살의 안드로이드 데이빗이 사랑과 꿈이라는 감정을 가지고 자신의 문제를 해결해온 사실에 하비 교수와 그의 동료들은 물론 관객들도 놀라게 된다.

하비 교수는 사이버트로닉스 사에서 동료들과 함께 안드로이드와 관련하여 과거와 현재를 통제해왔을 뿐만 아니라 미래를 결정할 것이다. 그는 완벽한 기술이 장착된 건물의 연구실에 존재하면서 전능하다. 또한, 그는 루즈 시티에 있는 닥터 노우를 프로그램시켜서 데이빗이 록펠러 센터를 찾아가는 여정을 가능하게 하였다. 록펠러 센터가 세계의 고층 건물들 가운데 하나이고, 자본주의와 서구 문명의 주요 도시인 세상의 끝, 맨-해튼에 있다는 것은 우연이 아니다. 그러므로 하비 교수는 세계의 정상에서 최고 감독관이며, 신의 대리인처럼 재현되는 면이 있다(Pechtelidis 9). 그는 전지전능한 힘을 가진 과학자인데, 이것은 자신 앞에 놓인 장애물을 극복하기 위하여 닥터 노우로부터 얻은 정보를 바탕으로 문제의 답을 찾아내는 데이빗이라는 안드로이드를 만든 자라는 사실을 통해 확인된다. 록펠러 센터에 신적인 모습으로 존재하는 하비 교수는 인류와 그들의 생존에 닥친 위협에 대하여 과학자에게 책임이 있을 뿐만 아니라 그들이 인간과 안드로이드의 삶을 결정하고 있음을 시사한다.

한편, 올디스의 「슈퍼토이의 다른 계절」에서 헨리는 해고를 당한 후에 데이빗을 신탱크 사로 데려간다. 거기서 데이빗은 자신과 같은 모습을 한 수많은 데이빗이 실험실에 걸려있는 것을 목격한다.

그는 천 명의 데이빗과 마주했다. 모두 똑같은 모습. 같은 옷. 조심스럽게 서 있는 것도 모두 비슷했다. 모두 조용히, 먼 곳을 쳐다보면서. 그 자신과 닮은 천 개의 복제품. 살아있지 않았다.

데이빗은 태어나서 처음으로 모든 것을 이해했다.

이것이 그의 모습이었다. 제품. 단지 제품일 뿐. 입이 다물어지지 않았다. 소름 끼쳤다. 그는 움직일 수 없었다. 내부 작동이 멈추어서 그는 뒤로 넘어졌다. (33-34)

스필버그의 데이빗이나 올디스의 데이빗은 자신이 제조되었다는 사실을 인식하자 정지된다. 〈A.I.〉에서 데이빗은 절망하여 바닷속으로 몸을 던지지만 조가 그를 건져 올린다. 그리고 데이빗은 수륙양용 비행기, 즉 잠수함을 타고 테디와 함께 다시 깊이 잠수한다. 데이빗과 테디는 잠수함을 조종하여 동화 나라의 잔해가 있는 피노키오 테마 지역을 찾아간다. 그곳에서 그는 사물들의 잔해 사이에 서 있는 푸른 요정 석고상을 발견한다. 그때 갑자기 근처의 관람차가 무너지면서 데이빗이 탄 잠수함은 석고상 바로 앞에서 갇힌다. 데이빗은 기도하기 시작한다. "푸른 요정, 저를 진짜 소년으로 만들어주세요! 제발 진짜 소년으로 만들어주세요, 제발 진짜 소년으로 만들어주세요!" 그리고 그는 거기서 불활성 상태가 된다.

데이빗의 존재 이유는 어머니의 사랑을 되찾는 것이다. 길 위에서 그의 험난한 여정은 어머니에게 버려지면서 시작되었고, 진짜 남자아이가 되어서 어머니의 사랑을 되찾으려는 꿈으로 인하여 계속된다. 데이빗의 소원을 이루어줄 존재가 그에게는 푸른 요정이다. 〈A.I.〉에서 푸른 요정은 누구인가? 그녀는 닥터 노우의 방에서 가상의 이미지, 바다 밑에 있는 천사의 모습을 한 석고상, 데이빗이 장차 만나게 될 포스트 인간, 즉 새로운 유형의 로봇으로 등장한다. 데이빗은 잠수함에 갇힌 채 푸른 요정의 석고상 앞에서 진짜 남자아이가 되기 위하여 기도하는 것이다.

3) 디지털 처리한 미래: 인간, 비인간, 포스트 인간이 만드는 디스토피아

2,000년이 지난 후 데이빗은 포스트 인간들에 의하여 다시 깨어나서 어머니의 사랑을 되찾게 된다. 바다는 얼었고 인류는 사라졌으며, 새로운 유형의 진화한 로봇이 포스트 인간으로 등장한다. 이들은 과거 연구에 관심이 많던 차에 데이빗을 발견한 것이다. 결국 데이빗은 지상에 존재했던 사람들을 알고 있는 유일한 로봇이기 때문에 매우 특별하다. 포스트 인간들은 데이빗이 진짜 소년이 되어서 어머니와 재회하고 싶은 소망이 있음을 알아낸다. 테디가 모니카의 머리카락을 가지고 있었기 때문에, DNA 조작으로 모니카가 만들어져서 데이빗은 어머니와 재회하고자 하는 소원을 이룬다. 다시 만난 어머니는 데이빗에게 "데이빗, 널 사랑한다. 항상 널 사랑하마"라고 말한다. 그리고 데이빗은 어머니와 함께 영원히 잠에 빠진다.

데이빗이 어머니와 재회했기 때문에 관객은 안도감을 느낀다. 그러나 데이빗이 다시 어머니의 사랑을 받을 수 있었던 유일한 방법은 포스트 인간들이 DNA를 조작하여 그녀를 살린 것임을 인식하는 것이 중요하다(Tibbetts 257). 데이빗이 만나는 복제된 어머니는 양면 감정을 가진 인간이 아니다. 이전의 어머니 모니카는 자신을 사랑하는 데이빗에게 사랑의 감정을 발전시키다가 그를 버렸다시피, 아이 로봇을 향한 그녀의 감정이 극심하게 분리되어 있었다. 그러나 다시 만난 어머니와 데이빗은 헨리도 마틴도 없이 온전한 사랑의 축복에 빠져있으나, 그것이 단 하루 동안 지속될 뿐이고 기계적으로 보인다. 포스트 인간인 진화한 로봇에 의하여 그녀가 안드로이드로 복제되었다는 것이 충격적인 메시지이다.

스토리텔러의 마지막 목소리 "난생처럼 그[데이빗]는 꿈이 태어난 곳으로 갔다"가 들리면서 로봇이 인간성을 가지게 될 때 죽음이라는 대가를 치르게 된다는 결론에 이른다. 안드로이드가 인간성을 가지게 되는 문제는 〈A.I.〉보다 이전에 크리스 콜럼버스의 〈바이센테니얼 맨〉(*Bicentennial Man*, 1999)에서 직접적으로 다루어졌다. 이 영화에서 성인 남성 로봇 앤드류 마틴(Andrew Martin)은 자신의 역할인 가정부 로봇에 만족하지 않는다. 그는 일련의 업그레이드를 요구하였고, 그 결과 피부, 표정이 있는 얼굴, 신경계, 생식은 불가능한 성기까지 차례차례 가지게 된다. 그는 자신을 인간으로 공인해 달라고 세계 의회(the World Congress)에 탄원을 하지만 기각된다. 결국 그는 한 여성 인간을 사랑하면서 스스로 그 일을 추진한다. 그 자신은 불멸로 남아있는데 그녀가 죽어가는 것을 지켜보는 것을 거부하면서, 그는 절망적인 최후의 몸짓으로 자신의 몸에 오염된 피를 수혈하여 수년 내에 죽게 된다. 영화는 그가 사랑하는 사람 옆에 누워서 두 사람이 함께 마지막 숨을 거두는 것으로 끝난다. 마틴, 즉 기계는 한순간이라도 진정으로 살기 위하여 심지어 죽기까지 하는 것이다. 〈A.I.〉로 돌아오면 데이빗 역시 어머니의 사랑을 되찾으려는 소원을 이룬 후 꿈이 태어난 곳으로 간다. 즉, 현재로서 안드로이드가 인간성을 가지는 것은 불가능하다는 것이다.

영화 〈A.I.〉의 결론은 올디스의 「다른 계절의 슈퍼토이」와 비교할만하다.

> 데이빗은 케이블에 연결되어서 다시 태어나기를 기다리면서 그들 사이에 있는 벤치에 누워있다. 그에게 새로운 옷을 입혔고, 얼굴을 적당히 재구성하였다. 그리고 좀 더 최신 두뇌가 삽입되었으며 이전 기억도 주입하였다. [. . .] 그는 눈을 떴다. 일어섰다. 손을 머리 위로 올렸다. 놀라운 표정을 지었다. "아빠! 이상한 꿈을 꾸었어요. 전에는 꿈을 꾸지 않았는데." [. . .] 그는 데이빗을 포옹한 후 그 아이를 의자에서 들어 올렸다. 데이빗과 테디는 놀라서 쳐다보았다. 그들은 서로 껴안았다.

데이빗은 인간과 다름없었다. (34-35)

올디스의 데이빗은 자신이 유일하지 않다는 것을 알고 작동을 중단하지만, 신탱크 사에서 최고 권위자인 아버지의 친구 이반 쉬글(Ivan Shiggle)의 도움으로 다시 살아난다. 데이빗은 거의 인간의 모습으로 업그레이드된다. 소설과 영화 모두에서 안드로이드가 인간과 유사하게 재현되는 것이다.

〈A.I.〉의 결론에 이르러 포스트 인간인 진화한 로봇은 데이빗을 미래의 장소에서 만들어낼 뿐만 아니라 인간과 인간의 기억에 대하여 상당히 몰두하기 시작한다. 그들은 데이빗이 가진 인간에 대한 기억을 가지고 인간 문명의 우수성을 재평가하면서 다음과 같이 언급한다.

> 난 인간이 영혼이라는 걸 가지고 있어서 부럽단다. 인간은 삶의 의미를 수도 없이 설명해놓았지. 미술, 시, 수학 공식으로. 인간이 존재의 의미라는 점에서 중요하지만, 그들은 더 이상 존재하지 않아. 그래서 우린 죽은 인간을 재창조하는 일을 시작했단다. 뼛조각이나 마른 피부에서 DNA를 추출하면 가능하지.

로봇 대변인은 인간의 문명을 재평가한 후, 인간이 모든 존재의 의미에 대한 열쇠라고 한다. 그러나 인간이 비인간을 파멸하는 데 직접적인 책임이 있으므로, 로봇이 인간의 과거에 대하여 가지는 향수는 그다지 의미가 없다. 또한 포스트 인간들은 인간의 영혼과 예술에서 가치를 발견하고 그들을 복제할 프로젝트에 착수하였다고 하여, 인간 복제의 개념을 다루고 있다. 인간 복제의 신비와 위험은 동시대 SF의 고전적 주제이기도 하다. "기계가 프로그래밍을 넘어서서 주체적으로 되는 것은 이 장르[SF 장르]의 일반적인 특성이다. 인간이 통제력을 잃고 심지어 파괴되는 이러한 이야기, 우리[인간]가 만든 기계가 우리의 집단 무의식의 주제와 미래의 악몽이 된다"(Wajcman 94)는 언급은 〈A.I.〉의 결론으로도 적절하다. 영화는 표면상 가족이 회복되는 해피 엔딩이지만, 이것은 포스트 인간들이 조작한 DNA 복제에 의한 것으로 기계가 프로그래밍을 넘어서서 진화하고 마침내 인류를 넘어선다는 심각한 주제를 이야기하는 것이다.

3

〈A.I.〉에서 스필버그는 어머니 사랑을 찾는 동화 그리고 올디스와 큐브릭의 인간에 대한 암울한 비전을 동시에 가진 세계를 시각화한다. 영화의 결말은 어머니의 사랑을 되찾고자 하는 데이빗의 소원을 이루도록 함으로써 가족 이미지를 강화하는 것처럼 보인다. 그러나 데이빗이 바다 밑에서 정지되었다가 2,000년 후에 만난 어머니는 DNA 복제에 의한 것으로, 아들과 어머니가 재회한 완벽한 날은 단 하루 동안 지속되어서 불안하게 공허하다. 그러므로 〈A.I.〉에서 가족 이미지를 회복하는 것처럼 보이는 미래는 디스토피아 세계에 대한 비전일 뿐이다.

〈A.I.〉의 하비 교수와 헨리 부부를 중심으로 하는 인간 가족들은 "지상 최대의 공포 쇼"이다(Thomas 260). 데이빗을 만든 하비 교수와 그를 입양한 헨리 가족은 가능한 한 그를 나쁘게 다루었다. 하비 교수는 자신의 열망과 오만함을 따르면서 데이빗을 만든 후 그를 헨리 가족에게 보낸다. 데이빗의 양부모 헨리와 모니카는 필요에 따라 그를 선택하기도 하고 내다 버리기도 한다. 데이빗은 버려진 후의 험난한 여정을 경험한 후 자신이 전혀 유일하지 않으며 대량 생산되었다는 압도적이고 명백한 증거와 마주한다. 그러나 무엇보다도 사랑하는 어머니 모니카의 배신이 그에게는 가장 큰 슬픔이다. 그녀는 사악한 계모처럼 데이빗을 버리기 위하여 운전석에 앉아있고, 그를 숲

속에 버리면서 세상에 대하여 더 많이 알려주지 않아서 미안하다고 한다. 그러나 모든 인간은 안드로이드를 사용하다가 싫증을 낼 수 있고 이기적이라는 사실을 알려주었다고 하더라도, 안드로이드인 데이빗이 사랑하는 어머니와 헤어진 후 그보다 더 잘 적응했을 것 같지는 않다.

〈A.I.〉가 보여주는 이기적인 인간들로 구성된 가족의 모습은 스필버그와 큐브릭의 방식이 공존하는 것을 재현하는데, 이외에도 큐브릭적 증거는 영화의 여러 부분에 존재한다. 인간보다 더 우아하고 유쾌하며 도덕관념이 없는 조가 멋지게 활보하는 모습, 플레시 페어에서 로봇들이 무자비하게 파괴되는 장면, 데이빗이 탄 수륙양용 헬리콥터가 푸른 요정의 석고상과 함께 영원한 교착 상태에서 정지되어있는 것, 무엇보다도 마지막 장면에서 진화한 로봇이 멸종된 인류의 유적을 절망적으로 여기는 것 등이 그러한 예들이다.

〈A.I.〉의 마지막 부분에서 지구의 주인이 된 포스트 인간이 데이빗을 구원하여 그와 어머니가 재회하도록 한 감상적인 완벽한 날은 격렬한 영화의 중심부에 달콤한 설탕을 입힌다. 진화한 로봇들이 데이빗의 소원을 이루어주는 것은 그의 행복에 관심을 보이는 것이다. 이것은 그를 만든 창조자 하비 교수와 그를 입양한 헨리와 모니카 부부가 그를 모질게 대하는 것과 상당히 대조된다. 영화는 이처럼 비인간적 존재들이 인간에게는 부족한 깊은 감정이 있음을 재현한다. 포스트 인간들은 인간에게 형언할 수 없는 질과 능력의 '정신'이 있었다고 하지만, 그들은 인간 조상의 통제 불가능한 이기심이나 무책임과 분명하게 대조되면서 진화한 로봇들의 정의 공동체를 형성한다. 같은 시각에서 데이빗과 같은 시대의 로봇인 테디와 조는 인간보다 포스트 인간의 더욱 직접적인 조상이라고 할 수 있다. 이러한 관점에서 영화 〈A.I.〉와 소설 『슈퍼토이』는 인간이란 무엇인가에 대한 의문을 제기하여 인간, 비인간, 포스트 인간이 만드는 디스토피아 세계의 가능성을 재현한다.

결론

영국 어린이 환상문학의 문학적 가치와 교육적 활용

영국 아동문학과 어린이 환상문학은 낭만주의 시대에 상상력과 동화, 어린이에 대한 재평가와 더불어 발전하였다. 특히 빅토리아 시대에 유럽대륙으로부터 페로, 그림형제, 안데르센의 동화가 유입되어 유행한 것은 아동문학 발전에 커다란 영향을 주었다. 이 시대 아동문학은 상상력과 어린이 예찬에 근거하여 가르침은 물론 읽는 즐거움을 가진 동화유형의 어린이 환상문학으로 발전하였다. 어린이 환상문학은 산업혁명 기간에 삶의 비평을 포함하는 문학의 역할을 하였다. 작가들은 어린이를 도시화·산업화한 문명보다 앞선 옛날, 전원, 순수한 창조물에 대한 은유로서 받아들였다. 또한, 잃어버린 전원과 잃어버린 아동기라는 개념이 잃어버린 순수함을 동경하는 감정에 주입되어 작품에 반영되었다. 어린이 환상문학 작품들은 동화의 판타지 안에서 현실 세계를 재현하거나 전복하면서 삶에 대한 논의를 발전시켰고 더 나은 세계에 대한 희망을 써나갔다. 그러므로 빅토리아 시대에 어린이 환상문학은 어린이에게 읽는 즐거움과 가르침을 주는 동시에 어른들에게도 인간의 삶에 대한 반성적 사고를 불러일으키거나, 미래세계에 대한 의문에 해답을 시사하면서 우리의 비판적 사고와 창의성을 자극해왔다. 대표적인 작가로 캐럴, 맥도널드, 와일드를 살펴보았다.

캐럴의 『앨리스』는 영국 어린이 환상문학의 시작을 알린 작품이다. 본서에서 살펴본 『이상한 나라』와 『거울나라』는 표면상 즐거운 동화형식으로 쓰여서 읽기에 즐거운 어린이 책 또는 난센스 정도로 오랫동안 폄하되었다. 그러나 캐럴의 작품들은 성공한 아동문학 작품의 의미를 넘어선다. 이 작품들은 당대 리얼리즘 작품 못지않게 동시대를 환상적으로 재현한 통찰력 있는 시대 풍자이자 논리적인 서사구조와 의미를 담고 있어서 영문학 정전으로 재평가받았다. 캐럴은 혼란스러운 시대에 구질서가 무너졌음을 절감하고 이에 대하여 슬퍼하였다. 이러한 인식은 『이상한 나라』에서 언어적 관례, 계급제도, 시간과 공간 등 규칙과 질서에 관한 이야기가 된다. 앨리스의 여행

목표는 아름다운 정원이었으나, 그곳의 주인은 하트의 왕과 여왕이고 이곳을 지배하는 것은 무질서와 광기이다. 앨리스의 이상한 나라 여행은 광기의 세계로 가는 것이기 때문에, 그녀는 질서 탐색에서 실패하여 아무것도 얻지 못한 채 그런대로 살만한 지상으로 돌아온다.

『거울나라』에서 앨리스가 여행한 거울나라는 그녀가 떠나온 빅토리아 시대를 반영한다. 이 작품의 주된 내용인 노년의 백기사가 성장하는 앨리스를 슬프게 사랑하는 것은 변화하는 시대에 문화적 · 도덕적 상실에 대한 고통스러운 인식의 표현이다. 구식의 백기사는 구세계를 대표하며 새로이 도래한 세계에서 더는 품위 있게 행동할 수 없는 중상류층의 가치를 간직한 캐럴 자신을 암시한다. 성장하는 앨리스는 백기사와 같은 계층에 속하지만, 그들의 가치인 오래된 부르주아 규칙과 관례가 위태로운 것을 알지 못한 채 새로이 도래하는 세계의 무질서 속으로 달려가서 의지를 행사할 수 있는 여왕이 된다. 그러나 앨리스 여왕이 승리하는 것으로 묘사되지는 않는다. 빅토리아 세계의 '무질서' 속에서 '교양'이 아무런 가치가 없어진 것처럼 인간의 문화적, 도덕적, 사회적 관례가 허약해진 문명의 정점에서 온전한 선택은 없기 때문이다. 『이상한 나라』와 『거울나라』는 표면적인 즐거움을 가진 아동문학일 뿐만 아니라 빅토리아 시대의 삶을 재현하고 논평한 작품으로 인식되면서 문학적 가치를 인정받게 되었다.

어린이 환상문학의 시대가 도래했음을 알린 작가는 캐럴이었지만, 맥도널드는 누구보다 상상력이 뛰어난 작가였다. 그는 살아생전에 아동문학가로서 최고의 인기를 누리면서 존경받았고, 후대 작가들에게도 많은 영향을 주었다. 대학생 시절 독일 낭만주의에 심취했던 맥도널드는 독일의 쿤스트메르헨과 그들의 철학 그리고 영국 작가들의 영향을 종합하여 작품을 썼다. 맥도널드는 「가벼운 공주」에서 「잠자는 숲속의 미녀」의 동화형식과 독일 낭만주의 작가들의 글쓰기 방식 등을 채택하여 공주가 무게를 회복하게 된 이야기를 한다. 맥도널드는 자기중심주의에 빠져있는 왕국에 사랑을 회복하기 위하여 두 명의 어린이 주인공을 등장시킨다. 맥도널드는 관습적인 사회질서와 사회관계를 희화화하고 새로운 행동양식과 가치를 창조할 가능성을 남녀 어린이 주인공에게 부여하는 것을 선호하였는데, 이 작품의 주인공, 가벼운 공주와 왕자는 자신은 물론 세상을 바꾸는 역할을 한다. 그들은 신비하고 관능적인 경험을 함으로써 자신들의 성장과 함께 사회통합의 주제를 구현한다.

『북풍의 등 뒤에서』와 『공주』 이야기는 하나의 리얼리티에 대한 이중의 이야기라는 공통점이 있다. 어린이 주인공들은 상상력을 통하여 환상세계를 여행한 후 실제 삶에 존재하는 문제를 해결하는 동시에 이상세계를 추구한다. 『북풍의 등 뒤에서』의 주인공 다이아몬드는 런던 노동자 계급의 가혹한 실제 삶과 아름다운 북풍과 함께 여행하는 꿈속의 삶을 경험한다. 다이아몬드는 북풍과 꿈속 경험을 한 후에 런던의 거리에 변화를 가져오지만 결국 죽어서 '북풍의 등 뒤'에서 평화를 발견한다.

『공주』 이야기는 『공주와 고블린』 그리고 『공주와 커디』로 구성된다. 『공주와 고블린』에서 어린 공주 아이린은 산꼭대기의 성에서 살고 있다. 성 아래에는 난쟁이 모양의 도깨비인 사악한 고블린 족, 그리고 성 위에는 신비롭고 아름다운 아이린의 할머니가 살고 있다. 지하의 고블린들은 성을 공격하기 위하여 굴을 파고 있다. 그러나 상상력을 사용할 수 있는 아이린 공주는 광부의 아들 커디와 함께 신비로운 할머니의 초자연적인 힘을 빌려 자신과 왕실을 구한다. 『공주와 커디』에서 아이린의 아버지, 즉 왕이 다스리는 도시는 부패하여 사악한 힘으로 가득한데, 아이린 공주와 커디는 이를 물리친 후 결혼하여 왕비와 왕이 된다. 그러나 두 사람이 후사 없이 죽자, 도시는 이전보다 더 큰 죄악에 빠져든다. 결국 "삶이 가장 활기를 띠는 어느 날 정오에 굉음과 함께 도시 전체가 붕괴하더니" 지상에서 영원히 사라진다. 그러나 "땅에 묻힌 엄청난 힘을 가진 햇빛"인 "산"(*PC* 1)으로 시작한 이 소설이 수많은 야생 사슴과 포효하는 강물이 존재하는 황무지로 끝나는 결론은 시작의 징후이다. 낭만주의 작가들의 순환하는 역사에 대한 믿음에 의하면 완전한 붕괴는 새로운 시작을 알리는 긍정적인 결론이 될 수 있기 때문이다.

맥도널드의 강한 믿음은 우리가 상상력을 사용한다면 리얼리티의 진실을 파악하고 문제를 해결하여 이상적인 공동체를 건설할 수 있다는 것이다. 그는 「가벼운 공주」에서 두 명의 어린이 주인공을 등장시켜서 신비한 경험을 하도록 하여 자신을 성장시키고 왕국의 통합을 가져오는 생명력 가득한 이야기를 만들었다. 『북풍의 등 뒤에서』와 『공주』 이야기는 디킨스의 리얼리즘 문학처럼 당대 런던의 문제점을 고발하고 해결방안을 모색하기 위한 시도이다. 맥도널드의 해결책은 요원한 제도의 개혁보다 상상력을 가진 개인의 변화를 주장한다. 그러나 위의 작품들에서 변화의 주체인 어린이 주인공 다이아몬드는 죽고 새로운 도시 퀸티스톰은 탐욕으로 인하여 무너지듯이 상상력을 가진 어린이 주인공과 새로운 세계는 죽거나 파멸한다. 그러나 그는 죽음과 붕괴가 새로운 생명과 시작을 가져오는 긍정적인 결론이라는 순환하는 역사의 흐름에 대한 믿음이 있었다. 맥도널드는 후대 작가들, 예를 들어 네스빗이나 루이스에게 많은 영향을 끼쳤다. 특히 현대 어린이 환상문학의 거장 루이스는 그의 작품의 상상력 풍부한 에너지를 찬양하며, 그 중심에 어린이가 있음을 강조한다.

와일드는 두 권의 동화집 『행복한 왕자』와 『석류나무의 집』에서 자신의 사회적 미학을 우아한 문체와 예리한 재치로 표현하였다. 그는 민담에 관심이 많았던 부모와 대학 시절 탁월한 스승들, 러스킨과 페이터로부터 직접적인 영향을 받았으니, 이들은 격식에 치우친 영국 상류층의 관습을 혐오하였다. 와일드는 순수 유미주의자라고 여겨져 왔지만, 자신의 동화에서 예술이 사회를 더 나은 곳으로 변화시킬 수 있다고 하였다. 그의 동화는 사회적 관심, 심미적 아름다움, 사회개혁 운동의 영향과 함께 영국 국교에 대한 비판적인 종교적 견해를 드러내었다.

와일드의 첫 번째 동화집 『행복한 왕자』의 동화들은 영국 부르주아 사회의 가치를 비판하고 산업화 과정에서 파생된 삶의 문제점을 폭로하였다. 이야기들은 위선적인 사회관습과 제도가 부당한 지배체제를 유지하는 방식을 묘사한다. 그의 동화는 또한 빅토리아 시대 피지배계층의 아픔과 고통의 기록이며, 플롯은 행복한 결말을 거부한다. 근대 자본주의의 열악한 제반 조건을 들추어내면서 이타적으로 행동하던 주인공들은 결국 비극적 상황에 놓이게 된다. 이런 상황에서 개인이 도달할 수 있는 최선의 상태는 그리스도처럼 희생당하는 것이다. 주인공이 고통받는 것으로 끝나는 와일드의 동화는 개인적인 희생과 사랑의 행위가 자본주의 사회의 사악한 규범이나 제도를 바꿀 수 없음을 암시한다. 두 번째 동화집 『석류나무의 집』의 대표작, 「어부와 그의 영혼」에서 어부는 교회와 사회에 등을 돌리고 인어에 대한 진실한 사랑을 선택하여 죽는 순간에 인어와 하나가 된다. 어부가 기독교에 불복종하는 것은 성직자와 장사꾼의 이익을 따르지 않겠다는 것으로 기존 사회제도에 대한 거부이다. 유미주의자인 와일드에게 사랑은 해방적 경험이었는데, 인간은 영혼의 간섭 없이 사랑하는 사람 또는 자기 자신과 하나가 될 수 있기 때문이다. 와일드는 이야기의 배경인 경건한 어조와 종교적 이미지를 사용하여 어부의 진실한 사랑을 찬양하고 기독교의 위선을 고발하면서 자신의 사회적 미학을 발전시킨다.

『행복한 왕자』와 『석류의 집』의 이야기들은 사회문제와 이에 대한 예술가의 혁신적인 역할을 숙고하면서 관례적인 해피엔딩을 전복시킨다. 19세기 영국 부르주아 사회와 상류층의 규격화된 사회제도에서 이에 반하는 주인공들은 자신의 꿈을 이룰 수 없고 희생당할 수밖에 없지만, 그럼에도 그들은 아름다움을 찾기 위하여 변화를 시도한다. 와일드의 동화와 주인공들 각자는 하나의 예술품이며, 그들의 이타적인 행위는 슬픈 상황에 변화를 가져오기 위한 희망의 빛을 비춘다.

에드워드 시대의 작품들에서 주인공 어린이들은 자신의 현실을 극복하거나 부와 신분을 향상시키기 위한 도구로서 마법을 사용한다. 어린이 환상문학의 마법은 종종 현재 상황을 극복하거나 회복하도록 하고, 또는 무엇인가를 보호하는 것을 포함한다. 이 시대의 작품들에 사용된 마법은 등장인물의 리얼리티에 다른 시간을 가져오거나, 자연과 초자연이 상호작용하도록 하여 자신이나 가족, 독자들을 치유하는 힘이 된다. 대표적인 작가들, 버넷, 네스빗, 배리는 동화 또는 스토리텔링을 작품에 사용하여 우리의 현실을 구할 수 있는 상상력의 가치를 보여준다.

버넷의 「신데렐라」 유형으로 쓰인 자전적 소설 『소공녀』, 그리고 「잠자는 숲속의 미녀」 유형으로 쓰인 『비밀의 정원』에서 상상력은 자신을 구하는 힘으로 작용한다. 『소공녀』에서 주인공 세라는 인도에서 중산층의 안락한 삶을 살았지만, 지극히 가난한 상태로 떨어졌다가 이전의 부와 행복을 회복한다. 이 소설에서 세라는 수동적인 신데렐라들과 달리 성장하는 주인공의 모습을 보인다. 세라의 신분 회복은 기다림이나 왕자와의 결혼에 의한 것이 아니라 전적으로 그녀 자신의 상상력과 돌보는 역할에 기인한다. 그녀는 상상력을 바탕으로 스토리텔러가 되고 어머니 역할을 하면서 다락방에서의 역경을 이겨내어 자신의 신분과 재산을 되찾는 것이다. 그녀의 스토리텔러 역할과 양육하는 어머니 역할은 자신과 아버지를 돌보는 것에서부터, 민친 기숙학교의 어머니 없는 학생들, 거리의 굶주린 아이들로 확장되는 것처럼 가정을 넘어 사회경제적 영역이 다른 소녀들을 위한 여성 공동체까지 확대될 것이라는 비전을 갖게 한다.

『비밀의 정원』은 열 살 된 메리의 탐색 이야기이다. 소설은 가부장적 사회에서 여성의 역할을 발견하고 이것을 발전시키기 위하여 여성성에 내재한 생명력에 의존한다. 미셀스웨이트 저택의 주인 아치볼드는 정원을 폐쇄하고 방치하였으며 저택을 거의 잠에 빠뜨렸다. 그러나 메리가 그곳에 도착하면서 치유의 이야기가 시작된다. 메리는 집과 정원의 문지방을 넘으면서 저택에 만연한 잠, 즉 죽음을 삶의 에너지로 바꾸어놓는다. 릴리아스의 상상력은 장미정원을 만들었지만, 그녀의 죽음과 함께 아치볼드는 정원을 폐쇄하여 치유의 중심 영역인 정원을 방치하였던 것이다. 그러나 메리는 퇴락 직전의 정원을 발견하고 살려내어서 대지의 생명력을 저택 중심의 남성들에게 가져간다. 메리와 정원으로 상징되는 모성이 죽어있고 감금된 저택의 미로에 생명력을 불어넣으면서 자기 연민과 자기중심적인 남성들을 치유하는 것이다.

버넷의 두 작품 속 여주인공들, 즉 세라의 모성은 가정을 넘어 사회로 확장되었고 메리의 모성은 비밀의 정원과 크레이븐 부자를 살리는 원동력이 된다. 또한, 두 편의 소설에서 모성에 대한 버넷의 생각은 전통적인 여성의 역할에서부터 더욱 성 중립적인 역할에 이르기까지 발전한다. 버넷의 의도는 모성이 생물학적·법적으로 제한되는 것이 아니라, 양육하는 힘을 가진 벤이나 디콘처럼 남녀노소 누구든지 선택할 수 있는 의식적인 역할이라고 제안한다.

네스빗의 사미어드 삼부작, 즉 『다섯 아이들과 그것』, 『부적 이야기』, 『불사조와 양탄자』는 어린이 환상문학의 도피적 자질을 찬양하는 한편 교훈적인 아동문학을 패러디하지만, 어린이를 위한 교훈과 어른을 위한 삶의 논평을 포함한다. 한 가정의 아이들이 나오는 사미어드 삼부작은 사미어드, 불사조, 부적과 같은 마법적 존재들과 함께 아이들의 환상적인 모험 이야기를 발전시킨다. 사미어드 삼부작은 상상력이 풍부하게, 비유적 또는 은유적으로 존재의 물질적 조건에 관심을 가지면서 어린이의 읽는 즐거움과 교훈은 물론 사회비평과 비전을 포함한다.

사미어드 소설은 사회적 불평등을 부드럽게 풍자하면서 유토피아 세계를 제안한다. 『다섯 아이들과 그것』에서 사미어드가 들어준 소원은 오히려 성가신 일들을 일으킨다. 아이들은 아름다워지고 싶은 소원을 이루었으나 집에 들어가는 것을 금지당하고, 부자가 되고 싶은 소원을 이루었으나 물건을 살 수 없으며, 원하던 날개를 얻었으나 교회 탑 꼭대기에서 발이 묶이는 식이다. 소설은 아이들이 가진 소망의 순진함과 그 결과에서 비롯되는 상황의 부조리함을 이야기하면서 그들이 속한 중산층 삶이 가진 장점을 배우도록 한다. 『불사조와 양탄자』에서 어리석고 자만심 강한 불사조 이야기도 사미어드 이야기에 못지않은 성공을 거두었다. 소설은 중산층의 이상인 절제, 이타주의, 친절한 개인주의적 행위와 함께 욕망과 경제적 불평등의 이야기를 발전시킨다. 『부적 이야기』는 좀 더 진지한 작품으로 시간과 연관이 있다. 어린이 주인공들은 절반의 부적을 얻게 되자, 나머지 절반을 찾아서 하나의 부적을 만들기 위하여 과거와 미래로 여행한다. 페이비언 협회의 회원이었던 네스빗은 아이들의 환상적인 여행을 통하여 그들의 영국 사회가 매우 진보되었지만 역사를 통하여 최상은 아님을 인식시키면서 미래의 유토피아 사회를 제안한다. 네스빗은 이러한 비전을 현대 영국의 현실에서 가정의 회복으로 제시하면서 이야기를 마무리한다.

사미어드 소설은 현실에 마법적 존재를 끌어들여 어린이들의 환상적인 모험 이야기를 전개하면서 중산층 삶이 주는 소중함을 가르친다. 또한 이야기는 상상력이 풍부하게, 또는 비유적·은유적으로 존재의 물질적 조건에 대하여 관심을 가지거나 비평하면서 새로운 세상을 꿈꾸지만 그것의 실현방안을 현실에서 가정의 회복으로 제시하고 있다.

배리는 피터 팬과 네버랜드를 창조하여 영원히 기억되는 작가이다. 피터 팬 이야기를 처음으로 출판한 소설 『피터와 웬디』와 이 이야기를 재화한 스필버그의 영화 〈후크〉는 상상력을 바탕으로 하는 스토리텔링에 관한 이야기이다. 『피터와 웬디』에서 네버랜드의 상상적 존재인 피터의 자라지 않는 특성은 웬디와 다른 어린이 등장인물들을 성장시킨다. 피터는 런던이라는 현실세계와 네버랜드라는 환상세계를 연결하는 중재자로서 현실의 웬디와 다른 아이들을 환상세계로 초대하여 성장하도록 한다. 웬디는 피터로 인하여 네버랜드로 간다. 그곳에서 그녀는 스토리텔링과 바느질로 상징되는 어머니 역할을 수행하면서 자신과 아이들을 성장시킨 후 그들을 데리고 현실세계인 런던으로 돌아온다. 어른이 된 웬디는 자신이 듣고 경험한 피터 팬과 네버랜드 이야기를 딸 제인에게, 제인은 다시 그녀의 딸 마거릿에게 들려주면서 아이들을 성장시킨다. 서구의 이야기 전통에서 스토리텔링은 여성의 중요한 능력으로 인식되어왔다. 『피터와 웬디』에서 스토리텔링은 화자 역할을 하는 어머니 인물들, 즉 달링 부인, 그녀의 딸 웬디, 웬디의 딸 제인, 제인의 딸 마거릿에 의하여 전달되고 확장된다. 배리는 자신의 스토리텔링을 어머니의 것으로 만들어서 이것을 서구의 오래된 여성 스토리텔링 전통에 위치하도록 하여 여성들이 들려주는 이야기와 영향력을 보여준다.

동시대에 스필버그의 〈후크〉는 피터 팬 이야기를 재화한 영화로서 현대사회가 요구하는 남성 역할을 제안한다. 피터 팬 이야기의 표면 아래서 중년의 위기에 처한 성인 남성 주인공 피터 배닝은 잃어버린 부성을 회복하기 위하여 네버랜드로 가는 상상의 여행을 한다. 그는 이 여행에서 내적인 팬, 즉 내면의 어린이를 발견하여 해방하고 그것을 성인의 정체성과 통합하여 새로운 정체성을 찾는 여정을 보여준다. 즉, 배닝은 아동기의 감상을 회복하여 새로운 시대가 요구하는 양육하는 부성이라는 성인 남성의 남성성을 회복한다. 배닝이 자신의 어린 시절 모습, 팬과 만남으로써 남성성을 회복하듯이, 성인이 내면 아이를 만나서 그와 화해하는 것은 상상력과 연관된다. 이처럼 이 영화는 우리 시대의 일 중독에 빠진 성인 남성들에게 어린 시절의 놀이, 상상력, 모성을 인정하고 내면화할 필요가 있음을 시사한다.

영국 어린이 환상문학은 20세기 이래로 어린이의 실제 삶에 더욱 꾸준히 관여하면서 이 장르가 이전에 가지지 못했던 정신적·도덕적 복잡성을 성취할 뿐만 아니라 우주에 대한 제한된 견해로부터 더욱 넓고 열린 삶에 대하여 긍정적인 견해를 제안한다. 사실 경험 세계에 부재하는 불가능해 보이는 일을 다루는 어린이 환상문학이 결코 순진한 텍스트는 아니지만 우리는 이러한 작품들의 환상세계가 다루는 다양한 현상의 가능성을 받아들일 만하게 성숙하였다. 롤링과 올디스로 대표되는 동시대 어린이 환상문학 역시 동화의 전통을 수용하면서 동시대 삶의 문제를 비평하거나 과학 발달의 시대에 우주에 대한 폭넓은 시야를 가지도록 하면서 우리의 현재와 미래의 삶에 대하여 논평하고 예측한다.

롤링의 일곱 권으로 구성된 『해리포터』 시리즈는 20세기 말부터 21세기 초에 세계적인 밀리언셀러가 되면서 어린이 환상문학의 대중성을 확보하였다. 더불어 이 작품들은 다양한 문화 콘텐츠, 예를 들어 영화, 게임, 테마파크, 관광 상품, 소품 등으로 재생산되면서 문화현상을 만들어왔다. 마법사들과 중세 건물로 시각화된 호그와트, 진기한 교과목들, 각종 마법 도구와 더불어 전개되는 『해리포터』 소설은 오늘날 현실에는 존재하지 않는 소재들로 가득하여 독자의 호기심을 자극한다. 이러한 『해리포터』의 가치와 성공 요인은 환상적 마법세계를 표방하는 서사에 있다. 롤링은 탄탄한 동화서사 또는 영웅서사 구조를 바탕으로 다양한 문학적 선례와 대중문학적 특성을 혼합하여 『해리포터』를 흥미롭게 발전시켰다. 동화유형으로 쓰인 어린이 환상문학은 마법적 상상력의 공간에서 등장인물들을 부담 없이 유희하도록 할 뿐만 아니라 그 안에서 작가의 사회에 대한 논평 또한 포함하는데, 『해리포터』 역시 이러한 특성을 보인다.

『해리포터』는 동화의 회귀적 구성, 동화의 대주제인 선과 악의 투쟁이 사용되어 선이 승리하는 해피엔딩, 동화의 진보적이면서 보수적인 특성을 동시에 갖는다. 서사시적 선악의 싸움을 이끌어가는 해리포터는 처음에 구박받는 고아로 등장한다. 그러나 그는 많은 대중 서사의 주인공들을 합친 것보다 더욱 강하게 발전한다. 선을 대표하는 강력한 동화 주인공과 함께 마법적·해방적 공간에서 펼쳐지는 메시지는 즐거운 기대를 갖게 한다. 그러나 독자들은 현실과 별다른 것 없는 작가의 메시지를 경험하고, 문제적 상황은 안전선을 넘어서지 않는 범위에서 해결되면서, 환상세계는 자연스럽고 인정할만한 세계로 받아들여지게 된다. 롤링은 동화의 현실 인식과 소원성취의 특성 가운데 보수적 특성에 더욱 충실한 것이다. 이것은 사회 발전만큼이나 사회 안정에 가치를 두는 것이고, 동화의 교육적 특성과 연관된다. 동화의 보수적 본질은 아동문학 작품에 일반적으로 반영되며, 모든 아동문학은 불가피하게 교훈적으로 되는 것이다. 이러한 주장은 어린이 환상문학의 마법이 현실에 도전하기보다 현실을 재현하는 장치임을 의미하며, 『해리포터』에도 적용된다.

해리포터 영화는 판타지 블록버스터인 동시에 헤리티지 영화의 특징을 보이는 하이브리드 영화인데, 본서는 이 영화의 헤리티지 특징을 논의하였다. 해리포터 영화는 향수와 진보라는 헤리티지 영화의 주제를 표방하기 위하여 중상류층을 위한 사립 기숙학교인 호그와트 마법학교를 도입하여 계급의 정체성에 대한 의미와 변화하는 권력구조가 가져오게 될 두려움과 긴장감을 서사와 영상에서 전개한다. 호그와트 자체와 그곳에서 펼쳐지는 남성적 싸움은 과거 중상류층 엘리트 남성들의 삶과 문화를 재현하지만, 그들은 자신들의 삶이 도전받고 있다는 사실을 인식한다. 말포이 가의 몸부림은 상류층이 갖는 집단정체성의 위기와 이것을 극복하기 위한 시도를 나타내며, 호그와트는 결국 혼혈 영웅 해리포터가 계승하게 된다. 해리포터 영화를 포함하여 영국 헤리티지 영화는 과거 영국의 국가 이미지와 더불어 변화하는 세상의 가치를 수용하는 혁신성이라는 헤리티지 영화의 주제를 재현한다.

즉, 헤리티지 영화는 문화의 실체와 환상의 경계를 해체하여 다양한 분야를 활성화하고 변화하는 미래를 수용하면서 전 세계에 영향을 주고 있다.

올디스를 중심으로 동시대 SF에 대하여 논의하였다. 올디스는 SF의 기원이 메리 셸리의 『프랑켄슈타인』이라는 자신의 주장에 근거하여 『프랑켄슈타인의 해방』이라는 소설을 발표한다. 『프랑켄슈타인의 해방』은 SF란 포스트-고딕적이거나 판타지 유형이며 서구 문명의 분리된 자아, 즉 이성과 감성, 좌뇌와 우뇌의 통합을 위한 문학양식이라는 정의를 함축하여 보여준다. 『프랑켄슈타인의 해방』과 이를 영화화한 〈프랑켄슈타인의 해방〉에서 보덴랜드/뷰캐넌은 작가 올디스를 대변하는 주인공이다. 보덴랜드/뷰캐넌은 과거와 미래로 가는 시간여행에서 산업혁명을 기점으로 시작된 과학기술의 발전이 현재와 미래로 이어지면서 이성으로 치닫는 현대사회에 경각심을 불러일으킨다. 보덴랜드가 방문하는 미래세계에서 우리의 이성 지향적인 사회는 마침내 빙산으로 둘러싸인 황량한 도시의 디스토피아를 시각화한다. 이처럼 파괴적이고 종말론적인 세계가 암시하는 것은 무책임한 과학적·상업적 착취가 승리한 직접적인 결과이다. SF 문학은 이러한 불균형을 치유하기 위하여 모성 또는 아동기의 회복을 통한 감성의 회복, 즉 이성/감성의 통합을 제안한다.

올디스의 『슈퍼토이』와 이를 바탕으로 제작된 스필버그의 영화 〈A.I.〉는 피노키오 동화의 행복한 구성안에 큐브릭적 사유, 즉 인간과 비인간, 포스트 인간이 만드는 디스토피아 세계의 가능성을 보여준다. 『슈퍼토이』는 포스트 인간인 인공적인 것들이 인류를 대체할지도 모를 미래사회를 배경으로 인간에 관한 슬픈 논평을 전개한다. 『슈퍼토이』에 근거하는 〈A.I.〉는 인간이 로봇을 만들어서 괴롭히고, 환경을 잘못 경영함으로써 생물학적 삶을 마감하는 디스토피아적 미래사회를 예견한다. 더불어 이 영화는 큐브릭적 사유를 포함하여 비인간의 주체화를 재현하는 점이 놀랍다. 아이 로봇이 자신의 이야기에 주인공으로 등장하는 것은 인간이 과학의 주체라는 헤게모니 적 입장에 도전한다. 이 영화는 어머니의 사랑을 찾는 동화와 인간에 대한 암울한 비전 사이에서 서성이다가 데이빗이 어머니의 사랑을 회복하는 소원을 이룸으로써 가족 이미지를 강화하는 것처럼 보인다. 그러나 2,000년 후 데이빗이 만난 어머니는 DNA 복제에 의한 복제인간이고, 아들과 어머니가 된 완벽한 날은 단 하루로 매우 짧고 불안하며 공허하다. 그러므로 〈A.I.〉에서 가족 이미지를 회복하는 듯한 결말은 미래의 디스토피아 세계에 대한 암울한 비전일 뿐이다.

소설 『슈퍼토이』와 영화 〈A.I.〉를 포함하여 SF의 상상력은 현실과 다른 가상세계를 제안하거나, 외계인이나 이계 생물에 관한 과학적 상상력이나 지식을 전제로 한 인간 존재의 의미와 인간적 삶의 문제를 조명하고 반성하도록 한다. 특히 미래사회를 그린 일련의 SF 작품들은 우리와 함께 살아가게 될지도 모를 타자들이 존재하는 미래사회를 유토피아 또는 디스토피아라는 극단적 세계로 형상화함으로써 첨단 과학기술을 장착한 미래사회에 관한 낙관론 또는 비관론의 상반된 견해를 표현한다. 본서에서 논의하였던 『슈퍼토이』와 이를 영화화한 〈A.I.〉 역시 폭발적인 과학발전의 시대에 인간이란 무엇인가에 대한 의문을 제기하면서 인간, 비인간, 포스트 인간이 공존하게 될 미래사회를 디스토피아 세계로 재현한다.

영국 빅토리아 시대부터 동시대까지 어린이 환상문학은 어린이, 상상력, 동화에 대한 관심과 더불어 발전하였다. 영국 어린이 환상문학을 요약한다면, 이 장르는 온갖 기적과 우리가 꿈꾸지 못했던 것들이 현실이 되는 장르로, 지금까지도 생명력을 유지하고 있으며 앞으로도 그러하리라고 생각한다. 어린이 환상문학은 현실과 관계를 맺고 있음에도 불구하고 환상세계를 통해 독자가 알아야 할 현실의 모습을 은유적으로 제시한다. 이에 대하여 아동문학 연구자들은 “리얼리티와 더 많이 접촉하기 위하여 상상력을 사용한다”(Zipes 141)라고 하거나 동화와 동화에 뿌리를 두고 있는 어린이 환상문학이 “당신을 더욱더 잘 설득한다”(Warner 193)라고 한다. 이처럼 어린이 환상문학은 상상력으로 창조한 환상세계에서 즐거운 오락으로 위장한 후 능숙하게 세상을 비평하거나 대안적 세계를 제안해왔다. 또한 어린이 환상문학은 어린이라는 수식어에 갇히지 않으며, 상상력을 사용하여 현재 이전, 현재, 미래의 삶을 논평하면서, 삶의 현상이 드러내지 않는 질서의 이면이나 또 다른 진실을 보여주는 은유적 공간이 되고 있다. 그래서 영국 어린이 환상문학은 재미있고 신비한 어린이를 위한 세계이기도 하지만 현재의 우리가 미처 깨닫지 못한 또는 아직 도달하지 못한 이상적인 세계를 제안하면서 본류 영문학 작품들처럼 삶에 대하여 논평한다.

그러므로 영국 아동문학과 어린이 환상문학은 우리가 영문학을 연구하고 가르쳐온 기존의 방식에 대안이 될 수 있을 것이다. 아동문학은 나이와 상관없이 5세이든, 50세이든, 75세이든, 어린이의 마음을 가지고 있는 사람들을 위한 책이다. 정전으로 포함된 아동문학 작가들은 어린이는 물론 궁극적으로 어른들에게 메시지를 가진 작품을 썼기 때문이다. 우리나라와 같은 비영어권 대학의 영문학 교육과정에 아동문학을 도입하자는 논의는 학생들이 비교적 쉽게 읽고 공감할 수 있는 작품들을 도입하여, 그들이 문학의 즐거움은 물론 문학을 통한 비판적 사고능력과 창조적 상상력을 기르도록 하자는 것이다. 영문학 자체의 전문성과 순수성이란 이유로 인하여 영문학을 고립시킬 수 있는 상황은 이미 아니다. 아동문학, 또는 어린이 환상문학에 대한 관심이 어떤 이들에겐 기존의 틀을 깨야 하는 혁신적인 도전이 될 수 있으나, 이것이 기존 영문학과와 영문학 연구자는 물론 학생들에게 문학작품을 즐기고 다양하게 활용하도록 하는 대안이 될 수 있을 것이다.

참고문헌

서론 영국 어린이 환상문학

강내희. 『문학의 힘, 문학의 가치－문학의 유물론적 이해』. 서울: 문화과학사, 2003.

김태원. 「영문학(과) 교수의 역할과 가르치는 일에 대한 반성」. 『영미문학교육』 11.2 (2007): 23-43.

박상준 편. 『멋진 신세계』. 서울: 현대정보문화사, 1992.

박선희. 「'청년 문학' 교육연구」. 『영어영문학』 52.1 (2006): 179-95.

심경석. 「성장, 전복, 구원, 이데올로기: 영미 아동 및 청소년문학 교육」. 『현대영어영문학』 52.4 (2008): 163-82.

유제분. 「영미청소년문학, 영어교육, 그리고 젠더」. 『영미문학교육』 10.2 (2006): 129-50.

채유순. 「아동문학을 통한 영문학 교육의 위기극복 기여」. 『영어영문학』 52.1 (2006): 59-76.

최기숙. 『환상』. 서울: 연세대학교출판부, 2003.

Aldiss, Brian. *Billion Year Spree: The History of Science Fiction*. 2nd ed. London: Corgi, 1975.

Avery, Gillian, and Angela Bull. 1965. *Nineteenth Century Children: Heroes and Heroines in English Children's Stories 1780-1900*. London: Hodder and Stoughton, 1965.

Bloom, Harold. "Can 35 Million Book Buyers Be Wrong? Yes." *Wall Street Journal* 11 July (2000): A26.

Carlyle, Thomas. *Collected Works of Thomas Carlyle*. London: Chapman & Hall, 2000.

Carperter, Humphery. *Secret Gardens: The Golden Age of Children's Literature From Alice's Adventures in Wonderland to Winnie-the-Pooh*. MA: Houghton Mifflin, 1985.

Carperter, Humphery, and Mari Prichard. *The Oxford Companion to Children's Literature*. Oxford: Oxford UP, 1984.

Crouch, Marcus. *The Nesbit Tradtion: The Chidlren's Novel 1945-1970*. London: Benny Hardoun, 1972.

Clute, John, and John Grant. *The Encyclopedia of Fantasy*. New York: St. Martin's Griffin, 1997.

Dickens, Charles. "Frauds on the Fairies." *Nineteenth Century Children: Heroes and Heroines in English Childrens's Stories, 1780-1900*. Eds. Gillian Avery and Angela Bull. London: Hodder & Stoughton, 1965.

Foster, Shirley, and Judy Simons. "Frances Hodgson Burnett: The Secret Garden." *What Katy Read: Feminist Re-Readings of 'Classic' Stories for Girls*. Iowa: U of Iowa P, 1995.

Guiliano, Edward, ed. *Lewis Carroll: A Celebration-Essays on the Occasion of the 150th Anniversary of the Birth of Charles Lutwidge Dodgson*. New York: Clarkson N. Portter, 1982.

Manlove, Colin N. *The Fantasy Literature of England*. Bastingstoke: Palgrave Macmillan, 1999.

Nikolajeva, Maria. *The Magic Code: The Use of Magical Patterns in Fantasy for Children*. Stockholm: Almqvist and Wicksell International, 1988.

Prickett, Stephen. *Victorian Fantasy*. 2nd ed. Waco: Baylor UP, 2005.

Reynolds, Kimberley. *Children's Literature in the 1890s and the 1990s*. Plymouth: Northcote House, 1994.

Rowe, Karen E. "To Spin a Yarn: The Female Voice in Folktale and Fairy Tale." *The Classic Fairy Tales*. Ed. Maria Tatar. New York: Norton, 1999.

Taylor, Edgar, trans. and ed. *German Popular Stories*. 2 vols. Miami: Hard P, 2017.

Wullschläger, Jackie. *Inventing Wonderland: The Lives and Fantasies of Lewis Carroll, Edward Lear, J. M. Barrie, Kenneth Grahame and A. A. Milne*. New York: The Free P, 1995.

Zipes, Jack. *Fairy Tales and the Art of Subversion*. 2nd ed. New York & Oxon: Routledge, 2006.

Guiliano, Edward, ed. *Lewis Carroll: A Celebration-Essays on the Occasion of the 150th Anniversary of the Birth of Charles Lutwidge Dodgson.* New York: Clarkson N. Portter, 1982.

Taylor, Edgar, trans and ed. *German Popular Stories.* 2 vols. Miami: Hard P, 2017.

Zipes, Jack. *Fairy Tales and the Art of Subversion.* 2nd ed. New York & Oxon: Routledge, 2006.

1장 ㅣ 루이스 캐럴: 영국 어린이 환상문학의 전환점

『이상한 나라의 앨리스』: 동화형식에 담긴 삶의 비평

니콜라예바, 마리아. 『용의 아이들』. 김서정 옮김. 서울: 문학과지성사, 1998.

프로프, 블라디미르. 『민담형태론』. 황인덕 옮김. 서울: 대방출판사, 1987.

Aarne, Antti and Stith Thompson. *The Types of Folktales: A Classification and Bibliography.* Indiana University, 2nd revision. Helsinki: Academia Scientiarum Fennica, 1973.

Ayres, Harry Morgan. "Alics's Adventures in Education." 1932, 1936. *Alice's Adventures in Wonderland: A Critical Handbook.* Ed. Donald Rackin. Belmont: Wadsworth Publishing Company, 1969.

Carroll, Lewis. *The Complete Works of Lewis Carroll.* Introduction by Woollcott Alexander. New York: The Modern Library, 1936.

______. *Alice in Wonderland.* 1865. *Alice in Wonderland—A Norton Critical Edition.* 2nd ed. Ed. Donald J. Gray. New York: Norton, 1992.

______. *Through the Looking-Glass and What Alice Found There.* 1872. *Alice in Wonderland—A Norton Critical Edition.* 2nd ed. Ed. Donald J. Gray. New York: Norton, 1992.

______. *Alice's Adventures Under Ground.* 1886. Ed. Russell Ash. London: Pavilion Books, 1985.

______. *The Diaries of Lewis Carroll.* 2 vols. Ed. Roger Lancelyn Green. London: Cassell, 1953.

Collingwood, Stuart Dodgson. *The Life and Letters of Lewis Carroll.* London: Unwin, 1898.

Demurova, Nina. "Toward a Definition of Alice's Genre: The Folktale and Fairy-Tale Connections." 1982. *Lewis Carroll: A Celebration.* Ed. Edward Guiliano. New York: Clarkson N. Potter, 1982.

Empson, William. "The Child as Swain." 1935. *A Norton Critical Edition.* 2nd ed. Ed. Donald J. Gray. New York: Norton, 1992.

Fordzce, Rachel. *Lewis Carroll: A Reference Guided.* Boston: G. K. Hall, 1988.

Gardner, Martin, ed. *The Annotated Alice · Lewis Carroll.* New York: Bramhall House, 1960.

Guiliano, Edward. "Laughing and Grief: What's So Funny about the Alices?" 1976. *Alice's Adventures in Wonderland and Through the Looking-Glass-Nonsense, Sense, and Meaning.* Ed. Donald Rackin. New York: Twayne Publishers, 1991.

______, ed. *Lewis Carroll: A Celebration-Essays on the Occasion of the 150th Anniversary of the Birth of Charles Lutwidge Dodgson.* New York: Clarkson N. Portter, 1982.

Otten, Terry. "After Innocence: Alice in the Garden." *Lewis Carroll: A Celebration.* Ed. Edward Guiliano. New York: Clarkson N. Potter, 1982.

Propp, Vladimir. *Morphology of the Folk Tale.* 1928. Trans. Laurence Scott. 2nd ed. Ed. Louis Wagner. Intro. Alan Dundes. Austin: U of Texas P, 1968.

Rackin, Donald, ed. *Alice's Adventures in Wonderland and Through the Looking-Glass: Nonsense, Sense, and Meaning.* New York: Twayne Publishers, 1991.

Tatar, Maria. *Off With Their Heads!—Fairy Tales and the Culture of Childhood.* NJ: Princeton UP, 1992.

Townsend, John Rowe. *Written for Children: An Outline of English-Language Children's Literature.* 1965. Chatham: Bodley, 1990.

Wullschläger, Jackie. *Inventing Wonderland: The Lives and Fantasies of Lewis Carroll, Edward Lear, J. M. Barrie, Kenneth Grahame and A. A. Milne.* New York: The Free Press, 1995.

Zipes, Jack. *Fairy Tales and the Art of Subversion*. 2nd ed. New York & Oxon: Routledge, 2006.

______. Trans. *The Complete Fairy Tales of Brothers Grimm*. New York: Bantam Books, 1987.

『거울나라의 앨리스』: 사랑에 대한 탐색

Carroll, Lewis. *The Complete Works of Lewis Carroll*. Introduction by Woollcott Alexander. New York: The Modern Library, 1936.

______. *Through the Looking-Glass and What Alice Found There*, 1872. *Alice in Wonderland—A Norton Critical Edition*. 2nd ed. Ed. Donald J. Gray. New York: Norton, 1992.

______. *The Diaries of Lewis Carroll*, 2 vols. Ed. Roger Lancelyn Green. London: Cassell, 1953.

Empson, William. "The Child as Swain." *Aspects of Alice*. Ed. Robert Phillips. Harmondsworth: Penguin, 1971.

Gardner, Martin, ed. *The Annotated Alice: The Definitive Edition*. New York: W. W. Norton & Company, 2000.

Guiliano, Edward, ed. *Lewis Carroll: A Celebration-Essays on the Occasion of the 150th Anniversary of the Birth of Charles Lutwidge Dodgson*. New York: Clarkson N. Portter, 1982.

Hume, Kathryn. *Fantasy and Mimesis—Responses to Reality in Western Literature*. New York: Metheun, 1984.

Hunt, Peter. *An Introduction to Children's Literature*. Oxford: Oxford UP, 1994.

Kelly, Richard. *Lewis Carroll*. Boston: Twayne Publishers, 1990.

Knoepflmacher, U. C. "Avenging Alice: Christina Rossetti and Lewis Carroll." *Nineteenth Century Literature* 41.3 (1986): 299-328.

Levin, Harry. "Wonderland Revisited." *Aspects of Alice*. Ed. Robert Phillips. Harmondsworth: Penguin, 1971.

Otten, Terry. "After Innocence: Alice in the Garden." *Lewis Carroll: A Celebration*. Ed. Edward Guiliano. New York: Clarkson N. Potter, 1982.

Rackin, Donald, ed. *Alice's Adventures in Wonderland and Through the Looking-Glass: Nonsense, Sense, and Meaning.* New York: Twayne Publishers, 1991.

Townsend, John Rowe. *Written for Children: An Outline of English-Language Children's Literature.* Chatham: Bodley, 1990.

2장 ㅣ 조지 맥도널드: '어린이의 마음을 가진 사람들'을 위하여

「가벼운 공주」: 어린이 환상문학의 가능성

쿠퍼, J. C.『그림으로 보는 세계문화 상징사전』. 이윤기 옮김. 서울: 도서출판 까치, 1996.

Carpenter, Humphrey and Mari Prichard. *The Oxford Companion to Children's Literature.* Oxford and New York: Oxford UP, 1984.

Frey, Charles and John Griffith. *The Literary Heritage of Childhood-An Appraisal of Children's Classics in the Western Tradition.* Westport: Greenwood, 1987.

Knoepflmacher, U. C. *Venture into Childland.* Chilcago: The U of Chicago P, 1998.

Lewis C. S. "Introduction." *George MacDonald's Phantastes and Lilith by George MacDonald.* MI: Eerdmans, 1964.

MacDonald, George. *A Dish of Orts.* London: Sampson Low, Marston, 1895.

______. *Dealing with the Fairies.* London: Alexander Strahan & Company, 1868.

______. "The Light Princess." *The Complete Fairy Tales.* Introduction and notes by U. C. Knoepflmacher. New York: Penguin Books, 1999.

McGillis, Roderick. *For the Childlike.* London: The Children's Literature Association and The Scarecrow Press, Inc., 1992.

Page, H. A. "Children and Children's Books." *Contemporary Review* 11, 1869.

Reis, Richard. *George MacDonald.* New York: Twayne, 1972.

Robb, David. *George MacDonald.* Edinburgh: Scottish Academic Press, 1987.

Wolff, Robert Lee. *The Golden Key: A Study of the Fiction of George MacDonald.* New Haven: Yale UP, 1961.

Zipes, Jack. *Fairy Tales and the Art of Subversion.* 2nd ed. New York & Oxon: Routledge, 2006.

Carpenter, Humphrey. *The Golden Age of Children's Literature From Alice's Adventures in Wonderland to Winnie-The-Pooh*. London: Faber and Faber, 2009.

Hastings, A. Waller. "Social Conscience and Class Relations in MacDonald's "Cross Purposes."" *For the Childlike: George MacDonald's Fantasies for Children*. Ed. Roeerick McGillis. Metuchen: Scarecrow P, 1992.

MacDonald, George. *At the Back of the North Wind*. 1871. New York: Everyman P, 2001.

______. *A Dish of Orts: Chiefly Papers on the Imagination, and on Shakespeare*. London: Sampson Low, Marston, 1893.

______. *The Princess and Curdie*. London: Puffin Books, 1994.

______. *The Princess and the Goblin*. London: Puffin Books, 1996.

MacDonald, Greville. *George MacDonald and His Wife*. California: Johannesen, 1998.

McGillis, Roderick. "Introduction." *George MacDonald—The Princess and the Goblin and the Princess and Curdie*. Oxford: Oxford UP, 1990.

______. "George MacDonald's *Princess* Books: High Seriousness." *Touchstones: Reflections on the Best in Children's Literature*. Ed. Perry Nodelman. West Lafayette: Scarecrow P, 1985.

______. "Language and Secret Knowledge in *At the Back of the North Wind*." *For the Childlike: George MacDonald's Fantasies for Children*. Ed. Roderick McGillis. Metuchen: Scarecrow P, 1992.

Nikolajeva, Maria. "Voice, Gender and Alterity in George MacDonald's Fairy Tales." *A Novel Unrest: Contemporary Essays on the Work of George MacDonald*. Ed. Jean Webb. Newcastle: Cambridge Scholars P, 2007.

Prickett, Stephen. *Victorian Fantasy*. Waco: Baylor UP, 2005.

______. "The Two Worlds of George MacDonald." *For the Childlike: George MacDonald's Fantasies for Children*. Ed. Roderick McGillis. Metuchen: Scarecrow P, 1992.

Shaberman, R. B. "Lewis Carroll and George MacDonald." *Jabberwocky: The Journal of the Lewis Carroll Society* 5.3 (1976): 67-88.

Sigman, Joseph. "The Diamond in the Ashes, A Jungian Reading of the 'Princess' books." *For the Childlike: George MacDonald's Fantasies for Children*. Ed.

Roderick McGillis. Metuchen: Scarecrow P, 1992.
Webb, Jean. "Realism, Fantasy and a Critique of Nineteenth Century Society in George MacDonald's *At the Back of the North Wind.*" *A Nobel Unrest.* Ed. Jean Webb. Newcastle: Cambridge Scholars P, 2007.
Zipes, Jack. *Fairy Tales and the Art of Subversion.* 2nd ed. New York & Oxon: Routledge, 2006.

3장 ㅣ 오스카 와일드: 사회적 미학-예술에 나타난 미학적 · 사회적 관심

『행복한 왕자와 이야기들』에 나타난 삶의 비평

최애리. 「동화 속에 남긴 영혼의 발자국」. 『오스카 와일드, 아홉 가지 이야기』. 서울: 열린책들, 2005.
Ellmann, Richard. *Oscar Wilde.* New York: Vintage Books, 1988.
Jones, Justin T. *Unmaking Progress: Individual and Social Teleology in Victorian Children's Fiction.* Diss. University of North Texas, 2011.
Kileen, Jarlath. *The Fairy Tales of Oscar Wilde.* Aldershot: Ashgate Publishing Company, 2007.
Wilde, Oscar. "The Soul of Man Under Socialism." *Collected Works of Oscar Wilde.* Ware: Wordworth Editions Limited, 2007.
______. *Complete Fairy Tales of Oscar Wilde.* Ed. Jack Zipes. New York: Signet Classic, 1990.
Wood, Naomi. *The Letters of Oscar Wilde.* Ed. Rupert Hart-Davis. London: Hart-Davis, 1962.
Zipes, Jack. *Fairy Tales and the Art of Subversion.* 2nd ed. New York & Oxon: Routledge, 2006.
______. "Oscar wilde's Tales of Illumination." *When Dreams Came True: Classical Fairy Tales and Their Tradition.* New York: Routledge, 1999.
http://"Jone."www.holybible.or.kr. Web. 1 June 2019.
https://"enclousre."wikipedia.org. Web. 24 May 2019.

와일드, 오스카. 『오스카 와일드, 아홉 가지 이야기』. 1888. 최애리 옮김. 서울: 열린 책들, 2005.

최애리. 「동화 속에 남긴 영혼의 발자국」. 『오스카 와일드, 아홉 가지 이야기』. 서울: 열린책들, 2005.

Ellmann, Richard. *Oscar Wilde*. New York: Alfred A. Knopf, 1988.

Goldfarb, Russell M. "Late Victorian Decadence." *Journal of Aesthetics and Art Criticism* 20 (1962): 369-73.

Holland, Merlin. "From Madonna Lily to Green Carnation." *The Wilde Years: Oscar Wilde & The Art of His Time*. Eds. Lionel Lambourne and Tokomo Sato. London: Barbican Art Galleries and Philip Wilson, 2000.

Humaish, Ali Humaish. "Integration of Art and Morality in Oscar Wilde's the Happy Prince." *English Language, Literature & Culture* 21 (2017): 5-11.

Quintus, John Allen. "The Moral Implications of Oscar Wilde's Aestheticism." *Texas Studies in Literature and Language* 22.4 (1980): 559-74.

Raby, Peter. *Oscar Wilde*. Cambridge: Cambridge UP, 1988.

Waldrep, Shelton. "The Aesthetic Realism of Oscar Wilde's Dorian Gray." *Studies in the Literary Imagination* 29.1 (1996): 103-13.

Wilde, Oscar. *Complete Fairy Tales of Oscar Wilde*. Ed. Jack Zipes. New York: Signet, 1990.

______. "The Soul of Man Under Socialism." *Collected Works of Oscar Wilde*. Ware: Wordworth, 2007.

Wood, Naomi. "Creating the Sensual Child: Patron Aesthetics, Pederasty, and Oscar Wilde's Fairy Tales." *Marvels and Tales* 16.2 (2002): 156-70.

Zipes, Jack. *Fairy Tales and the Art of Subversion*. 2nd ed. New York & Oxon: Routledge, 2006.

______. "Oscar Wilde's Tales of Illumination." *When Dreams Came True: Classical Fairy Tales and Their Tradition*. New York: Routledge, 1999.

Briggs, Julia. *A Woman of Passion: the Life of E. Nesbit, 1858-1924.* New York: New Amsterdam Books, 1987.

Rowe, Karen E. "To spin a yarn: the female voice in Folktale and Fairy tale." *The Classic Fairy Tales.* Ed. Maria Tatar. New York: Norton, 1999.

4장 | 프란시스 호지슨 버넷: 삶을 치유하는 상상력

『소공녀』에 나타난 세라의 성장

Aarne, Antti and Stith Thompson. *The Types of Folktales: A Classification and Bibliography.* Indiana University, 2nd revision. Helsinki: Academia Scientiarum Fennica, 1973.

Bixler, Phyllis. *Frances Hodgson Burnett.* Twayne's English Authors. Boston: G. K. Hall, 1984.

______. "Gardens, Houses, and Nurturant Power in *The Secret Garden.*" *Romanticism and Children's Literature in 19th Century in England.* Ed. James Holt McGavran, Jr. Athens: U of Georgia P, 1991.

Burnet, Frances Hodgson. *A Little Princess.* 1905. New York: Penguin Books, 2002.

Druley, Deborah. "The Changing Mothering Roles in *Little Lord Fauntleroy, A Little Princess, and the Secret Garden.*" *In the Garden: Essays in honor of Frances Hodgson Burnett.* Ed. Angelica Shirley Carpenter. Md.: Scarecrow Press, 2006.

Gruner, Elizabeth Rose. "Cinderella, Marie Antoinette, and Sara: Roles and Role Models in *A Little Princess.*" *The Lion and the Unicorn* 22.2 (1998): 163-87.

Keyser, Elizabeth Lennox. "'The Whole of the Story': Frances Hodgson Burnett's 'A Little Princess.'" *Triumphs of the Spirit in Children's Literature.* Ed. Francelia. Conn.: Library Professional Publications, 1986.

Knoepflmacher, U. C. "Introduction." *A Little Princess.* Ed. U. C. Knoepflmacher. New York: Penguin Books, 2002.

McGillis, Roderick. *A Little Princess: Gender and Empire*. New York: Twayne Publishers, 1996.
Mitchell, Sally. *The New Girl: Girls' Culture in England, 1880-1915*. New York: Methuen, 1985.
Rowe, Karen. "Feminism and Fairy Tales." *Women's Studies* 6 (1979): 237-57.
Yolen, Jane. "America's Cinderella." *Cinderella: A Casebooook*. Ed. Alan Dundes. New York: Wildman Press, 1983.
Zipes, Jack, ed. *Victorian Fairy Tales: The Revolt of the Fairies and Elves*. New York: Methuen, 1987.

「비밀의 정원」에 나타난 메리의 탐색

Bottigheimer, Ruth B. *Grimm's Bad Girls and Bold Boys: The Moral and Social Vision of the Tales*. New Heaven: Yale UP, 1987.
Burnett, Frances Hodgson. *The Secret Garden*. 1911. New York: Norton, 2006.
Campbell, Joseph. *The Power of Myth*. Ed. Betty Sue Flowers. New York: Anchor, 1991.
Estes, Clarissa Pinkola. *Women Who Run with the Wolves: Myths and Stories of the Wild Woman Archetype*. New York: Ballantine Books, 1995.
Foster, Shirley and Judy Simons. "Frances Hodgson Burnett: *The Secret Garden*." *What Katy Read: Feminist Re-Readings of 'Classic' Stories for Girls*. Iowa: U of Iowa P, 1995. 172-91.
Gunther, Adrian. "*The Secret Garden* revisited." *Children's Literature in Education* 25 (1994): 159-68.
Keyser, Elizabeth Lennox. "Quite Contrary: Frances Hodgson Burnett's *The Secret Garden*." *Children's Literature: an International Journal, The modern language Association Divison of Children's Literature* 11 (1983): 1-13.
Knoeopflmacher, U. C. "Little Girls without Their Curls: Female Aggression in Victorian Children's Literature." *Children's Literature* 11 (1983): 14-31.
Laski, Marghanita. *Mrs. Ewing, Mrs. Molesworth, and Mrs. Hodgson Burnett*. London: Arthur Barker, 1950.

Parsons, Linda T. "'Otherways' into the Garden: Re-Visioning the Feminine in *The Secret Garden.*" *Children's Literature in Education* 33.4 (2002): 247-68.
Paul, Lissa. *Reading Otherways.* Portland: Calendar islands Publishers, 1998.
Phillips, Jerry. "The Mem Sahib, the Worthy, the Rajah and His Minions: Some Reflections on the Class Politics of *The Secret Garden.*" *The Lion and the Unicorn* 17 (1993): 168-94.
Rowe, Karen E. "To Spin a Yarn: the Female Voice in Folktale and Fairy Tale." *The Classic Fairy Tales.* Ed. Maria Tatar. New York: Norton, 1999.
Roxburgh, Stephen D. "'Our First World': Form and Meaning in *The Secret Garden.*" *Children's Literature in Education* 10 (1979): 120-30.
Silver, Anna K. "Domesticating Bronte's Moors: Motherhood in *The Secret Garden.*" *The Lion and the Unicorn* 21.2 (1997): 193-203.
Sleeping Beauty. 〈https://en.wikipedia.org/wiki/Sleeping_Beauty〉.
Thwaite, Ann. *Waiting for the Party: The Life of Frances Hodgson Burnett.* London: Secker & Warburg, 1974. Boston: Nonpariel, 1991.
Warner, Marina. *From the Beast to the Blond: On Fairy Tales and Their Tellers.* United Kingdom: Chatto & Windus, 1994. New York: Farrar, Straus & Ciroux, 1995.

5장 ㅣ 에디스 네스빗: 일상에서 일어나는 마법적 변화

사미어드 삼부작에 나타난 유토피아 사회

Bar-Yosef, Eitan. "E. Nesbit and the Fantasy of Reverse Colonization: How Many Miles to Babylon?" *English Literature in Transition, 1820-1920* 46.1 (2003): 5-28.
Briggs, Julia. *A Woman of Passion: The Life of E. Nesbit, 1858-1924.* New York: New Amsterdam Books, 1987.
Britain, Ian. 1982. *Fabianism and Culture: A Study in British Socialism and the Arts, C. 1884-1918.* Cambridge: Cambridge UP, 1982.
Cadogan, Mary and Patricia Craig. *You're a Brick, Angela! A New Look at Girls' Fiction from 1839 to 1975.* London: Victor Collancz, 1976.

Crouch, Marcus. *The Nesbit Tradition: The Children's Novel in England, 1945-1970.* London: Benn, 1972.

Ellis, Alec. "E. Nesbit: A Victorian in Disguise." *Secret Gardens: A Study of Children's Literature.* Boston: Houghton Mifflin, 1985.

Flegel, Monica. "A Momentary Hunger: Fabianism and Didacticism in E. Nesbit's Writing for Children." *E. Nesbit's Psammead Trilogy: A Children's Classsic at 100.* Oxford: Children's Literature Association and The Scarecrow Press, 2006.

Jones, Raymond E., ed. "Introduction." *E. Nesbit's Psammead Trilogy: A Children's Classsic at 100.* Oxford: Children's Literature Association and The Scarecrow Press, 2006.

Knoeflmacher, U. C. "Of Babylands and Babylons: E. Nesbit and the Reclamation of the Fairy Tale." *Tulsa Studies in Women's Literature* 6.2 (1989): 299-325.

Manlove, Colin N. "Fantasy as Witty Conceit: E. Nesbit." *Mosaic: An Interdisciplinary Critical Journal* 10.2 (1977): 109-30.

Moore, Doris Langley-Levy. *E. Nesbit: A Biography. Rev.* London: Ernest Benn, 1966.

Moss, Anita. "E. Nesbit's Romantic Children in Modern Dress." *Romanticism and Children's Literature in Nineteenth-Century England.* Ed. James Holt McGavran, Jr. Athens: U of Georgia P, 1991.

Nelson, Claudia. "E. Nesbit." *British Children's Writers, 1880-1914.* Ed. Laura M. Zaidman. Dictionary of Literature Biography 141. Detroit: Gale, 1994. 199-216.

Nesbit, Edith. *Five Children and It.* 1902. London: Puffin Books, 2016.

______. *The Phoenix and the Carpet.* 1904. London: Puffin Books, 2017.

______. *The Story of the Amulet.* 1906. London: Puffin Books, 1996.

Rahn, Suzanne. "News from E. Nesbit: *The Story of the Amulet* and the Socialist Utopia." *English Literature in Transition: 1880-1920* 28.2 (1985): 124-44.

Smith, Barbara. "The Expression of Social Values in the Writing of E. Nesbit." *Children's Literature* 3 (1974): 153-63.

Zipes, Jack. *When Dreams Come True: Classical Fairy Tales and Their Tradition.* London: Routledge, 1999.

6장 ㅣ 제임스 배리: 피터 팬 이야기 스토리텔링

『피터와 웬디』에 나타난 여성 스토리텔링

Barber, Elizabeth Wayland. *Women's Work: The First 20,000 Years.* New York London: W. W. Norton & Company, 1995.

Barrie, J. M. *Margaret Ogilvy by Her Son.* London: Hodder and Stoughton, 1896.

______. *Peter Pan: Peter and Wendy and Peter Pan in Kensington Gardens.* New York: Penguin, 2004.

Bottigheimer, Ruth B. *Fairy Tales and Society: Illusion, Allusion and Paradigm.* Philadelphia: U of Pennsylvania P, 1986.

Hallman, R. J. "The Archetypes in Peter Pan." *Journal of Analytical Psychology* 14 (1969): 65-73.

Hearn, Michael Patrick. "Introduction to Barrie J. M." *Peter Pan: The Complete Book.* Montreal and New York: Tundra Books, 1988.

Jack, R. D. S. *The Road to the Never Land: A Reassessment of J. M. Barrie's Dramatic Art.* Aberdeen: Aberdeen UP, 1991.

Kaplan, E. Ann. *Motherhood and Representation: The Mother in Popular Culture and melodrama.* London and New York: Routledge, 1988.

Kissel, S. S. "But When at Last She Really Came, I Shot Her: Peter Pan and the Drama of Gender." *Children's Literature in Education* 19.1 (1988): 32-41.

Meisel, F. L. "The Myth of Peter Pan." *Psychoanalytic Study of the Child* 32 (1977): 545-63.

Rose, Jacqueline. *The Case of Peter Pan, or the Impossibility of Children's Fiction.* 1984. Basingstoke: Macmillan, 1994.

Routh, Chris. "Man for the Sword and for the Needle She: Illustrations of Wendy's Role in J. M. Barrie's Peter and Wendy." *Children's Literature in Education* 32.1 (2001): 57-75.

Rowe, K. E. "To spin a Yarn: The female Voice in Folklore and Fairy Tale." *Fairy Tales and Society: Illusion, Allusion and Paradigm.* Ed. R. B. Bottigheimer. Philadephia: U of Pennsylvania P, 1986.

Schott, Penelope Scambly. "The many mothers of Peter Pan: An Exploration and

Lamentation." *Research Studies* 42.1: 1-10; quoted in *Children's Literature Review* 16 (1974): 24-27.

Smith, Adrian. "Wendy's Story: Analytic Perspectives on J. M. Barrie's Peter and Wendy." *Analytical Psychology* 57.4 (2012): 517-34.

Tennant, Emma. *Tess*. London: Flamingo/HarperCollins, 1994.

Tucker, N. "Peter Pan and Captain Hook: A Study in Oedipal Rivalry." *The Annual of Psychoanalysis* 10 (1982): 355-68.

Warner, Marina. *From the Beast to the Blonde: On Fairy tales and their Tellers*. London: Vintage/ Random House, 1995.

White, Donna R. and C. Antita Tarr eds. *J. M. Barrie's Peter Pan In and Out of Time: A Children's Classic at 100*. Maryland: The Scarecrow Press, 2006.

Yeoman, A. *Now or Neverland: Peter Pan and the Myth of Eternal Youth*. Toronto: Inner City Books, 1998.

Zipes, Jack. "Introduction." *Peter Pan: Peter and Wendy and Peter Pan in Kensington Gardens*. New York: Penguin, 2004.

〈후크〉에 나타난 남성 역할의 문화적 기대: 『피터와 웬디』 스토리텔링

Aaltio-Marjosola, Iiris and Jyri Lehtinen. "Male Managers as Fathers? Contrasting Management, Fatherhood, and Masculinity." *Human Relations* 51.2 (1998): 121-36.

Bahiana, Ana Maria. "Hook." *Steven Spielberg Interviews*. Eds. Leser D. Friedman and Brent Nobohm. Jackson: U of Mississippi P, 2000.

Barrie, J. M. *Peter Pan: Peter and Wendy and Peter Pan in Kensington Gardens*. New York: Penguin, 2004.

Bly, Robert. *Iron John: A Book About Men*. New York: Addison-Wesley, 1990.

Branden, Nathaniel. "Intergrating the Younger Self." *Reclaiming the Inner Child*. Ed. Jeremiah Abrams. Los Angeles: Jeremy P. Tarcher, 1990.

Breskin, David. "*The Rolling Stone* Interview: Steven Spielberg." *Rolling Stone*, 24 October 1985.

Friedman, Lester D. *Citizen Spielberg*. Urbana: U of Illinois P, 2006.

Hook. Dir. Steven Spielberg. Tristar Pictures, 1991. DVD.

Jung, C. G. "The Psychology of the Child Archetype." *Reclaiming the Inner Child*. Ed. Jeremiah Abrams. Los Angeles: Jeremy P. Tarcher, 1990.
Killinger, Barbara. *Workaholics: The Respectable Addicts*. Ed. Richmond Hills. Ont.: Firefly Books, 1997.
McBride, Joseph. *Steven Speilberg: A Biography*. New York: Simon and Schuster, 1997.
Morris, Nigel. *The Cinema of Steven Spielberg: Empire of Light*. London: Wallflower, 2007.
Pace, Patricia. "Robert Bly Does Peter Pan: The Inner Child as Father to the Man in Steven Spielberg's *Hook*." *The Films of Steven Spielberg: Critical Essays*. Ed. Charles L. P. Silet. Lanham. MD: Scarecrow Press, 2002.
Rycroft, Charles. *A Dictionary of Psychoanalysis*. Totowa, NJ: Littlefield, Adams, 1973.
Sheehan, Henry. "Spielberg II." *Film Comment* 28.4 (1992): 66-71.
Wullschlager, Jackie. *Inventing Wonderland: The Lives and Fantasies of Lewis Carroll, Edward Lear, J. M. Barrie, Kenneth Grahame and A. A. Milne*. New York: Free Press, 1995.

3부 동시대: 판타지와 SF — 전통의 수용과 과학적 미래에 대한 사유

김성곤. 「SF: 새로운 리얼리즘과 상상력의 문학」. 『외국문학』 26 (1991): 11-29.
박상준. 『멋진신세계』. 서울: 현대정보문화사, 1992.
Aldiss, Brian. *Billion Year Spree: The History of Science Fiction*. 1973. London: Corgi, 1975.

7장 | 조앤 롤링: 『해리포터』 시리즈의 문학성과 대중성

『해리포터』에 나타난 동화 서사와 주제

김성곤. 「SF: 새로운 리얼리즘과 상상력의 문학」. 『외국문학』 26 (1991): 11-29.

박상준. 「SF문학의 인식과 이해」. 『외국문학』 49 (1996): 12-27.
심경석. 「해리포터 씨리즈: 유혹의 정체와 이데올로기」. 『안과 밖』 20 (2006): 331-52.
최기숙. 「환상적 마법세계에서의 현실성 유희-『해리 포터』를 읽는 즐거움과 혼돈」. 『여성이론』 5 (2001): 253-68.
Acocella, Joan. "Under the Spell." *The New Yorker*, 31 July 2000. 74-78.
Bloom, Harold. "Can 35 Million Book Buyers Be Wrong? Yes." *Wall Street Journal* 11 July (2000): A26.
Colbert, David. *The Magical Worlds of Harry Potter: A Treasury of Myths, Legends and Fascinating Facts*. Toronto: McArthur and Company, 2001.
Hollingdale, Peter. "Ideology and the Children's Book." *Literature for Children: Contemporary Criticism*. Ed. Peter Hunt. New York: Routledge, 1992.
Luthi, Max. *Once upon a Time: On the Nature of Fairy Tales*. Trans. Lee Chadeayne and Paul Gottwald. Bloomington: Indiana UP, 1970.
Ostry, Elaine. "Accepting Mudbloods: The Ambivalent Social Vision of J. K. Rowling's Fairy Tales." *Reading Harry Potter*. Ed. Giselle Liza Anatol. Westport: Greenwood Publishing Group, 2003.
Rolling, J. K. *Harry Potter and the Sorcerer's Stone*. New York: Scholastic, 1997.
______. *Harry Potter and the Chamber of Secrets*. New York: Scholastic, 1998.
______. *Harry Potter and the Prisoner of Azkaban*. New York: Scholastic, 1999.
Schoefer, Christine. "Harry Potter's Girl Trouble." 〈https://www.salon.com/2000/01/13/potter/〉 Web. 10 Oct 2018.
Tatar, Maria. *Enchanted Hunters-the Power of Stories in Childhood*. New York: Norton, 2009.
Walker, Jeanne Murray. "High Fantasy, Rites of Passage, and Cultural Values." *Teaching Children's Literature: Issues, Pedagogy, Resources*. Ed. Glenn Edward Sadler. New York: The Modern Language Association of America, 1992.
Warner, Marina. *From the Beast to the Blonde: On Fairy Tales and Their Tellers*. London: Chatto and Windus, 1994.
Zipes, Jack. *Fairy Tales and the Art of Subversion*. 2nd ed. New York & Oxon: Routledge, 2006.

______. "The Phenomenon of Harry Potter, or Why All the Talk?" *Sticks and Stones: The Troublesome Success of Children's Literature from Slovenly Peter to Harry Potter*. New York: Routledge, 2001.

______. *Breaking the Magic Spell: Radical Theories of Folk and Fairy Tales*. London: Heinemann Educational Books, 1979.

해리포터 영화에 나타난 헤리티지 미학

Altman, Richard. *Film/Genre*. London: BFI, 1999.

Beasley, Garland D. "Harry Potter and the Castle of Otranto: J. K. Rowling, Hogwarts, and the eighteenth-century gothic." *Popular Culture Review* 25.1 (2013): 65-82.

Campbell, Joseph. *The Hero with a Thousand faces*. 2nd ed. Princeton, NJ: Princeton UP, 1968. London: Paladin Grafton, 1988.

Cartmell, Deborah and Imelda Whelehan. "Harry Potter and the fidelity debate." *Books in Motion: Adaptation, Intertextuality, Authorship*. Ed. M. Aragay. Amsterdam: Rodopi, 2005.

Fitzgerald, John. *Studying British Cinema: 1999-2009*. Leighton Buzzard: Auteur, 2010.

Fowkes, Katherine. A. *The Fantasy Film*. Oxford: Wiley-Blackwell, 2010.

Glynn, Stephen, ed. *The British School Film: From Tom Brown to Harry Potter*. London: Palgrave Macmillan, 2016.

Gupta, Suman. *Re-Reading Harry Potter*. Basingstoke: Palgrave Macmillan, 2003.

Harry Potter and the Sorcerer's Stone. Dir. Christopher Columbus. Prod. Warner Bros, 2001. DVD.

Harry Potter and the Chamber of Secrets. Dir. Christopher Columbus. Prod. Warner Bros, 2002. DVD.

Harry Potter and the Order of the Phoenix. Dir. David Yates. Pro, Warner Bros, 2007. DVD.

Harry Potter and the Half-Blood Prince. Dir. David Yates. Prod. Warner Bros, 2009. DVD.

Harry Potter and the Deathly Hallows: Part 2. Dir. David Yates. Prod. Warner Bros, 2011. DVD.

Higson, Andrew. *English Heritage, English Cinema: Costume Drama since 1980.* Oxford: Oxford UP, 2003.

______. "Re-presenting the national past: nostalgia and pastiche in the heritage film." *Fires Were Started: British Cinema and Thatcherism.* 2nd ed. Ed. L. D. Friedman. London: Wallflower Press, 2006. 91-109.

______. *Film England: Culturally English Filmmaking Since the 1990s.* London: I. B. Tauris, 2011.

Holden, Anthony. "Why Harry Potter doesn't cast a spell over me." *The Observer*, 25 June 2000. ⟨https://www.theguardian.com/books/2000/jun/25/booksforchildrenandteenagers.guardianchildrensfictionprize2000⟩.

Leggott, J. *Contemporary British Cinema: From Heritage to Horror.* London: Wallflower Press, 2008.

Natov, Roni. "Harry Potter and the extraordinariness of being ordinary." *The Ivory Tower and Harry Potter.* Ed. L. E. Whited. Columbia. MO: U of Missouri P, 2002. 125-39.

Nel, Philip. "Lost in translation? Harry Potter, from Page to Screen." *Critical Perspectives on Harry Potter.* 2nd ed. Ed. Elizabeth E. Heilman. Abingdon: Routledge, 2009. 275-90.

Roberts, Andrew. "Back to school." *Sight and Sound* 17.8 (2007): 46-49.

Rowling J. K. *Harry Potter and the Philosopher's Stone.* London: Bloomsbury Publishing, 1997. Published in the United States as *Harry Potter and the Sorcerer's Stone.* New York: Scholastic, 1998.

______. *Harry Potter and the Chamber of Secrets.* London: Bloomsbury Publishing, 1998; New York: Scholastic, 1999.

Vidal, B. *Heritage Film: Nation, Genre and Representation.* London: Wallflower, 2012.

Voigts-Virchow, Eckart. ""Corset Wars": An Introduction to Syncretic Heritage Film Culture from the Mid-1990s." *Janespotting and Beyond: British Heritage Retrovisions Since the Mid-1990s.* Ed. Eckart Voights-Virchow. Tubingen: Narr, 2004. 9-31.

Walters, James. *Fantasy Film: A Critical Introduction.* Oxford: Berg, 2011.

Zipes, Jack. "The Phenomenon of Harry Potter, or Why All the Talk." *Sticks and Stones: The Troublesome Success of Children's Literature from Slovenly Peter to Harry Potter.* New York: Routledge, 2001. 170-93.

8장 ㅣ 브라이언 올디스: 이성 지향적인 삶에 대한 경각심

『프랑켄슈타인의 해방』: 통합의 문학으로서 SF

Aldiss, Brian. *And the Lurid Glare of the Comet.* Seattle, Wash: Serconia, 1986.

______. *Billion Year Spree: The History of Science Fiction.* 1973. London: Corgi, 1975.

______. *Frankenstein Unbound.* 1973. New York: Random House, 1973.

______. "Magic and Bare Board." *Hell's Cartographers: Some Personal Histories of Science Fiction Writers.* Eds. Brian Aldiss and Harry Harrison. 1975. London: Futura, 1976.

______. "Mary Wollstonecraft Shelley." *Science Fiction Writers.* Ed. E. F. Bleiler. New York: Scribner's, 1982. Rpt. as "Science Fiction's Mother Figure." *The Pale Shadow of Science.* Seattle, Wash: Serconia, 1985.

______. "A Monster for All Seasons." *Science Fiction Dialogues.* Ed. Gary Wolfe. Chicago: Academy Chicago, 1982.

______. *Science Fiction as Science Fiction.* U. K.: Bran's Head, 1978.

______. *The Shape of Further Things: Speculation on Change.* 1970. London: Corgi, 1974.

Aldiss, Brian with David Wingrove. *Trillion Year Spree: The History of Science Fiction.* London: Gollancz, 1986.

Aldridge, Alexandra. *The Scientific World View in Dystopia.* Ann Arbor, Michigan: UMI Research Press, 1984.

Griffin, Brian and David Wingrove. *Apertures: A Study of the Writings of Brian W. Aldiss.* Westport, Conn. and London: Greenwood, 1984.

Levin, George and U.C. Knoepflmacher, eds. *The Endurance of Frankenstein essays on Mary Shelley's Novel.* Berkeley: U of California, 1979.

Martin, Sara. "In Mary Shelley's Loving Arms: Brian Aldiss's Frankenstein Unbound and Its Film Adaptation by Roger Corman." *Foundation* 89 (Autumn 2003): 76-92.

McLeod, Patrick G. "Frankenstein: Unbound and Otherwise." *Extrapolation* 21 (1980): 158-66.

McNelly, Willis E. "*Frankenstein Unbound*." *Survey of Science Fiction Literature* 5 Vols. Ed. Frank N. Magill. Englewood Cliffs, NJ: Salem, 1979. 840-44.

Mathews, Richard. *Aldiss Unbound: The Science Fiction of Brian W. Aldiss*. San Bernardino: Borgo, 1977.

Scholes, Robert & Eric S. Rabkin, eds. *Science Fiction: History, Science, Vision*. New York: Oxford UP, 1977.

〈A.I.〉와 『슈퍼토이의 여름과 단편들』에 나타난 디스토피아 세계

A.I.Artificial Intelligence. Dir. Steven Speilberg. Prod. Warner Brothers and Dream Works, 2001. DVD.

"*A.I.Artificial Intelligence*." wikipedia.org. Web.

Aldiss, Brian. *Supertoys Last All Summer Long and Other Stories of Future Time*. 1969. New York: St. Martin's P, 2001.

"Astro Boy." wikipedia.org. Web.

Chira, Rodica-Gabriela. "About SF and Fantasy through Artificial Intelligence." *Caietele Echinox* 26 (2014): 1-15. Web.

Denby, David. "Face/Off." *The New Yorker* 2 July (2001): 86-87.

Lykke, Nina. "Between Monsters, Goddesses and Cyborgs: Feminist Confrontations with Science." *The Gendered Cyborg: A Reader*. Eds. Gill Kirkup, Linda Janes and Kath Woodward, London and New York: Routledge, 2010.

Moravec, Hans. "The Universal Robot." 〈www.frc.ri.cmu.edu〉. Robotics Institute, Carnegie Mellon University. 1991. Web.

______. Mind Children. *The Future of Robot and Human Intelligence*. Cambridge: Cambridge UP, 1988.

Morrissey, Thomas. "Growing Nowhere: Pinocchio Subverted in Spielberg's *A.I.Artificial Intelligence*." *Extrapolation* 45.3 (2004): 249-62.

Pechtelidis, Yannis. "Childhood, Subjectivity and Power in Science Fiction." ⟨academia.edu⟩. Department of Early Childhood Education, University of Thessaly, 2009.

Sarris, Andrew. "A.I.=(2001 + E.T.)2." *New York Observer* 4 July (2001): 1.

Schwarzbaum, Lisa. "Sci-Fi Channel." *Entertainment Weekly* 6 July (2001): 109-10.

Street, Douglas. *Children's Novels and the Movies.* New York: Frederick Ungar, 1973.

Thomas, Morrissey. "Growing Nowhere: Pinocchio Subverted in Spielberg's *A.I.Artificial Intelligence.*" *Extrapolation* Fall (2004): 249-62.

Tibbetts, John C. "Robots Redux: A.I.Artificial Intelligence (2001)." *Literature/Film Quarterly* 29.4 (2001): 256-61.

Wajcman, Judy. *TechnoFeminism.* Cambridge: Polity P, 2004.

Wood, Gaby. *Edison's Eve: A Magical History of the Quest for Mechanical Life.* London: Faber, 2002.

Zipes, Jack. *When Dreams Came True: Classical Fairy Tales and Their Tradition.* New York: Routledge, 1999.

결론 영국 어린이 환상문학의 문학적 가치와 교육적 활용

Warner, Marina. *From the Beast to the Blonde: On Fairy Tales and Their Tellers.* London: Chatto and Windus, 1994.

Zipes, Jack. *Breaking the Magic Spell: Radical Theories of Folk and Fairy Tales.* London: Heinemann Educational Books, 1979.

지은이 **양윤정**

건국대학교 글로컬캠퍼스 교수로 재직 중이다. 숙명여자대학교 영문학과에서 「루이스 캐롤의 『앨리스』 연구」로 문학박사 학위를 받았다. 주요 저서와 논문으로 『황금빛 오후의 만남―루이스 캐럴의 판타지 동화 앨리스의 세계』(열음사 2006), 「『호밀밭의 파수꾼』: 주인공의 정체성 탐색 여행」, 「팀 버튼의 〈이상한 나라의 앨리스〉를 활용한 각색수업」 등이 있다. 영미 아동문학, 영미 소설, 이를 활용한 수업 및 스토리텔링을 연구하고 있다.

영국 어린이 환상문학

앨리스에서 데이빗까지

초판 1쇄 발행일 2021년 11월 20일

양윤정 지음

발 행 인 이성모
발 행 처 도서출판 동인 / 서울특별시 종로구 혜화로3길 5, 118호
등록번호 제1-1599호
대표전화 (02) 765-7145 / FAX (02) 765-7165
홈페이지 www.donginbook.co.kr
이 메 일 dongin60@chol.com
I S B N 978-89-5506-848-1 (93840)
정　　가 38,000원